Laat de ware binnenkomen

John Ajvide Lindqvist

Laat de ware binnenkomen

Vertaald door Edith Sybesma

2007
uitgeverij Signature / Utrecht

06. 04. 2007

Europese thrillers van wereldniveau

Speur nu ook op internet
www.uitgeverijsignature.nl

Wilt u op de hoogte worden gehouden van de literaire thrillers en romans van uitgeverij Signature? Meldt u zich dan aan voor de literaire nieuwsbrief via onze website www.uitgeverijsignature.nl.

Voor de vertaling van de citaten uit *Romeo en Julia* van Shakespeare is gebruikgemaakt van de vertaling van Gerrit Komrij. International Theatre Shop, Haagse Comedie, Amsterdam 1984. De citaten uit *De goddelijke komedie* van Dante zijn afkomstig uit de vertaling van Ike Ciaolona en Peter Verstegen. Querido, Amsterdam 2001 en 2002. Het citaat op p. 95 is overgenomen uit Hjalmar Söderberg, *De jeugd van Martin Birck*. Vertaald door R. Tweehuysen. Meulenhoff, Amsterdam 1983.

© 2004 by John Ajvide Lindqvist
Oorspronkelijke titel: Låt den rätte komma in
© Nederlandse vertaling: Edith Sybesma
© 2007 uitgeverij Signature, Utrecht
Alle rechten voorbehouden.

Omslagontwerp: Wil Immink
Typografie: Pre Press B.V., Zeist
Druk- en bindwerk: Koninklijke Wöhrmann, Zutphen

ISBN 978 90 5672 199 2
NUR 305

Voor Mia, mijn Mia

DE PLAATS

Blackeberg.

Daarbij denk je misschien aan negerzoenen of aan drugs. Een fatsoenlijk leven. Je denkt: metrostation, buitenwijk. Verder denk je niet zoveel. Er zullen wel mensen wonen, net als op andere plaatsen. Daar is het ook voor gebouwd; om de mensen van woonruimte te voorzien.

Geen organisch gegroeide plaats, nee. Hier was alles meteen al in eenheden ingedeeld. De mensen kwamen wonen in iets wat er al was. Betonnen flatgebouwen in aardetinten, neergesmeten in het groen.

In de tijd dat deze geschiedenis zich afspeelt, bestaat Blackeberg als plaats dertig jaar. Je zou je pioniersgeest kunnen voorstellen. *Mayflower*, een onbekend land. Ja. De onbewoonde huizen die op hun mensen staan te wachten.

En daar komen ze!

Ze trekken de Tranebergbrug over in de zon, met een visioen in hun ogen. Het is 1952. Moeders dragen hun kleintjes op de arm, duwen ze in de kinderwagen voort of houden ze bij de hand. Vaders dragen geen hakken en spaden, maar keukenmachines en functionele meubels. Vermoedelijk zingen ze iets. De *Internationale*, misschien. Of *Voorwaarts christen-strijders*, afhankelijk van hun overtuiging.

Het is groot. Het is nieuw. Het is modérn.

Maar zo ging het niet.

Ze kwamen met de metro. Of met auto's, verhuiswagens. Een voor een. Ze druppelden de gereedstaande appartementen binnen en hadden spullen bij zich. Ze sorteerden die spullen in daarvoor op maat gemaakte vakken en kasten, zetten hun meubels geordend op het linoleum neer. Kochten nieuwe dingen om de gaten mee op te vullen.

Toen het klaar was, sloegen ze hun ogen op en keken naar dit land dat hun was gegeven. Ze gingen hun deuren uit en stelden vast dat het land al was ontgonnen. Ze hoefden zich maar te voegen in wat er was.

Er was een centrum. Er waren royale speelplaatsen voor de kinderen. Er waren uitgestrekte groenvoorzieningen om de hoek. Er waren veel autovrije voetgangerszones.

Een mooi plekje. Dat zeiden ze een maand na de verhuizing aan de keukentafel tegen elkaar: "We hebben hier een mooi plekje."

Er ontbrak maar één ding. Een geschiedenis. Op school konden de kinderen geen speciaal project doen over het verleden van Blackeberg, aangezien het geen verleden had. Of ja, er was iets met een molen. En een tabakskoning. Vreemde, oude gebouwen onder bij het water. Maar dat was lang geleden en hield geen verband met het heden.

Waar de flats van drie verdiepingen nu staan, was vroeger alleen bos.

Ze waren er buiten het bereik van de mysteriën van het verleden; ze hadden niet eens een kerk. Een plaats met tienduizend inwoners, zonder kerk.

Dat zegt wel iets over de moderniteit en de rationaliteit van die plaats. Het zegt wat over hoe vrij de mensen waren van de verschrikkingen en de angst uit de geschiedenis.

Het verklaart gedeeltelijk hoe onvoorbereid men was.

Niemand zag hen komen.

Toen de politie in december eindelijk de verhuizer opspoorde die hen had gereden, had hij niet veel te vertellen. In zijn register van 1981 stond alleen: "18 okt: Norrköping-Blackeberg(Sthlm)." Hij wist nog dat het een man was met zijn dochter, een leuk meisje.

"En, o ja, trouwens. Ze hadden bijna geen spullen. Een bank, een stoel, een bed. Een licht vrachtje, op die manier. En … ze wilden 's nachts overgaan. Ik zei dat het duurder werd met overurentoeslag en dergelijke. Maar dat was geen probleem. Als we maar 's nachts reden. Dat was het belangrijkste. Is er iets gebeurd?"

Ze vertelden de verhuizer waar het om ging, wie hij in zijn wagen had gehad. Hij sperde zijn ogen open, keek naar de letters in zijn register.

"Potverdorie …"

Zijn mond maakte een grimas, alsof hij een afschuw had gekregen van zijn eigen handschrift.

18 okt: Norrköping-Blackeberg (Sthlm)

Hij had hen verhuisd. De man en het meisje.

Hij zou het aan niemand vertellen. Nooit.

DEEL EEN

Gelukkig wie zo'n vriend heeft

Tobben over de liefde
maakt het er niet beter op,
jongens!

Siw Malmkvist – *Tobben over de liefde*

I never wanted to kill, I am not naturally evil
Such things I do
just to make myself more attractive to you
Have I failed?

Morrissey – *The Last of the Famous International Playboys*

WOENSDAG 21 OKTOBER 1981

"Hebben jullie enig idee wat dit is?"

Gunnar Holmberg, inspecteur van politie in Vällingby, hield een plastic zakje omhoog waar wit poeder in zat.

Misschien heroïne, maar niemand durfde iets te zeggen. Ze wilden er niet van verdacht worden dat ze verstand hadden van zoiets. Al helemaal niet als je broer of de vriend van je broer zich daarmee bezighield. Heroïne gebruikte. Zelfs de meisjes hielden zich stil. De politieman schudde met het zakje.

"Is het bakpoeder, denken jullie? Meel?"

Een ontkennend gemompel. De politieman moest niet denken dat klas 6b uit idioten bestond. Het was weliswaar onmogelijk om vast te stellen wat er in het zakje zat, maar de les ging over drugs, dus je kon je conclusies trekken. De politieman vroeg aan de juf: "Wat leert u de kinderen eigenlijk bij verzorging?"

De juf lachte en haalde haar schouders op. De klas lachte; de politieman was oké. Een paar jongens hadden zelfs zijn pistool even mogen vasthouden voordat de les begon. Het was weliswaar niet geladen, maar toch.

Het kookte in Oskars borst. Hij wist het antwoord op de vraag. Het deed hem pijn om niets te zeggen terwijl hij het wíst. Hij wilde dat de politieman naar hem keek. Naar hem keek en iets tegen hem zei als hij het goede antwoord gaf. Het was stom, dat wist hij, maar toch stak hij zijn hand op.

"Ja?"

"Het is zeker heroïne?"

"Dat klopt." De politieman keek hem vriendelijk aan. "Hoe heb je dat geraden?"

Hoofden draaiden zijn kant op, benieuwd wat hij zou zeggen.

"Nou ja ... ik lees veel en zo."

De politieman knikte.

"Dat is mooi. Lezen." Hij schudde met het zakje. "Daar heb je niet veel tijd meer voor over als je hieraan begint. Wat denken jullie dat dit waard is?"

Oskar hoefde niets meer te zeggen. Hij had zijn blik gekregen en was aangesproken. Hij had zelfs tegen de politieman kunnen zeggen dat hij veel las. Dat was meer dan hij had gehoopt.

Hij droomde weg. Over hoe de politieman na de les naar hem toe kwam, interesse voor hem toonde en bij hem kwam zitten. Dan zou hij alles vertellen. En de politieman zou het begrijpen. Zou hem over zijn bol aaien en zeggen dat hij een beste jongen was; zou hem optillen, hem in zijn armen houden en zeggen ...

"Vuile verraaier."

Jonny Forsberg prikte met een harde vinger in zijn zij. Jonny's broer was een junk en Jonny kende een heleboel woorden die de andere jongens in de klas snel oppakten. Jonny wist vermoedelijk exáct hoeveel dat zakje waard was, maar hij klikte niet. Praatte niet met de politie.

Het was pauze, en Oskar bleef bij de kapstokken rondhangen, besluiteloos. Jonny wilde hem pijn doen; hoe kon hij het best ontkomen? Door in de gang te blijven of door naar buiten te gaan? Jonny en de anderen uit de klas stroomden door de deuren het schoolplein op.

Juist ja; de politieman zou met zijn auto op het schoolplein staan en wie het leuk vond, mocht komen kijken. Jonny zou hem niets durven doen zolang de politieman er was.

Oskar ging bij de deur staan en keek door de ruit naar buiten. De hele klas stond inderdaad om de auto van de politieman heen. Oskar had er ook wel bij willen zijn, maar dat was geen goed idee. Iemand zou hem een knietje geven, een ander zou zijn onderbroek omhoogtrekken in zijn bilspleet, politie of geen politie.

Maar hij kreeg in elk geval wat uitstel in deze pauze. Hij liep het schoolplein op en sloop achterom naar de wc's.

In de wc luisterde hij, hij kuchte. Het geluid weergalmde tussen de hokjes. Snel trok hij de Pisbol uit zijn onderbroek. Een stuk schuimrubber ter grootte van een mandarijn, dat hij uit een oude matras had geknipt, met een gat erin voor zijn piemel. Hij rook eraan.

Jawel, hij had een beetje in zijn broek geplast. Hij spoelde de bol af onder de kraan, kneep er zo veel mogelijk water uit.

Incontinentie. Zo heette dat. Hij had erover gelezen in een brochure die hij stiekem uit de apotheek had meegenomen. Vooral oude vrouwen hadden er last van.

En ik.

Er waren hulpmiddelen te koop, stond in de brochure, maar hij was niet van plan zijn zakgeld te gebruiken om zich in de apotheek te gaan staan schamen. En al helemaal niet om het aan zijn moeder te vertellen; ze zou het zo erg voor hem vinden dat hij er ziek van werd.

Hij had de Pisbol en dat werkte goed zolang het niet erger werd.

Voetstappen buiten, stemmen. Met de bol stevig in zijn hand glipte hij een hokje binnen en op het moment dat de buitendeur openging, deed hij zijn deur op slot. Hij klom geruisloos op de bril, dook in elkaar zodat zijn voeten niet te zien waren als iemand onder de deur door keek. Hij probeerde zijn adem in te houden.

"Vaaaaarkentje?"

Jonny natuurlijk.

"Varkentje, zit je hier?"

En Micke. De twee ergsten. Nee, Tomas was nog erger, maar die deed bijna nooit mee aan dingen die met klappen en schrammen te maken hadden. Daar was hij te slim voor. Hij stond nu vermoedelijk te slijmen met de politieman. Als ze de Pisbol ontdekten, zou Tomas hem daar nog heel lang mee kwetsen en vernederen. Jonny en Micke zouden hem alleen afranselen en dan was het klaar. Dus in zekere zin had hij geluk …

"Varkentje? We wéten dat je hier bent."

Ze voelden aan de deur. Rammelden eraan. Bonkten erop. Oskar sloeg zijn armen om zijn knieën en klemde zijn kiezen op elkaar om niet te schreeuwen.

Ga weg! Laat me met rust! Waarom kunnen jullie me niet met rust laten?

Nu praatte Jonny met zachte stem.

"Klein Varkentje, als je er nu niet uit komt, moeten we je na schooltijd pakken. Wil je dat?"

Het werd even stil. Oskar ademde voorzichtig uit.

Ze vielen met schoppen en slagen aan op de deur. Het dreunde door de toiletruimte en de haak op de deur boog naar binnen door. Hij zou de deur open moeten doen, naar hen toe gaan voordat ze te boos werden, maar hij kon het gewoon niet.

"Vaaarkentje?"

Hij had zijn hand opgestoken, beweerd dat hij bestond, dat hij iets wist. Dat was verboden. Voor hem. Ze bedachten een heleboel redenen waarom hij gepest moest worden; hij was te dik, te lelijk, te vies. Maar het eigenlijke probleem was gewoon dat hij bestond, en elke herinnering aan zijn bestaan was een misdaad.

Vermoedelijk zouden ze hem alleen maar 'dopen'. Zijn hoofd in de toiletpot duwen en doorspoelen. Ongeacht wat ze bedachten, was het altijd een enorme opluchting als het voorbij was. Dus waarom kon hij niet gewoon de haak omhoogdoen die er toch elk moment af kon springen en hun hun zin geven?

Hij staarde naar de haak die krakend uit zijn oog werd gebogen, naar de deur die openvloog en tegen de wand van het hokje knalde, naar het triomfantelijk lachende gezicht van Micke Siskov, en hij wist het antwoord.

Omdat het spelletje zo niet was.

Hij had de haak er niet af gedaan, zij waren niet in drie seconden over de muur van het hokje geklommen, omdat de spelregels zo niet waren.

Zij hadden hun jagersroes, hij had de angst van de prooi. Als ze hem eenmaal hadden gevangen, hadden ze het leukste gehad, en de bestraffing op zich was vooral een plicht die vervuld moest worden. Als hij het te snel opgaf, bestond het risico dat ze hun energie in de straf zouden steken in plaats van in de jacht. Dat was erger.

Jonny Forsberg stak zijn hoofd naar binnen.

"Je moet het deksel omhoogdoen als je moet schijten, hoor. Gil nu maar eens als een varken."

Oskar gilde als een varken. Dat hoorde erbij. Als hij gilde als een varken, lieten ze de straf soms achterwege. Hij deed extra zijn best, bang dat ze hem anders tijdens de bestraffing zouden dwingen te laten zien wat hij in zijn hand hield en zijn vieze geheim zouden ontdekken.

Hij trok zijn neus op tot een varkenstronie en knorde en gilde, knorde en gilde. Jonny en Micke lachten.

"Potverdorie, Varkentje. Ga door."

Oskar ging door. Hij kneep zijn ogen dicht en ging door. Hij balde zijn vuisten zo stijf dat zijn nagels in zijn handpalmen drongen en ging door. Hij knorde en gilde totdat hij een rare smaak in zijn mond kreeg. Toen stopte hij. Hij deed zijn ogen open.

Ze waren weg.

Hij bleef ineengedoken op het wc-deksel zitten en staarde naar de vloer. Een rode vlek op de tegels onder hem. Terwijl hij keek, viel er nog een druppel bloed uit zijn neus op de vloer. Hij trok een stukje wc-papier van de rol en hield dat tegen zijn neus.

Dit gebeurde soms als hij bang was. Dan kreeg hij zomaar een bloedneus. Het was hem een paar keer goed van pas gekomen toen ze hem wilden gaan slaan, maar het niet deden omdat hij al bloedde.

Oskar Eriksson zat in elkaar gedoken met een prop papier in zijn ene hand en de Pisbol in de andere. Hij bloedde, plaste in zijn broek, praatte te veel. Hij lekte uit al zijn gaten. Straks poepte hij ook nog in zijn broek. Het Varkentje.

Hij stond op, ging de wc uit. Deed niets aan de bloedvlek op de vloer. Laat iemand het maar zien, laat iemand het zich maar afvragen. Denken dat hier iemand was vermoord, want er wás hier ook iemand vermoord. Voor de honderdste keer.

Håkan Bengtsson, een kalende man van vijfenveertig met een beginnend buikje en een bij de autoriteiten onbekende woon- en verblijfplaats, keek uit het raam van de metro en bestudeerde zijn nieuwe leefomgeving.

Het was wat lelijk, eigenlijk. Norrköping was mooier. Toch zagen deze westelijke voorsteden er heel anders uit dan de voorsteden van Stockholm die hij op tv had gezien: Kista, Rinkeby en Hallonbergen. Dit was anders.

"VOLGENDE HALTE: RÅCKSTA."

Wat ronder en zachter. Hoewel, hier zag hij een echte wolkenkrabber.

Hij boog zijn nek om tot aan de bovenste verdieping van het Vattenfall-kantorencomplex te kijken. Kon zich zo'n gebouw uit Norrköping niet herinneren. Maar daar was hij immers nooit in het centrum geweest.

Hij moest er toch bij het volgende station uit? Hij keek op de kaart van het metronet die boven de deuren gelijmd was. Ja hoor, het volgende.

"PAS OP VOOR DE DEUREN. DE DEUREN GAAN DICHT."

Er keek toch niemand naar hem?

Nee, er zaten maar een paar mensen in de wagon, allemaal verdiept in hun avondblad. Morgen zou hij erin staan.

Zijn blik viel op een reclameposter voor ondergoed. Een vrouw poseerde uitdagend in een zwarte kanten slip en bh. Het was niet normaal. Overal bloot. Moest dat nou? Wat deed dat eigenlijk met de hoofden van de mensen, met de liefde?

Zijn handen trilden en hij liet ze op zijn knieën rusten. Hij was zo vreselijk zenuwachtig.

"Kan het echt niet anders?"

"Denk je dat ik je dit zou laten doen als het anders kon?"

"Nee, maar …"

"Het kan niet anders."

Het kon niet anders. Hij moest het gewoon doen. En het niet verknoeien. Hij had op de kaart in het telefoonboek gekeken en een bospartij uitgezocht die vermoedelijk geschikt was, had vervolgens zijn tas ingepakt en was op weg gegaan.

Hij had het Adidasmerkje eraf gesneden met het mes dat nu in de tas tussen zijn voeten zat. Dat was een van de dingen die in Norrköping fout waren gegaan. Iemand had het merk van de tas nog geweten en toen had de politie die gevonden in de container waar hij hem in had gegooid *niet ver van hun appartement.*

Vandaag zou hij de tas weer mee naar huis nemen. Misschien in stukjes knippen en door het toilet spoelen. Deed je dat zo?

Hoe moest het eigenlijk?

"ALLE PASSAGIERS UITSTAPPEN."

De metro spuwde zijn last uit en Håkan liep erachteraan met de tas in zijn hand. Die voelde zwaar aan, hoewel van de inhoud alleen de gasfles iets woog. Hij deed zijn best om gewoon te lopen, niet als iemand die op weg was naar zijn eigen executie. Hij mocht niet opvallen.

Maar zijn benen waren loodzwaar, wilden zich in het perron vastgieten. Als hij daar nu eens gewoon bleef staan? Als hij nu eens doodstil bleef staan, geen vin verroerde en gewoon bleef staan. Wachten totdat het nacht werd, totdat iemand hem in de gaten kreeg, iemand belde ... om hem te komen halen. Hem ergens heen te brengen.

Hij bleef in een normaal tempo doorlopen. Rechterbeen, linkerbeen. Hij mocht het niet laten afweten. Er zouden vreselijke dingen gebeuren als hij dat deed. Het ergst denkbare.

Boven bij de tourniquets keek hij om zich heen. Hij kon zich slecht oriënteren. Welke kant was het bos op? Hij kon het natuurlijk aan niemand vragen. Hij moest gokken. Gewoon doorgaan, het achter de rug zien te krijgen. Rechterbeen, linkerbeen.

Het moest anders kunnen.

Maar hij kon niet verzinnen hoe. Er waren bepaalde voorwaarden, bepaalde *criteria*. Dit was de enige manier om eraan te voldoen.

Hij had het twee keer gedaan en beide keren had hij het verprutst. In Växjö nog het minst erg, maar wel zo dat ze moesten verhuizen. Vandaag zou hij het goed doen, hij zou veel complimentjes krijgen.

Misschien wel liefkozingen.

Twee keer. Hij was al verdoemd. Wat maakte een derde keer nog uit? Helemaal niets. De samenleving zou vermoedelijk dezelfde straf geven: levenslang.

En het morele aspect? Hoeveel keer met de staart, rechter Minos?

De parkweg waarover hij liep maakte verderop een bocht, en daar begon het bos. Het moest het bos zijn dat hij op de kaart had gezien. De gasfles en het mes rammelden tegen elkaar aan. Hij probeerde de tas te dragen zonder ermee te schudden.

Voor hem kwam een kind de weg op. Een meisje van een jaar of acht, van school op weg naar huis met haar schooltas bonkend tegen haar heup.

Nee! Nooit!

Daar hield het op. Zo'n klein kind niet. Dan liever zelf, totdat hij dood neerviel. Het meisje zong iets. Hij ging sneller lopen om dichter bij haar te komen, om het te kunnen horen.

"God, die alles maakte, de lucht en 't zonlicht blij ..."

Zongen kinderen dat nog stééds? Misschien had het meisje een oudere juf. Wat mooi dat het liedje nog steeds bestond. Hij had graag dichterbij willen komen om het beter te horen, ja, zo dichtbij dat hij de geur van haar haar kon ruiken.

Hij ging langzamer lopen. Nu niets verkeerd doen. Het meisje verliet de parkweg en sloeg een pad in dat het bos in leidde. Ze woonde vermoedelijk in een van de flats aan de andere kant. Dat haar ouders haar zo alleen durfden te laten gaan. Zo'n klein meisje.

Hij bleef staan, liet de afstand tussen hem en het meisje groter worden, liet het meisje in het bos verdwijnen.

Doorlopen nu, kleintje. Niet in het bos blijven spelen.

Hij wachtte misschien een minuut, luisterde naar een vink die vlakbij in een boom zat te zingen. Toen liep hij achter het meisje aan.

Oskar liep van school naar huis met een zwaar gevoel in zijn hoofd. Hij voelde zich altijd rot als hij op die manier aan de bestraffing had weten te ontkomen; door een varken te worden, of iets anders. Nog rotter dan wanneer hij was afgestraft. Hij wist dat het zo was, maar toch kon hij zich er niet toe zetten de straf in ontvangst te nemen als het zover was. Dan verlaagde hij zich liever tot wat dan ook. Hij had geen trots.

Robin Hood en Spiderman waren trots. Als Sir John of dr. Octopus hen in het nauw dreef, spuwden ze het gevaar in het gezicht, ook als er geen ontsnappen meer aan was.

Maar wat wist Spiderman er nou van? Hij slaagde er toch altijd in te ontsnappen, ook als het helemaal niet kon. Hij was een stripheld en moest overleven tot de volgende aflevering. Hij had zijn spinnenkrachten, Oskar kon gillen als een varken. Alles om te overleven.

Oskar had troost nodig. Hij had een rotdag gehad en nu moest hij wat compensatie hebben. Op het gevaar af dat hij Jonny en Micke zou tegenkomen liep hij naar het centrum van Blackeberg, naar de Sabis. Hij slofte het zigzaggende voetpad op in plaats van de trap te nemen en kwam tot zichzelf. Hij moest rustig zijn, niet zweten.

Hij was een jaar geleden een keer betrapt op diefstal in de Konsum. De bewaker van de supermarkt wilde zijn moeder bellen, maar ze was op haar werk en Oskar wist het nummer niet, nee, nee. Een week lang had Oskar doodsangsten uitgestaan telkens als de telefoon ging, maar toen was er een brief gekomen, geadresseerd aan zijn moeder.

Idioot. Er stond zelfs *Politiedistrict Stockholm* op de envelop en natuurlijk had Oskar die opengemaakt, over zijn misdaden gelezen, zijn moeders handtekening nagebootst en de brief vervolgens teruggestuurd om te bevestigen dat hij hem had gelezen. Laf misschien, maar niet dom.

En trouwens, laf. Was wat hij nu deed laf? Hij stopte de zakken van zijn gewatteerde jack vol met Dajm, Mars, Coco en Bounty. Ten slotte een zakje autootjes achter zijn broekband; hij ging naar de kassa en rekende een lolly af.

Hij liep met opgeheven hoofd en lichte tred naar huis. Hij was niet het Varkentje dat iedereen kon schoppen, hij was de Meesterdief, die gevaren trotseerde en overleefde. Hij was ze allemaal te slim af.

Eenmaal door de poort naar de binnenplaats van zijn flat gekomen was hij veilig. Geen van zijn vijanden woonde aan de binnenplaats, een onregelmatige cirkel binnen de grotere cirkel van de Ibsengatan. Een dubbele versterking. Hier was hij veilig. Op deze binnenplaats was hem nog nooit iets ergs overkomen. Over het geheel genomen.

Hier was hij opgegroeid en hier had hij vriendjes gehad voordat hij naar school ging. Pas in de vijfde werd hij echt buitengesloten. Aan het eind van dat jaar was hij het pispaaltje en dat werkte ook door naar vriendjes die niet bij hem in de klas zaten. Die belden steeds minder vaak om te vragen of hij kwam spelen.

In die periode was hij ook met zijn plakboek begonnen. Het plakboek waar hij straks thuis lekker aan zou gaan werken.

Hiiiinnn!

Er klonk gebrom en er botste iets tegen zijn voeten. Een donkerrode radiografisch bestuurde auto reed achteruit bij hem weg, keerde en reed met grote snelheid de helling naar zijn portiek op. Achter de prikstruiken rechts van de poort stond Tommy te lachen; hij hield een lange antenne uitgestoken voor zijn buik.

"Dat had je niet gedacht, hè?"

"Die gaat hard."

"Ja. Wil je hem kopen?"

"... Voor hoeveel?"

"Driehonderd."

"Nee. Dat heb ik niet."

Tommy wenkte Oskar met zijn wijsvinger, keerde de auto op de helling en liet hem in razende vaart naar beneden rijden, liet hem slippend voor zijn voeten stoppen, pakte hem op, klopte erop en zei zacht: "Kost negenhonderd in de winkel."

"Ja."

Tommy keek naar de auto, nam Oskar toen van top tot teen op.

"Tweehonderd dan? Hij is gloednieuw, weet je."

"Ja, hij is hartstikke mooi, maar ..."

"Maar?"

"Nee."

Tommy knikte, zette de auto weer neer en reed hem de bosjes in, zodat de grote, pukkelige wielen trilden, liet hem om het kloprek heen rijden en weer de weg op, verder de helling af.

"Mag ik eens?"

Tommy keek Oskar aan alsof hij moest beslissen of Oskar daar al dan niet voor in aanmerking kwam, gaf hem vervolgens de afstandsbediening en wees naar zijn bovenlip.

"Hebben ze je geslagen of zo? Je hebt daar bloed zitten."

Oskar ging met zijn wijsvinger over zijn lip; er bleven een paar bruine stukjes aan hangen.

"Nee, ik ben gewoon ..."

Niet vertellen. Had totaal geen zin. Tommy was drie jaar ouder. Stoer. Hij zou alleen maar zeggen dat hij terug moest slaan en Oskar zou "natuurlijk" zeggen en het enige gevolg zou zijn dat hij weer verder in Tommy's achting was gedaald.

Oskar reed even met de auto en keek vervolgens toe toen Tommy ermee reed. Hij wilde dat hij tweehonderd kronen had, zodat ze een deal hadden kunnen sluiten. Dat ze dat samen hadden kunnen hebben. Hij stopte zijn handen in zijn zakken en voelde de snoep.

"Wil je een Dajm?"

"Nee, die lust ik niet."

"Een Mars dan?"

Tommy keek glimlachend op van de afstandsbediening.

"Heb je allebei?"

"Ja."

"Gejat?"

"... Ja."

"Oké."

Tommy stak zijn hand uit en Oskar legde er een Mars in, die Tommy in de achterzak van zijn spijkerbroek stopte.

"Bedankt. Dag."

"Dag."

Thuisgekomen legde Oskar alle snoep op zijn bed. Hij zou met de Dajm beginnen om zich vervolgens door de duoverpakkingen heen te eten en af te sluiten met een Bounty, zijn favoriet. Daarna de autootjes, die als het ware de mond schoonspoelden.

Hij legde de snoep op een rij op de vloer voor zijn bed, in eetvolgorde. In de koelkast vond hij een halfvolle fles Coca-Cola. Zijn moeder had een stuk folie om de opening gewikkeld. Perfect. Hij vond Coca-Cola lekkerder als er niet zoveel prik meer in zat, vooral bij snoep.

Hij verwijderde de folie en zette de fles op de vloer naast de snoep, ging op zijn buik op bed liggen en bestudeerde zijn boekenplank. Een bijna complete serie *Koude Rillingen*, hier en daar aangevuld met *Thrillers uit Koude Rillingen*.

De basis werd gevormd door twee papieren tassen met boeken

die hij voor tweehonderd kronen had gekocht op een advertentie in *Via via*. Hij was met de metro naar Midsommarkransen gegaan en had de routebeschrijving gevolgd totdat hij het appartement had gevonden. De man die opendeed was dik en bleek en sprak met een ietwat hese stem. Gelukkig had hij Oskar niet binnen gevraagd, hij had de tassen met boeken voor de deur gezet en had de twee briefjes van honderd met een knikje in ontvangst genomen, "veel plezier ermee" gezegd en de deur dichtgedaan.

Toen kreeg Oskar de kriebels. Hij zocht al maanden naar oudere boeken uit die serie in de antiquarische stripwinkeltjes aan de Götgatan. Over de telefoon had de man beweerd dat hij nou net oude nummers had. Het was net of het te gemakkelijk was gegaan.

Zodra Oskar uit zicht was, had hij de tassen neergezet en de inhoud nagekeken. Hij was niet bedrogen. Eenenveertig boeken van nummer 2 tot nummer 46.

Deze boeken waren niet meer te koop. Tweehonderd kronen!

Niet zo raar dat hij een beetje bang was geweest voor die man. Wat hij net had gedaan, was niets minder dan een trol zijn schat ontfutselen!

Toch wonnen ze het niet van zijn plakboek.

Dat haalde hij uit de bergplaats onder de stapel stripboeken. Het was gewoon een groot schetsboek dat hij bij Åhléns in Vällingby had gestolen; hij had het onder zijn arm gestopt en was er gewoon het warenhuis mee uit gelopen – wie zei dat hij laf was? – maar de inhoud ...

Hij maakte de Dajm open, nam een flinke hap, genoot van het pijnlijke knisteren tussen zijn kiezen en sloeg het plakboek open. Het eerste knipsel kwam uit *Hemmets Journal*: het verhaal van een gifmengster uit de Verenigde Staten in de jaren veertig. Het was haar gelukt veertien oudjes met arsenicum te vergiftigen voordat ze werd gevangengenomen, veroordeeld en ter dood gebracht op de elektrische stoel. Ze had, consequent, het verzoek ingediend om met gif ter dood te worden gebracht, maar de staat waarin zij actief was geweest gebruikte de Stoel, en dus werd het de Stoel.

Dat was een van Oskars dromen: te mogen toekijken als

iemand op de elektrische stoel ter dood werd gebracht. Hij had gelezen dat het bloed begon te koken, dat het lichaam zich in onmogelijke bochten wrong. Hij stelde zich ook voor dat het haar in brand vloog, maar daarvan had hij geen schriftelijke bevestiging.

Heel heftig, toch.

Hij bladerde verder. Het volgende knipsel kwam uit *Aftonbladet* en ging over een Zweedse moordenaar die zijn slachtoffers in stukken sneed. Een slechte pasfoto. Kon iedereen zijn. Toch had hij twee homoseksuele prostitués vermoord in zijn eigen sauna, hen met een elektrische motorzaag in stukken gezaagd en achter de sauna begraven. Oskar nam het laatste hapje van de Dajm en keek indringend naar het gezicht van de man. Kon iedereen zijn.

Zo zie ik er over twintig jaar misschien uit.

Håkan had een goede plek gevonden om op de uitkijk te staan, met in beide richtingen goed zicht op het bospad. Verderop in het bos had hij een beschutte vallei gezien met een boom in het midden en daar had hij zijn tas met de uitrusting laten staan. De fles Halotan hing aan een lus onder zijn jas.

Nu was het afwachten.

De hemel, zee en aarde …

Hij had dat liedje nooit meer gehoord sinds hijzelf op school had gezeten. Stel je voor, alle mooie liedjes die waren verdwenen, die niemand meer zong. Überhaupt al het moois dat was verdwenen.

Geen respect voor schoonheid. Dat was kenmerkend voor de huidige samenleving. Het werk van de grote meesters werd op zijn hoogst gebruikt als ironische verwijzing of voor reclame. Zoals bij *De schepping van Adam* van Michelangelo, waar een spijkerbroek de plaats van de levensvonk had ingenomen.

Volgens hem was de essentie van de hele schildering dat die twee monumentale lichamen, die uitmondden in slechts twee wijsvingers, elkaar bijna, maar net niet helemaal aanraakten. Er zat een millimeter lege ruimte tussen. En in die lege ruimte: het Leven. De enorme sculpturaliteit van de schildering en haar rijkdom aan details vormden slechts een raamwerk, bedoeld om de minuscule leegte in het midden des te beter uit te laten komen. Het lege punt waar alles in zat.

En op de plaats van die leegte hadden ze een spijkerbroek gehangen.

Er kwam iemand aan over het pad. Zijn hart klopte in zijn keel en hij dook in elkaar. Nee. Oude man met hond. Dubbel fout. Enerzijds een hond die hij eerst stil moest zien te krijgen, anderzijds slechte kwaliteit.

"Veel geschreeuw en weinig wol", zei de duivel en hij schoor een varken.

Hij keek op zijn horloge. Over een kleine twee uur was het donker. Was er binnen een uur geen geschikte kandidaat langsgekomen, dan moest hij de eerste de beste nemen. Hij moest voor donker thuis zijn.

De man zei iets. Had hij hem gezien? Nee, hij praatte tegen de hond.

"Jaaa, wat moest je nooodig, meisje. Als we thuiskomen krijg je leverworst. Dan krijg je een dik stuk leverworst van papa."

De fles Halotan drukte op Håkans borst, toen hij zuchtend zijn hoofd in zijn handen verborg. Arme mensen. Arme, eenzame mensen in een wereld zonder schoonheid.

Hij had het koud. Er was 's middags een koude wind opgestoken en hij overwoog of hij de regenjas uit zijn tas zou halen en die over zijn jas heen aan zou doen als bescherming tegen de wind. Nee. Hij zou erdoor belemmerd worden als hij snel moest zijn. Bovendien kon die jas voortijdig achterdocht opwekken.

Twee meiden van een jaar of twintig kwamen langs. Nee. Twee kon hij niet aan. Hij ving flarden van hun gesprek op.

"… dat ze het hóúdt."

"… wat een sukkel. Hij moet toch snappen dat hij …"

"… haar schuld omdat … de pil niet …"

"Maar hij zal toch wel …"

"… stel je voor … hij vader …"

Een vriendin die in verwachting was. Een jongen die zijn verantwoordelijkheid niet nam. Zo ging dat. Altijd. Iedereen dacht alleen aan zichzelf. Je hoorde niet anders dan míjn geluk, míjn succes. Liefde wil zeggen dat je je leven aan de voeten van iemand anders legt, en dat kunnen de mensen vandaag de dag niet.

De kou beet in zijn gewrichten, hij zou hoe dan ook stijf worden. Hij stopte zijn hand in zijn jas, duwde op de hendel van de gasfles. Een sissend geluid. Hij deed het. Hij liet de hendel los.

Hij sloeg zich warm. Laat er nu iemand komen. Alleen. Hij keek op zijn horloge. Nog een halfuur. Laat er nu iemand komen. Omwille van het leven en de liefde.

... zorgt ook voor mij.

Het was al gaan schemeren toen Oskar zijn hele plakboek had doorgekeken en alle snoep had opgegeten. Zoals altijd na zoveel snoep voelde hij zich verdoofd en had hij een vaag schuldgevoel.

Zijn moeder kwam pas over twee uur thuis. Dan gingen ze eten. Daarna moest hij zijn huiswerk voor Engels en rekenen maken. Daarna ging hij misschien even een boek lezen of tv-kijken samen met zijn moeder. Vanavond was er niets bijzonders op tv. Dan zouden ze chocolademelk drinken, een koffiebroodje eten en nog even wat zitten praten. Dan ging hij naar bed, hij zou niet goed kunnen slapen, omdat hij zich zorgen maakte over morgen.

Had hij maar iemand die hij kon bellen. Hij kón Johan natuurlijk bellen, hopen dat die niets anders te doen had.

Johan zat bij hem in de klas en ze hadden altijd veel lol als ze samen waren, maar zodra er een keuze was, viel Oskar altijd af. Johan belde Oskar als hij zich verveelde, niet andersom.

Het was stil in de flat. Er gebeurde niets. De betonnen muren sloten zich om hem heen. Hij zat op zijn bed met zijn handen op zijn knieën, zijn buik zwaar van zoetigheid.

Alsof er iets zou gebeuren. Nu.

Hij hield zijn adem in en luisterde. Een kleffe angst bekroop hem. Er kwam iets dichterbij. Een kleurloos gas sijpelde uit de muren, dreigde vorm aan te nemen, hem op te slokken. Hij zat stokstijf, hield zijn adem in en luisterde. Wachtte.

Het ogenblik ging voorbij. Oskar begon weer adem te halen.

Hij ging naar de keuken, dronk een glas water en haalde het grootste keukenmes van de metalen strip. Hij testte de snee met de nagel van zijn duim, zoals zijn vader hem had geleerd. Bot. Hij haalde het mes een paar keer door de messenslijper en probeerde het opnieuw. Er werd een microscopisch klein splintertje uit zijn duimnagel gesneden.

Mooi.

Hij wikkelde een krant om het mes als een provisorische schede, plakte het met plakband vast en stopte het pakket bij zijn linkerheup achter zijn broekband. Alleen het heft stak eruit. Hij probeerde of hij zo kon lopen. Het lemmet zat zijn linkerbeen in de weg en hij liet het langs zijn lies glijden. Oncomfortabel, maar het ging.

In de hal trok hij zijn jack aan. Herinnerde zich toen alle snoeppapiertjes die over de vloer van zijn kamer verspreid lagen. Hij raapte ze op en propte ze in zijn jaszak, voor het geval zijn moeder eerder thuis was dan hij. Hij kon de papiertjes in het bos onder een steen leggen.

Hij controleerde nog een keer of hij geen bewijsmateriaal had achtergelaten.

Het spel was begonnen. Hij was een gevreesde massamoordenaar. Veertien mensen had hij al gedood met zijn scherpe mes, zonder ook maar één aanwijzing achter te laten. Nog geen haar, nog geen snoeppapiertje. De politie was bang voor hem.

Nu ging hij het bos in, op zoek naar zijn volgende slachtoffer.

Vreemd genoeg wist hij al hoe het slachtoffer heette, hoe hij eruitzag. Jonny Forsberg met zijn lange haar en zijn grote, gemene ogen. Hij zou bidden en smeken om zijn leven, gillen als een varken, maar tevergeefs. Het mes kreeg het laatste woord en de grond zou doordrenkt raken van zijn bloed.

Die woorden had Oskar in een boek gelezen en hij vond ze goed klinken.

'De grond zal doordrenkt raken van zijn bloed.'

Terwijl hij de voordeur op slot deed en het portiek uit ging met zijn linkerhand op het heft van het mes, herhaalde hij ze als een mantra.

"De grond zal doordrenkt raken van zijn bloed. De grond zal doordrenkt raken van zijn bloed."

De poort waardoor hij de binnenplaats op was gegaan, zat

rechts aan het eind van de rij waar zijn portiek in zat, maar hij ging linksaf, voor twee portieken langs en door de opening waar auto's door naar binnen konden. Hij verliet de binnenste versterking. Hij stak de Ibsengatan over en liep een heuvel af. Verliet de buitenste versterking. Liep door naar het bos.

De grond zal doordrenkt raken van zijn bloed.

Voor de tweede keer vandaag voelde Oskar zich bijna gelukkig.

Het was nog maar tien minuten tot de uiterste tijd die Håkan zich had gesteld, toen een jongen alleen aankwam over het pad. Dertien, veertien jaar oud voor zover hij het kon beoordelen. Perfect. Hij was van plan geweest in elkaar gedoken naar het andere eind van het pad te rennen en op de uitverkorene af te lopen.

Maar nu zaten zijn benen echt vast. De jongen kwam onbekommerd het pad over lopen. Er was haast bij. Met elke seconde die verstreek werd de kans op een vlekkeloze uitvoering kleiner. Toch weigerden zijn benen zich te verroeren. Hij stond verlamd te staren terwijl de uitverkorene, de volmaakte, doorliep, al bijna op dezelfde hoogte als hij, vlak voor hem. Binnenkort te laat.

Het moet. Het moet. Het moet.

Als hij het niet deed, moest hij zelfmoord plegen. Hij kon niet met lege handen thuiskomen. Zo was het. Het was de jongen of hij. Hij hoefde maar te kiezen.

Hij kwam in beweging, te laat. Nu strompelde hij door het bos, recht op de jongen af in plaats van hem rustig en netjes op het pad tegen te komen. Idioot. Prutser. Nu zou de jongen achterdochtig zijn, op zijn hoede.

"Hallo!" riep hij naar de jongen. "Wacht even!"

De jongen bleef staan. Hij holde in elk geval niet weg, dat was mooi. Hij moest iets zeggen, iets vragen. Hij liep naar de jongen toe, die afwachtend op het pad was blijven staan.

"Ja, sorry, maar … hoe laat is het?"

De jongen gluurde naar Håkans horloge.

"Ja, dat van mij staat stil."

Het lichaam van de jongen was gespannen toen hij op zijn horloge keek. Niets aan te doen. Håkan stak zijn hand in zijn jas en liet zijn wijsvinger rusten op de hendel van de gasfles, terwijl hij wachtte op het antwoord van de jongen.

Oskar liep de heuvel bij de drukkerij af, sloeg het bospad in. Het zware gevoel in zijn maag was verdwenen, vervangen door een spanning die hem dronken maakte. Onderweg naar het bos had de fantasie om zich heen gegrepen en nu was ze werkelijkheid.

Hij zag de wereld door de ogen van een moordenaar, tenminste voor zover zijn dertienjarige fantasie hem daartoe in staat stelde. Een mooie wereld. Een wereld waarin hij de macht had, een wereld die beefde voor zijn besluiten.

Hij liep over het bospad, op zoek naar Jonny Forsberg.

De grond zal doordrenkt raken van zijn bloed.

Het begon donker te worden en de bomen omsloten hem als een zwijgende mensenmassa, hielden de minste of geringste beweging van de moordenaar in de gaten, vreesden dat hij een van hen op het oog had. Maar de moordenaar liep ertussendoor en ging verder; hij had al een glimp van zijn slachtoffer opgevangen.

Jonny Forsberg stond op een heuveltje, een meter of vijftig van het pad. Hij hield zijn handen in zijn zij, zijn hoonlach zat over zijn gezicht uitgesmeerd. Hij dacht dat het net zo zou gaan als anders. Dat hij Oskar op de grond zou krijgen, zijn neus dicht zou knijpen en naalden en mos in zijn mond zou proppen of iets dergelijks.

Dat had hij mis. Het was niet Oskar die hier liep, maar de Moordenaar, en de hand van de Moordenaar sloot zich stevig om de greep van het mes, maakte zich gereed.

De Moordenaar liep langzaam en waardig naar Jonny Forsberg toe, keek hem in de ogen, zei: "Dag, Jonny."

"Dag, Varkentje. Mag je nog wel zo laat naar buiten?"

De Moordenaar trok zijn mes. En stak toe.

"Kwart over vijf, zoiets."

"Oké, bedankt."

De jongen liep niet weg. Hij bleef Håkan aanstaren, die probeerde zelf een stap te zetten. De jongen stond stil, volgde hem met zijn blik. Dit liep helemaal mis. Natuurlijk rook de jongen onraad. Hier kwam iemand het bos uit stormen om te vragen hoe laat het was, en die bleef nu als Napoleon met één hand in zijn jas staan.

"Wat hebt u daar?"

De jongen knikte naar zijn hartstreek. Zijn hoofd was leeg, hij wist niet wat hij moest doen. Hij haalde de gasfles tevoorschijn en liet hem aan de jongen zien.

"Wat is dat nou?"

"Halotan."

"Waarom hebt u dat bij u?"

"Omdat …" Hij prutste aan het met schuimrubber beklede mondstuk en probeerde iets te verzinnen. Hij kon niet liegen. Dat was de pest voor hem. "Ja, omdat … het bij mijn werk hoort."

"Wat voor werk?"

De jongen was iets ontspannener geworden. Een sporttas die leek op de tas die hijzelf in de vallei had laten staan, hing aan de hand van de jongen. Met de hand die de gasfles vasthield maakte hij een gebaar naar de tas.

"Ga je naar training of zo?"

Toen de jongen naar zijn tas keek, greep hij zijn kans.

Beide armen zwaaiden naar voren, de vrije hand greep de jongen bij zijn achterhoofd, de andere zette het mondstuk van de gasfles op de mond van de jongen en drukte de hendel helemaal in. Er klonk een gesis als van een grote slang en de jongen probeerde zijn hoofd weg te trekken, maar het zat in een wanhopige bankschroef vast tussen Håkans handen.

De jongen wierp zich naar achteren en Håkan bewoog mee. Het sissen van de slang verdrong alle andere geluiden, toen ze op de houtsnippers van het pad vielen. Håkan klemde het hoofd van de jongen krampachtig tussen zijn handen en hield het mondstuk op zijn plaats terwijl ze over het pad rolden.

Na een paar diepe ademhalingen begon de jongen in zijn greep te verslappen. Håkan hield het mondstuk op zijn plaats en keek om zich heen.

Geen getuigen.

Het sissen van de gasfles vulde zijn hersenen als een gemene migraine. Hij zette de hendel vast, wurmde zijn vrije hand los, pakte een elastiek en deed dat om het hoofd van de jongen om het mondstuk ermee te fixeren.

Hij stond met pijnlijke armen op en keek naar zijn prooi.

De jongen lag met zijn armen zijwaarts gestrekt, het mondstuk bedekte zijn neus en mond en de Halotanfles lag op zijn borst. Håkan keek nog eens om zich heen, haalde de tas van de jongen op en legde die op zijn buik. Toen tilde hij het hele pakket op en droeg het in zijn armen naar de vallei.

De jongen was zwaarder dan hij had verwacht. Veel spieren. Bewusteloos gewicht.

Hij hijgde van de inspanning die het hem kostte om de jongen over de drassige grond te dragen, terwijl het geluid van de gasfles als een mes met zaagtanden in zijn oren sneed. Hij hijgde bewust harder om het geluid buiten te sluiten.

Met slapende armen en het zweet op zijn rug kwam hij ten slotte bij de vallei. Hij legde de jongen op het laagste punt neer. Vervolgens ging hij naast hem liggen. Hij zette het Halotangas uit en verwijderde het mondstuk. Het werd stil. De borst van de jongen ging op en neer. Over uiterlijk acht minuten zou hij wakker worden. Maar niet heus.

Håkan lag naast de jongen, bestudeerde zijn gezicht, aaide erover met zijn wijsvinger. Toen kroop hij dichter tegen de jongen aan, nam het slappe lichaam in zijn armen en drukte het tegen zich aan. Hij kuste de jongen teder op zijn wang, fluisterde "sorry" in zijn oor en stond op.

De tranen schoten hem bijna in de ogen toen hij het weerloze lichaam op de grond zag liggen. Hij kon het nog steeds laten.

Parallelle werelden. Een troostrijke gedachte.

Er was een parallelle wereld, waarin hij niet deed wat hij nu zou gaan doen. Een wereld waarin hij nu wegging, de jongen liet liggen, die wakker zou worden en zich zou afvragen wat er was gebeurd.

Maar niet in deze wereld. In deze wereld liep hij nu naar zijn tas en maakte die open. Hij moest snel zijn. Vlug trok hij zijn regenjas over zijn gewone jas heen aan en haalde de uitrusting tevoorschijn. Het mes, een touw, een grote trechter en een jerrycan van vijf liter.

Hij legde alles bij de jongen op de grond en bekeek het jonge lichaam nog een laatste keer. Toen pakte hij het touw en ging aan het werk.

Hij stak en stak en stak. Na de eerste steek had Jonny door dat het deze keer niet zo ging als anders. Het bloed stroomde uit een diepe snee in zijn wang en hij probeerde te ontsnappen, maar de Moordenaar was sneller. Met een paar snelle halen sneed hij de pezen aan de achterkant van zijn knieën door, en Jonny viel om, lag op het mos te kronkelen, smeekte om genade.

Maar de Moordenaar liet zich niet vermurwen. Jonny gilde als een ... varken, toen de Moordenaar zich op hem wierp en de grond doordrenkt raakte van zijn bloed.

Een steek voor dat gedoe op de wc vandaag. Eén omdat je me erin luisde en me liet knokkelen. Je lippen snij ik weg vanwege alle rotopmerkingen die je tegen me hebt gemaakt.

Jonny lekte uit alle gaten, kon niets meer zeggen en geen kwaad meer doen. Hij was allang dood. Oskar rondde af met het doorboren van zijn starende oogbollen, *tsjik, tsjik*, stond op en bekeek zijn werk.

Grote stukken van de vermolmde, omgevallen boom die de liggende Jonny was geweest, waren losgehouwen en de stam was met steken doorboord. Houtsnippers lagen verspreid rond de voet van de gezonde boom die Jonny was geweest toen hij nog stond.

Zijn rechterhand, de meshand, bloedde. Een sneetje vlak bij zijn pols; het lemmet moest omhooggegleden zijn in zijn hand toen hij stak. Geen geschikt mes voor dit doel. Hij likte aan zijn hand, maakte de wond met zijn tong schoon. Het was Jonny's bloed dat hij dronk.

Hij veegde het laatste bloed af aan de schede van krantenpapier, stak het mes erin en ging op weg naar huis.

Het bos, dat hij een paar jaar als dreigend had ervaren, als een plek waar vijanden zaten, was nu zijn thuis en zijn toevluchtsoord. De bomen gingen eerbiedig opzij als hij voorbijkwam. Hij voelde geen greintje angst, hoewel het behoorlijk donker begon te worden. Geen zorgen voor morgen; wat de volgende dag zou

brengen, zag hij dan wel weer. Hij zou vannacht goed kunnen slapen.

Toen hij weer op de binnenplaats was, ging hij even op de rand
van de zandbak zitten om tot rust te komen voordat hij naar binnen ging. Morgen zou hij een beter mes aanschaffen, een mes
met zo'n tussenstuk, hoe heette dat, een stootplaat, zodat hij zich
niet meer sneed. Want dit ging hij vaker doen.

Het was een leuk spel.

DONDERDAG 22 OKTOBER

Moeder had tranen in haar ogen toen ze Oskars hand boven de keukentafel vastpakte en er hard in kneep.

"Je mag absoluut het bos niet meer in, hoor je dat?"

In Vällingby was gisteren een jongen van Oskars leeftijd vermoord. Het had 's middags in de krant gestaan en zijn moeder was helemaal over haar toeren toen ze thuiskwam.

"Het had hier ook … Ik moet er niet aan denken."

"Het was toch in Vällingby?"

"En jij denkt dat een kinderlokker niet twee stations verder kan gaan met de metro? Of kan lopen? Hier naar Blackeberg lopen en hetzelfde nog een keer doen? Ga je vaak naar het bos?"

"Nee."

"Je moet bij de flat blijven, zolang dit … Totdat ze hem gevangen hebben genomen."

"Mag ik dan niet naar school?"

"Ja, je moet wel naar school. Maar na schooltijd kom je meteen naar huis en dan blijf je bij huis totdat ik thuiskom."

"Daarna dan?"

Het verdriet in moeders ogen vermengde zich met boosheid.

"Wíl je vermoord worden? Nou? Moet je het bos in om vermoord te worden en moet ik me hier zorgen zitten maken terwijl jij in het bos ligt … op beestachtige wijze in stukken gehakt door een … "

De tranen schoten haar in de ogen. Oskar legde zijn hand op de hare.

"Ik gá het bos niet in. Dat beloof ik."

35

Moeder aaide over zijn wang.

"Lieve jongen. Jij bent alles wat ik heb. Jou mag niets overkomen. Dan ga ik ook dood."

"Mmm. Hoe is het gebeurd?"

"Wat?"

"Dat. Die moord."

"Dat weet ik toch niet. Hij is vermoord door een gek met een mes. Hij is dood. Het leven van zijn ouders is verwoest."

"Staat het niet in de krant?"

"Ik heb de krant niet gelezen. Dat kon ik niet."

Oskar pakte de *Expressen* en bladerde erin. Er waren vier pagina's aan de moord gewijd.

"Dat moet je niet lezen."

"Ik kijk gewoon even. Mag ik de krant meenemen?"

"Je moet daar niet over lezen. Al die griezelige dingen die jij leest zijn niet goed voor je."

"Ik ga gewoon even kijken of er iets op tv komt."

Oskar stond op en wilde met de krant naar zijn kamer gaan. Zijn moeder omhelsde hem onhandig en duwde haar natte wang tegen de zijne.

"M'n lieve jongen. Je snapt toch wel dat ik ongerust ben? Als jou iets zou overkomen …"

"Ik weet het, mama. Ik weet het. Ik doe voorzichtig."

Oskar knuffelde een beetje terug, wurmde zich toen los en ging naar zijn kamer, terwijl hij zijn moeders tranen van zijn wang veegde.

Dit was iets heel heftigs.

Voor zover hij begreep, was die jongen dus vermoord op ongeveer hetzelfde moment dat hij in het bos aan het spelen was geweest. Helaas was het niet Jonny Forsberg die was vermoord maar een onbekende jongen uit Vällingby.

Vanmiddag had er een begrafenisstemming geheerst in Vällingby. Hij had de krantenbulletins gezien voordat hij er arriveerde en misschien verbeeldde hij het zich maar, maar hij dacht dat de mensen op het plein zachter hadden gepraat en langzamer hadden gelopen dan anders.

In de ijzerhandel had hij een ongelooflijk mooi jachtmes van driehonderd kronen gestolen. Hij had zijn uitleg klaar voor het geval hij gesnapt zou worden.

"Het spijt me, meneer. Maar ik ben zo bang voor de moordenaar."

Hij zou er ook nog wel een paar tranen uit kunnen persen als het daarop hing. Ze zouden hem laten gaan. Zeker weten! Maar hij werd niet gesnapt en het mes lag nu naast het plakboek in de bergplaats.

Hij moest nadenken.

Was het mogelijk dat zijn spel op de een of andere manier de moord had laten plaatsvinden? Hij dacht van niet, maar je kon het niet uitsluiten. In de boeken die hij las, wemelde het van die dingen. Een gedachte op de ene plaats creëerde elders een gebeurtenis.

Telekinese, voodoo.

Maar waar precies, wanneer en vooral hóé was de moord gepleegd? Ging het om een groot aantal steken in een liggend lichaam, dan moest hij serieus met de mogelijkheid rekening houden dat hij gewoon een ontzaglijke macht bezat. Een macht die hij moest leren sturen.

Of misschien is de … BOOM … de verbinding.

De vermolmde boom waar hij op in had gestoken. Dat er nou net met die boom iets speciaals aan de hand was, wat ervoor zorgde dat wat je die boom aandeed vervolgens werd … overgebracht.

Details.

Oskar las alle artikelen die over de moord gingen. De politieman die bij hen op school was geweest om over drugs te praten stond op een foto. Hij kon geen uitspraken doen. Specialisten van het Forensisch Instituut waren erbij gehaald om sporen veilig te stellen. Ze moesten afwachten. Een foto van de vermoorde jongen, uit de schoolalmanak. Oskar had hem nooit eerder gezien. Hij leek een Jonny- of Micke-type. Misschien was er nu een Oskar op de Vällingbyschool bevrijd.

De jongen was op weg geweest naar handbaltraining in de Vällingbyhal en was er nooit gearriveerd. De training begon om halfzes. De jongen was vermoedelijk rond vijf uur van huis weggegaan. Ergens tussen die tijdstippen. Oskar werd overvallen door duizeligheid. Het klopte precies. En hij was in het bos vermoord.

Is het zo? Ben ík degene die ...

Een zestienjarig meisje had het lichaam rond acht uur 's avonds gevonden en de politie van Vällingby gealarmeerd. Ze verkeerde nu in een 'zware shock' en stond onder behandeling van een arts. Niets over de toestand van het lichaam. Maar dat het meisje een zware shock had, betekende dat het lichaam op de een of andere manier verminkt was. Anders schreven ze alleen 'shock'.

Wat had dat meisje bij donker in het bos te zoeken? Was waarschijnlijk niet van belang. Dennenappels rapen, wat dan ook. Maar waarom stond er niets in over hóé de jongen was vermoord? Alleen een foto van de plaats van de moord. Een doodgewone vallei in het bos met een grote boom in het midden waaromheen de politie een lint met zuurstokstrepen had gespannen.

Morgen of overmorgen zou er weer een foto van dezelfde plaats in de krant staan, dan vol met kaarsjes en bordjes met WAAROM? en WE MISSEN JE. Oskar kende het riedeltje; hij had meer van dergelijke gevallen in zijn plakboek.

Vermoedelijk was het allemaal puur toeval. Maar stel dat.

Oskar luisterde aan de deur. Moeder was met de afwas bezig. Hij ging op zijn buik op bed liggen en haalde het jachtmes tevoorschijn. De greep lag goed in de hand en het mes woog zeker drie keer zo veel als het keukenmes dat hij gisteren had gebruikt.

Hij stond op en ging midden in de kamer staan met het mes in zijn hand. Het was mooi, het gaf macht aan de hand die het vasthield.

Gerinkel van vaatwerk in de keuken. Hij stak een paar keer in de lucht. De Moordenaar. Als hij zijn kracht eenmaal goed kon gebruiken, zouden Jonny, Micke en Tomas hem nooit meer pesten. Hij wilde nog een uitval doen, maar hield in. Iemand zou hem vanaf de binnenplaats kunnen zien. Het was donker buiten en in zijn kamer was het licht aan. Hij wierp een blik op de binnenplaats, maar zag alleen zijn eigen spiegelbeeld in de ruit.

De Moordenaar.

Hij borg het mes weer op in de bergplaats. Dit was maar een spel. Zoiets gebeurde in het echt niet. Maar hij moest details weten. Hij moest het nú weten.

Tommy zat in de stoel in een motortijdschrift te bladeren, knikte en humde. Af en toe hield hij het blad omhoog naar Lasse en Robban, die op de bank zaten, om hun een bijzonder interessante foto te laten zien, met een opmerking over cilinderinhoud en maximumsnelheid. Het kale peertje aan het plafond weerspiegelde zich in het gladde papier, wierp bleke reflecties over de cementen muur en de houten wanden.

Hij hield hen in spanning.

Tommy's moeder had verkering met Staffan, die bij de politie van Vällingby werkte. Tommy mocht Staffan niet bepaald graag, nee, integendeel. Iemand met een opgeheven vingertje, een glad type. Gelovig bovendien. Maar via zijn moeder hoorde Tommy wel eens iets wat Staffan eigenlijk niet aan zijn moeder hoorde te vertellen en wat zijn moeder eigenlijk niet aan Tommy hoorde te vertellen …

Zodoende wist hij bijvoorbeeld hoe het ervoor stond met het onderzoek naar de kraak in de radiowinkel aan het IJslandplein. Die hij, Robban en Lasse hadden gezet.

Van de daders geen spoor. Precies zo had zijn moeder het gezegd: "Van de daders geen spoor." Staffans woorden. Ze hadden niet eens een signalement van de auto.

Tommy en Robban waren zestien en zaten op de middelbare school. Lasse was negentien en in zijn hoofd zat iets niet helemaal goed; hij werkte bij Ericsson in Ulvsunda, waar hij ijzeren plaatjes sorteerde. Maar hij had wel een rijbewijs. En een witte Saab '74, waarvan ze voor de kraak met viltstift het kenteken hadden veranderd. Nergens voor nodig, aangezien niemand de auto had gezien.

Ze hadden de buit opgeslagen in de ongebruikte schuilruimte tegenover de kelderberging, die hun clublokaal was. Ze hadden de ketting op de deur doorgeknipt met een betonschaar en er een nieuw slot op gezet. Ze wisten niet goed hoe ze alles kwijt moesten raken; de inbraak zelf, daar was het om te doen geweest. Lasse had voor tweehonderd kronen een cassettedeck aan een collega verkocht, maar dat was alles.

Daarnaast hadden ze het het veiligst gevonden om een tijdje niet in de gaten te lopen met de spullen. En zeker Lasse de verkoop niet te laten regelen, aangezien hij … een tik van de molen had, zoals moeder het noemde. Maar nu waren er twee weken voorbij sinds de inbraak en bovendien had de politie nu dus wel iets anders om over na te denken.

Tommy bladerde in het tijdschrift en lachte in zichzelf. Ja, ja, een helebóél andere dingen om over na te denken. Robban trommelde met kletsende trommelslagen op zijn bovenbenen.

"Toe. Vertel."

Tommy hield het tijdschrift naar hem op.

"Kawasaki. Driehonderd cc. Directe injectie en …"

"Toe nou zeg! Nu vertellen."

"Wat … over de moord?"

"Ja!"

Tommy beet op zijn lip, deed net of hij nadacht.

"Hoe zat het ook alweer …"

Lasse boog zijn lange lichaam voorover op de bank, vouwde zich op als een zakmes.

"Ah! Zeg op!"

Tommy legde het tijdschrift neer en keek Lasse strak aan.

"Weet je zeker dat je het wilt horen? Het is heel akelig."

"Ah!"

Lasse deed wel stoer, maar Tommy zag de ongerustheid in zijn ogen. Je hoefde maar een lelijk gezicht te trekken, een raar stemmetje op te zetten en dat een tijdje vol te houden, dan was Lasse al echt bang. Tommy en Robban hadden zich een keer als zombies geschminkt met de make-up van Tommy's moeder, hadden de gloeilamp aan het plafond losgedraaid en Lasse opgewacht. Het eind van het liedje was dat Lasse in zijn broek had gepoept en dat Robban een blauwe plek had gekregen op dezelfde plaats die hij met donkerblauwe oogschaduw had gekleurd. Daarna keken ze wat meer uit hoe bang ze Lasse maakten.

Nu draaide Lasse heen en weer op de bank en kruiste zijn

armen voor zijn borst als om te laten zien dat hij op alles voorbereid was.

"Ja, dus … dit was geen gewone moord, zal ik maar zeggen. Ze hebben die jongen dus gevonden … hij hing aan een boom."

"Wat? Opgehangen?" vroeg Robban.

"Ja, opgehangen. Maar niet aan zijn nek. Aan zijn voeten. Hij hing dus op zijn kop. Aan die boom."

"Ja, maar daar ga je toch niet aan dood?"

Tommy keek lang naar Robban, alsof hij een interessant punt naar voren had gebracht, ging toen verder: "Nee, dat is waar. Maar zijn keel was ook doorgesneden. En dáár ga je wel aan dood. Zijn hele nek. Opengesneden. Als een … meloen." Hij ging met zijn wijsvinger langs zijn hals om te laten zien hoe het mes was gegaan.

Lasses hand ging naar zijn keel als om die te beschermen. Hij schudde langzaam zijn hoofd. "Maar waarom hing hij zo?"

"Ja, wat denk je?"

"Ik weet het niet."

Tommy kneep in zijn onderlip en trok een nadenkend gezicht.

"Maar het rare is, moeten jullie horen: je snijdt iemands keel door, zodat hij doodgaat. Dan komt er veel bloed uit, of niet?" Lasse en Robban knikten. Tommy liet hen een moment in spanning voordat hij de bom liet vallen.

"Maar op de grond eronder … waar die jongen hing. Lag bijna helemaal geen bloed. Een paar druppels maar. En hij moet dus wel een paar liter zijn kwijtgeraakt. Toen hij daar hing."

Het werd stil in de kelderruimte. Lasse en Robban staarden met een lege blik voor zich uit, totdat Robban rechtop ging zitten en zei: "Ik weet het. Hij is ergens anders vermoord. En later daar opgehangen."

"Mmm. Maar waarom hing de moordenaar hem dan op? Als je iemand hebt vermoord, wil je toch van het lijk áf?"

"Misschien is hij … gek in zijn hoofd."

"Misschien wel. Maar ik denk dat het anders zit. Zijn jullie wel eens in een slachthuis geweest? Weet je wat ze met varkens doen? Voordat ze ze in stukken snijden, halen ze al het bloed eruit. En weten jullie hoe ze dat doen? Ze hangen ze op de kop. Aan een haak. En snijden ze de keel door."

"Dus je bedoelt … wat, dat die jongen … dat de moordenaar hem wilde sláchten?"

"Huh?" Lasse keek onzeker van Tommy naar Robby en weer naar Tommy om te kijken of ze hem in de maling namen. Hij zag niets wat daarop wees en zei: "Doen ze dat echt zo? Met varkens?"

"Ja, wat dacht jij dan?"

"Dat ze er een … machine voor hadden."

"Zou dat beter zijn volgens jou?"

"Nee, maar … léven ze dan nog? Als ze ze … op de kop hangen?"

"Ja. Ze leven. En spartelen. En gillen."

Tommy deed een gillend varken na, en Lasse plofte op de bank neer, staarde naar zijn knieën. Robban stond op, liep een paar stappen heen en weer en ging weer op de bank zitten.

"Maar het klopt toch niet. Als de moordenaar van plan was hem te slachten, zou er toch bloed moeten liggen?"

"Jíj zei dat hij hem wilde slachten. Ik denk dat niet."

"Nee? Wat denk jij dan?"

"Ik denk dat het hem om het bloed te doen was. Dat hij de jongen daarom heeft vermoord. Om aan het bloed te komen. Dat hij dat heeft meegenomen."

Robban knikte langzaam, peuterde met zijn vinger aan het korstje van een puistje in zijn mondhoek. "Maar waarom dan? Om het te drínken, of zo?"

"Ja. Bijvoorbeeld."

Tommy en Robban verzonken in innerlijke voorstellingen van de moord en wat er daarna was gebeurd. Na een poosje tilde Lasse zijn hoofd op en keek hen vragend aan. Hij had tranen in zijn ogen.

"Zijn ze gauw dood, die varkens?"

Tommy keek hem ernstig in de ogen.

"Nee."

"Ik ga even naar buiten."

"Nee …"

"Ik blijf op de binnenplaats."

"Je gaat nergens anders heen."

"Nee, is goed."

"Zal ik je roepen als …"

"Nee. Ik kom wel. Ik heb een horloge. Je hoeft níét te roepen."

Oskar trok zijn jas aan en zette zijn muts op. Hij bleef met zijn ene voet in zijn schoen staan. Liep zachtjes naar zijn kamer en haalde het mes tevoorschijn, stopte het in zijn jas. Strikte zijn veters. Vanuit de woonkamer klonk weer de stem van zijn moeder.

"Het is koud buiten."

"Ik heb mijn muts."

"Heb je hem op?"

"Nee, aan mijn voet."

"Maak jij maar grapjes. Je weet hoe …"

"Tot zo."

"… Je oren."

Hij liep naar buiten en keek op zijn horloge. Kwart over zeven. Nog drie kwartier voordat het tv-programma begon. Vermoedelijk waren Tommy en de anderen in de kelder, maar daar durfde hij niet heen te gaan. Tommy was oké, maar de anderen … Vooral als ze hadden gesnoven, kwamen ze soms op rare ideeën.

Dus ging hij naar de speeltuin midden op de binnenplaats. Twee dikke bomen die soms als goal werden gebruikt, een klimrek met een glijbaan, een zandbak en een schommel met drie autobanden die aan een ketting waren opgehangen. Hij ging in een van de banden zitten en schommelde zachtjes.

's Avonds vond hij dit een fijne plek. Om hem heen het grote vierkant van honderden verlichte ramen, terwijl hijzelf in het donker zat. Tegelijkertijd veilig en alleen. Hij trok het mes uit de schede. Het lemmet was zo glad dat hij er de ramen in weerspiegeld zag. De maan.

Een bloedige maan …

Oskar stond op van de schommel, sloop naar een van de bomen, begon ertegen te praten.

"Wat sta je daar te staren, stomme idioot? Wil je dood of zo?"

De boom gaf geen antwoord en Oskar zette zijn mes erin, voorzichtig. Hij wilde het gladde lemmet niet beschadigen.

"Dat heb je ervan. Als je naar me staart."

Hij draaide het mes om, zodat een snipper van de boom losliet. Een stukje vlees. Hij fluisterde: "Gil maar als een varken."

Hij bleef staan. Dacht dat hij een geluid hoorde. Met het mes tegen zijn heup keek hij om zich heen. Hij hief het mes tot ooghoogte, keek ernaar. De punt was nog even glad als eerst. Hij gebruikte het lemmet als spiegel en hield het zo dat hij het klimrek kon zien. Daar stond iemand. Iemand die er net nog niet had gestaan. Een vage omtrek tegen het zuivere staal. Hij liet het mes zakken en keek rechtstreeks naar het klimrek. Inderdaad. Maar het was niet de Vällingbymoordenaar. Het was een kind.

Er was genoeg licht om te kunnen zien dat het een meisje was dat hij nooit eerder op de binnenplaats had gezien. Oskar deed een stap in de richting van het klimrek. Het meisje verroerde zich niet. Bleef daar maar naar hem staan kijken.

Hij zette nog een stap en werd plotseling bang. Waarvoor? Voor zichzelf. Met het mes in een stevige greep was hij onderweg naar het meisje om het in haar te steken. Dat wás niet zo. Maar zo voelde het eventjes. Dat zíj niet bang werd?!

Hij bleef staan, schoof het mes weer in de schede en stopte het onder zijn jas.

"Dag."

Het meisje zei niets. Oskar was nu zo dichtbij dat hij kon zien dat ze donker haar had, een fijn gezichtje, grote ogen. Wijdopen ogen die hem rustig aankeken. Haar handen rustten wit op het hekje van het klimrek.

"Ik zei dag."

"Dat hoorde ik wel."

"Waarom zei je dan niks terug?"

Het meisje haalde haar schouders op. Haar stem was niet zo hoog als hij had gedacht. Klonk als iemand van zijn eigen leeftijd.

Ze zag er vreemd uit. Halflang zwart haar. Een rond gezicht, een klein neusje. Als zo'n pop die je kon uitknippen op de kinderpagina van *Hemmets Journal*. Heel ... schattig. Maar er was iets. Ze droeg geen muts en geen jas. Alleen een dunne roze trui, ondanks de kou.

Het meisje maakte een beweging met haar hoofd in de richting van de boom waar Oskar in had gestoken.

"Wat ben je aan het doen?"

Oskar kreeg een kleur, maar dat zag je toch niet in het donker?

"Ik train."

"Waarvoor?"

"Voor het geval de moordenaar komt."

"Welke moordenaar?"

"Die in Vällingby. Die die jongen heeft doodgestoken."

Het meisje zuchtte, keek omhoog naar de maan. Toen boog ze voorover.

"Ben je bang?"

"Nee, maar een moordenaar, dat is … dan is het mooi als je je kunt … verdedigen. Woon je hier?"

"Ja."

"Waar dan?"

"Daar." Het meisje wees naar de deur naast die van Oskar. "Naast jou."

"Hoe weet je waar ik woon?"

"Ik heb je eerder door het raam gezien."

Vlammen schoten over Oskars wangen. Terwijl hij nadacht over wat hij zou kunnen zeggen, sprong het meisje van het klimrek en kwam voor hem neer. Een sprong van meer dan twee meter hoogte.

Ze doet vast aan turnen of zo.

Ze was precies even lang als hij, maar veel slanker. De roze trui zat strak om haar dunne bovenlichaam dat nog geen aanzet van borsten vertoonde. Haar ogen waren zwart, enorm groot in het kleine, bleke gezichtje. Ze hield haar ene hand voor hem in de lucht, alsof ze iets tegenhield wat dichterbij kwam. Haar vingers waren lang en dun als takken.

"Ik kan geen vrienden met je worden. Dan weet je dat."

Oskar vouwde zijn armen voor zijn borst. Door de jas heen voelde hij onder zijn ene hand de omtrek van de greep van het mes.

"Hoezo niet?"

De ene mondhoek van het meisje krulde omhoog in een soort glimlach.

"Moet ik daar een réden voor geven? Ik zeg gewoon hoe het zit. Dan weet je dat."

"Ja, ja."

Het meisje keerde zich om en liep bij Oskar weg, naar haar portiek. Toen ze een paar stappen had gezet, zei Oskar: "Denk je dat ik je vriend wíl worden dan? Ben jij even stom!"

Het meisje bleef een moment stilstaan. Draaide zich toen om en liep terug naar Oskar, ging voor hem staan. Ze vlocht haar vingers ineen en liet haar armen hangen.

"Wat zei je daar?"

Oskar hield zijn armen nog steviger tegen zijn borst gedrukt, duwde zijn hand tegen de greep van het mes en keek naar de grond.

"Je bent stom ... dat je zoiets zegt."

"Ben ik dat?"

"Ja."

"Sorry dan. Maar het is zo."

Ze stonden stil, een halve meter van elkaar. Oskar keek nog steeds naar de grond. Een vreemde geur kwam van het meisje naar hem toe drijven.

Een jaar geleden had zijn hond Bobby een infectie aan zijn poten gekregen en ze hadden hem uiteindelijk moeten laten inslapen. De laatste dag was Oskar thuisgebleven van school, had uren bij de zieke hond gelegen en afscheid genomen. Bobby had net zo geroken als het meisje. Oskar trok zijn neus op.

"Ruik jij zo raar?"

"Dat zal best."

Oskar keek op. Hij had spijt van wat hij had gezegd. Ze zag er zo ... broos uit in haar dunne trui. Hij maakte zijn gevouwen armen los en maakte een gebaar in haar richting. "Heb je het niet koud?"

"Nee."

"Waarom niet?"

Het meisje fronste haar wenkbrauwen, trok haar gezicht samen en zag er even veel, veel ouder uit dan ze was. Als een oud vrouwtje dat bijna moest huilen.

"Ik ben zeker vergeten hoe dat moet."

Het meisje draaide zich snel om en liep naar haar portiek. Oskar bleef staan en keek haar na. Toen ze bij de zware deur kwam verwachtte Oskar dat ze twee handen zou gebruiken om hem open te krijgen. Maar ze pakte de klink met één hand vast en rukte de deur zo hard open dat die tegen de metalen knop op de grond knalde, terugstuiterde en achter haar dichtging.

Hij stak zijn handen in zijn jaszakken en voelde zich verdrietig. Hij dacht aan Bobby. Aan hoe hij eruit had gezien toen hij in de kist lag die zijn vader had getimmerd. Aan het kruis dat hij bij handenarbeid had gemaakt, dat was kapotgegaan toen ze het in de bevroren grond wilden slaan.

Hij moest een nieuw maken.

VRIJDAG 23 OKTOBER

Håkan zat weer in de metro, op weg naar het centrum. Hij had tien opgerolde briefjes van duizend met een elastiekje eromheen in zijn broekzak. Daar zou hij iets moois mee doen. Hij zou een leven redden.

Tienduizend kronen was veel geld en als hij dacht aan de campagnes van *Red de kinderen* waar 'duizend kronen een heel gezin een jaar lang kunnen voeden' enzovoort, dan zou je met tíénduizend toch ook nog wel een leven in Zweden kunnen redden?

Maar wiens leven? Waar?

Je kon het geld toch niet aan de eerste de beste verslaafde geven en hopen dat ... nee. En het moest een jong iemand zijn. Hij wist dat het belachelijk was, maar idealiter moest het zo'n huilend kind zijn als op de schilderijtjes. Een kind dat het geld met tranen in de ogen aannam en ... en dan?

Hij stapte bij Odenplan uit zonder te weten waarom en liep naar de Stadsbibliotheek. In de tijd dat hij in Karlstad woonde, toen hij Zweedse les gaf in de hoogste klassen van de basisschool en nog een huis had om in te wonen, was het in zijn kring algemeen bekend dat de Stadsbibliotheek in Stockholm een ... goeie plek was.

Pas toen hij de grote ronde vorm van de bibliotheek zag, bekend van foto's in boeken en kranten, wist hij dat hij daarom hier was uitgestapt. Omdat het een goeie plek was. Iemand uit zijn kring, waarschijnlijk Gert, had verteld hoe het ging als je hier seks kocht.

Hij had het nooit gedaan. Nooit betaalde seks gehad.

Eén keer hadden Gert, Torgny en Ove een jongetje opgeduikeld wiens moeder door een kennis van Ove uit Vietnam was gehaald. De jongen was een jaar of twaalf en wist wat er van hem werd verwacht, hij kreeg er goed voor betaald. Toch kon Håkan er niet toe komen. Hij had van zijn Bacardi-cola genipt en erg van het naakte lichaam van de jongen genoten toen hij zich van alle kanten liet bekijken in de kamer waar ze bij elkaar zaten.

Maar niet meer dan dat.

De anderen hadden zich om de beurt door de jongen laten pijpen, maar toen Håkan aan de beurt was, werd hij misselijk. De hele situatie was te akelig. Het vertrek rook naar opwinding, alcohol en zaad. Een druppel sperma van Ove glom op de wang van de jongen. Håkan duwde het hoofd van de jongen weg toen dat bij zijn middenrif naar beneden ging.

De anderen hadden hem uitgescholden en ten slotte zelfs bedreigd. Hij was getuige, hij moest mededader worden. Ze beschimpten hem om zijn scrupules, maar dat was niet het probleem. Het was gewoon zo lelijk allemaal. De zitslaapkamer die Åke bewoonde, de vier ongelijke, speciaal voor deze gelegenheid neergezette stoelen, de dansmuziek uit de stereo.

Hij betaalde voor zijn aandeel in de pret en zag de anderen nooit meer terug. Hij had zijn blaadjes, zijn foto's en zijn filmpjes. Dat moest maar genoeg zijn. Vermoedelijk had hij bovendien ook echt scrupules, die zich alleen die keer in een hevige afkeer van de situatie hadden geopenbaard.

Waarom ben ik dan onderweg naar de Stadsbibliotheek?

Hij ging zeker een boek lenen. De brand van drie jaar geleden had zijn hele leven opgeslokt, waaronder zijn boeken. Hij kon *De juwelen van de koningin* van Almqvist lenen, voordat hij zijn goede daad ging doen.

Het was rustig in de bibliotheek zo 's ochtends. Vooral oudere mannen en studenten. Hij vond het boek dat hij zocht al gauw en las de eerste woorden.

Tintomara! Er zijn twee dingen wit
Onschuld – Arsenicum

en zette het weer op de plank. Voelde niet goed. Deed hem aan zijn vorige leven denken.

Hij had het een prachtig boek gevonden, het in zijn lessen gebruikt. Het lezen van de eerste regels deed hem verlangen naar een leesstoel. En die leesstoel moest in een huis staan dat van hem was, een huis vol boeken, en hij zou weer werk hebben en hij zou en hij wilde. Maar hij had de liefde gevonden en die dicteerde tegenwoordig de voorwaarden. Niks stoel.

Hij wreef in zijn handen als om het boek uit te wissen dat hij had vastgehouden en ging een zijzaal binnen.

Lange tafels met lezende mensen. Woorden, woorden, woorden. Helemaal achter in de zaal zat een jonge jongen met een leren jack aan te wippen op zijn stoel, terwijl hij ongeïnteresseerd in een prentenboek bladerde. Håkan liep die kant op, deed net of hij de plank met geologieboeken bekeek, gluurde zo nu en dan naar de jongen. Ten slotte sloeg de jongen zijn ogen op en keek hem aan, fronste zijn wenkbrauwen als een vraag. *Wil je?*

Nee, dat wilde hij niet. De jongen was een jaar of vijftien en had een plat, Oost-Europees gezicht, puistjes en smalle, diepliggende ogen. Håkan haalde zijn schouders op en liep de zaal uit.

Voor de hoofdingang haalde de jongen hem in, maakte een gebaar met zijn duim en vroeg: *"Fire?"* Håkan schudde zijn hoofd. *"Don't smoke."*

"Okey."

De jongen haalde een plastic aansteker tevoorschijn, stak een sigaret op, gluurde naar hem door de rook. *"What you like?"*

"No, I ..."

"Young? You like young?"

Hij liep bij de jongen weg, weg van de hoofdingang waar iedereen langs kon komen. Hij moest nadenken. Hij had niet gedacht dat het zo makkelijk zou gaan. Het was gewoon een soort spelletje geweest, kijken of het waar was wat Gert had verteld.

De jongen liep achter hem aan, ging naast hem tegen de stenen muur staan.

"How? Eight, nine? Is difficult, but ..."

"NO!"

Zag hij er zo duivels pervers uit? Stomme gedachte. Ove en Torgny hadden er beiden ook absoluut niet ... bijzonder uitgezien. Gewone mannen met een gewone baan. Alleen Gert, die

51

leefde van een reusachtige erfenis van zijn vader en zich alles kon veroorloven, had na zijn vele buitenlandse reizen echt een afstotelijk uiterlijk gekregen. Een weekheid om zijn mond, een waas over zijn ogen.

De jongen zweeg toen Håkan zijn stem verhief, keek hem oplettend aan door zijn spleetjes van ogen. Hij nam nog een trekje van de sigaret, liet die op de grond vallen, zwaaide met zijn armen.

"What?"

"No, I just …"

De jongen kwam een halve stap dichterbij.

"What?"

"I … maybe … twelve?"

"Twelve. You like twelve?"

"I … yes."

"Boy."

"Yes."

"Okey. You wait. Number two."

"Excuse me?"

"Number two. Toilet."

"Oh. Yes."

"Ten minutes."

De jongen trok de rits van zijn leren jack omhoog en verdween de trappen af.

Twaalf jaar. Wc twee. Tien minuten.

Dit was echt heel stom. Als er een agent kwam. Ze moesten hier na zoveel jaar toch weten van deze activiteiten. Dan was het met hem gedaan. Hij zou in verband worden gebracht met de klus die hij eergisteren had uitgevoerd en dan was het allemaal voorbij. Hij kon dit niet doen.

Ik ga alleen even naar de toiletten om te kijken hoe het eruitziet.

Er was geen mens in de wc's. Een pissoir en drie hokjes. Nummer twee was logischerwijs de middelste. Hij stopte één kroon in het slot, deed de deur open en stapte naar binnen, deed de deur dicht en ging op de wc zitten.

De wanden van het hokje waren volgekliederd. Helemaal niet wat hij van een stadsbibliotheek verwachtte. Hier en daar een literair citaat: HARRY ME, MARRY ME, BURY ME, BITE ME, maar vooral obscene tekeningen en grapjes: beter een korte liefde met een happy end dan een lange liefde met een klerevent. Jongens zijn net meloenen: sappig en vol zaad, alsmede een ongebruikelijk groot aantal telefoonnummers die je kon bellen als je speciale wensen had. Enkele ervan droegen het teken en waren waarschijnlijk authentiek. Niet zomaar iemand die een loopje wilde nemen met iemand anders.

Zo. Nu had hij het gezien. Nu zou hij weg moeten gaan. Je wist nooit wat die jongen met het leren jack zou verzinnen. Hij stond op, piste in het toilet, ging weer zitten. Waarom had hij gepist? Hij had niet erg nodig gehoeven. Hij wist waarom hij had gepist.

Voor het geval dat.

De deur van de wc's ging open. Hij hield zijn adem in. Iets in hem hoopte dat het een politieagent was. Een grote, mannelijke politieagent die de deur van het hokje open zou tráppen en hem met zijn wapenstok mishandelen voordat hij hem arresteerde.

Fluisterende stemmen, zachte stappen, een zachte klop op de deur.

"Ja?"

Weer kloppen. Hij slikte een stekelige brok speeksel door en deed de deur van het slot.

Voor de deur stond een jongen van een jaar of elf, twaalf. Blond haar, uivormig gezicht. Smalle lippen en grote blauwe, uitdrukkingsloze ogen. Een rood gewatteerd jack dat hem iets te groot was. Vlak achter hem stond de oudere jongen met het leren jack. Hij stak vijf vingers op.

"*Five hundred.*" Hij sprak 'hundred' uit als 'chundred'.

Håkan knikte en de oudere jongen duwde de jongere voorzichtig het hokje in en deed de deur dicht. Was vijfhonderd niet wat duur? Niet dat het wat uitmaakte, maar …

Hij keek naar de jongen die hij had gekocht. Gehuurd. Gebruikte hij drugs? Vermoedelijk wel. Zijn ogen stonden afwezig, niet scherp. De jongen stond een halve meter van hem af tegen de deur aan gedrukt. Hij was zo klein dat Håkan zijn hoofd niet omhoog hoefde te doen om hem in de ogen te kijken.

"*Hello.*"

De jongen antwoordde niet, schudde alleen met zijn hoofd,

wees naar zijn buik en gebaarde met zijn vinger: *gulp openmaken.*
Hij gehoorzaamde. De jongen zuchtte, maakte weer een gebaar
met zijn vinger: *penis tevoorschijn halen.*

Hij kreeg een kleur op zijn wangen toen hij deed wat de jongen
zei. Want zo was het: hij gehoorzaamde de jongen. Hij had zelf
niets te willen. Hij deed dit niet. Zijn korte penis was helemaal
niet stijf, kwam maar net tot aan het wc-deksel. Een kieteling
toen de eikel de koude ondergrond raakte.

Hij tuurde, probeerde de gelaatstrekken van de jongen zo te
veranderen dat ze meer op die van zijn geliefde leken. Dat lukte
niet zo goed. Zijn geliefde was mooi. Dat was deze jongen, die nu
op zijn knieën ging zitten en zijn hoofd tegen zijn middenrif
duwde, niet.

Zijn mond.

Er was iets mis met de mond van de jongen. Hij legde zijn hand
op het voorhoofd van de jongen, voordat de mond zijn doel
bereikte.

"Your mouth?"

De jongen schudde zijn hoofd en duwde zijn voorhoofd tegen
zijn hand om door te gaan met zijn werk. Maar nu lukte het niet.
Hij had van dit soort dingen gehoord.

Hij stak zijn duim uit naar de bovenlip van de jongen en trok
die omhoog. De jongen had geen tanden. Iemand had zijn tanden eruit getrokken of geslagen, zodat hij zijn werk beter kon
doen. De jongen stond op; een ritselend, fluisterend geluid van
het gewatteerde jack toen hij zijn armen over elkaar sloeg voor
zijn borst. Håkan stopte zijn penis terug, deed zijn gulp dicht,
staarde naar de grond.

Zo niet. Zo nooit.

Iets werd omhooggestoken in zijn gezichtsveld. Een hand met
vijf uitgesperde vingers. Vijfhonderd.

Hij haalde het rolletje bankbiljetten uit zijn zak en gaf het aan
de jongen. De jongen haalde het elastiekje eraf, ging met zijn
wijsvinger langs de rand van de tien briefjes, deed het elastiekje
er weer omheen en stak het rolletje omhoog.

"Why?"

"Because ... your mouth. Maybe you can get ... new teeth."

De jongen lachte zelfs. Geen stralende lach, maar zijn mondhoeken gingen een stukje omhoog. Misschien lachte hij alleen maar om Håkans domheid. De jongen dacht na, toen haalde hij een duizendje van het rolletje en stopte het in de buitenzak van zijn jack. Het rolletje in zijn binnenzak. Håkan knikte.

De jongen deed de deur open, aarzelde. Toen draaide hij zich om naar Håkan, aaide hem over zijn wang.

"Sank you."

Håkan legde zijn hand over die van de jongen, drukte hem tegen zijn wang, deed zijn ogen dicht. Kon iemand het maar.

"Forgive me."

"Yes."

De jongen trok zijn hand terug. De warmte ervan zat nog steeds in Håkans wang toen de deur van de wc's achter de jongen dichtging. Hij bleef op het toilet zitten staren naar iets wat iemand op de deurpost had geschreven. *Wie je ook bent. Ik hou van je.* Vlak daaronder had iemand anders geschreven: *Wil je pik?*

De warmte was allang van zijn wang af toen hij naar de metro ging en van zijn laatste kronen een avondblad kocht. Er werden vier pagina's aan de moord besteed. Er stond onder andere een foto in van de vallei waar hij die had gepleegd. Die stond vol met brandende kaarsjes en bloemen. Hij keek naar de foto en voelde niet zoveel.

Jullie moesten eens weten. Vergeef me, maar jullie moesten eens weten.

Onderweg van school naar huis bleef Oskar onder de twee ramen van haar appartement staan. Het dichtstbijzijnde was maar twee meter verwijderd van het raam van zijn eigen kamer. De jaloezieën waren neergelaten en de ramen waren lichtgrijze rechthoeken tegen het donkergrijze beton. Het zag er duister uit. Vermoedelijk was het een ... raar gezin.

Drugsgebruikers.

Oskar keek om zich heen, liep toen het portiek in en keek op het tableau met namen. Vijf achternamen netjes in plastic blokletters. Eén plaats was leeg. De naam van de vorige bewoner, HELLBERG, had er zo lang gestaan dat je die als een donkerder contour op het door de zon gebleekte viltbord kon lezen. Maar geen nieuwe plastic letters. Niet eens een briefje.

Hij jogde de twee trappen op naar haar deur. Daar was het hetzelfde. Niets. Geen letters op het naambordje van de brievenbus. Net als bij een appartement dat leegstond.

Had ze misschien gelogen? Misschien woonde ze hier helemaal niet. Maar ze was toch het portiek in gegaan. Natuurlijk. Maar dat kon ze gewoon doen. Als ze ...

De deur beneden ging open.

Hij ging weg bij de deur en liep snel de trappen af. Als zij het maar niet was. Dan dacht ze misschien dat hij op de een of andere manier ... Maar ze was het niet.

Halverwege de tweede trap kwam Oskar een man tegen die hij nog nooit eerder had gezien. Een korte, nogal brede man, die half kaal was en zo breed glimlachte dat het niet normaal was.

De man kreeg Oskar in de gaten, hief zijn hoofd op en knikte, zijn mond nog steeds vertrokken in die circusgrijns.

Onder in het portiek bleef Oskar staan luisteren. Hij hoorde sleutels tevoorschijn komen en een deur opengaan. Haar deur. De man was vermoedelijk haar vader. Oskar had weliswaar nog nooit zo'n oude drugsgebruiker gezien, maar hij zag er wel echt ziek uit.

Geen wonder dat zij raar is.

Oskar liep naar de speelplaats, ging op de rand van de zandbak zitten en hield haar raam in de gaten om te zien of de jaloezieën opgetrokken zouden worden. Zelfs het raam van de badkamer leek vanbinnen afgedekt; het matglas was donkerder dan dat van alle andere badkamerramen.

Hij haalde zijn kubus van Rubik uit zijn jaszak. Die kraakte en piepte als hij eraan draaide. Een kopie. De echte ging veel soepeler, maar kostte vijf keer zoveel en die hadden ze alleen in de goed bewaakte speelgoedwinkel in Vällingby.

Twee zijden waren opgelost, waren van één kleur, en op de derde zijde zat maar één klein vakje verkeerd. Maar dat kreeg hij niet goed zonder de twee opgeloste zijden weer te vernielen. Hij had een artikel uit *Expressen* bewaard waarin verschillende draaisystemen werden beschreven – zo had hij twee zijden voor elkaar weten te krijgen, maar daarna werd het heel wat moeilijker.

Hij keek naar de kubus en probeerde de oplossing te vinden door te denken in plaats van alleen te draaien. Het lukte niet. Zijn hersenen konden het niet aan. Hij duwde de kubus tegen zijn voorhoofd, probeerde er diep in door te dringen. Geen reactie. Hij zette de kubus een halve meter verder op de rand van de zandbak neer, staarde ernaar.

Draai. Draai. Draai.

Telekinese heette dat. In de Verenigde Staten hadden ze experimenten uitgevoerd. Er waren mensen die dergelijke dingen konden. ESP. *Extra Sensory Perception.* Oskar zou er alles voor overhebben om zoiets te kunnen.

En misschien … misschien kon hij het wel.

De schooldag was niet zo slecht verlopen. Tomas Ahlstedt had geprobeerd zijn stoel onder hem uit te trekken toen hij wilde gaan zitten in de eetzaal, maar hij had het op tijd gezien. Dat was alles. Hij zou het bos in gaan met het mes, naar die boom. Een serieuzer experiment uitvoeren. Niet zo opgefokt als gisteren.

Rustig en methodisch in de boom steken, hem kapotsnijden en aldoor het gezicht van Tomas Ahlstedt voor zich zien. Hoewel … dat met die moordenaar was wel gebeurd. De échte moordenaar zat ook ergens.

Nee. Hij moest wachten totdat de moordenaar gepakt was. Aan de andere kant: als het een normale moordenaar was, was het experiment waardeloos. Oskar keek naar de kubus, stelde zich een straal voor die van zijn ogen naar de kubus liep.

Draai. Draai. Draai.

Er gebeurde niets. Oskar stopte de kubus in zijn zak, stond op en klopte wat zand van zijn broek. Keek naar haar raam. De jaloezieën waren nog steeds dicht.

Hij ging naar binnen om aan zijn plakboek te werken, artikelen over de Vällingbymoord uitknippen en inplakken. Het zouden er vermoedelijk best veel worden, mettertijd. Vooral als het nog een keer gebeurde. Daar hoopte hij een beetje op. Het liefst in Blackeberg.

Zodat de politie op school kwam, zodat de leraren ernstig en ongerust waren, zodat die stemming ontstond die hij zo aangenaam vond.

"Nooit meer. Wat je ook zegt."

"Håkan …"

"Nee. Het is gewoon nee."

"Ik ga dood."

"Dan ga je maar dood."

"Meen je dat?"

"Nee. Dat niet. Maar je kunt toch … zelf."

"Ik ben te zwak. Nog steeds."

"Je bent niet zwak."

"Te zwak daarvoor."

"Ja, dan weet ik het niet. Maar ik doe het niet meer. Het is zo … walgelijk, zo …"

"Dat weet ik."

"Dat weet je niet. Voor jou is het anders, is het …"

"Wat weet jij ervan hoe het voor mij is?"

"Niets. Maar jij bent tenminste …"

"Denk je dat ik ervan … geniet?"

"Ik weet het niet. Geniet je ervan?"

"Nee."

"Nee, nou ja, hoe dan ook … ík doe het niet nog eens. Je hebt misschien andere helpers gehad, die … beter waren dan ik."

" …"

"Is dat zo?"

"Ja."

"O …"

"Håkan? Toe …?"

"Ik hou van je."

"Ja."

"Hou je van mij? Een beetje?"

"Zou je het weer doen als ik zei dat ik van je hou?"

"Nee."

"Ik moet sowieso van je houden, bedoel je?"

"Je houdt alleen van me als ik je help in leven te blijven."

"Ja. Is dat niet juist liefde?"

"Als ik dacht dat je ook van me hield als ik het níét zou doen …"

"Ja?"

"… dan zou ik het misschien doen."

"Ik hou van je."

"Ik geloof je niet."

"Håkan. Ik red het nog een paar dagen, maar dan …"

"Zorg dan maar dat je van me gaat houden."

Vrijdagavond bij de Chinees. Het is kwart voor acht en de hele club is bij elkaar. Behalve Karlsson, die thuis naar *De Notenkrakers* aan het kijken is en dat komt ook wel goed uit. Die man draagt niet veel bij. Hij zal later wel komen als het afgelopen is en opscheppen over hoeveel vragen hij goed had.

Aan het hoektafeltje voor zes bij de deur zitten nu Lacke, Morgan, Larry en Jocke. Jocke en Lacke discussiëren erover welke vissoorten zowel in zoet als in zout water gedijen. Larry leest het avondblad en Morgan zit met zijn been te wippen, stampt de maat van een ander soort muziek dan de Chinese muzak die zachtjes uit de verborgen luidsprekers klinkt.

Op de tafel voor hen staan volle en minder volle bierglazen. Aan de muur boven de bar hangen hun portretten.

De eigenaar van het restaurant moest uit China wegvluchten in verband met de culturele revolutie, vanwege zijn satirische karikaturen van de machthebbers. Nu heeft hij zijn talenten gebotvierd op zijn stamgasten. Aan de muur hangen twaalf milde, met stift getekende spotprenten.

Van alle jongens. En van Virginia. De portretten van de jongens zijn close-ups, waarop alle onregelmatigheden van hun fysionomie zijn benadrukt.

Larry's gegroefde, bijna uitgeholde gelaat en een paar enorme flaporen, die hem het aanzien van een lieve maar uitgehongerde olifant geven.

Bij Jocke zijn de dikke, aan elkaar gegroeide wenkbrauwen geaccentueerd en veranderd in rozenstruiken waarin een vogel – misschien een nachtegaal – zit te zingen.

Morgan heeft vanwege zijn stijl trekken van de late Elvis mogen lenen. Royale bakkebaarden en een Hunka-hunka-looooove-baby-uitdrukking in zijn ogen. Het hoofd zit op een klein lijfje dat een gitaar vasthoudt en een Elvis-pose aanneemt. Morgan is meer ingenomen met het portret dan hij wil toegeven.

Lacke ziet er vooral bedrukt uit. Zijn ogen zijn groter gemaakt en hebben een overdreven lijdende uitdrukking gekregen. Er hangt een sigaret in zijn mondhoek en de rook daarvan is boven zijn hoofd tot een regenwolk aangegroeid.

Virginia is de enige die ten voeten uit is geportretteerd. In avondjurk, stralend als een ster met glinsterende pailletten, staat ze met haar armen gespreid, omgeven door een troep varkens die vol onbegrip naar haar kijken. Op verzoek van Virginia heeft de eigenaar nog zo'n zelfde tekening gemaakt, die Virginia mee naar huis mocht nemen.

Verder zijn het anderen. Een paar die niet bij de groep horen. Een paar die niet meer komen. Een paar die zijn overleden.

Charlie was in zijn portiek van de trap gevallen, toen hij op een avond thuiskwam uit het restaurant en zijn schedel was door de val op het gespikkelde beton verbrijzeld. Gurkan had een verschrompelde lever en was overleden aan een bloeding in zijn slokdarm. Een paar weken voordat hij stierf, had hij op een avond zijn hemd omhooggetrokken en laten zien hoe een rood spinnenweb van aderen van zijn navel wegstroomde. "Verdomd dure tattoo", had hij gezegd en kort daarna was hij dood. Ze hadden zijn gedachtenis geëerd door zijn portret bij hen op tafel neer te zetten en de hele avond met hem te proosten.

Van Karlsson is er geen portret.

Deze vrijdagavond zal de laatste zijn die ze samen hebben. Morgen zal een van hen voorgoed verdwijnen en zal nog een portret louter als herinnering aan de muur hangen. En niets zal ooit weer hetzelfde zijn.

Larry liet de krant zakken, legde zijn leesbril op tafel en nam een slok bier. "Ja, potverdomme. Hoe ziet het er in de bovenkamer van zo iemand uit?"

Hij liet de krant zien, waar DE KINDEREN ZIJN GESCHOKT stond boven een foto van de Vällingbyschool en een kleinere foto van een man van middelbare leeftijd. Morgan wierp een blik op de krant, wees.

"Is dat de moordenaar?"

"Nee, dat is de directeur van de school."

"Ziet er wel uit als een moordenaar, vind ik. Typische moorde-naar."

Jocke stak zijn hand uit naar de krant.

"Laat eens zien … "

Larry gaf hem de krant aan en Jocke hield hem op een arm-lengte van zijn ogen, keek naar de foto.

"Ik vind dat hij eruitziet als een conservatieve politicus."

Morgan knikte.

"Dat zeg ik."

Jocke liet de krant aan Lacke zien, zodat hij de foto kon bekij-ken.

"Wat vind jij?"

Lacke keek wat onwillig.

"Nee, ik weet het niet. Ik kan niet zo goed tegen dat soort din-gen."

Larry ademde op zijn bril en poetste die met zijn overhemd.

"Ze pakken hem. Hij komt niet weg met zoiets."

Morgan trommelde met zijn wijsvingers op tafel, reikte naar de krant.

"Hoe heeft Arsenal het gedaan?"

Larry en Morgan gingen over tot het bespreken van de slechte kwaliteit van het Engelse voetbal van tegenwoordig. Jocke en Lacke zwegen een poosje, zogen aan hun biertje en staken een sigaret op. Toen begon Jocke over de kabeljauw, dat die zou ver-dwijnen uit de Oostzee. Zo vorderde de avond.

Karlsson liet zich niet zien, maar tegen tienen kwam er een man binnen die ze geen van allen eerder hadden gezien. De con-versatie was tegen die tijd levendiger geworden en ze kregen de nieuweling pas in de gaten toen hij alleen aan een tafeltje aan het andere eind van het lokaal was gaan zitten.

Jocke boog zich naar Larry toe.

"Is dat voor iemand?"

Larry keek discreet, schudde zijn hoofd.

"Weet niet."

De nieuwkomer kreeg een dubbele whisky, sloeg die snel ach-terover en bestelde er nog een. Morgan blies met een fluitend geluid lucht tussen zijn lippen door naar buiten.

"Niet te zuinig!"

De man leek zich er niet van bewust te zijn dat hij werd geobserveerd. Hij zat rustig bij zijn tafeltje en keek naar zijn handen; hij zag eruit alsof alle ellende van de wereld in één rugzak was gestopt, die om zíjn schouders was gehangen. Hij dronk zijn tweede whisky snel op en bestelde er nog een.

De ober boog zich over hem heen en zei iets. De man groef met zijn hand in zijn zak en liet een paar bankbiljetten zien. De ober maakte een gebaar met zijn handen dat hij het helemaal niet zo had bedoeld, hoewel dat natuurlijk wel zo was, en ging de bestelling halen.

Het was geen wonder dat de kredietwaardigheid van de man in twijfel werd getrokken. Zijn kleren waren gekreukt en vlekkerig, alsof hij erin had geslapen op een plaats waar je slecht sliep. De haarkrans rondom zijn kale schedel was niet geknipt en hing half over zijn oren. Het gezicht werd gedomineerd door een tamelijk grote, lichtrode neus en een vooruitstekende kin. Daartussen zaten een paar kleine, dikke lippen, die af en toe bewogen, alsof de man in zichzelf zat te praten. Hij verroerde geen vin toen de whisky voor hem op het tafeltje werd neergezet.

De groep ging weer over tot de discussie die ze had gevoerd: of Ulf Adelsohn nog slechter zou worden dan Gösta Bohman was geweest. Alleen Lacke gluurde af en toe naar de eenzame man. Na een poosje, toen de man weer een whisky had besteld, zei hij: "Moeten we niet ... vragen of hij bij ons wil komen zitten?"

Morgan wierp een blik over zijn schouder op de man die nu nog verder in elkaar gezakt op zijn stoel zat. "Nee, waarom? Zijn vrouw is bij hem weg, de kat is dood en het leven is een hel. Dat weet ik zo ook wel."

"Misschien trakteert hij wel."

"Dan is het wat anders. Dan mag hij nog kanker hebben ook." Morgan haalde zijn schouders op. "Mij maakt het niet uit."

Lacke keek naar Larry en Jocke. Ze maakten kleine gebaren dat het oké was en Lacke stond op en liep naar het tafeltje van de man.

"Hallo."

De man keek naar Lacke op. Zijn blik was behoorlijk troebel.

Het glas op tafel was bijna leeg. Lacke leunde op de stoel aan de andere kant van de tafel en boog zich over de man heen.

"We vroegen ons af of je misschien … bij ons wilt komen zitten?"

De man schudde langzaam zijn hoofd en maakte een slaapdronken, afwerend handgebaar.

"Nee. Bedankt. Maar ga zitten."

Lacke trok de stoel aan en ging zitten. De man sloeg het laatste bodempje achterover en wenkte de ober.

"Wil jij iets? Ik trakteer."

"In dat geval. Hetzelfde als jij."

Lacke wilde het woord 'whisky' niet noemen, het klonk wat aanmatigend om iemand te vragen op zoiets duurs te trakteren, maar de man knikte alleen maar en toen de ober naderde, maakte hij een V-teken met zijn vingers en wees naar Lacke. Lacke leunde achterover in zijn stoel. Hoe lang was het geleden dat hij voor het laatst whisky had gedronken in een café of restaurant? Drie jaar? Minstens.

De man gaf er geen blijk van dat hij een gesprek wilde beginnen, dus Lacke kuchte en zei: "Het is maar koud."

"Ja."

"We zullen binnenkort wel sneeuw krijgen."

"Mmm."

De whisky kwam op tafel en maakte een gesprek even overbodig. Lacke kreeg ook een dubbele en hij voelde de blikken van de jongens in zijn rug branden. Na een paar slokjes hief hij zijn glas.

"Proost dan. En bedankt."

"Proost."

"Woon je hier in de buurt?"

De man staarde in de lucht, leek de vraag te overpeinzen, alsof het iets was waar hij zelf nooit over had nagedacht. Lacke kon niet uitmaken of het wiebelen met zijn hoofd een antwoord was op de vraag of deel van een innerlijke dialoog.

Lacke nam nog een slok, besloot dat de man, als hij ook geen antwoord gaf op zijn volgende vraag, met rust gelaten wilde worden en met niemand wilde praten. Dan zou Lacke zijn glas oppakken en weer bij de anderen gaan zitten. Hij had gedaan wat hij aan de beleefdheid verplicht was als je iets aangeboden kreeg. Hij hoopte dat de man niet zou antwoorden.

"Ja, ja. En wat doe je om de tijd door te komen?"

"Ik … "

De man fronste zijn wenkbrauwen en trok zijn mondhoeken spastisch omhoog in een grijnzende grimas en liet ze weer terugvallen.

"… help een handje."

"O ja. Waarmee?"

Een soort inzicht flitste voorbij achter het doorzichtige oogvlies en de blik van de man ontmoette die van Lacke. Lacke voelde een huivering in zijn onderrug, alsof een zwarte wegmier hem boven zijn staartbeentje had gebeten.

De man wreef in zijn ogen, viste een paar honderdjes uit zijn broekzak, legde ze op tafel en stond op.

"Neem me niet kwalijk, ik moet … "

"Oké. Bedankt voor de whisky."

Lacke hief zijn glas naar de man, maar die was al op weg naar de kapstok, pakte onhandig zijn jas van een haak en ging naar buiten. Lacke bleef zitten met zijn rug naar de jongens toe, keek naar het stapeltje bankbiljetten. Vijf honderdjes. Een dubbele whisky kostte zestig en het waren er vijf geweest, misschien zes.

Lacke gluurde opzij. De ober was druk met het aannemen van de betaling van een ouder echtpaar, de enige tafelgasten. Terwijl Lacke opstond, frommelde hij snel een honderdje op tot een prop in zijn hand, stopte de hand in zijn zak en liep terug naar de stamtafel.

Halverwege schoot hem iets te binnen, hij keerde terug naar het tafeltje en goot wat er nog in het glas van de man zat over in zijn eigen glas en nam dat mee.

Een zeer geslaagde avond.

"Maar vanavond komen *De Notenkrakers!*"

"Ja, daar ga ik ook naar kijken."

"Het begint over … een halfuur."

"Weet ik."

"Wat moet je nu buiten doen?"

"Ik ga gewoon even naar buiten."

"Ja, je hóéft niet naar *De Notenkrakers* te kijken. Ik kan wel alleen kijken. Als jij naar buiten moet."

"Ja, maar ik … ik kom later wel."

"Ja, ja. Dan wacht ik nog even met het opwarmen van de crêpes."

"Nee, je kunt best … ik kóm nog wel."

Oskar rukte zich los. *De Notenkrakers* was een van de tv-hoogtepunten van hem en zijn moeder. Ze had crêpes met garnalenvulling gemaakt om voor de tv op te eten. Hij wist dat hij zijn moeder teleurstelde door nu naar buiten te gaan in plaats van bij haar te gaan zitten … afwachten.

Maar hij had al vanaf dat het donker werd uit zijn raam staan kijken en zojuist had hij het meisje uit het portiek naast hen zien komen en naar de speelplaats zien lopen. Hij was meteen bij het raam weggegaan. Ze moest niet denken dat hij …

Dus had hij vijf minuten gewacht voor hij zijn jas aantrok en naar buiten ging. Hij nam geen muts mee.

Hij zag het meisje niet bij de speelplaats, vermoedelijk zat ze op het klimrek, net als gisteren. De jaloezieën voor haar raam waren nog steeds neergelaten, maar er brandde licht in de flat. Alleen in de badkamer niet, daarvan was de ruit zwart.

Oskar ging op de rand van de zandbak zitten wachten. Als op een dier dat uit zijn hol zal komen. Hij was van plan maar even te blijven zitten. Als het meisje niet kwam, zou hij weer naar binnen gaan en doen alsof er niets aan de hand was.

Hij haalde zijn kubus tevoorschijn en draaide eraan om iets te doen te hebben. Hij had er genoeg van om met dat ene hoekstukje rekening te moeten houden en hij draaide de hele kubus weer door elkaar om opnieuw te beginnen.

Het gekraak van de kubus werd uitvergroot in de koude lucht, het klonk als een apparaatje. Uit een ooghoek zag Oskar het meisje omhoogkomen op het klimrek. Hij draaide verder om een nieuw vlak van één kleur te krijgen. Het meisje stond stil. Hij voelde een lichte onrust in zijn buik, maar nam geen notitie van haar.

"Ben jij er weer?"

Oskar tilde zijn hoofd op, deed net of hij verbaasd was, liet een paar seconden verstrijken en zei toen: "Ben jíj er weer?"

Het meisje zei niets en Oskar ging door met draaien. Zijn vingers waren stijf. Het was moeilijk de kleuren te onderscheiden in het donker, dus werkte hij alleen met de witte kant, die was het makkelijkst te zien.

"Waarom zit je daar?"

"Waarom sta je daar?"

"Ik wil met rust gelaten worden."

"Ik ook."

"Ga dan naar huis."

"Ga zelf naar huis. Ik woon hier langer dan jij."

Die zat. Het witte vlak was klaar en het was moeilijk om verder te komen. De andere kleuren waren slechts een donkergrijze massa. Hij draaide op goed geluk verder.

Toen hij weer opkeek, stond het meisje op het hekje en sprong naar beneden. Het gierde door Oskars maag toen ze op de grond neerkwam; als hijzelf die sprong had gewaagd, zou hij zich pijn gedaan hebben. Maar het meisje landde zacht als een kat en kwam naar hem toe. Hij richtte zijn aandacht op de kubus. Ze bleef voor hem staan.

"Wat is dat?"

Oskar keek naar het meisje, naar de kubus, weer naar het meisje.

"Dit hier?"

"Ja."

"Wéét je dat niet?"

"Nee."

"De kubus van Rubik."

"Wat zei je?"

Oskar sprak de woorden overdreven duidelijk uit.

"De ku-bus van Ru-bik."

"Wat is dat?"

Oskar haalde zijn schouders op.

"Speelgoed."

"Een puzzel?"

"Ja."

Oskar stak het meisje de kubus toe.

"Wil je eens proberen?"

Ze pakte de kubus uit zijn hand, draaide hem om, bekeek hem aan alle kanten. Oskar lachte. Ze was net een aap die een vrucht onderzocht.

"Heb je er nog nooit een gezíén?"

"Nee. Hoe moet het?"

"Zo ..."

Oskar kreeg de kubus terug en het meisje ging naast hem zitten. Hij liet haar zien hoe je moest draaien en vertelde dat het de bedoeling was ervoor te zorgen dat alle vlakken één kleur hadden. Ze pakte de kubus en begon te draaien.

"Zie je de kleuren?"

"Natuurlijk."

Hij gluurde naar haar terwijl ze met de kubus aan de gang was. Ze droeg dezelfde roze trui als gisteren en hij snapte niet dat ze het niet koud had. Zelf kreeg hij het koud van het stilzitten, ondanks zijn jas.

Natuurlijk.

Ze praatte ook vreemd. Als een volwassene. Misschien was ze zelfs wel óúder dan hij, ook al was ze zo spichtig. Haar smalle, witte hals stak uit de kraag van haar polotrui, ging over in een duidelijk kaakbeen. Net een etalagepop.

Maar nu kwam een windvlaag Oskars kant op. Hij slikte en ademde door zijn mond. De etalagepop stónk.

Wast ze zich niet?

Maar de lucht was erger dan alleen van oud zweet. Het was meer zoals de lucht als je het verband van een geïnfecteerde wond afhaalt. En haar haar ...

Toen hij haar wat beter durfde te bekijken, omdat ze toch in beslag werd genomen door de kubus, zag hij dat haar haar helemaal kliederig was en in klitten en klonters op haar hoofd lag. Alsof er lijm in zat of ... modder.

Terwijl hij het meisje bestudeerde, ademde hij per ongeluk door zijn neus, en een impuls om te kotsen kriebelde in zijn keel. Hij stond op, liep naar de schommels en ging zitten. Je kon niet in haar buurt verkeren. Het leek het meisje niets te kunnen schelen.

Na een poosje stond hij op, liep naar waar zij zat, nog steeds opgeslokt door de kubus.

"Zeg. Ik moet nu naar huis."

"Mmm."

"De kubus ..."

Het meisje stopte. Weifelde even, stak toen zonder een woord te zeggen de kubus naar hem uit. Oskar nam hem aan, keek naar haar en gaf hem toen terug.

"Je mag hem wel lenen. Tot morgen."

Ze pakte hem niet aan.

"Nee."

"Waarom niet?"

"Misschien ben ik er morgen niet."

"Tot overmorgen dan. Maar niet langer."

Ze dacht na. Pakte toen de kubus.

"Dank je wel. Ik ben er morgen waarschijnlijk wel."

"Hier?"

"Ja."

"Oké. Doei."

"Dag."

Toen Oskar zich omdraaide en haar verliet, hoorde hij weer het zachte kraken van de kubus. Ze bleef daar zitten met haar dunne trui aan. Haar ouders moesten wel ... alternatief zijn, als ze haar zo naar buiten lieten gaan. Je kon immers wel blaasontsteking krijgen.

"Waar ben je geweest?"

"Buiten."

"Je bent dronken."

"Ja."

"We hadden gezegd dat je daarmee op zou houden."

"Dat heb jíj gezegd. Wat is dat?"

"Een puzzel. Het is niet goed dat je ... "

"Waar heb je die vandaan?"

"Geleend. Håkan, je moet ..."

"Van wie dan?"

"..."

"Håkan, doe niet zo."

"Maak me dan gelukkig."

"Wat moet ik doen?"

"Laat me je aanraken."

"Ja. Op één voorwaarde."

"Nee. Nee, nee. Laat dan maar."

"Morgen. Dat moet."

"Nee. Niet nog eens. Hoezo 'geleend'? Je léént toch nooit iets. Wat is dat voor iets?"

"Een puzzel."

"Heb je nog niet genoeg puzzels? Je besteedt meer aandacht aan je puzzels dan aan mij. Puzzel. Kus. Puzzel. Van wie heb je die gekregen? VAN WIE HEB JE DIE GEKREGEN, VRAAG IK!"

"Håkan, hou op."

(Stilte.)

"Ik ben zo vreselijk ongelukkig."

"Help me. Nog één keer. Daarna ben ik sterk genoeg om mezelf te redden."

"Ja, dat is het nou net."

"Je wilt niet dat ik mezelf kan redden."

(Stilte.)

"Waar heb je mij dan nog voor nodig?"

"Ik hou van je."

"Dat doe je helemaal niet."

"Jawel. In zekere zin."

"Dat bestaat niet. Of je houdt van iemand of niet."

"Is dat zo?"

"Ja."

"Dan weet ik het niet."

ZATERDAG 24 OKTOBER

*"Het mysterie van de voorstad is het
ontbreken van een raadsel."*

Johan Eriksson

Op zaterdagochtend lagen er drie dikke stapels reclameblaadjes
bij Oskar voor de deur. Zijn moeder hielp hem met vouwen. Drie
verschillende folders in elk pakket, vierhonderdtachtig pakketjes
in totaal. Gemiddeld leverde elk pakketje dat hij bezorgde veertien öre op. In het ongunstigste geval had je één blaadje, dat
zeven öre opleverde. In het gunstigste geval (en het ergste, want
het was een hele hoop vouwwerk) tot wel vijf blaadjes, wat vijfentwintig öre opleverde.

Hij kon goed opschieten, omdat hij de flats in zijn wijk had.
Daar was hij binnen het uur honderdvijftig blaadjes kwijt. De
hele ronde nam ongeveer vier uur in beslag, met tussendoor een
keer naar huis om de voorraad folders bij te vullen. Die keren dat
er vijf blaadjes in elk pakket zaten, moest hij twee keer terug voor
nieuwe.

De blaadjes moesten uiterlijk dinsdagavond zijn bezorgd, maar
hij deed het meestal 's zaterdags. Dan was het maar klaar.

Oskar zat op de keukenvloer te vouwen, zijn moeder aan tafel.
Het was niet zulk leuk werk, maar hij hield van de chaos die het
in de keuken schiep. De enorme rommel, die stukje bij beetje
geordend raakte in twee, drie, vier propvolle papieren zakken
met keurig gevouwen folders.

Zijn moeder stopte nog een stapel gevouwen pakketjes in de
tas. Ze schudde haar hoofd.

"Nee, ik vind het maar niks."

"Wat?"

"Je moet niet … als iemand de deur opendoet of zo … je mag niet …"

"Nee. Waarom zou ik dat doen?"

"Er zijn zoveel rare mensen op de wereld."

"Ja."

Dit gesprek ontspon zich in de een of andere vorm zo goed als elke zaterdag. Vrijdagavond had zijn moeder gezegd dat hij deze zaterdag helemaal geen blaadjes moest rondbrengen vanwege de moordenaar. Maar Oskar had plechtig beloofd dat hij het op een krijsen zou zetten zodra iemand hem maar aansprak en zijn moeder had toegegeven.

Het was nog nooit voorgekomen dat iemand Oskar binnen wilde vragen of zoiets. Eén keer had een oude man hem uitgescholden omdat hij "een hoop rotzooi in de brievenbus stopte", en daarna had hij bij die man geen blaadjes meer bezorgd.

Die moest verder leven zonder te weten dat hij deze week in de dameskapsalon een feestelijke coupe soleil aangemeten kon krijgen voor tweehonderd kronen.

Om halftwaalf waren alle folders gevouwen en ging hij op pad. Het had geen zin om alle blaadjes ergens bij het afval te gooien; ze belden en controleerden het, namen steekproeven. Dat hadden ze er bij hem ingeprent toen hij een halfjaar geleden belde om zich voor het werk op te geven. Misschien was het maar bluf, maar hij durfde het er niet op te wagen. Bovendien had hij niet direct iets op het werk tegen. In elk geval de eerste twee uur niet.

Dan speelde hij bijvoorbeeld dat hij een agent was op een geheime missie, die bezig was propaganda te verspreiden tegen de vijand die het land had ingenomen. Hij snelde van het ene portiek naar het andere, op zijn hoede voor de vijandelijke soldaten, die best verkleed konden zijn als gewone vrouwtjes met een hond.

Of hij deed net of elk huis een hongerig beest was, een draak met zes bekken die alleen maagdenvlees at, vermomd als reclameblaadjes, die hij tussen de kaken van het monster stak.

De laatste twee uur – zoals vandaag, bezig met de tweede ronde

– trad er een soort afstomping in. Zijn benen draafden door en zijn armen voerden de bewegingen mechanisch uit.

Tas neerzetten, zes pakjes onder zijn linkerarm stoppen, buitendeur opendoen, eerste deur, brievenbus met de linkerhand opendoen, een blaadje pakken met de rechterhand, het erin stoppen. Tweede deur … enzovoort.

Toen hij eindelijk bij zijn eigen rijtje aankwam, bij de deur van het meisje, bleef hij ervoor staan luisteren. Hij hoorde het zachte geluid van een radio. Dat was alles. Hij stopte de blaadjes in de brievenbus en wachtte. Niemand kwam ze halen.

Zoals altijd deed hij zijn eigen deur het laatst, hij stopte een blaadje in de bus, deed de deur open, raapte het blaadje op en gooide het in de prullenbak.

Klaar voor vandaag. Zevenenzestig kronen rijker.

Zijn moeder was naar Vällingby om boodschappen te doen. Oskar had de flat voor zichzelf. Wist niet hoe hij daar gebruik van zou maken.

Hij opende de laatjes onder het aanrecht in de keuken, keek erin. Bestek, kloppers en een oventhermometer. In een andere la pennen en papier, een serie receptenkaartjes met verschillende gerechten, waar zijn moeder een abonnement op had genomen, maar waar ze weer mee was gestopt omdat overal zulke dure ingrediënten in zaten.

Hij liep door naar de woonkamer, deed de kasten open.

De handwerkspullen van zijn moeder, haar haaknaalden, of waren het breinaalden? Een map met rekeningen en bonnetjes. Fotoalbums waar hij heel vaak in had gekeken. Oude tijdschriften met nog steeds niet opgeloste kruiswoordpuzzels. Een leesbril in een brillenkoker. Een naaidoos. Een houten doosje met de paspoorten van zijn moeder en hemzelf, hun identiteitsplaatjes (hij had gevraagd of hij het zijne om zijn nek mocht dragen; alleen als het oorlog werd, had moeder gezegd), een foto en een ring.

Hij doorzocht de laatjes en kasten alsof hij ergens naar op zoek was, zonder dat hij zelf wist wat. Een geheim. Iets wat ergens verandering in zou brengen. Dat hij plotseling, helemaal achter in de kast een stuk rottend vlees zou vinden. Of een opgeblazen ballon. Wat dan ook. Iets vreemds.

Hij haalde de foto uit het doosje en keek ernaar.

Het was een foto van zijn doop. Zijn moeder stond met hem op haar arm, ze keek in de camera. Ze was slank toen. Oskar was gehuld in een doopjurk met lange, blauwe linten. Naast zijn moeder stond zijn vader, ongemakkelijk in een kostuum gestoken. Hij leek niet te weten wat hij met zijn handen moest doen en hield ze daarom stijf langs zijn lichaam, hij stond bijna in de houding. Hij keek strak naar de baby in de armen van zijn moeder. De zon scheen over hun drieën.

Oskar hield de foto dichter bij zijn ogen, hij bestudeerde de gezichtsuitdrukking van zijn vader. Hij keek trots. Trots en heel erg … onwennig. Een man die blij was dat hij vader was geworden, maar niet wist hoe hij zich moest gedragen. Hoe het moest. Je had kunnen denken dat hij de baby voor het eerst zag, hoewel de doop een halfjaar na Oskars geboorte was geweest.

Zijn moeder daarentegen hield Oskar in een zekere maar ontspannen greep. Haar blik in de camera was niet zozeer trots als wel … wantrouwig. Kom niet dichterbij, zei die blik. Of ik bijt je in je neus.

Zijn vader stond wat voorovergebogen, alsof hij ook dichterbij wilde komen, maar niet durfde. De foto stelde geen gezin voor. Hij stelde een jongetje met zijn moeder voor. Met iemand naast hen, vermoedelijk de vader. Naar zijn gezichtsuitdrukking te oordelen.

Maar Oskar hield van zijn vader, en zijn moeder ook. Op een bepaalde manier. Ondanks de … omstandigheden. Hoe het was geworden.

Oskar pakte de ring op en las wat erin stond: ERIK 22/4/1967.

Ze waren gescheiden toen Oskar twee jaar was. Ze hadden geen van beiden iemand anders ontmoet. "Het is gewoon niet gebeurd." Die uitdrukking gebruikten ze allebei.

Hij legde de ring weer terug, deed het houten doosje dicht en zette het weer in de kast. Hij vroeg zich af of zijn moeder ooit naar de ring keek, waarom ze hem had bewaard. Het was toch goud. Zeker tien gram. Ongeveer vierhonderd kronen waard.

Oskar deed zijn jas aan en liep naar de binnenplaats. Het werd al donker, al was het nog maar vier uur. Uitgesloten om nu het bos in te gaan.

Tommy liep voor de deur langs, hij bleef staan toen hij Oskar zag.

"Moi."

"Moi."

"Ga je doen?"

"Tja, ik heb reclameblaadjes rondgebracht en … weet niet."

"Verdient dat een beetje?"

"Gaat wel. Zeventig, tachtig kronen per keer."

Tommy knikte.

"Wil je een walkman kopen?"

"Weet niet. Wat voor één?"

"Een Sony. Vijftig kronen."

"Nieuw?"

"Ja. In de doos. Met koptelefoon. Vijftig kronen."

"Ik heb geen geld. Nu."

"Je verdiende toch zeventig, tachtig kronen, zei je."

"Ja, maar ik krijg per maand betaald. Over een week."

"Oké. Maar dan kun je hem nu krijgen. En dan krijg ik het geld zodra je het hebt."

"Ja …"

"Oké. Wacht daar maar even, dan haal ik hem op."

Tommy maakte een beweging met zijn hoofd in de richting van de speelplaats en Oskar liep erheen en ging op een bankje zitten. Stond meteen weer op en liep naar het klimrek, keek. Het meisje was er niet. Hij liep snel terug naar het bankje en ging zitten, alsof hij iets had gedaan wat niet mocht.

Even later kwam Tommy hem de doos brengen.

"Vijftig kronen over een week, oké?"

"Mm."

"Waar luister je naar?"

"Kiss."

"Wat heb je?"

"*Alive.*"

"Heb je *Destroyer* niet? Die mag je wel van me lenen als je wilt. Kun je hem kopiëren."

"Ja, dat is mooi."

Oskar had de dubbelelpee *Alive* van Kiss; die had hij een paar maanden geleden gekocht, maar hij luisterde er nooit naar. Hij keek alleen naar de foto's van het concert. Ze zagen er echt heftig uit met hun geschminkte gezichten. Levende griezels. En *Beth*, gezongen door Peter Criss, vond hij een goed nummer, maar de andere nummers waren te ... er zat gewoon geen melodie in. Misschien was *Destroyer* beter.

Tommy stond op en wilde weglopen. Oskar pakte de doos stevig vast.

"Tommy?"

"Ja?"

"Die jongen. Die is vermoord. Weet jij misschien ... hóé die is vermoord?"

"Ja. Hij is opgehangen aan een boom en zijn keel is doorgesneden."

"Is hij niet ... neergestoken? Dat hij een mes in hem had gestoken? In zijn lichaam?"

"Nee, alleen zijn keel. *Swoesj*."

"Oké."

"Verder nog wat?"

"Nee."

"Tot ziens."

"Ja."

Oskar bleef nog even op het bankje zitten nadenken. De lucht was donkerpaars, de eerste ster – of was het Venus? – was al duidelijk zichtbaar. Hij stond op, ging de walkman binnen verstoppen voordat zijn moeder thuiskwam.

Vanavond zou hij het meisje zien, zijn kubus terugkrijgen. De jaloezieën waren nog steeds neergelaten. Wóónde ze daar wel echt? Wat deden ze daar de hele dag binnen? Had ze geen vrienden?

Het zou wel niet.

"Vanavond ..."

"Wat heb je gedaan?"

"Me gewassen."

"Doe je anders nooit."

"Håkan, vanavond moet je ..."

"Nee, zei ik toch."

(Stilte.)

"Toe?"

"Het gaat niet om … Iets anders, maakt niet uit wat. Zeg het maar en ik doe het. Neem in godsnaam van míj. Hier. Hier heb je een mes. Nee? Oké, dan moet ik …"

"Niet doen!"

"Waarom niet? Liever dat. Waarom heb je je gewassen? Je ruikt gewoon naar … zeep."

"Wat moet ik dan doen?"

"Ik kan het niet!"

"Nee."

"Wat ben je van plan?"

"Ik ga er zelf op uit."

"Moet je je daarvoor wassen?"

"Håkan …"

"Ik wil je verder met alles helpen. Wat je maar wilt, maar …"

"Ja, ja, het is goed."

"Sorry."

"Ja."

"Wees voorzichtig. Ik … wees voorzichtig."

Kuala Lumpur, Phnom Penh, Mekong, Rangoon, Chongqing …

Oskar keek naar het stencil dat hij zojuist had ingevuld, huiswerk voor het weekend. De namen zeiden hem niets, het waren gewoon letterklompjes. Het gaf een zekere voldoening om dingen op te zoeken in de atlas, te zien dat er echt steden en rivieren waren op de plaatsen die op het stencil waren aangegeven, maar …

Ja, hij zou dit uit zijn hoofd leren en zijn moeder zou hem overhoren. Hij zou de stippen kunnen aanwijzen en de vreemde woorden zeggen. Chongqing, Phnom Penh. Moeder zou onder de indruk zijn. En het was wel een beetje leuk, al die vreemde namen van plaatsen ver weg, maar …

Waarom?

In de vierde had hij stencils gehad over de topografie van Zweden. Toen kende hij ook alles uit zijn hoofd. Hij was goed in zulke dingen. Maar nu?

Hij probeerde zich de naam van één Zweedse rivier te herinneren.

Äskan, Väskan, Piskan …

Zoiets was het. Ätran misschien. Ja, maar waar lag die? Geen idee. En met Chongqing en Rangoon zou het over een paar jaar net zo zijn.

Het is allemaal zinloos.

Deze plaatsen bestónden niet eens. En als ze bestonden … dan zou hij er nooit komen. Chongqing? Wat moest hij in Chongqing doen? Dat was gewoon een groot, wit oppervlak en een klein stipje.

Hij keek naar de rechte lijnen waarop zijn onregelmatige handschrift balanceerde. Het was school. Meer niet. Dit was school. Ze zeiden tegen je dat je een heleboel dingen moest doen en die deed je. Die plaatsen waren gemaakt zodat de leraren er stencils over konden uitdelen. Het betékende niets. Hij had net zo goed Tjippiflax, Bubbelibeng en Spitt op de lijntjes kunnen schrijven. Dat was net zo logisch.

Het enige verschil was dat de juf zou zeggen dat dat fóút was. Dat het niet zo héétte. Ze zou op de kaart wijzen en zeggen: "Kijk, het heet Chongqing en niet Tjippiflax." Een armzalig bewijs. Wat in de atlas stond was immers ook door iemand bedacht. Wie zei dat het echt zo was? Misschien was de aarde in werkelijkheid plat, maar werd dat om de een of andere reden geheimgehouden.

Schepen die over de rand vallen. Draken.

Oskar stond op van tafel. Het stencil was klaar, gevuld met letters die de juf zou goedkeuren. Dat was alles.

Het was na zevenen, misschien was het meisje al buiten? Hij ging met zijn gezicht tegen het raam staan, schermde het met zijn handen af om het donker in te kunnen kijken. Ja, er bewoog toch iets beneden op de speelplaats?

Hij liep de hal in. Moeder zat in de huiskamer te breien, of was het haken?

"Ik ga even naar buiten."

"Ga je nu weer naar buiten? Ik zou je nog overhoren."

"Ja. Dat doen we zo."

"Azië was het toch?"

"Wat?"

"Het stencil dat je had. Dat was toch Azië?"

"Ik geloof het wel. Chongqing."

"Waar ligt dat? In China?"

"Weet ik niet."

"Wéét je dat niet? Maar …"

"Ik kom zo terug."

"Ja. Wees voorzichtig. Heb je je muts?"

"Ja hoor."

Oskar stopte zijn muts in zijn jaszak en ging naar buiten. Halverwege de speelplaats waren zijn ogen aan het donker gewend en hij zag dat het meisje op het klimrek zat. Hij liep erheen en ging onder haar staan met zijn handen in zijn zakken.

Ze zag er vandaag anders uit. Nog steeds de roze trui – had ze niets anders? – maar haar haar zag er niet zo klitterig uit. Het was glad, zwart, volgde de vorm van haar hoofd.

"Moi."

"Hoi."

"Hoi."

Hij zou van zijn leven nooit meer 'moi' tegen iemand zeggen. Dat klonk ongelóóflijk stom. Het meisje kwam overeind.

"Kom boven."

"Oké."

Oskar klom op het klimrek, kwam naast haar staan, zoog discreet lucht op door zijn neus. Ze stonk niet meer.

"Ruik ik zo beter?"

Oskars hele gezicht werd rood. Het meisje glimlachte en reikte hem iets aan. Zijn kubus.

"Bedankt voor het lenen."

Oskar pakte de kubus aan en keek ernaar. Keek nog eens. Hield hem zo goed en zo kwaad als dat ging tegen het licht, draaide hem om en bekeek alle vlakken. Hij was opgelost. Alle vlakken hadden één kleur.

"Heb je hem uit elkaar gehaald?"

"Hoe dan?"

"Nou … uit elkaar gehaald en … de stukjes goed gezet."

"Kan dat?"

Oskar voelde aan de kubus alsof hij wilde controleren of de stukjes loszaten nadat ze uit elkaar gehaald waren. Dat had hij zelf een keer gedaan en hij had zich erover verbaasd dat je maar een paar keer hoefde te draaien, dan was je de draad al kwijt en kon je de vlakken niet meer in één kleur krijgen. De stukjes hadden weliswaar niet losgezeten toen hij hem uit elkaar had gehaald, maar ze kon hem toch niet hebben ópgelost?

"Je moet hem wel uit elkaar hebben gehaald."

"Nee."

"Je had er toch nog nooit eerder een gezíén?"

"Nee. Het was leuk. Bedankt."

Oskar hield de kubus voor zijn ogen, alsof die hem zou kunnen vertellen hoe het was gegaan. Op de een of andere manier was hij er zeker van dat het meisje niet loog.

"Hoe lang heb je erover gedaan?"

"Een paar uur. Nu zou het waarschijnlijk sneller gaan."

"Ongelooflijk."

"Het is niet zo moeilijk."

Ze keek hem aan. Haar pupillen waren zo groot dat ze bijna het hele oog vulden, het licht uit de serie portieken werd gereflecteerd tegen het zwarte oppervlak en het leek of ze een verre stad in haar hoofd had.

De polotrui, hoog opgetrokken in haar hals, accentueerde haar zacht gepolijste trekken nog meer, en ze leek wel een … stripfiguur. De huid, de lijnen waren als een botermes waar je weken aan hebt geschuurd met het fijnste schuurpapier totdat het hout net zijde is.

Oskar schraapte zijn keel.

"Hoe oud ben je?"

"Wat denk je?"

"Veertien, vijftien."

"Lijk ik zo oud?"

"Ja. Of nee, maar …"

"Ik ben twaalf."

"Twaalf!"

Wow, te gek. Ze was vermoedelijk jónger dan Oskar, die over een maand dertien werd.

"Wanneer word je dertien?"

"Ik weet niet."

"Wéét je dat niet? Maar … wanneer vier je je verjaardag en zo?"

"Die vier ik nooit."

"Maar je ouders weten het toch wel?"

"Nee. Mijn moeder is dood."

"Ach. Goh. Waaraan is ze overleden?"

"Dat weet ik niet."

"Weet je … vader het dan?"

"Nee."

"Dus … maar … krijg je dan geen cadeautjes en zo?"

Ze deed een stap in zijn richting. De damp van haar adem werd over zijn gezicht verspreid en de lichtjes van de stad in haar ogen doofden toen ze in Oskars schaduw kwam. De pupillen waren twee knikkergrote gaten in haar hoofd.

Ze is verdrietig. Heel erg verdrietig.

"Nee. Ik krijg geen cadeautjes. Nooit."

Oskar knikte stijfjes. De wereld om hem heen bestond niet meer. Alleen de twee zwarte gaten op ademafstand. De damp uit hun monden vermengde zich en steeg op, loste op.

"Wil jij me een cadeautje geven?"

"Ja."

Zijn stem was niet eens een fluistering. Alleen maar een uitademing die in zijn mondholte werd gevormd. Het gezicht van het meisje was vlakbij. Zijn blik werd naar haar botermeswang getrokken.

Daarom zag hij niet hoe haar ogen veranderden, smaller werden, een andere uitdrukking kregen. Hoe de bovenlip opgetrokken werd en een paar vuilwitte snijtanden liet zien. Hij zag alleen haar wang en terwijl haar tanden dichter bij zijn hals kwamen, deed hij zijn hand omhoog en aaide over haar wang.

Het meisje hield in, bleef een moment in dezelfde houding steken en trok zich terug. Haar ogen kregen hun eerdere uiterlijk weer terug, de lichten van de stad gingen weer aan.

"Wat deed je nou?"

"Sorry … ik …"

"Wat. Deed je?"

"Ik …"

Oskar keek naar zijn hand die de kubus vasthield, liet zijn greep verslappen. Hij had er zo hard in geknepen dat de zijkanten donkere afdrukken in zijn handen hadden achtergelaten. Hij stak de kubus uit naar het meisje.

"Wil je hem hebben? Je mag hem hebben."

Ze schudde langzaam haar hoofd.

"Nee. Hij is van jou."

"Hoe … heet je?"

"Eli."

"Ik heet Oskar. Wat zei je nou? Eli?"

"… Ja."

Het meisje leek plotseling rusteloos. Haar blik schoot alle kanten op, alsof ze in haar geheugen naar iets zocht, iets wat ze niet kon vinden.

"Ik … moet nu weg."

Oskar knikte. Het meisje keek hem een paar seconden recht in de ogen en draaide zich toen om om te gaan. Ze kwam bij de glijbaan en aarzelde even. Ging er toen op zitten, roetsjte naar beneden en liep naar haar portiek. Oskar kneep in de kubus in zijn hand.

"Kom je morgen?"

Het meisje bleef staan en zonder zich om te draaien zei ze zachtjes: "Ja." Ze liep weer door en Oskar volgde haar met zijn blik. Ze ging haar portiek niet binnen, maar liep naar de poort waardoor je de binnenplaats af ging. Ze verdween.

Oskar keek naar de kubus in zijn hand. Ongelooflijk.

Hij draaide een gedeelte een slag verder, zodat de eenheid werd verstoord. Toen draaide hij hem weer terug. Hij wilde hem zo houden. Nog eventjes.

Jocke Bengtsson grinnikte bij zichzelf toen hij uit de bioscoop naar huis liep. Wat een dolkomische film, *De gezelschapsreis*. Vooral met die twee figuren die de hele film door aan het zoeken waren naar Peppes bodega. Toen de ene zijn toeterzatte vriend in een rolstoel door de douane reed: *"Invalido."* Ja, geweldig.

Misschien moest hij zelf ook eens zo'n reis zien te maken met een van de jongens. Maar met wie zou hij op reis kunnen?

Karlsson was zo saai, daar zakte je broek van af, hij zou na twee dagen schoon genoeg van hem hebben. Morgan kon vervelend worden als hij te veel dronk, en dat zou hij gegarandeerd doen als het zo goedkoop was. Larry was oké, maar zo krakkemikkig. Uiteindelijk zou hij hem waarschijnlijk in een rolstoel moeten rondrijden. "Invalido."

Nee, Lacke moest het zijn.

Zij zouden samen in het zuiden echt een week lang veel lol kunnen hebben. Lacke was echter zo arm als een kerkrat, hij zou er nooit geld voor hebben. Hij zat elke avond bier en sigaretten te bietsen. Helemaal oké wat Jocke betrof, maar voor een reis naar de Canarische eilanden had hij geen geld.

Hij zou de feiten onder ogen moeten zien; de jongens bij de Chinees waren geen van allen erg goede reisgenoten.

Kon hij alleen op reis gaan?

Ja, dat had Stig-Helmer immers ook gedaan. Ook al was hij helemaal de weg kwijt. Toen was hij immers Ole tegengekomen. Het raakte aan met een donna en alles. Dat zou niet verkeerd zijn. Het was acht jaar geleden dat Maria hem had verlaten en de hond had meegenomen en sindsdien had hij in bijbelse zin niemand 'bekend'.

Maar was er iemand die hem wilde hebben? Misschien. Hij zag er in elk geval niet zó beroerd uit als Larry. Hoewel de drank wel wat aanrichtte in zijn gezicht en zijn lichaam, ook al hield hij het min of meer onder controle. Vandaag had hij bijvoorbeeld nog geen druppel gedronken, terwijl het al bijna negen uur was. Nu zou hij in elk geval naar huis gaan en een paar glazen gin-tonic nemen voordat hij naar de Chinees ging.

Dat met die reis, daar moest hij nog eens over nadenken. Er zou wel net zoveel van terechtkomen als van wat hij nog meer had overwogen te gaan doen en te ondernemen de afgelopen jaren: geen ene donder. Maar dromen kon altijd.

Hij liep over de parkweg tussen de Holbergsgatan en de Blackebergschool. Het was vrij donker, de lantaarnpalen stonden op zo'n dertig meter van elkaar en op de heuvel links lichtte het Chinese restaurant op als een vuurbaken.

Misschien moest hij vandaag eens royaal zijn? Meteen naar de Chinees gaan en ... nee. Dat werd te duur. Dan zouden de anderen denken dat hij de lotto had gewonnen of zoiets, dan vonden ze hem een enorme vrek als hij geen rondje gaf. Hij kon beter thuis een beetje indrinken.

Hij kwam langs de wasserij; de schoorsteen met zijn eenzame rode oog, het doffe gebrom uit zijn binnenste.

Toen hij op een nacht stomdronken naar huis liep, had hij in een soort hallucinatie gezien dat de schoorsteen zich van het hoofdgebouw losmaakte en grommend en sissend de heuvel af kwam glijden, zijn kant op.

Hij was met zijn handen boven zijn hoofd in elkaar gedoken op de parkweg en had gewacht op de klap. Toen hij ten slotte zijn armen weghaalde, stond de schoorsteen nog waar hij altijd had gestaan, magnifiek en onbeweeglijk.

De lamp die het dichtst bij de brug onder de Björnsonsgatan stond, was kapot en de weg onder de brug was een donker gewelf. Als hij nu dronken was geweest, zou hij vermoedelijk de trappen naast de brug op zijn gegaan en over de Björnsonsgatan verder zijn gelopen, ook al was dat een korte omweg. Hij had soms zulke rare visioenen in het donker als hij genoeg op had. Daarom sliep hij altijd met de lamp aan. Maar nu was hij broodnuchter.

Hij had verdraaid veel zin om evengoed de trap maar te nemen. Zijn deliriums begonnen zijn kijk op de wereld binnen te sijpelen, ook als hij nuchter was. Hij bleef op de parkweg staan en vatte de situatie voor zichzelf samen: "Ik begin gek te worden."

Maar kijk eens, Jocke, wat wel zo is: als je geen moed vat en snel dat kleine stukje onder de brug door loopt, kom je ook nooit op de Canarische eilanden.

Hoezo niet?

Nou, omdat je altijd terugschrikt bij het minste of geringste probleem. De weg van de minste weerstand, in elke situatie. Denk je dat jij het voor elkaar krijgt om een reisbureau te bellen, een nieuw paspoort aan te schaffen, spullen te kopen voor de reis, überhaupt de sprong in het onbekende te wagen als je het niet voor elkaar krijgt dat kleine stukje te lopen?

Daar zit wat in. Dus? Als ik nu onder de brug door loop, betekent dat dan dat ik naar de Canarische eilanden ga, dat dat iets kan worden?

Ik stel me zo voor dat je morgen belt om een ticket te bestellen. Tenerife, Jocke, Tenerife.

Hij begon verder te lopen, vulde zijn hoofd met zonnige stranden en cocktails met parasolletjes. Hij ging op reis, verdorie. Hij ging vanavond niet naar de Chinees, nee. Hij zou thuisblijven en advertenties opzoeken. Acht jaar. Het werd verdorie tijd om moed te vatten.

Hij was net over palmen na gaan denken, of er palmen waren op de Canarische eilanden of niet, of hij ze in de film had gezien, toen hij het geluid hoorde. Een stem. Hij bleef midden onder de brug staan luisteren. Er klonk een jammerende stem bij de muur van het bruggewelf.

"Help me …"

Zijn ogen begonnen aan het donker gewend te raken, maar hij kon alleen de contouren onderscheiden van bladeren, die onder de brug gewaaid waren en in stapels opeengehoopt waren. Het klonk als de stem van een kind.

"Hallo. Is daar iemand?"

"Help me …"

Hij keek om zich heen. Geen mens in de buurt. Het ritselde in het donker, hij zag nu ook iets bewegen tussen de bladeren.

"Help me, alsjeblieft."

Hij had heel veel zin om weg te lopen, maar dat kon natuurlijk niet. Een kind was gewond, was misschien overvallen door iemand …

De moordenaar!

De Vällingbymoordenaar was naar Blackeberg gekomen, maar deze keer had het slachtoffer het overleefd.

O, verdomme.

Hij wilde hier niet in betrokken worden. Hij zou morgen nog wel naar Tenerife en alles. Maar er was niets aan te doen. Hij zette een paar stappen in de richting van de stem. De bladeren knisperden onder zijn voeten en nu kon hij het lichaam zien. Het lag in foetushouding tussen de dorre bladeren.

Verdomme, verdomme.

"Wat is er gebeurd?"

"Help me ..."

Jockes ogen hadden zich nu aan het donker aangepast en hij kon zien dat het kind een witte arm naar hem uitstrekte. Het lichaam was naakt, vermoedelijk verkracht. Nee. Toen hij er vlakbij was zag hij dat het kind niet naakt was, het had alleen een lichtroze trui aan. Hoe oud? Tien, twaalf jaar. Hij was misschien gewoon in elkaar geslagen door een paar 'vriendjes'. Of zij. Als het een meisje was, was dat laatste minder waarschijnlijk.

Hij ging op zijn hurken naast het kind zitten, nam één hand in de zijne.

"Wat is er met je gebeurd?"

"Help me. Til me op."

"Ben je gewond?"

"Ja."

"Wat is er gebeurd?"

"Til me op ..."

"Er is toch niets met je rug, hè?"

Hij was hospik geweest in dienst en hij wist dat je iemand met nek- of rugletsel niet mocht verplaatsen zonder het hoofd te fixeren.

"Is er niks met je rug?"

"Nee. Til me op."

Wat moest hij in godsnaam doen? Als hij het kind meenam naar zijn flat, kon de politie denken ...

Hij moest hem of haar naar de Chinees dragen en daar een ambulance bellen. Ja. Zo moest het. Het was een nogal klein en mager kind, vermoedelijk een meisje, en ook al was hij niet in topvorm, hij zou haar dat stukje vermoedelijk wel kunnen dragen.

"Oké. Ik draag je ergens heen waar we kunnen bellen, oké?"

"Ja ... bedankt."

Dat 'bedankt' bezorgde hem een steek in zijn hart. Hoe had hij kunnen aarzelen? Wat was hij eigenlijk voor een klootzak? Nou, hij was op betere gedachten gekomen en zou het meisje nu helpen. Hij wurmde zijn linkerarm onder haar beide knieën door en legde zijn andere arm onder haar nek.

"Oké. Nu til ik je op."

"Mmm."

Ze woog bijna niets. Het was ongelooflijk gemakkelijk om haar op te tillen. Vijfentwintig kilo, hooguit. Misschien was ze ondervoed. Beroerde thuissituatie, zichzelf uithongeren. Misschien was ze mishandeld door een stiefvader of zo. Wat een ellende.

Het meisje sloeg haar armen om zijn nek en leunde met haar wang tegen zijn schouder. Hij zou deze klus klaren.

"Hoe gaat het?"

"Goed."

Hij glimlachte. Een warm gevoel doorstroomde hem. Hij was een goed mens, ondanks alles. Hij zag de gezichten van de anderen al voor zich als hij het meisje het restaurant in droeg. Eerst zouden ze vragen wat hij verdorie had uitgespookt en dan met groeiende waardering zeggen: "Goed gedaan, Jocke", enzovoort.

Hij begon zich om te draaien om naar de Chinees te gaan, in beslag genomen door zijn fantasieën over een nieuw leven en hoe hij net met een schone lei was begonnen, toen hij de pijn in zijn hals voelde. Wat nou verdorie? Het voelde alsof hij door een wesp was gestoken en zijn linkerhand wilde naar boven gaan, hem wegwuiven, voelen of hij daadwerkelijk gestoken was. Maar hij kon het kind niet loslaten.

Een beetje sullig probeerde hij zijn hoofd te buigen om te zien wat het was, maar hij kon natuurlijk niets zien in die hoek. Bovendien kon hij zijn hoofd niet naar beneden buigen, aangezien de kaak van het meisje tegen zijn kin gedrukt lag. Haar greep om zijn nek werd harder en de pijn werd heviger. Nu begreep hij het.

"Wat doe je verdorie?"

Hij voelde de kaken van het meisje op en neer malen tegen zijn kin, terwijl de pijn in zijn hals toenam. Een warm straaltje liep over zijn borst.

"Hou op, verdomme!"

Hij liet het meisje los. Het was niet eens een bewuste gedachte, maar een reflex: *dat kreng moet van mijn nek!*

Maar het meisje viel niet. Ze hield zijn nek in een ijzeren greep – goh, wat was dat kleine lichaam sterk! – en klemde haar benen om zijn heupen.

Als een hand met vier vingers om een poppetje heen klemde zij zich aan hem vast, terwijl haar kaken maalden en maalden.

Jocke pakte haar bij haar hoofd, probeerde haar van zijn hals weg te duwen, maar hij kon net zo goed proberen een verse berkenteek met blote handen van een berk te trekken. Ze zat aan hem vastgelijmd. De omhelzing van het meisje was zo stevig dat de lucht uit zijn longen werd geperst en hij geen nieuwe lucht op kon zuigen.

Hij wankelde achteruit, snakkend naar adem.

De kaken van het meisje maalden niet meer, nu was alleen een kalm geslurp te horen. Ze verslapte haar greep geen moment, die was eerder harder geworden sinds ze begonnen was met zuigen. Een gedempt kraken en zijn borst werd gevuld met pijn. Er waren een paar ribben geknakt.

Hij had geen lucht om mee te schreeuwen. Hij sloeg het meisje krachteloos op haar hoofd met zijn vuisten, terwijl hij rondwankelde tussen de dorre bladeren. De wereld draaide. De parklantaarns in de verte dansten als vuurvliegjes voor zijn ogen.

Hij verloor zijn evenwicht en viel achterover. Het laatste geluid dat hij hoorde, was dat van een paar bladeren die onder zijn achterhoofd gekraakt werden. Een microseconde later kwam zijn hoofd op de stenen terecht en de wereld verdween.

Oskar lag klaarwakker in zijn bed en staarde naar het behang.

Zijn moeder en hij hadden naar *De Muppets* gekeken en hij had het verhaal helemaal niet gevolgd. Miss Piggy was boos geweest en Kermit was op zoek geweest naar Gonzo. Een van de chagrijnige mannen was van het balkon gevallen. Hoe dat was gekomen was Oskar ontgaan. Hij was met zijn gedachten ergens anders.

Toen hadden moeder en hij chocolademelk gedronken en broodjes gegeten. Oskar wist nog dat ze hadden gepraat, maar herinnerde zich niet meer wat ze hadden gezegd. Iets over de keukenbank blauw verven of zo.

Hij staarde naar het behang.

De hele wand waar zijn bed tegenaan stond, was bekleed met fotobehang waarop een open plek in een groot bos te zien was. Brede boomstammen en groene bladeren. Hij lag altijd te fantaseren dat er wezens tussen de bladeren vlak bij zijn hoofd zaten. Hij had twee figuren die hij altijd onmiddellijk zag, zo gauw hij keek. Als hij de andere wilde zien moest hij wat meer zijn best doen.

Nu had de muur een andere betekenis gekregen. Aan de andere kant van de muur, aan de andere kant van het bos, was immers … Eli. Oskar lag met zijn hand tegen het groene oppervlak en probeerde zich voor te stellen hoe het er aan de andere kant uitzag. Had zij daar haar slaapkamer? Lag ze nu in haar bed? Van de muur maakte hij Eli's wang, hij streelde over de groene bladeren, over haar zachte huid.

Stemmen aan de andere kant.

Hij stopte met het strelen van het behang en luisterde. Een hoge en een lage stem. Eli en haar vader. Het klonk alsof ze ruziemaakten. Hij duwde zijn oor tegen de muur om het beter te horen. Verdorie. Had hij maar een glas. Hij durfde niet op te staan om er een te halen, dan stopten ze misschien intussen met praten.

Wat zeggen ze?

Het was Eli's vader die boos klonk, Eli's stem hoorde je bijna niet. Oskar spande zich in om woorden te verstaan. Hij hoorde alleen losse vloeken en "… vreselijk WREED", toen klonk er een bons alsof iemand was gevallen. Sloeg hij haar? Had hij gezien dat Oskar haar wang streelde en … kon dat het zijn?

Nu was het Eli die praatte. Oskar kon er geen woord van verstaan, hij hoorde alleen de zachte toon van haar stem die omhoog en omlaag ging. Zou ze zo praten als hij haar had geslagen? Hij mócht haar niet slaan. Oskar zou hem ombrengen als hij haar sloeg.

Hij wilde dat hij zichzelf door de muur heen kon vibreren, zoals *The Flash*, de superheld. Verdwijnen door de muur, door het bos en er aan de andere kant weer uit komen, kijken wat er aan de hand was, of Eli hulp nodig had, troost, wat dan ook.

Nu was het stil aan de andere kant. Hij hoorde alleen zijn hart, dat met zijn zuigende roffels in zijn oor trommelde.

Hij stond op, liep naar zijn bureau en schudde een paar gummetjes uit een plastic bekertje. Hij nam het bekertje mee naar zijn bed en zette het met de opening tegen de muur en met de onderkant tegen zijn oor.

Hij hoorde alleen een ver gerammel, dat kon haast niet uit de kamer ernaast komen. Wat déden ze? Hij hield zijn adem in. Plotseling een harde knal.

Een pistoolschot!

Hij had een pistool gepakt ... Nee, het was de voordeur die met zo'n klap was dichtgeslagen dat de muren ervan trilden.

Hij sprong uit bed en ging bij het raam staan. Een paar seconden later kwam er een man naar buiten. Eli's vader. Hij had een tas in zijn hand en liep met snelle, boze stappen door de poort en verdween.

Wat moet ik doen? Achter hem aan? Waarom?

Hij ging weer op bed liggen. Zijn fantasie speelde hem gewoon parten. Eli en haar vader hadden ruziegemaakt, dat deden Oskar en zijn moeder soms ook wel. Zijn moeder liep ook wel eens zo de deur uit, als het heel erg was geweest.

Maar niet midden in de nacht.

Zijn moeder dreigde soms dat ze bij Oskar weg zou gaan als ze hem vervelend vond. Oskar wist dat ze dat nooit zou doen en moeder wist dat Oskar dat wist. Eli's vader had dat dreigspelletje misschien iets verder doorgevoerd. Hij ging er midden in de nacht vandoor, met tas en al.

Oskar lag in zijn bed met zijn handpalmen en zijn voorhoofd tegen de muur gedrukt.

Eli, Eli. Ben je daar? Heeft hij je pijn gedaan? Ben je verdrietig? Eli ...

Er werd op Oskars deur geklopt en hij schrok. Een waanzinnig ogenblik dacht hij dat het de vader van Eli was, die hem ook onder handen kwam nemen.

Maar het was zijn moeder. Ze sloop Oskars kamer binnen.

"Oskar. Slaap je?"

"Mmm."

"Het is toch ook wat ... fijne buren hebben we gekregen. Hoorde je dat?"

"Nee."

"Dat moet je toch gehoord hebben? Hij schreeuwde en smeet als een idioot de deur dicht. Mijn god. Soms ben ik blij dat ik geen man heb. Arme vrouw. Heb je haar gezien?"

"Nee."

"Ik ook niet. Hem trouwens ook niet. De jaloezieën zijn de hele dag dicht. Vermoedelijk alcoholisten."

"Mama."

"Ja?"

"Ik wil nu slapen."

"Ja, sorry jongen. Ik was alleen zo … Welterusten. Slaap lekker."

"Mm."

Zijn moeder ging de kamer uit en deed de deur voorzichtig achter zich dicht. Alcoholist? Ja, dat was wel waarschijnlijk.

Oskars vader had periodes dat hij dronk; daarom waren hij en zijn moeder niet meer bij elkaar. Zijn vader kon ook van die woede-uitbarstingen krijgen als hij dronken was. Hij sloeg weliswaar nooit, maar hij kon zo schreeuwen dat hij er hees van werd, met deuren slaan en dingen kapotgooien.

Iets in Oskar was blij met die gedachte. Dat was niet mooi van hem, maar goed. Als Eli's vader alcoholist was dan hadden ze iets gemeenschappelijk, iets wat ze konden delen.

Oskar leunde weer met zijn voorhoofd en zijn handen tegen de muur.

Eli, Eli. Ik weet hoe het is. Ik zal je helpen. Ik zal je redden.

Eli …

De ogen waren wijd open, staarden blind naar het dak van het bruggewelf. Håkan veegde meer dorre bladeren opzij en zag de dunne roze trui die Eli altijd droeg op de borst van de man liggen. Håkan pakte hem op, wilde hem naar zijn neus brengen om eraan te ruiken, maar stopte toen hij voelde dat de trui kleverig was.

Hij liet de trui weer op de borst van de man vallen, haalde zijn zakflacon tevoorschijn en nam drie fikse slokken. De brandewijn schoot met zijn vurige tongen door zijn keel, likte zijn maag. De bladeren knisperden onder zijn achterste toen hij op de koude stenen ging zitten en naar de dode keek.

Er was iets mis met het hoofd.

Hij groef in zijn tas, vond de zaklamp. Hij controleerde of er niemand aankwam over de parkweg, deed de lamp aan en scheen ermee op de man. Het gezicht was bleek geelwit in het schijnsel van de zaklamp, zijn mond hing halfopen, alsof hij iets wilde zeggen.

Håkan slikte. De gedachte alleen al dat deze man dichter bij zijn geliefde had mogen komen dan hemzelf ooit was toegestaan, stond hem tegen. Zijn hand zocht de flacon weer, wilde de plotselinge benauwenis wegbranden, maar hield stil.

Zijn nek.

Rondom de hele nek van de man liep een brede, rode halsband. Håkan boog over hem heen en zag de wond die Eli had gemaakt om bij het bloed te kunnen komen ...

Haar lippen tegen zijn huid.

... maar dat verklaarde de hals... band niet ...

Håkan deed de zaklamp uit, haalde diep adem en leunde onwillekeurig achterover in de nauwe ruimte zodat het cement van de brug tegen de kalende plek op zijn hoofd schraapte. Hij verbeet de schrijnende pijn.

De huid in de nek van de man was gescheurd doordat ... doordat het hoofd was omgedraaid. Een hele slag. De nek was geknakt.

Håkan deed zijn ogen dicht, ademde langzaam in en uit om rustig te worden en de impuls te onderdrukken om weg te rennen, weg van ... hier. Het bruggewelf drukte tegen zijn hoofd, onder hem de stenen. Links en rechts een parkweg waar mensen langs konden komen, die de politie zouden bellen. En voor hem ...

Het is maar een dood mens.

Ja, maar ... het hoofd.

De wetenschap dat het hoofd loszat, beviel hem niet. Het zou achterover knikken, misschien losraken als hij het lichaam optilde. Hij kroop in elkaar en leunde met zijn voorhoofd op zijn knieën. Dit had zijn geliefde gedaan. Met blote handen.

Hij voelde de misselijkheid in zijn strottenhoofd kriebelen toen hij zich het geluid voorstelde. Het kraken van het hoofd toen het werd rondgedraaid. Hij wilde dat lichaam niet meer aanraken. Hij bleef hier zitten. Als Belacqua aan de voet van de Louteringsberg, wachtend op de dageraad, wachtend op ...

Er kwamen een paar mensen aanlopen vanaf de metro. Hij ging tussen de bladeren liggen, vlak bij de dode, duwde zijn voorhoofd tegen de ijskoude steen.

Waarom? Waarom zo … met dat hoofd?

De infectie. Mocht het zenuwstelsel niet bereiken. Het lichaam moest afgesloten worden. Dat was alles wat hij te horen had gekregen. Hij had het niet begrepen. Nu begreep hij het.

De voetstappen gingen sneller en de stemmen werden zachter. Ze liepen de trap op. Håkan ging weer overeind zitten, keek naar de contouren van het dode, gapende gezicht. Zou dit lichaam dus weer zijn opgestaan, zou het de bladeren van zich afgeklopt hebben als het niet was … afgesloten?

Een schrille lach ontsnapte hem, fladderde als vogelgekwetter onder het bruggewelf. Hij sloeg zijn hand voor zijn mond, zo hard dat het pijn deed. Het beeld. Van het lijk dat opstond uit de berg bladeren en met slaperige gebaren dode bladeren van zijn jas veegde.

Wat moest hij met het lichaam doen?

Zo'n tachtig kilo aan spieren, vet en botten moest worden opgeruimd. Gehakt en vermalen. Begraven. Verbrand.

Het crematorium.

Natuurlijk. Daar moest hij het lichaam naartoe brengen, inbreken en het stiekem verbranden. Of het gewoon als een vondeling op de stoep leggen, hopen dat ze zoveel zin hadden om het te verbranden dat ze de politie niet zouden bellen.

Nee. Er was maar één mogelijkheid. Rechts liep de parkweg verder naar beneden, door het bos, naar het ziekenhuis. Naar het water.

Hij stopte de bloederige trui onder de jas van het lijk, hing zijn tas over zijn schouder en bracht zijn handen onder de knieën en de rug van het lijk. Hij kwam overeind, wankelde even, stond rechtop. Het hoofd van het lijk viel inderdaad in een onnatuurlijke hoek achterover en de kaken klapten dicht.

Hoe ver was het naar het water? Een meter of honderd. Als er iemand aan kwam? Dan was het niet anders. Dan was het afgelopen. In zekere zin zou dat mooi zijn.

Maar er kwam niemand aan en beneden bij het water kroop hij dampend van het zweet over de stam van een van de treurwilgen die over het water heen hingen, bijna parallel aan het wateroppervlak. Hij had twee grote stenen die op de kant lagen met stukken touw aan de voeten van het lijk vastgemaakt.

Met een langer stuk touw, dat hij met een lus om de borstkas van het lijk had vastgesjord, sleepte hij het lichaam zo ver hij kon het water in en toen trok hij het touw los.

Hij bleef even op de boomstam zitten. Zijn voeten bungelden vlak boven het water en hij keek in de zwarte spiegel onder zich, die rimpelde door steeds minder vaak verschijnende luchtbellen.

Hij had het gedaan.

Ondanks de kou liepen de zweetdruppels prikkend in zijn ogen en zijn hele lichaam deed pijn van de spierinspanning, maar hij had het gedaan. Pal onder zijn voeten lag het dode lichaam, voor de wereld verborgen. Het bestond niet. Er stegen geen luchtbellen meer op en er was niets ... níéts wat erop wees dat het lijk daarbeneden lag.

In het wateroppervlak weerspiegelden een paar sterren.

DEEL TWEE

Krenking

… en ze stuurden af op gebieden waar Martin nog nooit geweest
was, ver voorbij Tyska Botten en Blackeberg –
en daar hield de bekende wereld op.

Hjalmar Söderberg – *De jeugd van Martin Birck*

Een man wiens hart hem door een bosnimf is ontnomen
krijgt dat nooit meer terug.
Zijn hele hart hunkert naar maanverlichte dromen
zijn echtgenote keert hij de rug …

Viktor Rydberg – *De bosnimf*

Op zondag publiceerden de kranten meer details over de Vällingbymoord. De kop luidde: WAS HIJ HET SLACHTOFFER VAN EEN RITUELE MOORDENAAR?

Foto's van de jongen, van de vallei in het bos. Van de boom.

De Vällingbymoordenaar was toen niet meer het gesprek van de dag. De bloemen waren verdord en de kaarsen gedoofd. Het politielint met de zuurstofstrepen was weggehaald en voor zover er sporen waren geweest, waren ze veiliggesteld.

Het artikel op zondag wakkerde de discussie weer aan. De benaming 'rituele moordenaar' gaf immers aan dat het weer zou gebeuren, nietwaar? Een ritueel is immers iets wat wordt herhaald.

Iedereen die er ooit was geweest, of zelfs maar in de buurt, had een verhaal. Hoe akelig het voelde in dat stuk bos. Of dat het zo rustig en mooi was in dat stuk bos, dat je dit nooit had kunnen denken.

Iedereen die de jongen had gekend, al was het nog zo vluchtig, vertelde wat voor een leuke knul het was geweest en wat voor slecht mens de moordenaar moest zijn. Men gebruikte de moord graag als voorbeeld van een geval waar de doodstraf gerechtvaardigd kon zijn, ook als men er in principe tegen was.

Eén ding ontbrak. Een foto van de moordenaar. Je keek naar de nietszeggende vallei, het glimlachende gezicht van de jongen. Zolang er geen foto van de dader was, was het als het ware alleen maar ... gebeurd.

Dat was niet bevredigend.

Maandag 26 oktober liet de politie via de radio en de ochtendbladen meedelen dat ze de grootste hoeveelheid drugs in beslag had genomen die ooit in Zweden was gevonden. Er waren vijf Libanezen aangehouden.

Libanezen.

Dat was in elk geval te begrijpen. Vijf kilo heroïne. En vijf Libanezen. Een kilo per Libanees.

De Libanezen hadden tot overmaat van ramp gebruikgemaakt van de Zweedse sociale voorzieningen, terwijl ze drugs smokkelden. Er waren weliswaar evenmin foto's van de Libanezen, maar dat hoefde ook niet. Iedereen weet hoe Libanezen eruitzien. Arabieren. Ja, ja.

Er werd over gespeculeerd of de rituele moordenaar ook een buitenlander was. Dat leek aannemelijk. Bestonden er geen bloedrites in die Arabische landen? De islam. Stuurden hun kinderen eropuit met een plastic kruis om hun nek, of wat het ook was. Als mijnenvegers. Dat hoorde je wel eens. Wrede mensen. Iran, Irak, Libanezen.

Maar op maandag kwam de politie met een compositietekening van de moordenaar, die 's avonds in de krant kwam. Een jong meisje had hem gezien. Ze hadden er de tijd voor genomen, waren behoedzaam te werk gegaan toen ze de tekening maakten.

Een gewone Zweed. Met een spookachtig gezicht. Een lege blik. Ze waren het erover eens dat, ja, zo zag een moordenaar eruit. Geen probleem om je voor te stellen dat dat maskerachtige gezicht aan kwam sluipen door de vallei en …

Iedereen in Västerort die leek op de compositietekening kreeg lange, taxerende blikken te verduren. Ze gingen naar huis, bekeken zichzelf in de spiegel en vonden geen enkele overeenkomst. 's Avonds in bed dachten ze erover na of ze hun uiterlijk voor de volgende dag moesten veranderen, of was dat verdacht?

Ze hadden zich geen zorgen hoeven maken. De mensen zouden iets anders krijgen om over na te denken. Zweden zou een ander land worden. Een gekrenkte natie. Dat was immers het woord dat iedereen continu gebruikte: krenking.

Terwijl de mensen die lijken op de tekening in bed liggen na te denken over een nieuw kapsel, ligt een Russische onderzeeboot aan de grond vlak voor Karlskrona. De motoren brullen en galmen over de scherenkust wanneer hij probeert los te komen. Niemand gaat op onderzoek uit.

Hij wordt op woensdagochtend bij toeval ontdekt.

WOENSDAG 28 OKTOBER

Op school gonsde het tijdens de lunch van de geruchten. Een leraar had in de korte pauze naar de radio geluisterd, het aan zijn klas verteld en in de lunchpauze wist iedereen het.

De Russen waren gekomen.

Hét gespreksonderwerp van de kinderen was de afgelopen week de Vällingbymoordenaar geweest. Verscheidene kinderen hadden hem gezien, één kind beweerde zelfs door hem te zijn aangevallen.

Ze hadden de moordenaar gezien in elk duister type dat de school passeerde. Toen een oudere man in vieze kleren het schoolplein was overgestoken, waren de kinderen gillend weggerend en hadden ze zich in het schoolgebouw verstopt. Een paar wat stoerdere jongens hadden zich gewapend met ijshockeysticks en stonden klaar om hem in elkaar te slaan. Gelukkig had iemand de man herkend als een van de drop-outs van het plein. Hij mocht doorlopen.

Maar nu waren het dus de Russen. Ze wisten niet veel van Russen. Ze kenden hen alleen van de mopjes over een Duitser, een Rus en een Zweed, en ze wisten dat ze de besten waren in ijshockey. Hun land heette Sovjet-Unie. Zij en de Amerikanen vlogen door de ruimte. De Amerikanen hadden een neutronenbom gebouwd om zich tegen de Russen te beschermen.

Oskar besprak de zaak tijdens de lunchpauze met Johan.

"Denk je dat de Russen ook een neutronenbom hebben?"

Johan haalde zijn schouders op. "Vast wel. Misschien hebben ze er een op die onderzeeboot."

"Moet je geen vliegtuig hebben om die bommen te laten vallen?"

"Nee. Ze zitten in raketten die gewoon alle kanten op vliegen."

Oskar keek naar de lucht. "Kunnen ze in een onderzeeboot zitten?"

"Dat zeg ik toch. Ze kunnen overal zitten."

"De mensen gaan dood en de huizen blijven staan."

"Precies."

"Ik vraag me af hoe het met de dieren zit."

Johan dacht even na.

"Die gaan waarschijnlijk ook dood. De grote in elk geval wel."

Ze zaten op de rand van de zandbak, waar op dat moment geen kleine kinderen speelden. Johan pakte een grote steen en gooide daar zo hard mee dat het zand rondstoof. "*Pow!* Iedereen is dood!"

Oskar pakte een kleinere steen.

"Nee. Eentje heeft het overleefd. *Pshiieuw!* Raketaanval in de rug!"

Ze gooiden met stenen en grind, vernietigden alle steden van de wereld, totdat er een stem achter hen klonk.

"Waar zijn jullie mee bezig?"

Ze draaiden zich om. Jonny en Micke. Jonny had de vraag gesteld. Johan gooide de steen weg die hij in zijn hand had gehad.

"Nee, we zijn gewoon …"

"Ik vroeg jou niks. Varkentje? Wat zijn jullie aan het doen?"

"Stenen aan het gooien."

"Waarom?"

Johan had een stap achteruit gedaan, was zijn veters opnieuw aan het strikken.

"Zomaar."

Jonny keek naar de zandbak en zwaaide met zijn hand zodat Oskar ervan schrok.

"Hier moeten de kleintjes spelen. Snap je dat niet? Je verpest de zandbak."

Micke schudde zorgelijk zijn hoofd. "Ze kunnen wel vallen en zich bezeren aan de stenen."

"Je moet ze maar gaan oprapen, Varkentje."

Johan was nog steeds met zijn veters bezig.

"Hoor je wat ik zeg? Je moet ze maar gaan oprapen!"

Oskar stond stil, kon niet besluiten wat hij zou gaan doen. Natuurlijk kon de zandbak Jonny niets schelen. Het was gewoon hetzelfde als altijd. Het zou minstens tien minuten kosten om alle stenen op te rapen die ze hadden gegooid, en Johan zou hem niet helpen. De bel kon elk moment gaan.

Nee.

Het woord trof Oskar als een openbaring. Net alsof iemand voor het eerst het woord 'god' in zijn mond neemt en ook echt … 'God' bedoelt.

Het beeld van hemzelf bezig stenen op te rapen terwijl de anderen al naar binnen zijn, alleen omdat Jonny dat heeft gezegd, was door zijn hoofd geflitst. Maar ook nog iets anders. In de zandbak stond een klimrek dat leek op dat bij Oskar thuis op de binnenplaats.

Oskar schudde zijn hoofd.

"Wat zullen we nou hebben?"

"Nee."

"Hoezo nee? Mankeer je wat aan je oren? Ik zeg dat je de boel moet oprapen en dan doe je dat."

"NEE."

De bel ging. Jonny stond stil en keek naar Oskar. "Je snapt wel wat er nu gaat gebeuren, zeker? Micke."

"Ja."

"We pakken hem na schooltijd."

Micke knikte. "Tot ziens, Varkentje."

Jonny en Micke gingen naar binnen. Johan kwam overeind, hij was klaar met zijn veters.

"Dat was ontzettend stom."

"Ik weet het."

"Waarom deed je dat?"

"Omdat …" Oskar wierp een blik op het klimrek. "Gewoon."

"Idioot."

"Ja."

Toen de school die dag uitging, bleef Oskar zitten. Hij legde twee blanco blaadjes op zijn bank, haalde het naslagwerk dat achter in de klas stond en bladerde erin.

Mammoet ... Medici ... mongool ... Morpheus ... morse.

Ja. Daar stond het. De stippen en strepen van het morsealfabet namen een kwart bladzijde in beslag. Met grote, duidelijke letters begon hij de code over te schrijven op een van de blaadjes:

A = .-

B = -...

C = -.-.

enzovoort. Toen hij klaar was, deed hij hetzelfde nog eens op het andere blaadje. Hij was niet tevreden. Hij gooide de blaadjes weg en begon opnieuw, schreef de tekens en de letters nog netter over.

Weliswaar hoefde maar een van de blaadjes netjes te worden: het blaadje dat Eli zou krijgen. Maar hij vond het leuk werk, en het gaf hem een reden om te blijven zitten.

Eli en hij hadden elkaar nu een week lang elke avond gezien. Gisteren had Oskar op de muur geklopt voordat hij naar buiten ging, en Eli had antwoord gegeven. Daarna gingen ze tegelijkertijd naar buiten. Oskar had toen het idee gekregen om de communicatie uit te breiden met behulp van een soort systeem, en aangezien het morsealfabet al bestond ...

Hij bekeek de beschreven vellen. Mooi. Eli zou het vast mooi vinden. Ze hield van puzzels, van systemen, net als hij. Hij vouwde de blaadjes op, stopte ze in zijn schooltas, leunde met zijn armen op de bank. Een zuigend gevoel in zijn maag. De klok in het klaslokaal stond op twintig over drie. Hij pakte het boek dat hij in zijn vak had liggen, *Ogen van vuur*, en las erin tot vier uur.

Ze zouden toch geen twee uur op hem hebben gewacht?

Als hij gewoon de stenen had opgeraapt, zoals Jonny had gezegd, was hij nu thuis geweest. Gezond en wel. Een paar stenen oprapen was nou echt niet het ergste wat ze hem hadden opgedragen en wat hij had gedaan. Hij had spijt.

Als ik het nu doe?

Morgen zou hij misschien minder straf krijgen als hij vertelde dat hij na schooltijd was gebleven en ...

Ja, zo zou hij het doen.

Hij nam zijn spullen mee het lokaal uit en ging naar buiten, naar de zandbak. Het kostte immers maar tien minuten om het in orde te maken. Als hij het morgen vertelde, zou Jonny schaterlachen, hem over zijn hoofd aaien en "braaf varkentje" of iets dergelijks zeggen. Maar dat was toch beter.

Hij gluurde naar het klimrek, zette zijn tas bij de zandbak neer en begon stenen op te rapen. Eerst de grote. Londen, Parijs. Terwijl hij de stenen opraapte, speelde hij in zijn hoofd dat hij nu de wereld redde. Hij bevrijdde de wereld van de vreselijke neutronenbommen. Toen hij de stenen optilde, kwamen de overlevenden uit de ruïnes van hun huizen gekropen, als mieren uit een mierenhoop. Maar de neutronenbommen beschadigden toch geen huizen? Nou ja, dan waren er ook een paar atoombommen gedropt.

Toen hij naar de rand van de zandbak ging om een lading te dumpen, stonden ze daar zomaar. Hij had hen niet horen aankomen, hij was te zeer verdiept in het spel. Jonny, Micke. En Tomas. Ze hadden alle drie lange, dunne hazelaartakken in hun handen. Zwepen. Jonny wees met de zweep op een steen.

"Daar ligt er één."

Oskar liet de stenen vallen die hij in zijn handen had en raapte de steen op die Jonny aanwees. Jonny knikte. "Goed zo. We hebben op je gewacht, Varkentje. Een hele poos."

"Toen hoorden we van Tomas dat je hier was", zei Micke.

Tomas' ogen waren uitdrukkingsloos. In de onderbouw waren Oskar en Tomas vrienden geweest, ze hadden veel bij Tomas achter het huis gespeeld, maar na de zomer tussen de vierde en de vijfde was Tomas veranderd. Hij was anders gaan praten, volwassener. Oskar wist dat de leraren Tomas de intelligentste jongen van de klas vonden. Dat merkte je aan de manier waarop ze met hem praatten. Hij had een computer. Wilde dokter worden.

Oskar wilde de steen die hij in zijn hand hield recht in Tomas' gezicht gooien. In de mond die nu openging en iets zei.

"Moet je niet wegrennen? Schiet op en ren weg."

Jonny liet zijn zweep in de lucht knallen. Oskar kneep de steen steviger vast.

Waarom ren ik niet weg.

Hij kon de gloeiende pijn in zijn benen al voelen als de zweep neerkwam. Als hij maar één keer bij de parkweg was, waar misschien volwassenen waren, zouden ze hem niet durven slaan.

Waarom ren ik niet weg.

Omdat hij toch geen kans had. Ze zouden hem op de grond gooien voordat hij vijf stappen had verzet.

"Hou op."

Jonny draaide zijn hoofd om, deed net of hij het niet had gehoord.

"Wat zei je, Varkentje?"

"Hou op."

Jonny keerde zich naar Micke.

"Hij vindt dat we op moeten houden."

Micke schudde zijn hoofd.

"Terwijl we deze net hebben gemaakt, deze mooie …" Hij zwaaide met zijn zweep.

"Wat vind jij, Tomas?"

Tomas bekeek Oskar alsof hij een rat was, nog levend, spartelend in zijn val.

"Ik vind dat Varkentje een paar tikken moet hebben."

Ze waren met zijn drieën. Ze hadden zwepen. Het was een uiterst ongunstige situatie. Hij zou de steen in Tomas' gezicht kunnen gooien. Of ermee slaan als hij dichtbij kwam. Er zou een gesprek met de directeur op volgen, enzovoort. Maar ze zouden hem begrijpen. Drie jongens met zwepen.

Ik was … wanhopig.

Hij was helemaal niet wanhopig. Integendeel, nu hij een besluit had genomen voelde hij dwars door de angst heen een soort rust. Dan moesten ze hem maar slaan, als het hem maar een reden gaf om Tomas met de steen op zijn lelijke smoel te slaan.

Jonny en Micke stapten naar voren. Jonny gaf Oskar een klap tegen zijn ene dijbeen, zodat hij dubbel klapte van de snijdende pijn. Micke kwam achter hem staan en klemde zijn armen tegen zijn lichaam.

Nee.

Nu kon hij niet gooien. Jonny sloeg hem op zijn benen, draaide rond net als Robin Hood in de film, sloeg weer.

Oskars benen brandden van de slagen. Hij probeerde zich uit Mickes greep los te wurmen, maar dat lukte niet. De tranen sprongen hem in de ogen. Hij schreeuwde. Jonny gaf Oskar nog een laatste, harde klap, die ook Mickes been even raakte, zodat die schreeuwde: "Kijk toch uit, verdomme!" maar hij liet niet los.

Er liep een traan over Oskars wang. Het was niet eerlijk! Hij had de stenen toch opgeraapt, hij had gebogen, waarom moesten ze hem dan toch pijn doen?

De steen, die hij de hele tijd in zijn hand had geklemd, viel uit zijn greep en hij begon echt te huilen.

Met een stem vol medelijden zei Jonny: "Varkentje moet huilen."

Jonny leek tevreden. Klaar voor deze keer. Hij gaf Micke een teken dat hij los moest laten. Oskar trilde over zijn hele lichaam van het huilen, van de pijn in zijn benen. Zijn ogen stonden vol tranen toen hij zijn gezicht naar hen ophief en Tomas' stem hoorde.

"En ik dan?"

Micke greep Oskars armen weer vast en door de waas die zijn ogen bedekte zag hij Tomas op zich af komen. Hij snotterde: "Alsjeblieft, niet doen."

Tomas tilde zijn zweep op en sloeg. Eén keer. Oskars gezicht explodeerde en hij trok zo hard naar opzij dat Micke zijn grip verloor of hem losliet en zei: "Verdorie, Tomas. Dat was …"

Jonny klonk boos.

"Nu mag jíj met zijn moeder praten."

Oskar hoorde niet wat Tomas antwoordde. Als hij al iets antwoordde.

Hun stemmen verdwenen in de verte, ze lieten hem achter met zijn gezicht in het zand. Zijn linkerwang brandde. Het zand was koud, verkoelde zijn gloeiende benen. Hij wilde ook met zijn wang op het zand gaan liggen, maar begreep dat hij dat beter niet kon doen.

Hij lag daar zo lang dat hij het koud begon te krijgen. Toen ging hij zitten en voelde voorzichtig aan zijn wang. Hij kreeg bloed aan zijn vingers.

Hij liep naar de wc's buiten, keek in de spiegel. Zijn wang was gezwollen en bedekt met half gestold bloed. Tomas moest uit alle macht hebben geslagen. Oskar waste zijn wang en keek weer in de spiegel. De wond bloedde niet meer, hij was niet diep. Maar hij liep wel over bijna zijn hele wang.

Mama. Wat moet ik tegen mama zeggen.

De waarheid. Hij had behoefte aan troost. Over een uur kwam zijn moeder thuis. Dan zou hij vertellen wat ze met hem hadden gedaan en ze zou helemaal overstuur raken en hem knuffelen en knuffelen en hij zou wegzinken in haar armen, in haar tranen en ze zouden samen huilen.

Dan zou ze de moeder van Tomas bellen.

Dan zou ze de moeder van Tomas bellen en ze zouden ruziemaken en dan zou moeder huilen omdat de moeder van Tomas zo lelijk deed en dan ...

Handenarbeid.

Hij had een ongelukje gehad onder handenarbeid. Nee. Dan zou ze misschien de leraar handenarbeid bellen.

Oskar bekeek de wond in de spiegel. Hoe kon je zo'n wond krijgen? Hij was van het klimrek gevallen. Dat kon eigenlijk niet, maar zijn moeder wílde er vermoedelijk in geloven. Ze zou toch medelijden met hem hebben en hem troosten, maar zonder de rest. Het klimrek.

Een koud gevoel in zijn broek. Oskar maakte de knopen los en keek. Zijn onderbroek was drijfnat. Hij haalde de Pisbol tevoorschijn en spoelde hem uit. Hij wilde hem weer in zijn natte onderbroek stoppen, maar hield in en zag zichzelf in de spiegel.

Oskar. Dat is ... Oooskar.

Hij pakte de uitgespoelde Pisbol en zette hem op zijn neus. Net een clownsneus. De gele bol en de rode wond op zijn wang. Oskar. Hij sperde zijn ogen open, probeerde een waanzinnig gezicht te trekken. Ja. Hij zag er echt eng uit. Hij praatte tegen de clown in de spiegel.

"Nu is het afgelopen. Nu is het genoeg. Hoor je dat? Het is nu mooi geweest."

De clown gaf geen antwoord.

"Zo wil ik het niet. Dit was de laatste keer, hoor je dat?"

Oskars stem galmde door het lege toilet.

"Wat moet ik doen? Wat vind jij dat ik moet doen?"

Hij vertrok zijn gezicht in een grimas, zodat het trok in zijn wang, hij verdraaide zijn stem en maakte hem zo zwaar en rasperig mogelijk. De clown sprak.

"... dood ze ... dood ze ... dood ze ..."

Oskar huiverde. Dit was echt een beetje eng. Het klonk werkelijk als een andere stem, en het gezicht in de spiegel was niet zijn gezicht. Hij haalde de Pisbol van zijn neus en stopte hem in zijn onderbroek.

De boom.

Niet dat hij het echt geloofde, maar ... hij zou in de boom kunnen steken. Misschien. Misschien. Als hij zich goed concentreerde, dan ...

Misschien.

Oskar haalde zijn tas en ging snel naar huis; zijn hoofd vulde zich met lieflijke beelden.

Tomas zit achter zijn computer als hij de eerste steek voelt. Hij begrijpt niet waar die vandaan komt. Hij strompelt naar de keuken terwijl het bloed uit zijn buik gutst: "Mama, mama, iemand steekt me."

De moeder van Tomas zou raar staan te kijken. De moeder van Tomas, die haar Tomas altijd in bescherming nam, wat hij ook deed. Ze zou zich een ongeluk schrikken. Terwijl de steken doorgingen met het lek prikken van Tomas' lichaam.

Hij valt op de keukenvloer in een plas bloed, "... mama ... mama ...", terwijl het onzichtbare mes zijn buik opensnijdt, zodat zijn ingewanden op het linoleum vallen.

Niet dat het zo werkte.

Maar toch.

Het appartement stonk naar kattenpis.

Giselle lag op zijn schoot te spinnen. Bibi en Beatrice rolden samen over de vloer. Manfred zat als altijd met zijn snuitje tegen het raam gedrukt, terwijl Gustaf de aandacht van Manfred probeerde te trekken door met zijn kop in zijn zij te stoten.

Måns, Tufs en Cleopatra lagen te dutten in de fauteuil; Tufs pulkte met zijn pootje aan een paar losse draadjes. Karl-Oskar probeerde op de vensterbank te springen, maar miste die en viel achterover op de grond. Hij was blind aan één oog.

Lurvis lag in de hal en hield de brievenbus in de gaten, klaar om op te springen en reclamebladjes te verscheuren als die kwamen. Vendela lag op de kapstok naar Lurvis te kijken; haar misvormde rechtervoorpoot hing tussen de spijlen door, schokte soms.

Een paar katten zaten in de keuken te eten of lagen loom op tafels en stoelen. Vijf lagen er op het bed in de slaapkamer. Nog een paar hadden hun lievelingsplekje in kasten die ze zelf hadden leren openmaken.

Sinds Gösta de katten niet meer naar buiten liet gaan, onder druk van de buren, kwam er geen vers genetisch materiaal meer binnen. De meeste jongen werden dood geboren of hadden zulke ernstige misvormingen dat ze na een paar dagen stierven. Ruim de helft van de achtentwintig katten die in Gösta's flat woonden had een of andere handicap. Ze waren blind of doof, hadden geen tanden of waren motorisch niet in orde.

Hij was dol op ze.

Gösta krabde Giselle achter haar oor.

"Jaa ... meisje ... wat zullen we doen? Weet je het niet? Nee, ik ook niet. Maar we moeten íéts doen, of niet? Zoiets moet toch gewoon niet mogen. Het was Jócke. Ik kende hem. En nu is hij dood. Maar niemand weet het. Want zij hebben niet gezien wat ik heb gezien. Heb jij het gezien?"

Gösta boog zijn hoofd, fluisterde.

"Het was een kínd. Ik zag het beneden over straat aankomen. Het wachtte op Jocke. Onder de brug. Hij ging erin ... en kwam er niet meer uit. De volgende ochtend was hij weg. Maar hij is dood. Ik wéét het.

Wat?

Nee, ik kan niet naar de politie gaan. Dan gaan ze vragen stellen. Er komen een heleboel mensen bij en dan gaan ze vragen ... waarom ik niets heb gezegd. Schijnen ze met zo'n lamp in mijn gezicht.

Het is nu drie dagen geleden. Of vier. Ik weet het niet. Wat voor dag is het vandaag? Ze gaan vragen stellen. Ik kan het niet doen.

Maar we moeten iets doen.

Wat moeten we doen?"

Giselle keek naar hem op. Begon toen zijn hand te likken.

Toen Oskar thuiskwam uit het bos, zat het mes onder de vermolmde splinters. Hij spoelde het af onder de keukenkraan en
droogde het af met een handdoek die hij daarna onder de koude
kraan hield, uitwrong en tegen zijn wang hield.

Zijn moeder kwam zo thuis. Hij moest even naar buiten, hij
had wat meer tijd nodig ... het huilen stond hem nog steeds nader
dan het lachen, zijn benen deden zeer. Hij haalde de sleutel uit de
keukenkast, schreef een briefje. *Ben zo terug. Oskar.* Hij legde het
mes op zijn plaats en ging naar de kelder. Deed de zware deur
open, glipte naar binnen.

De kelderlucht. Hij hield ervan. Een veilige geur van hout, oude
spullen en mufheid. Er sijpelde wat licht naar binnen door een
raam op de begane grond en in het duister suggereerde de kelder
geheimen, verborgen schatten.

Links van hem was een langwerpige gang met vier bergingen.
Wanden en deuren van hout, de deuren afgesloten met grote of
minder grote hangsloten. Een van de deuren had versterkte slot-
beugels; iemand bij wie was ingebroken.

Op de houten wand helemaal achter in de gang stond met stift
KISS geschreven. De s'en waren geschreven als uit elkaar getrokken, omgekeerde z's.

Het interessante zat aan de andere kant van de gang: het vuilnishok. Daar had Oskar een aardbol gevonden met een lamp erin
die het nog deed en die nu in zijn kamer stond, en een aantal
oude nummers van *De Hulk*. Onder andere.

Maar vandaag lag er bijna niets. Het hok was zeker pas leegge-
haald. Wat kranten, een paar mappen waar 'Engels' en 'Zweeds'
op stond. Mappen had Oskar genoeg. Hij had een jaar geleden
een heel stel uit de container voor de drukkerij gered.

Hij liep verder de kelder door naar het volgende portiek van het
rijtje, dat van Tommy. Hij maakte de volgende kelderdeur open
en ging naar binnen. Deze kelder rook anders; een zwakke geur
van verf of een oplosmiddel.

Hier was ook de schuilkelder van het rijtje. Hij was er nog maar één keer in geweest, drie jaar geleden, toen een paar oudere jongens er een boksclub hadden gehad. Op een middag mocht hij met Tommy mee kijken. De jongens stompten elkaar met bokshandschoenen aan en Oskar was een beetje bang geworden. Het gekreun en het zweet, de gespannen, geconcentreerde lichamen, het geluid van de klappen dat opgezogen werd door de dikke betonnen muren. Later was er iemand gewond geraakt of zoiets, en de wielen waaraan je moest draaien om de grendels op de ijzeren deur opzij te trekken, zaten met kettingen en hangsloten vast. Afgelopen met het boksen.

Oskar deed het licht aan en liep naar de schuilkelder. Als de Russen kwamen, zou hij wel opengaan.

Als ze de sleutel niet kwijt waren.

Oskar bleef voor de massieve ijzeren deur staan en toen kwam er een gedachte bij hem op. Dat hier iemand ... iets zat opgesloten. Dat die kettingen en sloten daarvoor waren. Een monster.

Hij luisterde. Verre geluiden van de straat, van de mensen die met dingen bezig waren in de appartementen hierboven. Hij vond het echt leuk in de kelder. Het was net of je in een andere wereld was, terwijl je wist dat de gewone wereld buiten was, boven, als je hem nodig had. Maar hier beneden was het stil en niemand kwam hier en zei iets tegen je of deed iets met je. Je hoefde niets.

Tegenover de schuilkelder zat het lokaal van de Kelderclub. Verboden terrein.

Ze hadden weliswaar geen slot, maar dat betekende niet dat iedereen zomaar naar binnen mocht. Hij haalde diep adem en opende de deur.

Er stond niet veel in de berging. Een doorgezakte bank en een al even doorgezakte stoel. Een kleed op de vloer. Een kastje met afgebladderde verf. Van de lamp op de gang liep een extra, stiekem afgetapte leiding naar een kaal peertje dat aan een snoer aan het plafond hing. De lamp was uit.

Hij was hier een paar keer eerder geweest en wist dat je alleen maar aan de lamp hoefde te draaien om hem aan te doen. Maar dat durfde hij niet. Het licht dat door de kieren in de houten wand naar binnen kwam was genoeg. Zijn hart ging sneller slaan. Als ze hem hier betrapten, zouden ze …

Wat? Ik weet het niet. Dat is juist het erge. Niet slaan, maar …

Hij ging op zijn knieën op het kleed zitten en tilde een kussen op van de bank. Er lagen een paar tubes contactlijm onder, een rol plastic zakjes en een bus aanstekergas. Onder het kussen op de andere hoek van de bank lagen de pornoblaadjes. Een paar stukgelezen exemplaren van *Lektyr* en *Fib Aktuellt*.

Hij pakte een nummer van *Lektyr* en schoof wat dichter naar de deur toe, waar het lichter was. Nog steeds op zijn knieën legde hij het blad voor zich op de grond en bladerde. Hij had een droge mond. De vrouw op de foto lag in een ligstoel met alleen een paar schoenen met hoge hakken aan. Ze drukte haar borsten tegen elkaar aan en pruilde met haar mond. Haar benen waren gespreid en midden in de bos haar tussen haar bovenbenen liep een streep roze vlees met een snee in het midden.

Hoe kom je daar in?

Hij kende de woorden van opmerkingen die hij had gehoord, van woorden die hij op muren en deuren had gelezen. Kut. Doos. Schaamlippen. Maar dit wás helemaal geen doos. Alleen maar een snee. Ze hadden seksuele voorlichting gehad op school en hij wist dat er een … tunnel moest zijn vanaf de kut. Maar in welke richting? Recht naar binnen of naar boven of … hij kon het niet zien.

Hij bladerde verder. Verhalen van lezers. Een zwembad. Een kleedhokje bij de meisjes. *Haar tepels werden hard onder haar badpak. Mijn pik klopte als een hamer in mijn zwembroek. Ze pakte de kleerhangers vast en draaide haar kontje naar me toe, kermde: "Neem me, neem me nu."*

Ging dat continu zo, achter gesloten deuren, op plaatsen waar je het niet zag?

Hij was aan een nieuw verhaal begonnen, over een familiereünie die een onverwachte wending nam, toen hij de kelderdeur hoorde opengaan. Hij sloeg het blad dicht, stopte het weer onder het kussen van de bank en wist niet wat hij moest doen. Zijn keel werd dichtgesnoerd, hij durfde niet te ademen. Stappen op de gang.

Lieve Heer, laat ze niet komen. Laat ze niet komen.

Krampachtig klemde hij zijn handen om zijn knieschijven, hij beet zijn kiezen op elkaar zodat zijn kaken er zeer van deden. De deur ging open. Tommy stond voor de deur met zijn ogen te knipperen.

"Wat nou, verdorie?"

Oskar wilde iets zeggen, maar zijn kaken zaten op slot. Hij zat daar maar op zijn knieën midden op het kleed van licht dat door de deuropening naar binnen was gerold, haalde adem door zijn neus.

"Wat doe jij hier, verdorie? Wat heb je gedaan?"

Bijna zonder zijn kaken te bewegen, slaagde Oskar erin uit te brengen: "… Niets."

Tommy zette een stap de berging in, hij torende boven hem uit.

"Met je wang, bedoel ik. Hoe komt dat?"

"Ik … niets."

Tommy schudde zijn hoofd, draaide aan de lamp zodat het licht aanging en deed de deur dicht. Oskar kwam overeind, ging midden in het vertrek staan met zijn handen stijf langs zijn lichaam, hij wist niet wat hij moest doen. Hij deed een stap in de richting van de deur. Tommy plofte met een zucht in de stoel neer, wees naar de bank.

"Ga zitten."

Oskar ging op het middelste kussen van de bank zitten, waar niets onder lag. Tommy zat een poosje zwijgend naar hem te kijken. Toen zei hij: "Nou? Zeg het maar."

"Wat?"

"Wat je met je wang hebt gedaan."

"… Ik … ik heb alleen."

"Iemand heeft je geslagen, dat blijkt. Toch?"

"… ja …"

"Waarom?"

"Weet ik niet."

"Wat? Ze slaan je zomaar, zonder reden?"

"Ja."

Tommy knikte, prutste aan een paar losse draden die aan de stoel hingen. Haalde een doos pruimtabak tevoorschijn, stopte een pluk onder zijn bovenlip en hield Oskar de doos voor.

"Jij ook wat?"

Oskar schudde zijn hoofd. Tommy stopte de doos terug, duwde de pluk op zijn plaats met zijn tong, leunde achterover in de stoel en vouwde zijn handen op zijn buik.

"Ja, ja. En wat doe je hier?"

"Nou, ik wilde alleen ..."

"Meisjes kijken? Toch? Want je snuift toch niet? Kom eens hier."

Oskar stond op en liep naar Tommy toe.

"Dichterbij. Adem mijn kant op."

Oskar deed wat hij zei en Tommy knikte, wees naar de bank en zei dat Oskar weer kon gaan zitten.

"Dat moet je nooit doen, hoor je dat?"

"Dat heb ik ook nog ..."

"Nee, dat heb je niet. Maar dat moet je ook nooit doen, hoor je? Dat is niet goed. Tabak is goed. Ga maar pruimen." Hij wachtte even. "Nou? Ga je hier de hele avond naar me zitten gluren of zo?" Hij gebaarde naar het kussen naast Oskar. "Ga je nog meer lezen?"

Oskar schudde zijn hoofd.

"Nee. Ga dan naar huis. De anderen komen zo, die zullen er niet zo verrukt van zijn jóú hier te zien. Ga nu maar naar huis."

Oskar stond op.

"En dan nog wat ..." Tommy keek hem aan, schudde zijn hoofd, zuchtte. "Nee, niks. Ga naar huis. En Oskar, je moet hier maar niet meer komen."

Oskar knikte, deed de deur open. In de deuropening bleef hij staan.

"Sorry."

"Dat is oké. Kom hier gewoon niet meer. Trouwens. Het geld?"

"Krijg ik morgen."

"Oké. Prima. Ik heb een bandje voor je opgenomen met *Destroyer* en *Unmasked*. Kom die maar een keer halen."

Oskar knikte. Hij voelde een brok in zijn keel. Als hij nog even bleef staan, ging hij huilen. Dus fluisterde hij: "Bedankt" en ging weg.

Tommy bleef in de stoel zitten, zoog op de tabak en keek naar de stofvlokken die onder de bank bij elkaar klonterden.

Hopeloos.

Oskar zou tot en met de laatste klas worden geslagen. Zo'n type was het. Tommy had wel iets willen doen, maar als de rollen eenmaal zijn verdeeld, ligt het vast. Niets meer aan te doen.

Hij diepte een aansteker op uit zijn zak, hield hem voor zijn mond en liet gas naar binnen. Toen het koud aan begon te voelen in zijn mondholte haalde hij de aansteker weg, deed hem aan, ademde uit.

Een vuurplof voor zijn gezicht. Hij werd er niet vrolijker van. Hij was rusteloos, stond op en liep een paar stappen over het kleed. Stofvlokken wervelden op.

Wat zal ik eens doen, verdorie?

Hij telde zijn passen over het kleed, stelde zich voor dat het een gevangenis was. Je komt niet los. Je moet je plaats kennen en daar moet je blijven, blabla. Blackeberg. Hij moest hier weg, hij zou ... zeeman worden of zoiets. Wat dan ook.

Het dek zwabberen, naar Cuba varen, joho, joho.

Tegen de muur stond een bezem die bijna nooit werd gebruikt. Hij pakte hem, begon te vegen. Er kwam stof in zijn neus. Toen hij een poosje had geveegd, schoot hem te binnen dat er geen blik was. Hij veegde de hoop stof onder de bank.

Een beetje rommel in een hoek is beter dan één grote troep.

Hij bladerde in een pornoblad, legde het terug. Hij wikkelde zijn sjaal om zijn nek, trok hem zo strak aan dat zijn hoofd wel kon knappen en liet weer los. Stond op, deed een paar stappen over het kleed. Viel op zijn knieën, bad tot God.

Om halfzes kwamen Robban en Lasse. Tommy zat toen achterovergeleund in de stoel en keek alsof er geen zorgen op de wereld bestonden. Lasse zoog op zijn lippen, hij leek zenuwachtig. Robban grijnsde en sloeg Lasse op zijn rug.

"Lasse heeft nog een cassettedeck nodig."

Tommy trok zijn wenkbrauwen op.

"Waarom?"

"Lasse, vertel."

Lasse snoof, durfde Tommy niet in de ogen te kijken.

"Uh ... er is een jongen op het werk ..."

"Die wil kopen?"

"Mmmm."

Tommy haalde zijn schouders op, kwam uit de stoel en peuterde de sleutel van de schuilkelder uit de bekleding. Robban keek teleurgesteld, hij had zeker een leuke scheldpartij verwacht, maar dat vond Tommy niet de moeite. Lasse mocht van hem GESTOLEN GOED TE KOOP! omroepen door de luidsprekers op zijn werk als hij daar zin in had. Dat kon hem niets schelen.

Tommy duwde Robban opzij en liep de gang op, maakte het hangslot los, haalde de ketting uit de wielen en gooide die naar Robban. De ketting gleed uit Robbans handen, kletterde op de grond.

"Wat is er met je? Heb je de smoor in of zo?"

Tommy schudde zijn hoofd, draaide de sluitwielen om en duwde de deur open. De tl-buis in de schuilkelder was kapot, maar er kwam genoeg licht van de gang om de stapels dozen langs de ene lange wand te zien. Tommy tilde er een doos met een cassettedeck af en gaf die aan Lasse.

"Veel plezier ermee."

Lasse keek Robban onzeker aan, alsof hij hulp wilde bij het interpreteren van Tommy's gedrag. Robban trok een gezicht dat van alles kon betekenen en zei tegen Tommy, die bezig was af te sluiten: "Nog iets meer van Staffan gehoord?"

"Nee." Tommy klikte het hangslot dicht, hij zuchtte. "Ik ga morgen bij hem eten. Maar eens kijken."

"Eten?"

"Ja, hoezo?"

"Nee, nee. Ik dacht alleen dat smerissen op benzine liepen of zoiets."

Lasse proestte het uit, blij dat de bedrukte stemming over was.

"Benzine …"

Hij had tegen zijn moeder gelogen. Ze had hem geloofd. Nu lag hij in bed en voelde zich beroerd.

Oskar. De jongen in de spiegel. Wie is dat? Er overkomen hem een heleboel dingen. Slechte dingen. Goede dingen. Rare dingen. Maar wie is hij? Jonny kijkt naar hem en ziet Varkentje, die slaag moet hebben. Zijn moeder kijkt naar hem en ziet Lieve jongen, die geen kwaad mag overkomen.

Eli kijkt naar hem en ziet ... wat?

Oskar draaide zich om naar Eli. De twee figuren op de muur keken door de bladeren. Zijn wang was nog steeds pijnlijk gezwollen, er kwam een korstje op de wond. Wat zou hij tegen Eli zeggen als ze vanavond kwam?

Het hing samen. Wat hij tegen haar zou zeggen hing af van wat hij voor haar was. Eli was nieuw voor hem en hij had dus de kans om iemand anders te zijn, iets anders te zeggen dan wat hij tegen anderen zei.

Hoe moet je dat eigenlijk doen? Zorgen dat iemand je aardig vindt?

De klok op zijn bureau stond op kwart over zeven. Hij keek in het gebladerte op de muur, probeerde nieuwe figuren te ontwaren. Hij had een kabouter met een puntmuts gevonden en een omgekeerde trol, toen er op de muur werd geklopt.

Tok-tok-tok.

Een voorzichtig kloppen. Hij klopte terug.

Tok-tok-tok.

Wachtte. Na een paar seconden weer geklop.

Tok-toktoktok-tok.

Hij vulde de twee ontbrekende in: tok-tok.

Hij wachtte. Geen geklop meer.

Hij pakte het blaadje met het morsealfabet, trok zijn jas aan, zei "dag" tegen zijn moeder en ging naar de speelplaats. Hij had nog maar een paar stappen buiten gezet toen Eli's deur openging en zij naar buiten kwam. Ze had gymschoenen aan, een blauwe spijkerbroek en een zwarte collegetrui waar in zilveren letters STAR WARS op stond.

Eerst dacht hij dat het zijn eigen trui was; hij had er net zo een, die had hij eergisteren aangehad en die zat nu in de was. Had zij er net zo een gekocht alleen omdat hij er een had?

"Moi."

Oskar deed zijn mond open om het 'hoi' uit te spreken dat hij al paraat had gehad en deed zijn mond weer dicht. Deed hem weer open om 'moi' te zeggen, bedacht zich en zei toch maar "hoi".

Eli kreeg een rimpel tussen haar wenkbrauwen.

"Wat is er met je wang gebeurd?"

"Ik uh … ben gevallen."

Oskar liep door naar de speelplaats, Eli kwam achter hem aan. Hij liep langs het klimrek, ging op een schommel zitten. Eli ging op de schommel naast hem zitten. Ze zwaaiden een poosje zwijgend heen en weer.

"Iemand heeft dat gedaan, hè?"

Oskar schommelde nog een paar keer.

"Ja."

"Wie?"

"Een paar … vrienden."

"Vríénden?"

"Een paar jongens uit mijn klas."

Oskar zette weer af en ging verder: "Op welke school zit jij eigenlijk?"

"Oskar."

"Ja."

"Wacht even."

Hij remde met zijn voeten, keek voor zich op de grond.

"Ja, wat is er?"

"Zeg …"

Ze stak haar hand uit, pakte de zijne. Hij stopte helemaal en keek Eli aan. Haar gezicht was haast alleen een silhouet tegen de verlichte ramen achter haar. Natuurlijk was het verbeelding, maar het was net of haar ogen oplichtten. Ze waren in elk geval het enige wat hij duidelijk kon zien van haar gezicht.

Met haar andere hand raakte ze de wond aan en toen gebeurde dat vreemde. Er zat iemand anders in haar; een veel ouder, harder mens zat van binnenuit tegen haar huid te duwen. Er liep een koude rilling over Oskars rug, alsof hij in een waterijsje had gebeten.

"Oskar. Laat ze dat niet doen. Hoor je me? Sta het niet toe."

"… Nee."

"Je moet terugslaan. Je hebt nog nooit teruggeslagen, zeker?"

"Nee."

"Begin daar dan mee. Sla terug. Hard."

"Ze zijn met zijn drieën."

"Dan moet je harder slaan. Gebruik een wapen."

"Ja."

"Stenen. Stokken. Sla ze erger dan je eigenlijk durft. Dan houden ze op."

"En als ze terugslaan?"

"Je hebt een mes."

Oskar slikte. Op dit moment, met Eli's hand in de zijne, met haar gezicht voor zich, leek alles vanzelfsprekend. Maar als ze ergere dingen gingen doen wanneer hij zich verzette, als ze ...

"Ja. Maar stel je voor dat ze ..."

"Dan help ik je."

"Jij. Maar jij bent ..."

"Dat kan ik, Oskar. Dát ... kan ik."

Eli gaf een kneepje in Oskars hand. Hij gaf een kneepje terug, knikte. Maar Eli kneep harder. Zo hard dat het zeer deed.

Wat is ze sterk.

Eli liet los en Oskar haalde het blaadje tevoorschijn dat hij op school had gemaakt, streek de vouwen glad en gaf het aan haar. Eli fronste haar wenkbrauwen.

"Wat is dat?"

"Kom, dan gaan we in het licht staan."

"Nee, ik kan het wel zien. Maar wat is het?"

"Het morsealfabet."

"Ja, ja. Natuurlijk. Tof."

Oskar giechelde. Ze zei het op zo'n ... hoe heette dat? ... geforceerde manier. Het woord paste eigenlijk niet in haar mond.

"Ik dacht ... dan kunnen we ... meer praten door de muur."

Eli knikte. Het leek net of ze nadacht over wat ze moest zeggen. Zei toen: "Wat goed."

"Beregoed?"

"Ja. Béreleuk. Beregoed."

"Je bent een beetje gek, weet je dat?"

"Is dat zo?"

"Ja, maar dat is wel oké."

"Je moet me maar vertellen hoe het moet, dan. Hoe je niet gek moet zijn."

"Ja. Wil je iets zien?"

Eli knikte.

Oskar deed zijn speciale truc. Ging op de schommel zitten waar hij zonet ook op had gezeten, zette af. Bij elke zwaai die hij maakte, bij elk tandje dat hij hoger kwam, groeide het gevoel in zijn borst: vrijheid.

De verlichte ramen van de flats schoten als veelkleurige, oplichtende strepen langs hem heen en hij schommelde hoger en hoger. De speciale truc lukte niet altijd, maar nu zou het hem wel lukken, want hij was licht als een veertje en kon bijna vliegen.

Toen de schommel zo hoog was gekomen dat de kettingen slap begonnen te hangen en een schok gaven bij het terugschommelen, spande hij zijn hele lichaam. De schommel ging nog een keer terug en bij de volgende keer vooruit liet hij op het hoogste punt de kettingen los en stak zijn benen omhoog en naar voren zo hard als hij kon. Zijn benen maakten een halve salto in de lucht en hij landde op zijn voeten, zakte zo diep mogelijk door zijn knieën om de schommel niet tegen zijn hoofd te krijgen en toen de schommel voorbij was, stond hij op en stak zijn armen opzij. Perfect.

Eli applaudisseerde en riep: "Bravo!"

Oskar ving de zwaaiende schommel op, bracht hem weer terug in zijn uitgangspositie en ging zitten. Opnieuw was hij dankbaar voor het donker, dat een triomfantelijke glimlach verborg die hij niet kon tegenhouden, ook al trok zijn wond. Eli stopte met applaudisseren, maar de glimlach was er nog.

Alles zou nu anders worden. Natuurlijk kun je geen mensen doden door op bomen in te steken. Dat begreep hij wel.

DONDERDAG 29 OKTOBER

Håkan zat op de grond in de smalle gang naar het gespetter in de badkamer te luisteren. Hij had zijn knieën opgetrokken, zodat zijn hielen tegen zijn billen kwamen, zijn kin rustte op zijn knieën. De jaloezie was een dikke, krijtwitte slang in zijn borst. Die kronkelde langzaam, zuiver als onschuld en kinderlijk duidelijk.

Hij kon gemist worden. Ze kon hem ... missen.

Gisteravond had hij in zijn bed gelegen met het raam op een kier. Hij had Eli en Oskar afscheid horen nemen. Hun heldere stemmen, hun lach. Een ... lichtheid die hij niet kon opbrengen. Hij was iemand van loodzware ernst, eisen, begeerte.

Hij had gedacht dat zijn geliefde net zo was. Hij had in Eli's ogen gekeken en de wijsheid en onverschilligheid van een oeroud mens gezien. Eerst was hij er bang van geworden; de ogen van Samuel Beckett in het gezicht van Audrey Hepburn. Daarna had het hem een veilig gevoel gegeven.

Beter kon je het niet hebben. Het jonge, mooie lichaam dat zijn leven schoonheid gaf, terwijl de verantwoordelijkheid hem werd ontnomen. Hij was niet degene die de dienst uitmaakte. En hij hoefde zich niet schuldig te voelen over zijn begeerte; zijn geliefde was ouder dan hij. Geen kind. Dacht hij.

Maar sinds dit met Oskar was begonnen, gebeurde er iets. Een ... regressie. Eli gedroeg zich steeds meer als het kind dat haar uiterlijk toonde; ze was gaan slungelen met haar lichaam, gebruikte kinderlijke uitdrukkingen en woorden. Wilde spélen. De sleutel verstoppen. Laatst hadden ze sleutel verstoppen gespeeld. Eli was boos geworden toen Håkan niet enthousiast genoeg meedeed aan het spel, had toen geprobeerd hem te kietelen om hem aan het lachen te maken. Hij had genoten van de aanraking.

Het was aantrekkelijk, natuurlijk. Die blijheid, dat ... léven. Tegelijkertijd beangstigend, aangezien het zo ver van hem af stond. Hij was zo geil en bang als hij sinds hun eerste ontmoeting niet meer was geweest.

Gisteravond had zijn geliefde zich in zijn kamer opgesloten, om een halfuur op bed te liggen en tegen de muur te tikken. Toen Håkan weer toegang tot zijn kamer kreeg, zag hij dat er een blaadje met tekens met plakband boven zijn bed was gehangen. De morsecode.

Toen hij in bed lag en wilde gaan slapen had hij de aanvechting gehad om zelf een boodschap aan Oskar te tikken. Iets over wat Eli eigenlijk wás. Maar in plaats daarvan had hij de code overgeschreven op een briefje, zodat hij in het vervolg zou kunnen interpreteren wat ze tegen elkaar zeiden.

Håkan boog zijn hoofd, leunde met zijn voorhoofd op zijn knieën. Het gespetter in de badkamer was opgehouden. Het kon zo niet doorgaan. Hij ontplofte bijna. Van begeerte, van jaloezie.

Het slot van de badkamerdeur werd omgedraaid en de deur ging open. Eli stond voor hem, poedelnaakt. Schoon.

"Zit jij hier?"

"Ja. Je bent mooi."

"Dank je."

"Kun je je even omdraaien?"

"Waarom?"

"Omdat ik dat ... wil."

"Maar ik niet. Kun je een eindje opschuiven?"

"Misschien zeg ik iets ... als je het doet."

Eli keek Håkan vragend aan. Draaide zich toen een halve slag om en bleef met de rug naar hem toe staan.

Speeksel stroomde toe in Håkans mond, hij slikte. Keek. Een lichamelijk gevoel dat zijn ogen ópaten wat ze voor zich zagen. Het mooiste wat er was. Op een armlengte afstand. Oneindig ver weg.

"Heb je ... honger?"

Eli keerde zich weer om.

"Ja."

"Ik zal het doen. Maar ik wil er iets voor terug."

"Zeg het maar."

"Een nacht. Ik wil een nacht."

"Ja."

"Mag dat?"

"Ja."

"Bij jou liggen? Jou aanraken?"

"Ja."

"Mag ik ...?"

"Nee. Meer niet. Maar dat. Ja."

"Dan doe ik het. Vanavond."

Eli ging op haar hurken bij hem zitten. Håkans handpalmen brandden. Hij wilde strelen. Mocht niet. Vanavond. Eli richtte haar blik op het plafond, zei: "Dank je wel. Maar stel je voor dat ... die foto in de krant ... er zijn mensen die weten dat je hier woont."

"Daar heb ik over nagedacht."

"Als iemand hier overdag komt ... als ik rust ..."

"Daar heb ik over nagedacht, zeg ik."

"Hoe dan?"

Håkan pakte Eli bij de hand, stond op en liep de keuken in, deed de voorraadkast open, haalde er een jampot uit met een glazen schroefdeksel. De pot zat halfvol met een doorzichtige vloeistof. Hij legde uit hoe hij het zich had voorgesteld. Eli schudde heftig haar hoofd.

"Dat kun je niet doen."

"Jawel. Begrijp je nu hoeveel ik ... om je geef?"

Toen Håkan zich klaarmaakte om te gaan, stopte hij de jampot in de tas bij de overige uitrusting. Eli had zich intussen aangekleed en stond in de hal te wachten toen Håkan naar buiten kwam, boog naar voren en drukte een lichte kus op zijn wang. Håkan knipperde met zijn ogen, keek lang naar Eli's gezicht.

Ik ben verloren.

Toen ging hij aan de slag.

Morgan lepelde zijn 'Vier kleine gerechtjes' een voor een naar binnen, maar nam nauwelijks notitie van de rijst, die er in een aparte schaal naast stond. Lacke boog naar voren en vroeg zachtjes: "Zeg, mag ik de rijst nemen?"

"Tuurlijk man. Moet je er saus bij?"

"Nee. Ik neem alleen wat ketjap."

Larry keek over de rand van zijn *Expressen*, trok een gezicht toen Lacke de schaal met rijst pakte en er ketjap overheen goot met een kluk-kluk-klukgeluid en begon te eten alsof hij nog nooit eerder voedsel had gezien. Larry maakte een gebaar naar de hoop gefrituurde garnalen op Morgans bord.

"Daar mag je wel wat van uitdelen."

"O, ja. Sorry. Wil je een garnaal?"

"Nee, daar kan mijn maag niet tegen. Maar Lacke misschien."

"Wil jij een garnaal, Lacke?"

Lacke knikte en hield de rijstschaal bij. Morgan legde er met een groots gebaar twee gefrituurde garnalen in. Hij trakteerde. Lacke bedankte en viel op de garnalen aan.

Morgan kreunde en schudde zijn hoofd. Lacke was zichzelf niet sinds Jocke was verdwenen. Eerder was het ook geen vetpot, maar nu dronk hij meer en bleef er geen cent over voor eten. Het was een vreemde zaak, dat met Jocke, maar niets om zo door van de kook te zijn. Jocke was nu vier dagen weg, maar wat wist je ervan? Hij kon best een vrouwtje hebben ontmoet en naar Tahiti zijn gegaan, wat dan ook. Hij zou wel weer boven water komen.

Larry legde de krant opzij, schoof zijn bril op zijn voorhoofd, wreef in zijn ogen en zei: "Weten jullie waar hier schuilkelders zijn?"

Morgan grijnsde. "Wat? Wou je een winterslaap houden of zo?"

"Nee, maar die onderzeeboot. Als het puur theoretisch tot een grootschalige invasie zou komen ..."

"Dan kom je maar bij ons. Ik ben er wezen kijken toen er zo'n vent van defensie was, een paar jaar geleden, die kwam inventariseren. Gasmaskers, conserven, pingpongtafel, de hele reutemeteut. Staat daar gewoon."

"Pingpongtafel?"

"Tuurlijk. Als de Russen aan land komen, zeggen we gewoon:

'Halt. Kalm aan, jongens, leg jullie kalashnikovs maar neer, dit beslissen we met een tafeltenniswedstrijd.' Dan mogen de generaals effectballen naar elkaar slaan."

"Spelen Russen wel tafeltennis?"

"Nee. Dus dat winnen we zo. Misschien kunnen we het hele Baltische gebied terugkrijgen."

Lacke veegde zijn mond overdreven precies af met een servet en zei: "Toch is het raar."

Morgan stak een John Silver op. "Wat?"

"Dat met Jocke. Hij zei het anders altijd als hij ergens heen ging. Jullie weten wel. Als hij naar zijn broer op Väddö ging was dat heel wat. Daar had hij het een week van tevoren al over. Wat hij mee zou nemen, wat ze gingen doen."

Larry legde een hand op Lackes schouder.

"Je praat over hem in de verleden tijd."

"Wat? Ja. Maar ik denk dus echt dat hem iets is overkomen. Dat denk ik."

Morgan nam een flinke slok bier, boerde.

"Jij denkt dat hij dood is."

Lacke haalde zijn schouders op, keek hulpzoekend naar Larry, die het patroon van de servetten zat te bestuderen. Morgan schudde zijn hoofd.

"*No way.* Dan zouden we het weten. Dat zei die smeris toch toen ze daar de deur openmaakten, dat ze jou zouden bellen als er iets opdook. Niet dat ik de kit vertrouw, maar toch … je had iets moeten horen."

"Hij had anders wel gebeld."

"God nog aan toe, zijn jullie getrouwd of zo? Maak je geen zorgen. Hij duikt binnenkort wel weer op. Met rozen en bonbons en dan belooft hij dat hij het nóóóóit meer zal doen."

Lacke knikte moedeloos, nipte van het bier dat hij van Larry had gekregen tegen de belofte dat hij een biertje voor hem zou kopen als er betere tijden aanbraken. Twee dagen nog, maximaal. Dan zou hij zelf gaan zoeken. Ziekenhuizen en mortuaria bellen en wat je allemaal nog meer zou kunnen doen. Je liet je beste vriend niet in de steek. Of hij ziek was of dood, of wat dan ook. Je liet hem niet in de steek.

Het was halfacht en Håkan begon ongerust te worden. Hij had doelloos om de Nya Elementar Scholengemeenschap en de Vällingbyhal heen geslenterd, waar de jeugd zich roerde. Er waren sporttrainingen bezig en het zwembad was vanavond ook open, dus er was geen gebrek aan mogelijke slachtoffers. Het probleem was dat ze meestal in groepjes waren. Hij had een gesprek van drie meisjes opgevangen, waarin een van hen vertelde dat haar moeder "nog steeds in de stress schoot vanwege die moordenaar."

Hij had natuurlijk verder weg kunnen gaan, naar een omgeving waar zijn vorige daad niet zo bekend was, maar dan bestond het risico dat het bloed in kwaliteit achteruitging op weg naar huis. Als hij het nu toch ging doen, wilde hij zijn geliefde het beste geven. En hoe verser, hoe dichter bij de bron, hoe beter. Dat was hem verteld.

Gisteren had de kou toegeslagen en het was onder nul. Daardoor baarde het niet al te veel opzien dat hij een skimuts droeg die zijn gezicht verborg, met gaten voor de ogen en de mond.

Maar hij kon hier niet al te lang rondsluipen. Uiteindelijk zou iemand achterdochtig worden.

Als hij niemand te pakken kon krijgen? Als hij thuiskwam zonder? Dan zou zijn geliefde niet doodgaan, dat wist hij zeker. Een verschil met de eerste keer. Maar nu was er een andere, een fantastische inzet. Een hele nacht. Een hele nacht met het lichaam van zijn geliefde naast zich. De tere, zachte ledematen, de platte buik om zachtjes met zijn hand over te strelen. Een brandende kaars in de slaapkamer, waarvan het schijnsel over zijdezachte huid flakkerde, één nacht de zijne.

Hij wreef over zijn geslacht dat bonsde en schreeuwde van verlangen.

Ik moet rustig worden, ik moet …

Hij wist wat hij moest doen. Het was waanzin, maar hij zou het doen.

Het Vällingbybad in gaan en daar zijn slachtoffer zoeken. Het was er waarschijnlijk niet druk rond deze tijd en nu hij zijn besluit had genomen, wist hij precies hoe hij het zou doen. Gevaarlijk, zeker. Maar heel goed uitvoerbaar.

Als het fout liep zou hij van de laatste uitweg gebruikmaken.

Maar het zou niet fout lopen. Hij zag het in detail voor zich, nu hij zijn pas versnelde en naar de ingang liep. Hij leek wel dronken. De stof van het skimasker voor zijn neus werd vochtig van de condens toen hij heftig in- en uitademde.

Hij zou vannacht iets te vertellen hebben aan zijn geliefde, terwijl hij haar stevige, bolle kontje streelde met zijn trillende hand en alles voor eeuwig in zijn geheugen opsloeg.

Hij liep de entree binnen en rook de welbekende, milde chloorlucht. Alle uren die hij in zwembaden had doorgebracht. Met de anderen, of alleen. De jonge lichamen die glommen van zweet of water op een armlengte afstand, maar buiten bereik. Alleen beelden om te koesteren en tevoorschijn te halen als hij in bed lag met het toiletpapier in zijn ene hand. Door de chloorlucht voelde hij zich veilig, voelde hij zich thuis. Hij liep naar de kassa.

"Eén kaartje graag."

De juffrouw achter de kassa keek op van een tijdschrift. Haar ogen werden ietsje groter. Hij maakte een gebaar naar zijn gezicht, naar de muts.

"Koud."

Ze knikte onzeker. Moest hij zijn muts afdoen? Nee. Hij wist wat hij ging doen om ervoor te zorgen dat ze niet achterdochtig werd.

"Een kluisje?"

"Een hokje graag."

Ze reikte hem een sleutel aan en hij betaalde. Terwijl hij zich van de kassa wegdraaide, trok hij de muts van zijn hoofd. Nu had ze gezien dat hij hem afdeed, maar zijn gezicht had ze niet gezien. Hij was geniaal. Met snelle stappen liep hij naar de kleedkamers, hij keek naar de grond voor het geval hij iemand tegen zou komen.

"Welkom. Treed binnen in mijn nederige woning."

Tommy liep langs Staffan heen de hal in; achter hem was een klikkend geluid te horen toen zijn moeder en Staffan elkaar zoenden. Staffan zei zacht: "Heb je …?"

"Nee. Ik dacht …"

"Mm. We moeten …"

Weer dat klikken. Tommy keek om zich heen. Hij was nog nooit eerder bij een smeris in huis geweest, was ongewild wat nieuwsgierig. Naar hoe het er bij zo iemand uitzag.

Maar al in de hal begreep hij dat Staffan nauwelijks representatief kon zijn voor het korps als geheel. Hij had zich iets voorgesteld ... ja, zoals in detectives. Wat armoedig en kaal. Een plek waar je naartoe ging om te slapen als je niet op boeven joeg.

Zulke boeven als ik dus.

Nee. Staffans appartement was gevuld met ... tierelantijntjes. De hal zag eruit alsof hij was ingericht door iemand die álles kocht uit van die gratis reclamekrantjes.

Hier hing een fluwelen schilderijtje met een zonsondergang, daar stond een alpenhutje met een vrouwtje op een stokje dat uit een deur stak. Er lag een gekantklost kleedje op het telefoontafeltje; naast de telefoon stond een gipsen beeldje van een hond en een kind. Op de sokkel las hij de tekst: KUN JE NIET PRATEN?

Staffan tilde het beeldje op.

"Lollig ding, hè? Als er ander weer komt, verandert het van kleur."

Tommy knikte. Of Staffan had dit appartement van zijn oude moeder geleend, uitsluitend voor dit bezoek, of hij had echt een gaatje in zijn hoofd. Staffan zette het beeldje behoedzaam weer neer.

"Ik spaar zulke dingen, weet je. Dingen die aangeven wat voor weer het wordt. Dit bijvoorbeeld."

Hij gaf het vrouwtje dat uit het alpenhutje kwam een duwtje met zijn vinger, ze zwaaide het huisje in en er kwam een mannetje naar buiten.

"Als het vrouwtje buiten is wordt het slecht weer, en als het mannetje buiten is ..."

"Wordt het nog slechter."

Daar moest Staffan om lachen, wat onecht klonk in Tommy's oren.

"Hij doet het niet zo goed."

Tommy wierp een blik op zijn moeder en hij schrok bijna van wat hij zag. Ze stond met de jas aan, de handen stijf in elkaar en een glimlach waar een paard schichtig van zou kunnen worden.

Panische angst. Tommy besloot zijn best te doen.

"Een soort barometer, dus?"

"Ja, precies. Daar ben ik mee begonnen. Barometers. Sparen dus."

Tommy wees naar een klein houten kruis met een zilveren Jezus die aan de wand hing.

"Is dat ook een barometer?"

Staffan keek naar Tommy, naar het kruis, weer naar Tommy. Werd plotseling ernstig.

"Nee. Dat is Christus."

"Die uit de Bijbel."

"Ja, precies."

"O ja."

Tommy stopte zijn handen in zijn zakken en ging de woonkamer binnen. Ja hoor, daar had je de barometers. Er hingen er een stuk of twintig in verschillende uitvoeringen aan de lange wand, achter een grijze leren bank met een glazen tafel ervoor.

Ze waren het niet bepaald eens. De wijzers wezen allemaal een andere kant op; het leek nog het meest op een muur met klokken die de tijd in verschillende delen van de wereld aangaven. Hij tikte tegen het glas van een ervan en de wijzer versprong een stukje. Hij wist niet wat het betekende, maar mensen tikten om de een of andere reden altijd op barometers.

In een hoekkast met glazen deurtjes stonden een heleboel bekers. Vier grotere stonden op een rijtje op een piano naast de kast. Aan de muur boven de piano hing een groot schilderij van de maagd Maria met het kindje Jezus in de armen. Ze gaf hem de borst met die afwezige uitdrukking in haar ogen die leek te zeggen: waar heb ik dit aan verdiend?

Staffan kuchte toen hij de kamer in kwam.

"Zo, Tommy. Is er iets waar je meer over wilt weten?"

Tommy was niet zo dom dat hij niet begreep wat hij geacht werd te vragen.

"Wat zijn dat voor bokalen?"

Staffan zwaaide met zijn hand naar de bekers op de piano. "Deze?"

Nee, sul. De bekers in het clubhuis bij het voetbalveld natuurlijk.

"Ja."

Staffan wees naar een circa twintig centimeter hoog zilveren figuurtje op een stenen voet die tussen de bokalen op de piano stond. Tommy had gedacht dat het een beeldje was, maar dat was dus ook een prijs. Het figuurtje stond wijdbeens met zijn armen recht, hield een pistool vast, richtte.

"Pistoolschieten. Die is voor de eerste plaats in het districts-kampioenschap, die voor de derde plaats in het Zweeds kam-pioenschap kaliber .45, staand ... enzovoort."

Tommy's moeder kwam binnen en ging naast Tommy staan.

"Staffan is een van de beste pistoolschutters van Zweden."

"Heb je daar wat aan?"

"Hoezo?"

"Dat je op mensen mag schieten, dus."

Staffan ging met zijn vinger over de sokkel van een van de bokalen en keek naar zijn vinger.

"Het hele idee van politiewerk is dat je niet op mensen hoeft te schieten."

"Heb je het wel eens gedaan?"

"Nee."

"Maar je zou het wel willen, hè?"

Staffan haalde demonstratief diep adem, liet de lucht in een lange zucht naar buiten komen.

"Ik ga ... bij het eten kijken."

De benzine. Kijken of die brandt.

Hij ging naar de keuken. Tommy's moeder greep hem bij zijn elleboog en fluisterde: "Waarom zeg je dat?"

"Ik vraag het me gewoon af."

"Hij is een goed mens, Tommy."

"Ja. Dat moet ook wel. Met die prijzen voor pistoolschieten én de maagd Maria. Kan het beter?"

Håkan kwam niemand tegen op weg door het zwembad. Zoals hij had geraden was het niet druk rond deze tijd. In de kleedka-mer stonden twee mannen van zijn eigen leeftijd zich aan te kle-den. Te dikke, vormeloze lichamen. Verschrompelde geslachten onder hangbuiken. De lelijkheid zelve.

Hij vond zijn kleedhokje, ging naar binnen en deed de deur op slot. Zo. Klaar met de voorbereidingen. Hij zette de muts weer op, voor alle zekerheid. Maakte de Halotanfles los, hing zijn jas aan een haak. Opende zijn tas en haalde het gereedschap tevoorschijn. Mes, touw, trechter, jerrycan. Hij was de regenjas vergeten. Verdorie. Dan moest hij zich uitkleden. Het gevaar om ondergespetterd te worden was groot, maar dan kon hij de vlekken ónder zijn kleren verstoppen, als hij klaar was. Ja. En dit was wel een zwembad. Er was niks raars aan om hier geen kleren aan te hebben.

Hij testte de draagkracht van de andere haak door hem met beide handen vast te pakken en zijn voeten van de vloer te tillen. De haak hield het. Hij zou makkelijk een lichaam kunnen dragen dat vermoedelijk dertig kilo lichter was dan het zijne. De hoogte was wel een probleem. Het hoofd zou niet boven de vloer hangen. Hij zou moeten proberen de knieën bij elkaar te binden, er was wel zoveel ruimte tussen de haak en de bovenkant van het hokje dat de voeten er niet bovenuit zouden steken. Dát zou pas achterdocht wekken.

De twee mannen leken aanstalten te maken om weg te gaan. Hij hoorde hun stemmen.

"En met het werk?"

"Nog hetzelfde. Geen vacatures voor mijnwerkers."

"Finn doet het anders goed met de olie."

"Ja, daar kunnen de Noren er wel eentje op nemen."

"Zijn ze dan helemaal in de olie."

Hij giechelde; iets in zijn hoofd raakte overstuur. Hij was te opgewonden, haalde te heftig adem. Zijn lichaam bestond uit vlinders die alle kanten op wilden fladderen.

Rustig. Rustig. Rustig.

Hij haalde diep adem totdat hij duizelig werd en kleedde zich vervolgens uit. Hij vouwde zijn kleren op en stopte ze in de tas. De twee mannen liepen de kleedkamer uit. Het werd stil. Hij ging op het bankje staan en keek of hij naar buiten kon kijken. Jawel, hij kwam met zijn ogen precies boven de rand. Drie jongens van een jaar of dertien, veertien kwamen binnen. De een sloeg de ander tegen zijn achterste met een opgerolde handdoek.

"Hou op, verdorie!"

Hij boog zijn nek. Verder naar beneden voelde hij dat zijn erectie in de hoek werd geduwd als tussen twee harde, wijdopen billen.

Rustig. Rustig.

Hij keek weer over het randje. Twee van de jongens hadden hun zwembroek uitgetrokken en stonden voorovergebogen om hun kleren uit hun kastje te halen. Zijn middenrif werd samengeknepen in één krachtige kramp, het sperma spoot de hoek in en liep op het bankje waarop hij stond.

Nu. Rustig.

Ja. Nu voelde het beter. Maar dat sperma was niet zo mooi. Sporen.

Hij haalde zijn sokken uit de tas en veegde de hoek en het bankje zo goed mogelijk schoon. Hij stopte de sokken weer in de tas en zette zijn muts op terwijl hij naar het gesprek van de jongens luisterde.

"… nieuwe Atari. Enduro. Ga je mee om hem uit te proberen?"

"Nee, ik moet nog wat doen …"

"Jij dan?"

"Oké. Heb je twee joysticks?"

"Nee, maar …"

"Zullen we die van mij dan eerst ophalen? Dan kunnen we tegelijk spelen."

"Oké. Tot ziens, Matte."

"Tot kijk."

Twee van de jongens gingen blijkbaar weg. De situatie was perfect. Er bleef er één over, en de anderen wachtten niet op hem. Hij durfde het aan nog eens over de rand te kijken. Twee van de jongens waren klaar, wilden net weggaan. De laatste was bezig zijn sokken aan te trekken. Hij dook weg, realiseerde zich dat hij de muts op had. Een geluk dat ze hem niet hadden gezien.

Hij pakte de Halotanfles, hield hem vast met zijn vingers op de spuitknop. Zou hij zijn muts op houden? Als de jongen ontsnapte. Als er iemand de kleedkamer binnenkwam. Als …

Verdomme. Dat hij zich had uitgekleed was een vergissing geweest. Als hij snel moest vluchten. Er was geen tijd om te denken. Hij hoorde dat de jongen zijn kastje dichtdeed en naar de uitgang begon te lopen. Over vijf seconden zou hij langs de deur van zijn hokje komen. Te laat voor overwegingen.

In de kier tussen de binnenkant van de deur en de wand zag hij een schaduw passeren. Hij blokkeerde alle gedachten, haalde het slot van de deur, gooide de deur open en sprong naar buiten.

Mattias draaide zich om en zag een groot naakt wit lichaam met een skimasker over zijn hoofd op hem af komen. Eén gedachte, één enkel woord kwam door zijn bewustzijn vliegen voordat zijn lichaam zich instinctief achteroverwierp: de Dood.

Hij deinsde terug voor de Dood die hem wilde pakken. In één hand hield de Dood iets zwarts. Dat zwarte vloog in zijn gezicht en hij zoog lucht in zijn longen om te schreeuwen.

Maar voordat de schreeuw eruit kon komen was het zwarte over hem, bedekte zijn mond, zijn neus. Een hand pakte hem om zijn achterhoofd, duwde zijn gezicht in het zwarte, zachte. Van de schreeuw bleef alleen een gesmoord gejammer over en terwijl hij zijn verminkte schreeuw eruit gooide, hoorde hij een gesis als van een rookmachine.

Hij probeerde weer te schreeuwen, maar toen hij lucht binnenhaalde, gebeurde er iets met zijn lichaam. Een verdoving verspreidde zich door al zijn ledematen en de volgende schreeuw was alleen nog maar gepiep. Hij ademde in en zakte door zijn benen. Veelkleurige sluiers fladderden voor zijn ogen.

Hij wilde niet meer schreeuwen. Had de kracht niet. De sluiers bedekten nu zijn hele gezichtsveld. Hij had geen lichaam meer. De kleuren dansten.

Hij viel achterover de regenboog in.

Oskar hield het blaadje met de morsecode in zijn ene hand en klopte met de andere de letters op de muur. Een tik met zijn knokkels voor een punt, een klap met zijn handpalm voor een streep, zo hadden ze het afgesproken.

Knokkels. Pauze. Knokkels, handpalm, knokkels, knokkels. Pauze. Knokkels, knokkels. (E.L.I.)

I.K.G.A.N.A.A.R.B.U.I.T.E.N.

Een paar seconden later kwam het antwoord.

I.K.K.O.M.

Ze ontmoetten elkaar voor haar portiek. In één dag was ze … veranderd. Een maand geleden was er een joodse mevrouw bij hen op school geweest, die had verteld over de Holocaust, ze had dia's laten zien. Eli leek nu een beetje op de mensen op die dia's.

De scherpe verlichting in het portiek markeerde schaduwen in haar gezicht, alsof de beenderen bijna door haar huid staken, alsof haar huid dunner was geworden. En …

"Wat heb je met je haar gedaan?"

Hij dacht eerst dat het door het licht kwam dat het er zo uitzag, maar toen hij dichterbij kwam, zag hij dat er dikke witte strengen in haar haar zaten. Net als bij oude mensen. Eli streek over haar haar, glimlachte naar hem.

"Dat gaat wel weer weg. Wat zullen we doen?"

Oskar rammelde met een paar muntjes in zijn zak.

"Iets te smikkelen halen?"

"Wat?"

"Bij de kiosk?"

"Mm. Wie er het laatst is, is een slome duikelaar."

Er flitste een beeld door Oskars hoofd.

Zwart-witte kinderen.

Toen spurtte Eli weg en Oskar ging erachteraan. Hoe ziek ze er ook uitzag, ze was toch veel sneller dan hij; ze vloog soepel over de stenen van het pad en was in een paar stappen de straat over. Oskar rende zo hard mogelijk door, afgeleid door dat beeld.

Zwart-witte kinderen?

Ja, precies. Hij holde de heuvel af langs de Spekjesfabriek en toen wist hij het. Van die oude films die op zondag werden vertoond. *Kalle van vrouw Andersson* en dat soort films. "Wie er het laatst is, is een slome duikelaar." Dat soort dingen zeiden ze in die films.

Eli wachtte onder aan de weg op hem, twintig meter van de kiosk. Oskar jogde naar haar toe, probeerde niet te hijgen. Hij was nooit eerder met Eli bij de kiosk geweest. Zou hij het vertellen? Ja.

"Weet je dat ze dit 'de kiosk van de minnaar' noemen?"

"Waarom?"

"Omdat … ja, ik heb gehoord, op een ouderavond … was er

134

iemand die vertelde … niet aan mij, dus, maar … ik hoorde dat. Die zei dat de man van de kiosk, dat die …"

Nu had hij spijt. Het was stom. Gênant. Eli zwaaide met haar handen.

"Wat?"

"Uh, dat de eigenaar … dámes in de kiosk heeft. Als de kiosk dicht is, dus … snap je?"

"Is dat wáár?" Eli keek naar de kiosk. "Is daar ruimte voor?"

"Vies, hè?"

"Ja."

Oskar liep naar de kiosk toe. Eli deed een paar snelle stappen zodat ze naast hem kwam te staan en fluisterde: "Ze zijn vast heel dun!"

Ze giechelden allebei. Ze kwamen in het licht van de kiosk. Eli draaide demonstratief haar ogen omhoog naar de eigenaar van de kiosk, die in het hokje stond en naar een teeveetje keek.

"Is dat hem?" Oskar knikte. "Hij lijkt wel een ááp."

Oskar hield zijn hand bij Eli's oor, fluisterde: "Hij is vijf jaar geleden uit de dierentuin ontsnapt. Ze zijn nog steeds naar hem op zoek."

Eli giechelde en hield haar hand bij Oskars oor. Haar warme adem stroomde zijn hoofd binnen.

"Helemaal niet. Ze hebben hem híér opgesloten."

Ze keken allebei naar de kioskeigenaar en schaterden het uit; het idee alleen al: de barse kioskeigenaar een aap in zijn kooi, omgeven door snoep. Bij het geluid van hun gelach draaide de man zich om en fronste zijn enorme wenkbrauwen, zodat hij nog meer op een gorilla leek. Oskar en Eli vielen bijna om van het lachen en ze duwden hun hand tegen hun mond en probeerden serieus te worden.

De eigenaar leunde naar de opening.

"Willen jullie iets kopen?"

Eli was al gauw weer ernstig, ze haalde haar hand van haar mond, ging naar het luikje en zei: "Een banaan, graag."

Oskar proestte en duwde zijn hand nog harder tegen zijn mond. Eli draaide zich om en hield haar vinger tegen haar lippen en zei met gespeelde strengheid "sstt". De kioskeigenaar stond er nog.

"Ik heb geen bananen."

Eli deed net of ze er niets van begreep.

"Geen banáaánen?"

"Nee. Anders nog iets?"

Oskar had kramp in zijn kaken van onderdrukt lachen. Hij liep waggelend bij de kiosk weg, holde een paar stappen naar de brievenbus, leunde er proestend tegenaan en schudde van het lachen. Eli kwam bij hem staan, schudde haar hoofd.

"Geen bananen."

Oskar hijgde: "Heeft ie ze zeker ... allemaal ... zelf opgegeten."

Oskar vermande zich, kneep zijn lippen op elkaar, haalde zijn vier kronen tevoorschijn en liep naar het luikje.

"Van alles wat."

De man keek hem boos aan, begon met een tang snoepjes uit de plastic bakken in de etalage te pakken en liet ze in een papieren zak vallen. Oskar gluurde opzij om te zien of Eli het hoorde en zei: "Vergeet de bananen niet."

De eigenaar hield op met scheppen.

"Ik héb geen bananen."

Oskar wees naar een van de bakken.

"Bananenschuimpjes, bedoel ik."

Hij hoorde Eli giechelen en deed hetzelfde wat zij had gedaan; hij hield zijn vinger voor zijn mond en zei "sstt". De eigenaar snoof, deed een paar bananenschuimpjes in de zak en gaf die aan Oskar.

Ze liepen terug naar de binnenplaats. Voordat Oskar er zelf een nam, hield hij Eli het zakje voor. Ze schudde haar hoofd.

"Nee, dank je."

"Snoep je niet?"

"Ik kan er niet tegen."

"Tegen geen enkele soort snoep?"

"Nee."

"Goh, wat vervelend."

"Ja. Nee. Ik weet toch niet hoe het smaakt."

"Heb je het nog nooit gepróéfd?"

"Nee."

"Hoe weet je dan dat ..."

"Dat weet ik gewoon."

Zo ging het soms. Ze praatten ergens over, Oskar vroeg iets en het eindigde met een "dat is gewoon zo", "dat weet ik gewoon". Geen verdere verklaring. Dat was een van die dingen die wat raar waren aan Eli.

Jammer dat hij niet had kunnen trakteren. Dat was zijn plan geweest. Heel veel trakteren. Zoveel ze wilde. En dan snoepte ze niet! Hij stopte een bananenschuimpje in zijn mond en gluurde naar haar.

Ze zag er echt niet gezond uit. En die witte strengen in haar haar … In een verhaal dat Oskar een keer had gelezen, had een man spierwit haar gekregen nadat hij ergens heel erg van was geschrokken. Maar dat was bij Eli toch niet zo?

Ze keek opzij, had haar armen om haar lichaam heen geslagen en zag er heel kléín uit. Oskar kreeg zin een arm om haar heen te slaan, maar durfde het niet goed.

In de poort naar de binnenplaats bleef Eli staan en keek omhoog naar haar raam. Er brandde geen licht. Ze stond stil, met haar armen om haar lichaam heen, en keek naar de grond.

"Zeg, Oskar …"

Hij deed het. Haar hele lichaam vroeg erom en hij haalde ergens de moed vandaan om het te doen. Hij omhelsde haar. Een vreselijk ogenblik lang dacht hij dat hij iets fout had gedaan, haar lichaam was stijf, op slot. Hij wilde haar net loslaten toen ze ontspande in zijn armen. De knoop raakte los en ze stak haar armen uit, hield ze om zijn rug en drukte zich bevend tegen hem aan.

Ze boog haar hoofd naar zijn schouder en zo bleven ze staan. Haar adem tegen zijn hals. Ze hielden elkaar zwijgend vast. Oskar deed zijn ogen dicht en wist: dit was het grootste. Het licht van een lamp in de poort drong zwak door zijn gesloten oogleden, legde een rood waas over zijn ogen. Het grootste.

Eli bracht haar hoofd dichter naar zijn hals. De warmte van haar adem werd sterker. Spieren in haar lichaam die ontspannen waren geweest, werden weer aangespannen. Haar lippen raakten zachtjes zijn hals en er ging een huivering door zijn lichaam.

Plotseling ging er een schok door haar heen en ze verbrak de omhelzing, deed een stap naar achteren. Oskar liet zijn armen vallen. Eli schudde haar hoofd als om zich te bevrijden uit een boze droom, draaide zich om en liep naar haar portiek. Oskar bleef staan. Toen ze de deur opendeed, riep hij haar achterna.

"Eli?" Ze draaide zich om. "Waar is je vader?"

"Hij is ... eten aan het halen."

Ze krijgt geen eten. Dat is het.

"Je kunt bij ons wel wat krijgen."

Eli liet de deur los, kwam naar hem toe. Oskar begon snel plannen te maken wat hij met zijn moeder aan moest. Hij wilde niet dat zijn moeder Eli ontmoette. Of andersom. Hij kon een paar boterhammen klaarmaken en mee naar buiten nemen, misschien. Ja, dat zou het beste zijn.

Eli ging voor hem staan, keek hem ernstig in de ogen.

"Oskar. Vind je mij aardig?"

"Ja. Heel aardig."

"Als ik geen meisje was ... zou je me dan nog steeds aardig vinden?"

"Hoezo?"

"Gewoon. Zou je me ook aardig vinden als ik geen meisje was?"

"Ja ... dat denk ik wel."

"Weet je het zeker?"

"Ja. Waarom vraag je dat?"

Iemand trok aan een raam dat klemde, toen ging het open. Achter Eli's hoofd kon Oskar zien dat zijn moeder haar hoofd naar buiten stak door zijn slaapkamerraam.

"Ooooskar!"

Eli trok zich snel terug tegen de muur. Oskar balde zijn vuisten, holde de helling op en ging onder het raam staan. Als een klein kind.

"Wat is er!?"

"O. Ben je dáár. Ik dacht ..."

"Wat ís er?"

"Ja, het begint nu."

"Dat wéét ik."

Moeder wilde nog iets zeggen, maar deed haar mond dicht en keek naar hem terwijl hij daar onder het raam stond, nog steeds met stijf gebalde vuisten langs zijn lichaam, zijn hele lichaam gespannen.

"Wat doe je?"

"Ik … ik kom eraan."

"Ja, want …"

Tranen van woede sprongen hem in de ogen en Oskar siste: "Ga naar bínnen. Doe het raam dicht. Ga naar bínnen!"

Zijn moeder staarde nog een moment naar hem. Toen gleed er iets over haar gezicht en ze sméét het raam dicht, liep weg. Oskar had haar terug willen roepen … nee dat niet, maar … gedachten aan haar willen sturen. Kalm en rustig uitleggen hoe het zat. Dat ze dat niet moest doen, dat hij …

Hij holde weer naar beneden.

"Eli?"

Ze was er niet. En ze was haar portiek niet binnengegaan, dat zou hij gezien hebben. Dan zou ze wel naar de metro gegaan zijn om op bezoek te gaan bij haar tante in de stad, waar ze uit school altijd heen ging. Dat zou het wel zijn.

Oskar ging in het donkere hoekje staan waar zij zich had teruggetrokken toen zijn moeder riep. Keerde zijn gezicht naar de muur. Bleef even zo staan. Daarna ging hij naar binnen.

Håkan sleepte de jongen het hokje binnen en deed de deur achter zich dicht. De jongen had nauwelijks een kik gegeven. Het enige wat nu verdacht kon overkomen was het gesis uit de gasfles. Hij moest snel werken.

Het zou zoveel gemakkelijker zijn als hij meteen met het mes kon aanvallen, maar nee. Het bloed moest uit een levend lichaam komen. Nog een van de dingen die ze hem had uitgelegd. Bloed van dode mensen was waardeloos, zelfs schadelijk.

Nu. De jongen leefde. Zijn borst ging op en neer, inhaleerde het verdovende gas.

Hij trok het touw hard aan om de benen van de jongen, vlak boven de knieën, sloeg beide uiteinden van het touw om de haak en begon te trekken. De benen van de jongen kwamen van de grond.

Een deur ging open, er klonken stemmen.

Hij hield het touw met één hand vast en zette met de andere het gas uit, haalde het mondstuk los. De verdoving zou een paar minuten duren, hij moest opschieten, of er nu mensen buiten waren of niet, zo zachtjes mogelijk.

Een aantal mannen buiten. Twee, drie, vier? Ze hadden het over Zweden – Denemarken. Een of andere interland. Handbal. Terwijl ze praatten, hees hij het lichaam van de jongen op. De haak kraakte, de belasting kwam uit een andere hoek dan toen hij er zelf aan had gehangen. De mannen buiten zwegen. Hadden ze iets gehoord? Hij stond stil, haalde nauwelijks adem en hield het lichaam, waarvan het hoofd net boven de grond hing, in dezelfde positie vast.

Nee. Alleen een pauze in het gesprek. Ze gingen verder.

Praat door. Praat door.

"Die straf voor Sjögren sloeg toch helemaal …"

"Wat je niet in je armen hebt, moet je in je hoofd hebben."

"Hij kan ze er toch heel goed in krijgen."

"Met die schroef, ik begrijp niet hoe hij dat doet …"

Het hoofd van de jongen hing een paar decimeter boven de vloer. Nu …

Waar moest hij de uiteinden van het touw aan vastmaken? De kieren tussen de planken van het bankje waren zo smal dat hij het touw er niet tussendoor zou kunnen krijgen. Hij kon ook niet met één hand werken terwijl hij met de andere het touw vasthield. Daar was hij niet sterk genoeg voor. Hij stond stil met de uiteinden van het touw in zijn stijf gebalde vuisten, hij zweette. De muts was warm, hij moest hem afzetten.

Straks. Als het klaar is.

De andere haak. Eerst een lus maken. Het zweet liep in zijn ogen toen hij het gewicht van de jongen neerliet om het touw te vieren en hij maakte een lus. Hij trok de jongen weer omhoog en probeerde de lus om de haak te krijgen. Te kort. Hij liet de jongen weer los. De mannen zwegen.

Toe dan! Toe dan!

In stilte maakte hij dichter bij het uiteinde van de touwen nog een lus, wachtte. Ze begonnen weer te praten. Bowling. Successen voor de Zweedse vrouwen in New York. Strike en spare en het zweet brandde in zijn ogen.

Heet. Waarom was het zo heet?

Hij wist de lus om de haak te krijgen en haalde opgelucht adem. Konden ze niet wéggaan?

Het lichaam van de jongen hing goed en hij moest nu snel aan het werk, voordat hij wakker werd, dat ze nou niet wég konden gaan. Maar nu kwamen de bowlingherinneringen en hoe ze vroeger hadden gespeeld en dat iemand met zijn duim in de bal vast was komen te zitten en naar het ziekenhuis moest om hem eraf te laten halen.

Hij kon niet wachten. Hij zette de trechter op de jerrycan, zette hem bij de hals van de jongen. Pakte zijn mes. Toen hij zich omdraaide om de jongen zijn bloed af te tappen, was het gesprek daarbuiten weer verstomd. En de ogen van de jongen waren open. Wijd open. De pupillen dwaalden rond terwijl hij daar op de kop hing, zochten houvast, iets wat ze konden begrijpen. Ze bleven rusten op Håkan, die daar naakt stond met het mes in zijn hand. Heel even keken ze elkaar recht in de ogen.

Toen deed de jongen zijn mond open en gaf een gil.

Håkan deinsde achteruit, knalde tegen de wand van het hokje met een vochtig geluid. Zijn zweterige rug gleed langs de wand en hij verloor bijna zijn evenwicht. De jongen schreeuwde en schreeuwde maar. Het geluid plantte zich voort door de kleedkamer, echode tussen de muren, werd zo versterkt dat Håkan er doof van werd. Zijn hand klemde zich steviger om het heft van het mes en het enige wat hij kon denken was dat hij een eind moest maken aan het geschreeuw van de jongen. Zijn hoofd afhouwen zodat het niet meer schreeuwde. Hij kroop naar de jongen toe.

Er werd op de deur gebonsd.

"Hallo! Doe open!"

Håkan liet het mes los. De tik van het lemmet op de vloer was nauwelijks te horen door het gebons en het onophoudelijke gekrijs van de jongen heen. De deur schudde op zijn grondvesten door de slagen van buitenaf.

"Doe open. Ik sla de deur in."

Afgelopen. Nu was het afgelopen. Nu bleef hem maar één ding over. De geluiden om hem heen verdwenen. Håkans gezichtsveld kromp ineen tot een tunnel toen hij zijn hoofd omdraaide naar de tas. Door de tunnel zag hij dat zijn hand de tas in ging en de jampot pakte.

Hij plofte op zijn achterste neer met de jampot in zijn handen, draaide het deksel eraf. Wachtte.

Op het moment waarop de deur open zou gaan. Voordat ze de muts van zijn gezicht konden trekken.

Door het geschreeuw en het gebons op de deur heen dacht hij aan zijn geliefde. Aan de tijd die ze samen hadden gehad. Hij riep een beeld op van zijn geliefde als engel. Een jongensengel die nu uit de hemel neerkwam, zijn vleugels spreidde, hem kwam halen. Hem meenam. Naar een plaats waar ze altijd samen zouden zijn. Altijd.

De deur vloog open en knalde tegen de muur. De jongen bleef schreeuwen. Buiten stonden drie meer of minder geklede mannen. Ze staarden vol onbegrip naar de scène voor hen.

Håkan knikte langzaam, aanvaardde het.

Toen schreeuwde hij: "Eli! Eli!" en hij goot het geconcentreerde zoutzuur in zijn gezicht.

"Weest verheugd! Weest verheugd!
Weest verheugd in de Heer, uw God!
Weest verheugd! Weest verheugd!
En eert uw Koning en God!"

Staffan begeleidde zichzelf en Tommy's moeder op de piano. Ze keken elkaar af en toe in de ogen, lachten en straalden. Tommy zat lijdzaam op de leren bank. Hij had een gaatje gevonden onder aan de ene leuning en terwijl Staffan en zijn moeder zongen, was hij bezig dat groter te maken. Zijn wijsvinger groef in de vulling en hij vroeg zich af of Staffan en zijn moeder wel eens met elkaar hadden gevreeën op deze bank. Onder de barometers.

Het eten was prima geweest, iets van gemarineerde kip met rijst. Na de maaltijd had Staffan Tommy de kluis laten zien waarin hij zijn pistolen bewaarde. Hij stond onder het bed in de slaapkamer, en Tommy had zich daarvan hetzelfde afgevraagd. Hadden ze met elkaar liggen vrijen in dit bed? Dacht zijn moeder aan zijn vader, terwijl Staffan haar streelde? Maakte de gedachte aan de pistolen onder het matras hem geil? En haar?

Staffan sloeg het slotakkoord aan, liet het wegsterven. Tommy trok zijn vinger uit het nu vrij grote gat in de bank. Zijn moeder knikte naar Staffan, pakte zijn hand en ging naast hem op de pianokruk zitten. Vanuit de hoek waar Tommy zat, hing de maagd Maria precies boven hun hoofden, alsof ze het zo uitgekiend hadden, het van tevoren hadden gerepeteerd.

Zijn moeder keek naar Staffan, glimlachte en keerde zich naar Tommy.

"Tommy. We willen je iets vertellen."

"Gaan jullie trouwen?"

Zijn moeder aarzelde. Als ze dit van tevoren hadden gerepeteerd met enscenering en alles, dan hadden ze deze opmerking kennelijk niet ingecalculeerd.

"Ja. Wat vind je ervan?"

Tommy haalde zijn schouders op.

"Oké. Doe maar."

"We waren van plan … van de zomer, misschien."

Zijn moeder keek hem aan als om te vragen of hij misschien een beter voorstel had.

"Ja, ja. Natuurlijk."

Hij stopte zijn vinger weer in het gat, liet hem daar zitten. Staffan leunde naar voren.

"Ik weet best dat ik je vader niet kan vervangen. Zeker niet. Maar ik hoop dat jij en ik … elkaar kunnen leren kennen en … ja. Dat we vrienden kunnen worden."

"Waar gaan jullie dan wonen?"

Zijn moeder keek plotseling bedroefd.

"Wíj, Tommy. Het gaat ook over jou. We weten het niet. Maar we willen misschien een huis in Ängby kopen. Als het lukt."

"Ängby."

"Ja. Hoe lijkt je dat?"

Tommy keek naar het glazen tafelblad, waarin zijn moeder en Staffan half doorzichtig werden gereflecteerd, net spoken. Hij peuterde met zijn vinger in het gat, kreeg een stuk schuimrubber los.

"Duur."

"Wablief?"

"Een huis in Ängby. Dat is duur. Kost een boel geld. Hebben jullie veel geld?"

Staffan wilde net antwoord geven toen de telefoon ging. Hij streelde Tommy's moeder over haar wang en liep naar de telefoon in de hal. Moeder ging naast Tommy op de bank zitten en vroeg: "Vind je het geen goed idee?"

"Ik vind het een fantastisch idee."

Uit de hal klonk de stem van Staffan. Hij klonk opgewonden.

"Maar dat is … ja, ik kom er meteen aan. Moeten we … nee, dan ga ik er meteen heen. Goed. Dag."

Hij kwam de woonkamer weer in.

"De moordenaar zit in de Vällingbyhal. Ze hebben niet genoeg mensen op het bureau, dus ik moet …"

Hij dook de slaapkamer in en Tommy hoorde de kluis open- en dichtgaan. Staffan kleedde zich daarbinnen om en even later kwam hij in volledig politie-uniform weer naar buiten. Zijn ogen zagen er lichtelijk gestoord uit. Hij kuste Tommy's moeder op haar mond en gaf een klopje op Tommy's knie.

"Ik moet meteen weg. Ik weet niet wanneer ik terug ben. We praten later verder."

Hij liep snel naar de hal en Tommy's moeder liep achter hem aan.

Tommy hoorde iets van "wees voorzichtig" en "ik hou van je" en "blijf je", terwijl hij naar de piano liep en zonder te weten waarom zijn arm uitstak en het beeldje van de pistoolschutter pakte. Dat woog zwaar in zijn hand, minstens twee kilo. Terwijl zijn moeder en Staffan afscheid van elkaar namen – *Dit vinden ze leuk. De man die ten strijde trekt. De smachtende vrouw* – ging hij op het balkon staan. De koude avondlucht drong in zijn longen en hij kon voor het eerst sinds een paar uur goed ademhalen.

Hij hing over het balkonhekje en zag dat er dichte bosjes onder stonden. Hij hield het beeldje over het hekje heen en liet het los. Het viel met een ritselend geluid in de bosjes.

Zijn moeder kwam het balkon op en ging naast hem staan. Een paar seconden later ging de voordeur open. Staffan kwam naar buiten en liep op een holletje naar de parkeerplaats. Moeder zwaaide, maar Staffan keek niet op. Toen hij vlak onder het balkon langskwam, giechelde Tommy even.

"Wat is er?" vroeg moeder.

"Niets."

Alleen dat er een mannetje met een pistool in de bosjes staat en op Staffan richt. Dat is het enige.

Tommy voelde zich best goed, ondanks alles.

De groep had versterking gekregen in de persoon van Karlsson, de enige van de mannen die een 'echte baan' had, zoals hij het zelf uitdrukte. Larry was met de vut, Morgan werkte af en toe bij een autosloperij, en van Lacke wist niemand precies waar hij eigenlijk van leefde. Soms had hij gewoon wat geld.

Karlsson had een vaste baan in de speelgoedwinkel van Vällingby. Hij was er ooit eigenaar van geweest, maar had moeten verkopen in verband met 'economische problemen'. De nieuwe eigenaar had hem later in dienst genomen, want, zoals Karlsson zei, je kon niet ontkennen "dat je na dertig jaar in de branche een zekere ervaring hebt."

Morgan ging achterover in de stoel hangen met zijn benen wijd, vouwde zijn handen achter zijn hoofd en staarde naar Karlsson. Lacke en Larry keken elkaar aan. Nu zou je het hebben.

"Zo, Karlsson, nog nieuws in de speelgoedbranche? Heb je nog nieuwe manieren bedacht om arme kinderen van hun zakgeld af te helpen?"

Karlsson snoof.

"Je weet niet waar je het over hebt. Als er iemand arm wordt ben ik het. Je kunt je niet voorstellen hoeveel er gejat wordt. Die kinderen …"

"Ja, ja. Je hoeft toch alleen maar voor twee kronen wat plastic troep uit Korea te kopen en dat voor honderd te verkopen, dan hebben jullie het toch terugverdiend."

"Zulke spullen verkopen we niet."

"Nee, nee. Wat zag ik laatst dan in de etalage? Smurfen. Wat is dat? Met de hand gemaakt kwaliteitsspeelgoed uit Bengtsfors, of zo?"

"Ik vind dit een eigenaardige opmerking uit de mond van

iemand die auto's verkoopt die alleen maar rijden als je er een paard voor spant."

En zo ging het door. Larry en Lacke luisterden, lachten soms, gaven commentaar. Als Virginia hier was geweest, waren de hanenkammen nog wat verder overeind gaan staan en was Morgan niet gestopt voordat Karlsson echt pissig was.

Maar Virginia was er niet. En Jocke ook niet. De stemming wilde er niet goed in komen en de discussie was al wat ingezakt toen tegen halfnegen de voordeur langzaam openging.

Larry keek op en zag iemand van wie hij nooit had verwacht dat die hier een voet zou zetten: Gösta. De stinkbom, zoals Morgan zei. Larry had een paar keer op een bankje voor de flat met Gösta zitten praten, maar híér was hij nooit eerder geweest.

Gösta keek angstig. Hij bewoog alsof hij uit slecht verlijmde stukken bestond en uit elkaar kon vallen als hij te veel bewoog. Hij tuurde door samengeknepen oogleden en maakte kleine schokkerige beweginkjes. Hij was óf stomdronken óf ziek.

Larry wenkte. "Gösta! Kom hier zitten!"

Morgan draaide zijn hoofd, zag Gösta en zei: "O, verdomme."

Gösta manoeuvreerde naar hun tafeltje als over een mijnenveld. Larry trok de stoel naast zich naar achteren en maakte een uitnodigend gebaar.

"Welkom bij de club."

Gösta leek hem niet te horen, maar slofte naar de stoel. Hij was gekleed in een versleten kostuum met een vest en een vlinderdasje, hij had zijn haar met water gekamd. En hij stonk. Pis, pis en nog eens pis. Ook als je met hem buiten zat, was de stank duidelijk te ruiken, maar dan was het nog te harden. In de warmte binnen dampte het om hem heen van oude, zure urine, zodat je door je mond moest inademen, anders was het niet uit te houden.

Alle mannen, ook Morgan, deden hun best om niet in hun gezicht tot uitdrukking te brengen wat hun neus rook. De ober kwam bij hun tafeltje, bleef staan toen hij Gösta's lucht rook en vroeg: "Wat … mag het zijn?"

Gösta schudde zijn hoofd zonder de ober aan te kijken. De ober fronste zijn wenkbrauwen en Larry maakte een gebaar dat zoveel wilde zeggen als: het is in orde, we regelen het wel. De ober verwijderde zich en Larry legde zijn hand op Gösta's schouder.

"Wat verschaft ons het genoegen?"

Gösta kuchte en met zijn blik op de vloer zei hij: "Jocke."

"Wat is er met hem?"

"Hij is dood."

Larry hoorde Lacke achter zijn rug hijgen. Hij liet zijn hand bemoedigend op Gösta's schouder liggen. Voelde dat dat nodig was.

"Hoe weet je dat?"

"Ik heb het gezien. Toen het gebeurde. Toen hij werd gedood."

"Wanneer?"

"Zaterdag. Avond."

Larry haalde zijn hand weg. "Afgelopen zaterdag? Maar ... ben je naar de politie gegaan?"

Gösta schudde zijn hoofd.

"Dat kon ik niet. En ik ... heb het niet gezien. Maar ik weet het."

Lacke hield zijn handen voor zijn gezicht, fluisterde: "Ik wist het, ik wist het."

Gösta vertelde. Het kind dat de lamp het dichtst bij de brug kapot had gegooid met een steen, naar binnen was gegaan en had gewacht. Jocke die naar binnen was gegaan en niet meer naar buiten was gekomen. De vage afdruk, de contouren van een lichaam in de dorre bladeren de volgende ochtend.

De ober stond al een poosje boze gebaren te maken naar Larry, wees beurtelings op Gösta en de deur. Toen Gösta was uitgesproken, legde Larry een hand op zijn arm.

"Wat zeg je ervan. Zullen we er een kijkje gaan nemen?"

Gösta knikte en stond op van het tafeltje. Morgan goot de laatste teug bier naar binnen, grijnsde naar Karlsson, die de krant pakte en in zijn jaszak stopte; dat deed hij altijd, die vrek.

Alleen Lacke bleef zitten en speelde met een paar afgebroken tandenstokers die voor hem op tafel lagen. Larry bukte.

"Ga jij niet mee?"

"Ik wist het. Ik voelde het."

"Ja. Ga je niet mee?"

"Jawel. Ik kom zo. Gaan jullie maar."

Toen ze in de koude avondlucht kwamen werd Gösta rustiger. Hij zette zo stevig de pas erin dat Larry hem moest vragen het wat kalmer aan te doen, zijn hart kon dit niet aan. Karlsson en Morgan liepen naast elkaar achter hen; Morgan wachtte op een stomme opmerking van Karlsson, zodat hij hem uit kon schelden. Dat zou hem goeddoen. Maar zelfs Karlsson leek in beslag genomen door zijn eigen gedachten.

De kapotte lamp was vervangen en het was behoorlijk licht onder de brug. Ze stonden in een groepje bij elkaar en luisterden naar wat Gösta vertelde. Hij wees naar de stapels bladeren, stampte met zijn voeten om ze te warmen. Slechte doorbloeding. Het galmde in het gewelf alsof er een marcherend leger doorheen liep. Toen Gösta klaar was zei Karlsson: "Maar er zijn geen directe bewijzen."

Op zo'n opmerking had Morgan gewacht.

"Je hoort toch wat hij zegt, verdomme. Denk je dat hij staat te liegen?"

"Nee", zei Karlsson, alsof hij tegen een kind sprak, "maar ik bedoel dat de politie misschien niet even bereid is als wij zijn om zijn verhaal te geloven als het door niets wordt bevestigd."

"Hij is toch getuige."

"Denk je dat dat genoeg is?"

Larry maakte een zwaaiend gebaar naar de stapels bladeren.

"Het is de vraag waar hij gebleven is. Als het zo is."

Lacke kwam aanlopen over de parkweg, liep naar Gösta toe en wees naar de grond.

"Daar?"

Gösta knikte. Lacke stopte zijn handen in zijn zakken en bleef zo een hele poos naar de onregelmatige bladerpatronen staan kijken, alsof het een gigantische puzzel was die hij moest oplossen. Zijn kaakspieren spanden zich, ontspanden zich, spanden zich.

"En? Wat zeggen jullie ervan?"

Larry deed een paar stappen in zijn richting.

"Ik vind het heel erg, Lacke."

Lacke wapperde afwerend met zijn hand, hield Larry op een afstand.

"Wat zeggen jullie? Krijgen we de klootzak die dit heeft gedaan te pakken of niet?"

De anderen keken alle mogelijke kanten op behalve naar Lacke. Larry wilde net een opmerking maken dat dat wel heel moeilijk was, vermoedelijk onmogelijk, maar deed het niet. Ten slotte kuchte Morgan, ging bij Lacke staan en sloeg zijn arm om zijn schouder.

"We krijgen hem te pakken, Lacke. Beslist."

Tommy keek over het hekje, dacht dat hij het glinsteren van zilver zag daarbeneden. Het leek op van die dingen waar de Jonge Woudlopers na een wedstrijd mee thuiskwamen.

"Waar denk je aan?" vroeg zijn moeder.

"Aan Donald Duck."

"Jij vindt Staffan niet erg aardig, hè?"

"Gaat wel."

"Ja?"

Tommy keek naar het centrum. Zag de grote rode V in neon die langzaam boven alles ronddraaide. Vällingby. Victory.

"Heeft hij jou de pistolen laten zien?"

"Waarom vraag je dat?"

"Ik vroeg het me gewoon af. Heeft hij dat gedaan?"

"Ik begrijp niet wat je bedoelt."

"Dat is toch niet zo moeilijk. Heeft hij zijn kluis opengedaan, de pistolen eruit gehaald en ze laten zien?"

"Ja. Hoezo?"

"Wanneer heeft hij dat gedaan?"

Zijn moeder veegde iets van haar blouse, wreef over haar armen.

"Ik heb het een beetje koud."

"Denk je aan papa?"

"Ja. Ik denk aldoor aan hem."

"Aldoor?"

Zijn moeder zuchtte, boog haar hoofd om hem in de ogen te kunnen kijken.

"Waar wil je naartoe?"

"Waar wil jíj naartoe?"

Tommy's hand rustte op het hekje, ze legde de hare erbovenop.
"Ga je morgen mee naar papa?"

"Morgen?"

"Ja. De zaterdag van Allerzielen."

"Overmorgen. Ja, dan ga ik mee."

"Tommy ..."

Ze maakte zijn handen los van het hekje, draaide hem naar zich toe. Knuffelde hem. Hij bleef een poosje stokstijf staan. Toen maakte hij zich los en liep naar binnen.

Terwijl hij zijn jas aantrok, besefte hij dat zijn moeder van het balkon af moest als hij het beeldje wilde kunnen ophalen. Hij riep haar en ze kwam snel van het balkon, hongerend naar een woord.

"Ja ... doe de groeten aan Staffan."

Zijn moeders gezicht klaarde op.

"Dat zal ik doen. Blijf je niet?"

"Nee, ik ... dit kan wel de hele nacht duren."

"Ja. Ik ben wel wat ongerust."

"Hoef je niet te zijn. Hij kán immers schieten. Dag."

"Dag ..."

De voordeur sloeg dicht.

"... lieverd."

Er klonk een doffe knal uit het binnenste van de Volvo toen Staffan met hoge snelheid de rand van het trottoir op reed. Zijn kaken klapten op elkaar zodat zijn hoofd ervan zoemde, hij zag even niets meer. Hij had bijna een oudere man aangereden die zich net bij de schare nieuwsgierigen wilde voegen die zich had verzameld rond de politieauto voor de hoofdingang.

Aspirant Larsson zat in de auto en praatte in de mobilofoon. Hij zou wel om versterking vragen, of om een ambulance. Staffan reed door tot achter de politieauto om de weg vrij te laten voor eventuele versterking, hij sprong uit de auto en sloot die af. Hij deed zijn auto altijd op slot, ook als hij er maar een minuutje bij weg hoefde. Niet omdat hij bang was dat hij gestolen zou worden, maar opdat het een vaste gewoonte werd, zodat hij alsjeblieft nooit zou vergeten de díénstwagen af te sluiten.

Hij liep naar de hoofdingang en deed zijn best er autoritair uit te zien met het oog op de toeschouwers; hij wist van zichzelf dat hij een uiterlijk had dat de meeste mensen vertrouwen inboezemde. Sommigen van de omstanders dachten waarschijnlijk: aha, hier komt iemand die het allemaal even gaat regelen.

Vlak achter de toegangsdeuren stonden vier mannen in zwembroek met een handdoek over hun schouders geslagen. Staffan liep langs hen heen, naar de kleedkamers, maar een van de mannen riep: "Hallo, pardon" en slofte op blote voeten naar hem toe.

"Ja, sorry, maar … onze kleren."

"Wat is daarmee?"

"Wanneer kunnen we ze halen?"

"Uw kleren?"

"Ja, die liggen in de kleedkamer en daar mogen we niet in."

Staffan deed zijn mond open om een zure opmerking te maken dat hun kleren op dit moment niet bovenaan stonden op het prioriteitenlijstje, maar een vrouw met een wit T-shirt aan kwam net naar de mannen toe lopen met een stapel badjassen op haar arm. Staffan maakte een gebaar naar de vrouw en liep verder naar de kleedkamers.

Onderweg kwam hij nog een vrouw in een wit T-shirt tegen, die een jongen van een jaar of twaalf, dertien naar de uitgang bracht. Het gezicht van de jongen stak dieprood af tegen de witte badjas waarin hij was gehuld, zijn ogen waren leeg. De vrouw keek Staffan strak aan met een blik die bijna beschuldigend was.

"Zijn moeder komt hem halen."

Staffan knikte. Was die jongen … het slachtoffer? Dat had hij willen vragen, maar hij kwam zo gauw niet op een zinnige manier om de vraag te formuleren. Hij moest er maar van uitgaan dat Holmberg zijn naam en verdere gegevens had opgeschreven, dat hij het beter had gevonden om het aan de moeder van de jongen over te laten hem naar de ambulance, slachtofferhulp en therapie te brengen.

Zie, Heer, Uw kinderen aan.

Staffan liep verder de gang door, holde de trap op terwijl hij inwendig een dankgebedje opzegde voor bewezen genade en bad om kracht voor de beproeving die zou komen.

Was de moordenaar echt nog in het gebouw?

Voor de kleedkamers, onder een bordje met alleen het woord HEREN, stonden inderdaad drie heren met agent Holmberg te praten. Slechts een van hen was volledig gekleed. Een van de drie had geen broek aan, de beide anderen hadden een bloot bovenlichaam.

"Fijn dat je zo snel kon komen", zei Holmberg.

"Is hij er nog?"

Holmberg wees op de deur naar de kleedkamers.

"Daarbinnen."

Staffan maakte een gebaar naar de drie mannen.

"Zijn zij …?"

Voordat Holmberg iets kon zeggen, deed de man zonder broek een halve stap naar voren en zei, niet zonder trots: "Wij zijn getuigen."

Staffan knikte en keek vragend naar Holmberg.

"Moeten ze niet …"

"Ja, maar ik heb gewacht tot jij kwam. Hij is kennelijk niet gewelddadig." Holmberg keerde zich naar de drie mannen en zei vriendelijk: "We nemen nog contact op. U kunt nu het best naar huis gaan. Ja, nog één ding. Ik begrijp dat het niet heel makkelijk is, maar probeer hier niet met elkaar over te praten."

De man zonder broek lachte een scheef lachje dat hij het begreep.

"Iemand kan het horen, bedoelt u."

"Nee, maar u kunt gaan geloven dat u dingen hebt gezien die u feitelijk niet hebt gezien, alleen omdat iemand anders dat heeft verteld."

"Ik niet. Ik weet wat ik heb gezien en het was het vreselijkste …"

"Geloof me. Het kan de beste overkomen. Als u ons nu wilt excuseren. Bedankt voor alle hulp."

De mannen liepen mompelend de gang door. Holmberg was goed in dat soort dingen. Met mensen praten. Dat deed hij ook het meest. Hij ging bij scholen langs en hield een praatje over drugs en het werk van de politie. Tegenwoordig deed hij dit soort dingen waarschijnlijk niet zo vaak meer.

Een blikkerige knal, alsof er iets van metaal was omgevallen, klonk uit de kleedkamer en Staffan schrok, luisterde.

"Niet gewelddadig."

"Zwaargewond, kennelijk. Hij heeft een of ander zuur in zijn gezicht gegoten."

"Waarom?"

Holmbergs gezicht was leeg, hij keek naar de deur.

"We moeten maar naar binnen gaan en het vragen."

"Gewapend?"

"Vermoedelijk niet."

Holmberg wees naar de vensternis; op de marmeren plaat lag een groot keukenmes met een houten handvat.

"Ik had geen zakje bij me. Bovendien had die man zonder broek er al een tijdje mee staan hannesen voordat ik kwam. Dat doen we zo wel."

"Moeten we het gewoon zo laten liggen?"

"Heb jij een beter idee?"

Staffan schudde zijn hoofd en nu, in de stilte, kon hij twee dingen onderscheiden. Een zwak, onritmisch blazend geluid uit de kleedkamer. De wind in een schoorsteenpijp. Een gebarsten fluit. Dat, en een geur. Iets waarvan hij eerst had gedacht dat het deel uitmaakte van de chloorlucht waar het hele zwembad in was gehuld. Maar dit was meer. Een scherpe, stekende geur, die in zijn neusgaten prikte. Staffan haalde zijn neus op.

"Zullen we …"

Holmberg knikte, maar bleef staan waar hij stond. Vrouw en kinderen. Natuurlijk. Staffan haalde zijn dienstwapen uit de holster, liet zijn andere hand op de deurkruk rusten. Het was de derde keer in de twaalf jaar dat hij in dienst was, dat hij met getrokken pistool een vertrek binnenging. Hij wist niet of hij het goed deed, maar niemand zou hem iets kwalijk nemen. Een kindermoordenaar. Opgesloten, misschien ten einde raad, hoe zwaargewond hij ook was.

Hij gaf Holmberg een teken en deed de deur open.

De stank sloeg hem tegemoet.

Het prikte in zijn neus, zodat zijn ogen ervan traanden. Hij hoestte. Haalde een zakdoek uit zijn zak en hield die voor zijn mond en zijn neus. Hij had de brandweer een paar keer geassisteerd bij brandende huizen, dat was hetzelfde gevoel geweest. Maar hier was geen rook, alleen een vage walm die door de ruimte zweefde.

Mijn god, wat is dit?

Het eentonige, hortende geluid was nog steeds te horen aan de andere kant van de rij kastjes vóór hen. Staffan gebaarde naar Holmberg dat hij van de andere kant om de rij kastjes heen moest lopen, zodat ze van twee kanten kwamen. Staffan liep naar het eind van de rij kastjes en keek om de hoek; de arm waarmee hij het pistool vasthield, hing langs zijn lichaam.

Hij zag een omgegooide metalen prullenbak en daarnaast lag een naakt lichaam.

Holmberg dook aan de andere kant op, signaleerde naar Staffan dat hij het rustig aan moest doen, er leek immers geen onmiddellijk gevaar te bestaan. Staffan voelde een steek van ergernis dat Holmberg de leiding probeerde te nemen nu het allemaal niet gevaarlijk meer leek. Hij ademde in door de zakdoek, haalde die van zijn mond en zei hardop: "Hallo. Hier is de politie. Hoort u mij?"

De man op de vloer gaf er geen blijk van dat hij het had gehoord, bleef alleen dat eentonige geluid maken met zijn gezicht naar de vloer. Staffan deed een paar stappen naar voren.

"Hou uw handen waar ik ze kan zien."

De man bewoog niet. Maar nu Staffan dichterbij was kon hij zien dat het hele lichaam schokte. Dat van die handen was onnodig. De ene arm lag over de prullenbak, de andere naast hem op de vloer. De handpalm was opgezwollen en gebarsten.

Zuur ... hoe ziet hij eruit ...

Staffan hield zijn zakdoek weer voor zijn mond en liep naar de man toe, terwijl hij zijn pistool in de holster stopte, erop vertrouwend dat Holmberg hem dekking gaf als er iets gebeurde.

Het lichaam schokte spasmodisch en er klonken zachte, smakkende geluiden toen de naakte huid losgetrokken werd van de tegels en weer vast werd gezogen. De hand die op de vloer lag, sprong als een platvis op een gladde rots. En aldoor het geluid uit de mond, naar de vloer: "... *eeiiieeeeiii* ..."

Staffan gaf Holmberg een teken dat hij op een paar passen afstand moest blijven en hurkte bij het lichaam neer.

"Kunt u mij horen?"

De man was stil. Plotseling maakte het hele lichaam een spastische draai en rolde om.

Het gezicht.

Staffan deinsde achteruit, verloor zijn houvast en kwam op zijn staartbotje terecht. Hij klemde zijn kiezen op elkaar om het niet uit te schreeuwen toen een waaier van pijn zich verspreidde door zijn lenden. Hij kneep zijn ogen dicht. Deed ze weer open.

Hij heeft geen gezicht.

Staffan had een junkie gezien die tijdens een hallucinatie verscheidene keren met zijn gezicht tegen de muur had gebeukt. Hij had een man gezien die een benzinetank aan het lassen was, zonder dat hij die eerst had leeggemaakt. De tank was in zijn gezicht geëxplodeerd.

Maar niets wat hierop leek.

De neus was weggevreten; waar die had gezeten, zaten alleen twee gaten in het hoofd. De mond was samengesmolten, de lippen verzegeld op een kiertje in de ene hoek na. Het ene oog was uitgevloeid over wat de wang was geweest, maar het andere … het andere stond wijd open.

Staffan staarde in het oog, het enige wat als menselijk herkenbaar was in deze vormeloze massa. Het oog was bloeddoorlopen en toen het probeerde te knipperen was er maar een half stukje huid dat eroverheen viel en weer opgetrokken werd.

Waar de rest van het gezicht had moeten zitten, zaten alleen stukken kraakbeen en botten die uitstaken tussen rafelige stukken vlees en zwarte lappen. De naakte, glanzende stukken spier werden samengetrokken en ontspanden, spartelden alsof het hoofd was vervangen door een bos pas gedode, in stukken gehakte palingen.

Het hele gezicht, dat wat het gezicht was geweest, had een eigen leven.

Staffan voelde de misselijkheid opkomen en hij zou vermoedelijk hebben overgegeven als zijn lichaam het niet zo druk had met het sturen van pijngolven naar zijn rug. Langzaam trok hij zijn benen onder zich op, ging op zijn voeten staan, steunend tegen de kastjes. Het bloeddoorlopen oog staarde hem onafgebroken aan.

"Afgrijselijk ..."

Holmberg stond met hangende armen het verminkte lichaam op de vloer te bekijken. Het was niet alleen het gezicht. Het zuur was ook over het bovenste gedeelte van het lichaam gelopen. De huid over het sleutelbeen was aan één kant weg en er stak een stuk bot uit, dat wit afstak als een stuk krijt in een pan stoofvlees.

Holmberg schudde zijn hoofd, stak een hand omhoog en liet hem halverwege weer naar beneden gaan, op en neer, op en neer. Hij kuchte.

"Afgrijselijk ..."

Het was elf uur en Oskar lag in zijn bed. Hij tikte voorzichtig de letters op de muur.

E ... L ... I ...

E ... L ... I ...

Geen antwoord.

VRIJDAG 30 OKTOBER

De jongens uit 6b stonden in de rij op het pad voor de school en wachtten op het teken van meester Ávila. Ze hadden allemaal een gymnastiektas of een andere tas in hun handen, want God sta degene bij die zijn gymkleren vergeten had of niet een heel goede reden had om niet mee te gymmen.

Ze stonden op een armlengte afstand van elkaar, zoals de meester hun had geleerd die eerste dag in de vierde, toen hij de verantwoordelijkheid voor hun lichamelijke opvoeding had overgenomen van de klassenlerares.

"In gelid. Armlengte afstand!"

Meester Ávila was gevechtspiloot geweest in de oorlog. Een paar keer had hij de jongens verhalen verteld over luchtgevechten en noodlandingen in korenvelden. Ze waren onder de indruk. Ze hadden respect voor hem.

Een klas die als druk en lastig bekendstond, ging gehoorzaam op een armlengte afstand van elkaar staan, ook als de meester niet eens in zicht was. Als het gelid er niet zo uitzag als hij wilde, liet hij hen tien minuten extra wachten, of hij blies een beloofde volleybalwedstrijd af ten gunste van opdrukken en sit-ups.

Oskar was, net als de anderen, tamelijk bang voor de meester. Met zijn stoppelige grijze haar en zijn haviksneus, zijn goed onderhouden atletische uiterlijk en zijn ijzeren vuisten was hij niet iemand die gauw begrip zou hebben voor een slappe, iets te dikke jongen die werd gepest. Maar tijdens zijn lessen heerste er orde. Jonny, Micke en Tomas durfden niets te doen zolang de meester in de buurt was.

Nu stapte Johan uit de rij, wierp een blik op de school. Maakte toen de Hitlergroet en zei: "In gelid! Vandaag brandoefenink. Met touw!"

Sommigen lachten zenuwachtig. De meester had een voorliefde voor brandoefeningen. Eén keer per seizoen moesten de leerlingen oefenen en zich met touwen uit de ramen laten zakken, terwijl de meester de hele procedure klokte met een stopwatch. Als ze het record van de vorige keer wisten te breken mochten ze de volgende les apenkooi doen. Als ze het hadden verdiend.

Johan ging gauw weer in de rij staan. Gelukkig, want maar een paar seconden later kwam de meester met snelle passen de hoofdingang van de school uit en liep richting gymnastieklokaal. Hij keek recht voor zich, keurde de groep geen blik waardig. Toen hij halverwege was, maakte hij een kom!-gebaar met zijn hand zonder zijn pas in te houden, zonder zijn hoofd om te draaien.

De rij zette zich in beweging, terwijl ze probeerden op een armlengte afstand van elkaar te blijven. Tomas, die achter Oskar liep, trapte op Oskars hielen, zodat hij aan de achterkant uit zijn schoen raakte. Oskar liep door.

Sinds dat met die zwepen eergisteren hadden ze hem met rust gelaten. Niet dat ze sorry hadden gezegd of zo, maar de wond op zijn wang zat er en dat vonden ze zeker wel genoeg. Voorlopig.

Eli.

Oskar kromde zijn tenen in zijn schoen om hem aan te houden en marcheerde verder naar het gymnastieklokaal. Waar was Eli? Oskar had gisteravond voor zijn raam staan spieden om te kijken of Eli's vader thuiskwam. Hij had alleen gezien dat Eli om een uur of tien naar buiten was gegaan. Toen had hij chocolademelk gedronken en broodjes gegeten met zijn moeder en misschien had hij haar thuiskomst gemist. Maar ze had niet geantwoord op zijn geklop.

De klas stommelde de kleedkamer binnen, het gelid viel uiteen. Meester Ávila stond met gekruiste armen te wachten.

"Ja, ja. Vandaag oefeningen. Met rekstok, kast en springtouw."

Gezucht en gekreun. De meester knikte.

"Als het goed is, als jullie werken, volgende keer we doen trefbal. Maar vandaag: oefeningen. Schiet maar op!"

Geen discussie mogelijk. Je mocht al blij zijn met dat trefbal, en de klas kleedde zich snel om. Oskar zorgde er net als altijd voor dat hij met zijn rug naar de anderen toe stond toen hij zijn broek uittrok. Door de Pisbol zag het er raar uit in zijn onderbroek.

In het gymnastieklokaal waren de anderen bezig kasten neer te zetten en rekstokken neer te laten. Johan en Oskar droegen samen de matten. Toen alles klaar was, blies de meester op zijn fluitje. Er waren vijf onderdelen, dus hij deelde hen in vijf groepjes van twee in.

Oskar en Staffe waren een groepje. Dat was mooi, want Staffe was de enige in de klas die slechter was in gymnastiek dan Oskar. Hij was beresterk, maar onhandig. Dikker dan Oskar. Toch was er niemand die hem pestte. Iets in Staffes houding zei dat je nog niet jarig was, als je ruzie met hem kreeg.

De meester blies op zijn fluitje en ze begonnen.

Optrekken aan de rekstok. Kin boven de stang, omlaag, omhoog. Oskar kon het twee keer. Staffe vijf keer, toen gaf hij het op. Fluitsignaal. Sit-ups. Staffe bleef gewoon op de mat naar het plafond liggen kijken. Oskar deed nep-situps tot aan het volgende fluitje. Springtouw. Daar was Oskar goed in. Hij roffelde maar door, terwijl Staffe in de knoop kwam met het touw. Toen opdrukken. Staffe kon een heleboel keer. Ten slotte de kast, die rotkast.

Hierbij was het mooi om met Staffe te zijn. Oskar had naar Micke, Jonny en Olof gegluurd, hoe ze over de kast vlogen via de springplank. Staffe nam een aanloop, rende, kwam met een dreun op de springplank neer, zodat die ervan kraakte en kwam toch niet op de kast. Hij keerde om en wilde teruglopen. De meester liep naar hem toe.

"Op de kast!"

"Dat lukt niet."

"Dan moet je kroipen."

"Wat?"

"Kroipen. Króipen. Hup en springen!"

Staffe pakte de kast vast, kroop erop en liet zich aan de andere kant als een luiaard naar beneden glijden. De meester wenkte 'kom' en Oskar rende.

Ergens tijdens die passen naar de kast nam hij een besluit.

Hij zou het probéren.

De meester had een keer tegen hem gezegd dat hij niet bang moest zijn voor de kast, dat alles daarvan afhing. Anders zette hij nooit goed af, bang dat hij zijn evenwicht zou verliezen of tegen de kast zou knallen. Maar nu zou hij het erop wagen, doen alsof hij het kon. De meester keek, Oskar rende in volle vaart naar de springplank.

Hij dacht nauwelijks na bij het afzetten, concentreerde zich er volledig op dat hij over de kast moest zien te komen. Voor het eerst zette hij zijn voeten met volle kracht op de plank, zonder in te houden, en zijn lichaam vloog er uit zichzelf vandoor, zijn handen strekten zich uit om af te zetten en zijn lichaam verder te brengen. Hij vloog met zo'n vaart over de kast dat hij zijn evenwicht verloor en voorover viel toen hij aan de andere kant landde. Maar hij was eroverheen gekomen!

Hij draaide zich om en keek naar de meester, die waarachtig niet glimlachte, maar bemoedigend knikte.

"Goed zo, Oskar. Alleen wat meer balans."

De meester blies op zijn fluitje en ze mochten een minuutje uitblazen voordat ze nog een rondje maakten. Deze keer slaagde Oskar erin over de kast heen te komen en ook nog zijn evenwicht te bewaren.

De meester floot de les af en ging naar zijn kamertje, terwijl zij de spullen opruimden. Oskar klapte de wieltjes van de kast uit en reed hem naar de bergruimte, gaf hem een klopje als een braaf paard dat zich eindelijk had laten temmen. Hij zette de kast op zijn plaats en liep naar de kleedkamer. Er was iets waar hij met de meester over wilde praten.

Halverwege de deur werd hij tegengehouden. Een lus van een springtouw viel over zijn hoofd en kwam om zijn buik terecht. Iemand hield hem vast. Achter zich hoorde hij Jonny's stem: "Hop, Varkentje."

Hij draaide zich om, zodat de lus van zijn buik naar zijn rug gleed. Jonny stond voor hem met de handvatten van het springtouw in zijn handen. Hij ging ermee op en neer, klakte met zijn tong.

"Hop, hop."

Oskar pakte het touw met beide handen vast en rukte de handvatten uit Jonny's handen. Het springtouw viel achter Oskar op de vloer. Jonny wees naar het springtouw.

"Nu mag jij het gaan pakken."

Oskar pakte het springtouw in het midden met één hand vast en draaide het boven zijn hoofd rond zodat de handvatten tegen elkaar klapperden, riep: "Pak aan!" en liet los. Het springtouw vloog weg en Jonny hield instinctief zijn handen ter bescherming voor zijn gezicht. Het springtouw vloog over zijn hoofd heen en kwam ratelend in het wandrek achter hem terecht.

Oskar ging het gymnastieklokaal uit en holde de trappen af. Zijn hart bonsde in zijn oren. *Het is begonnen.* Hij ging met drie treden tegelijk de trap af, landde met beide voeten naast elkaar op de overloop, liep de kleedkamer door en het kamertje van de meester binnen.

De meester zat in zijn sportkleren te bellen in een vreemde taal, waarschijnlijk Spaans. Het enige woord dat Oskar eruit kon halen was 'perro'; hij wist dat dat 'hond' betekende. De meester gebaarde dat hij op de andere stoel in de kamer moest gaan zitten. De meester praatte door, nog een paar keer 'perro', terwijl Oskar hoorde dat Jonny de kleedkamer binnenkwam en luid begon te praten.

De kleedkamer was al leeg toen de meester klaar was met zijn hond. Hij keek Oskar aan.

"Zo, Oskar. Waar kom je voor?"

"Ja, ik vroeg me af … die trainingen op donderdag."

"Ja?"

"Mag ik daaraan meedoen?"

"Je bedoelt krachttraining in het zwembad?"

"Ja, precies. Kan ik me opgeven, of …"

"Je hoeft je niet op te geven. Gewoon komen. Donderdag zeven uur. Jij wilt dat doen?"

"Ja, ik … ja."

"Dat is goed. Je traint. Dan kun je de rekstok … vijftig keer!"

De meester deed het optrekken aan de rekstok voor met zijn armen in de lucht. Oskar schudde zijn hoofd.

"Nee. Maar … ja, ik kom."

"Dan we zien elkaar donderdag. Mooi."

Oskar knikte, wilde weggaan, zei toen: "Hoe gaat het met de hond?"

"De hond?"

"Ik hoorde dat u 'perro' zei. Dat betekent toch hond?"

De meester dacht even na.

"Ah. Niet 'perro'. *Pero*. Dat betekent 'maar'. Zoals in 'maar ik niet'. Dat wordt *pero yo no*. Begrijp je? Ga je nu ook een Spaanse cursus doen?"

Oskar glimlachte en schudde zijn hoofd. Zei dat krachttraining wel genoeg was.

De kleedkamer was leeg op Oskars kleren na. Oskar trok zijn gymbroek uit en bleef staan. Zijn broek was weg. Natuurlijk. Dat hij daar niet aan had gedacht. Hij keek overal in de kleedkamer, in de wc's. Geen broek.

De kou beet in Oskars benen toen hij naar huis liep met alleen zijn gymbroek aan. Tijdens de gymles was het gaan sneeuwen. De sneeuwvlokken vielen en smolten op zijn blote benen. Op de binnenplaats bleef hij onder Eli's raam staan. De jaloezieën neergelaten. Geen beweging. Grote vlokken streelden zijn omhoog gerichte gezicht. Hij ving er een paar op zijn tong. Dat smaakte lekker.

"Moet je Ragnar eens zien."

Holmberg wees naar buiten, naar het Vällingbyplein, waar de vallende sneeuw een tere deken uitspreidde over de cirkelvormig gelegde straatstenen. Een van de drop-outs zat doodstil op een bankje, gehuld in een grote jas, terwijl de sneeuw hem veranderde in een slecht geknede sneeuwpop. Holmberg zuchtte.

"We mogen wel eens bij hem gaan kijken als hij zich niet gauw beweegt. Hoe is het met jou?"

"Gaat wel."

Staffan had een extra kussen op zijn bureaustoel gelegd om de pijn in zijn onderrug te verzachten. Hij zou liever willen staan en het allerliefst in bed willen liggen, maar het proces-verbaal van de gebeurtenissen van de vorige avond moest voor het weekend naar de afdeling ernstige delicten.

Holmberg keek in zijn notitieblok en tikte er met zijn pen op.

"Die drie in de kleedkamer. Die zeiden dat de moordenaar voordat hij zoutzuur over zichzelf heen goot, 'Eli, Eli!' schreeuwde en ik vraag me af …"

Staffans hart sprong op in zijn borst, hij boog naar voren over het bureau.

"Zei hij dat?"

"Ja? Weet jij wat …"

"Ja."

Staffan leunde heftig achterover in de stoel en de pijn schoot een pijl af tot in zijn haargrens. Hij pakte de rand van het bureau vast, ging rechtop zitten en ging met zijn handen over zijn gezicht. Holmberg keek hem aan.

"Verdorie. Ben je bij de dokter geweest?"

"Nee, het is gewoon … het gaat wel weer over. Eli, Eli."

"Is dat een naam?"

Staffan knikte langzaam. "Ja. … Het betekent … God."

"Ja, ja, hij riep tot God. Denk je dat Hij het heeft gehoord?"

"Wat?"

"God. Denk je dat Hij het heeft gehoord? Gezien de omstandigheden lijkt het wat … onwaarschijnlijk. Hoewel jij de expert bent, natuurlijk. Ja, ja."

"Het zijn de laatste woorden van Christus aan het kruis. Mijn God, mijn God, waarom hebt Gij mij verlaten? *Eli, Eli, lama sabachthani?*"

Holmberg knipperde met zijn ogen en keek in zijn aantekeningen.

"Juist ja."

"Volgens Matteüs en Marcus."

Holmberg knikte en zoog op zijn pen.

"Zetten we dat ook in het proces-verbaal?"

Toen Oskar thuiskwam uit school, trok hij een nieuwe broek aan en ging naar de kiosk van de Minnaar om een krant te kopen. Het gerucht ging dat de moordenaar was gegrepen en hij wilde alles weten. Uitknippen en bewaren.

Er was iets vreemds aan de hand toen hij naar de kiosk liep, iets was anders dan anders, afgezien van de sneeuw.

Toen hij met de krant onderweg was naar huis, kwam hij erop wat het was. Hij keek niet om zich heen. Hij liep gewoon. Hij was het hele eind naar de kiosk gelopen zonder te kijken of er jongens aankwamen die hem iets wilden doen.

Hij begon te rennen. Hij rende aan één stuk door naar huis met de krant in zijn hand, terwijl de vlokken zijn gezicht likten. Hij deed de voordeur op slot. Ging naar zijn bed, ging op zijn buik liggen, klopte op de muur. Geen reactie. Hij had met Eli willen praten, vertellen.

Hij sloeg de krant open. De Vällingbyhal. Politieauto's. Ambulance. Poging tot moord. De verwondingen van de man van dien aard dat identificatie moeilijk is. Foto van het Danderyd Ziekenhuis waar de man wordt verpleegd. Referentie aan de vorige moord. Geen commentaren.

Vervolgens onderzeeboot, onderzeeboot, onderzeeboot. Verhoogde staat van paraatheid.

Er werd aangebeld.

Oskar sprong uit zijn bed, liep snel de hal in.

Eli, Eli, Eli.

Toen hij zijn hand op de klink had, stopte hij. Als het Jonny was met de andere jongens? Nee, ze zouden nooit zomaar bij hem thuis komen. Hij deed open. Voor de deur stond Johan.

"Moi."

"Ja ... moi."

"Zullen we iets doen?"

"Ja ... wat dan?"

"Ik weet niet. Iets."

"Oké."

Oskar trok zijn jas en schoenen aan terwijl Johan in het trappenhuis wachtte.

"Jonny had flink de smoor in. Bij gym."

"Hij heeft mijn broek meegenomen, zeker?"

"Ja. Ik weet waar hij is."

"Waar dan?"

"Daar achter. Bij het zwembad. Ik zal het aanwijzen."

Oskar bedacht dat Johan zijn broek dan ook wel mee had kunnen nemen naar hem toe, maar hij zei het niet. Zover ging zijn welwillendheid kennelijk niet. Oskar knikte en zei: "Mooi."

Ze liepen naar het zwembad en haalden de broek die in de bosjes hing. Toen liepen ze wat rond. Maakten sneeuwballen en gooiden ermee op bomen. In een container vonden ze elektriciteitsdraad dat ze in stukken konden snijden en ombuigen om ze als projectielen voor een katapult te gebruiken. Ze praatten over de moordenaar, over de onderzeeboot en over Jonny, Micke en Tomas, die Johan niet goed wijs vond.

"Helemaal gestoord."

"Jou doen ze toch nooit wat?"

"Nee, maar toch."

Ze liepen naar het worststalletje bij de metro en kochten ieder twee 'zwervers'. Voor één kroon per stuk. Gegrilde broodjes met alleen mosterd, ketchup, hamburgerdressing en rauwe ui. Het begon donker te worden. Johan praatte met het meisje in het worststalletje en Oskar keek naar de metro's die kwamen en gingen, dacht aan de elektrische draden die boven het spoor liepen.

Met hun mond walmend van uiensmaak liepen ze naar de school, waar hun wegen zich zouden scheiden. Oskar zei: "Denk jij dat mensen zelfmoord plegen door op die draden boven het spoor te springen?"

"Weet niet. Misschien wel. Mijn broer kent iemand die op de elektrische rail piste."

"Wat gebeurde er toen?"

"Hij ging dood. De stroom ging door de pis naar zijn lichaam."

"Goh. Wílde hij dood?"

"Nee. Hij was dronken. Getsie. Ik zie het al voor me …"

Johan mimede hoe hij zijn piemel tevoorschijn haalde, piste en over zijn hele lichaam begon te schudden. Oskar lachte.

Bij de school gingen ze elk een kant op, zwaaiden naar elkaar. Oskar liep naar huis met zijn teruggevonden broek om zijn heupen geknoopt en floot de herkenningsmelodie van *Dallas*. Het sneeuwde niet meer, maar er lag een witte deken over alles heen. Er scheen licht achter de grote matglazen ramen van het kleine zwembad. Daar ging hij donderdagavond heen. Dan begon hij met trainen. Dan zou hij sterker worden.

Vrijdagavond bij de Chinees. Aan de ene lange wand hangt een ronde klok met stalen rand, die niet op zijn plaats lijkt tussen lampen van rijstpapier en gouden draken; hij staat op vijf voor negen. De mannen zitten over hun bier gebogen, verliezen zich in de landschapjes op de placemats. Buiten blijft het sneeuwen.

Virginia roert wat in haar San Francisco en zuigt aan de tonic-stamper die gekroond wordt door een Johnny Walker-poppetje.

Wie was Johnny Walker? Waar liep hij naartoe?

Ze tikt met het stokje tegen het glas en Morgan kijkt op.

"Ga je een toespraak houden?"

"Iemand moet het toch doen?"

Ze hadden het haar verteld. Alles wat Gösta had gezegd over Jocke, de brug en het kind. Toen waren ze in stilte verzonken. Virginia rinkelde met het ijs in haar glas, keek hoe het gedempte licht aan het plafond werd gereflecteerd in de half gesmolten blokjes.

"Eén ding snap ik niet. Als het zo gegaan is als Gösta zegt. Waar ís hij dan? Jocke dus."

Karlssons gezicht klaarde op, alsof hij op deze gelegenheid had gewacht.

"Net wat ik probeerde te zeggen. Waar is het lijk? Als je ..."

Morgan stak een waarschuwende wijsvinger op naar Karlsson.

"Jij noemt Jocke niet 'het lijk'."

"Hoe moet ik hem dan noemen? De overledene?"

"Je hoeft hem niets te noemen voordat we weten hoe het zit."

"Dat is precies wat ik probeer te zeggen. Er is geen l... ze hebben ... hem nog niet gevonden en zolang kunnen we niet ..."

"Wie 'ze'?"

"Nou, wat denk je? De Helikopterdivisie in Berga? De politie natuurlijk."

Larry wreef in zijn oog en maakte een zacht klakgeluid.

"Dat is een probleem. Zolang ze hem niet hebben gevonden zijn ze niet geïnteresseerd, en zolang ze niet geïnteresseerd zijn, gaan ze hem niet zoeken."

Virginia schudde haar hoofd. "Jullie moeten naar de politie om het te vertellen."

"Ja, ja. En wat moeten we dan zeggen?" grinnikte Morgan. "Jongens, even ophouden met al dat gedoe met die kindermoordenaar, die onderzeeboot en alles, want wij zijn drie vrolijke drinkebroers en een van onze makkers is verdwenen en nu heeft weer een andere makker van ons verteld dat hij op een avond toen hij behoorlijk kachel was, heeft gezien … hè?"

"Maar Gösta dan? Hij heeft het gezien, hij …"

"Ja, ja, natuurlijk. Maar hij is zo gauw van de kaart. Een uniform voor zijn neus en dan kun je hem wegdragen. Dat kan hij niet aan. Verhoren en dat soort ellende." Morgan haalde zijn schouders op. "Heel naar."

"Moeten we het dan gewoon zo láten?"

"Ja, wat moeten we anders, verdomme?"

Lacke, die zijn bier in de loop van het gesprek naar binnen had gegoten, zei iets op zo'n zachte toon dat het niet te horen was. Virginia boog naar hem toe en legde haar hoofd op zijn schouder.

"Wat zei je?"

Lacke staarde naar het in mist gehulde landschap in Oost-Indische inkt op zijn placemat en fluisterde: "Jij zei. Dat we hem te pakken zouden nemen."

Morgan gaf een klap op de tafel zodat de bierglazen een luchtsprongetje maakten, hij stak zijn hand als een klauw voor zich uit.

"Dat dóén we ook. Maar we moeten eerst een aanknopingspunt hebben."

Lacke knikte als een slaapwandelaar en maakte aanstalten om op te staan.

"Ik moet even …"

Hij zakte door zijn benen en viel over de tafel heen; het gerinkel van vallende glazen zorgde ervoor dat alle acht bezoekers van het restaurant zich omdraaiden en keken. Virginia pakte Lacke bij zijn schouders en zette hem weer rechtop op zijn stoel. Lackes ogen waren ver weg.

"Sorry, ik …"

De ober haastte zich naar hun tafeltje, terwijl hij als een bezetene zijn handen afveegde aan zijn schort. Hij boog zich naar Lacke en Virginia en fluisterde boos: "Dit is een restaurant, geen zwijnenstal."

Virginia glimlachte zo lief mogelijk naar hem, terwijl ze Lacke overeind hielp.

"Kom, Lacke. We gaan naar mijn huis."

Met een beschuldigende blik op de andere mannen liep de ober snel naar Lacke en Virginia toe, ondersteunde Lacke aan de andere kant om de restaurantbezoekers te laten zien dat er hem ook veel aan gelegen was dat dit element, dat hun vredige maaltijd verstoorde, verwijderd werd.

Virginia hielp Lacke in zijn zware, ouderwets elegante jas – een erfenis van zijn vader die een paar jaar geleden was overleden – en duwde hem naar de deur.

Achter zich hoorde ze Morgan en Karlsson veelbetekenend fluiten. Met Lackes arm om haar schouders keerde ze zich naar hen om en ze stak haar tong uit. Toen trok ze de deur open en ging naar buiten.

De sneeuw viel in grote, langzame vlokken en schiep een ruimte van kou en stilte voor hen tweeën. Virginia's wangen werden rood toen ze Lacke naar de parkweg leidde. Het was beter zo.

"Dag. Mijn vader zou me ophalen, maar hij is er niet en ... mag ik binnenkomen en even bellen?"

"Natuurlijk."

"Mag ik binnenkomen?"

"Daar staat de telefoon."

De vrouw wees naar de hal; op een tafeltje stond een grijze telefoon. Eli stond nog buiten voor de deur, ze was nog niet binnen gevraagd. Vlak bij de deur stond een egel van gietijzer met stekels van palmyra. Eli veegde haar schoenen eraan om te verbloemen dat ze niet binnen kon komen.

"Vindt u het echt goed?"

"Ja, ja. Kom binnen, kom binnen."

De vrouw maakte een vermoeid gebaar; Eli was binnen gevraagd. De vrouw leek haar belangstelling kwijt te zijn en ging de woonkamer binnen, vanwaar Eli het statische gezoem van een tv-toestel kon horen. Een lang geel zijden lint dat in het grijzende haar van de vrouw was gebonden, kronkelde als een tamme slang over haar rug.

Eli liep de gang in, deed haar schoenen en haar jas uit en pakte de hoorn van de telefoon. Ze draaide zomaar een nummer, deed net of ze met iemand sprak en hing op.

Ze ademde in door haar neus. Bakluchtjes, schoonmaakmiddel, modder, schoenpoets, winterappels, natte spullen, elektriciteit, stof, zweet, behangplaksel en … kattenpis.

Ja. Een roetzwarte kat stond in de deuropening van de keuken te grommen. Zijn oren naar achteren, zijn vacht omhoog, zijn rug gekromd. Om zijn hals had hij een rood bandje met een metalen kokertje, vermoedelijk bedoeld om een briefje met naam en adres in te stoppen.

Eli deed een stap in de richting van de kat, die zijn tanden liet zien en blies. Het lichaam gespannen, klaar voor de sprong. Nog een stap.

De kat trok zich terug, kroop met knikkende bewegingen achteruit, terwijl hij doorging met blazen en Eli in de ogen bleef kijken. Het lichaam sidderde van haat en het metalen kokertje trilde. Ze taxeerden elkaar. Eli liep langzaam naar voren, dwong de kat naar achteren totdat hij in de keuken was, en deed de deur dicht.

De kat ging door met grommen en miauwde kwaad aan de andere kant. Eli liep naar de woonkamer.

De vrouw zat op een leren bank, die zo glimmend was gewreven dat het licht van de tv erin weerkaatst werd. Ze zat met rechte rug en keek star naar het blauw flikkerende scherm. Ze had aan de ene kant een gele strik in haar haar, aan de andere kant was de strik losgeraakt. Op de salontafel voor haar stonden een schaal met crackertjes en een kaasplankje met drie kaasjes. Een ongeopende fles wijn en twee glazen.

De vrouw leek Eli's aanwezigheid niet op te merken, ze werd in beslag genomen door wat er op het scherm gebeurde. Een natuurprogramma. Pinguïns op de zuidpool.

Het mannetje draagt het ei op zijn poten, om het niet in contact te laten komen met het ijs.

Een karavaan van pinguïns bewoog waggelend door een ijs-woestijn. Eli ging naast de vrouw op de bank zitten. De vrouw zat stijf rechtop, alsof de tv een strenge meester was die haar de les las.

Als het vrouwtje drie maanden later terugkomt is de vetlaag van het mannetje zo goed als opgebruikt.

Twee pinguïns wreven met hun snavels tegen elkaar ter begroeting.

"Verwacht u bezoek?"

De vrouw schrok op en keek Eli een paar seconden vol onbegrip recht in de ogen. De gele strik benadrukte hoe afgeleefd haar gezicht eruitzag. Ze schudde even haar hoofd.

"Nee, ga je gang."

Eli bewoog niet. Het tv-beeld ging over in een panorama van Zuid-Georgië, met muziek. In de keuken was het miauwen van de kat overgegaan in iets … smekends. De geur in de kamer was chemisch. De vrouw zweette een ziekenhuisgeur uit.

"Komt er iemand? Bij u?"

Weer schrok de vrouw op alsof ze wakker was gemaakt, keek Eli aan. Ditmaal keek ze echter geërgerd; een scherpe rimpel tussen haar wenkbrauwen.

"Nee. Er komt niemand. Neem maar wat, als je wilt." Ze wees met een stijve wijsvinger de kaasjes om de beurt aan: "Camembert, gorgonzola, roquefort. Neem maar."

Ze keek Eli bemoedigend aan en Eli nam een crackertje, stopte het in haar mond en kauwde langzaam. De vrouw knikte en keerde haar blik weer naar het scherm. Eli spuugde de plakkerige crackermassa in haar hand en liet het goedje naast de leuning op de vloer vallen.

"Wanneer ga je weg?" vroeg de vrouw.

"Straks."

"Blijf zolang je wilt. Mij maakt het niet uit."

Eli ging dichter bij haar zitten, als om beter tv te kunnen kijken, totdat hun armen elkaar raakten. Er gebeurde iets met de vrouw. Ze rilde en zakte in elkaar, werd zacht als een doorgeprikt pak koffie. Nu keek ze met een milde, dromerige blik naar Eli.

"Wie ben je?"

Eli's ogen waren maar een paar decimeter van de hare verwijderd. De ziekenhuisgeur dampte uit de mond van de vrouw.

"Ik weet het niet."

De vrouw knikte, reikte naar de afstandsbediening op de salontafel en zette het geluid van de tv uit.

In het voorjaar bloeit Zuid-Georgië met een sobere schoonheid …

Het smeken van de kat was nu duidelijk te horen, maar het leek de vrouw niet te deren. Ze wees naar Eli's bovenbenen. "Mag ik …?"

"Natuurlijk."

Eli schoof een eindje bij de vrouw weg, die haar benen onder zich optrok en met haar hoofd op Eli's benen ging liggen. Eli streelde haar zachtjes over het haar. Zo bleven ze een poosje zitten. Glinsterende walvisruggen doorbraken de zeespiegel, spoten een fontein van water uit en verdwenen.

"Vertel eens iets aan me", zei de vrouw.

"Wat moet ik vertellen?"

"Een mooi verhaal."

Eli streek een lok van het haar van de vrouw achter haar oor. Ze haalde nu rustig adem en haar lichaam was helemaal ontspannen. Eli sprak met zachte stem.

"Er was eens … heel lang geleden. Een arme boer. Zijn vrouw en hij hadden drie kinderen. Een zoon en een dochter die oud genoeg waren om samen met de volwassenen aan het werk te gaan. En een jonger zoontje van nog maar elf. Iedereen die hem zag, zei dat hij het mooiste kind was dat ze ooit hadden gezien.

De vader was horige en moest vele dagen werken bij de landheer die de grond bezat. Daarom moesten de moeder en de kinderen vaak voor het huis en de tuin van het gezin zorgen. Aan het jongste kind hadden ze niet veel.

Op een dag schreef de landheer een wedstrijd uit waaraan alle families op zijn landgoederen moesten deelnemen. Iedereen die een zoon tussen de acht en de twaalf had. Er werden geen beloningen en geen prijs uitgeloofd. Toch werd het een wedstrijd genoemd.

Op de dag van de wedstrijd nam de moeder haar jongste mee naar het slot van de landheer. Ze waren niet de enigen. Er stonden al zeven kinderen met één of beide ouders bijeen op de binnenplaats van het kasteel. En er kwamen er nog drie bij. Arme gezinnen, de kinderen gekleed in de mooiste kleren die ze hadden.

Ze stonden de hele dag te wachten op de binnenplaats. Toen het donker werd, kwam er een man uit het kasteel die zei dat ze nu naar binnen mochten."

Eli luisterde naar de ademhaling van de vrouw, diep en langzaam. Ze sliep. Haar adem was warm op Eli's schoot. Vlak onder haar oor kon Eli haar bloed zien kloppen onder de slappe, rimpelige huid.

De kat was stil.

Op de tv liep nu de aftiteling van het natuurprogramma. Eli legde haar wijsvinger op de halsslagader van de vrouw, ze voelde het tikkende vogelhartje onder haar vingertop.

Eli duwde haar rug tegen de rugleuning van de bank en schoof het hoofd van de vrouw voorzichtig een eindje op, zodat het op Eli's knieën rustte. De scherpe geur van de roquefortkaas zwakte alle andere geuren af. Eli trok een deken van de rugleuning, boog naar voren en legde de deken over de kaasjes heen.

Een zwak piepen; de ademhaling van de vrouw. Eli boog naar beneden, hield haar neus vlak bij de slagader van de vrouw. Zeep, zweet, geur van oude huid ... die ziekenhuislucht ... nog iets, wat de eigen geur van de vrouw was. En onder alles, door alles heen: het bloed.

De vrouw kreunde toen Eli's neus haar hals raakte en haar hoofd opzijduwde, maar Eli nam met haar ene arm de armen en de borst van de vrouw in een vaste greep en hield met de andere haar hoofd vast. Ze deed haar mond zo ver mogelijk open, bracht die naar de hals van de vrouw totdat haar tong tegen de slagader werd geduwd en beet dicht. Ze zette haar kaken op slot.

De vrouw spartelde alsof ze een schok had gekregen. Ze spreidde haar lichaam en haar voeten stootten krakend tegen de armleuning, zo hard dat de vrouw omhoog vloog en met haar rug op Eli's knieën terechtkwam.

Het bloed spoot stootsgewijs uit de open ader en gutste op het bruine leer van de bank. De vrouw schreeuwde en zwaaide met haar handen, trok de deken van tafel. Een zucht schimmelkaas vulde haar neusgaten toen Eli zich languit op de vrouw stortte, haar mond tegen haar hals duwde en dronk met volle teugen. Het geschreeuw van de vrouw sneed in haar oren en Eli liet haar ene arm los om een hand op haar mond te kunnen leggen.

Het geschreeuw werd gesmoord, maar de vrije hand van de vrouw zwaaide over de salontafel, kreeg de afstandsbediening te pakken en sloeg Eli ermee op het hoofd. Plastic versplinterde terwijl op hetzelfde moment het geluid van de tv aanging.

De herkenningsmelodie van *Dallas* stroomde door het vertrek en Eli rukte haar hoofd los van de hals van de vrouw.

Het bloed smaakte naar geneesmiddel. Morfine.

De vrouw keek met grote ogen op naar Eli. Nu proefde Eli nog een smaak. Een bedorven smaak die samensmolt met de geur van schimmelkaas.

Kanker. De vrouw had kanker.

Haar maag kromp ineen van afschuw en Eli moest de vrouw loslaten en rechtop op de bank gaan zitten om niet over te geven.

De camera vloog over Southfork, terwijl de muziek zijn crescendo naderde. De vrouw schreeuwde niet meer, ze lag stil op haar rug terwijl het bloed in steeds zwakkere stoten uit haar werd gepompt en in stroompjes achter de kussens van de bank liep. Haar ogen waren vochtig, afwezig, terwijl ze Eli's blik zocht en zei: "Alsjeblieft … alsjeblieft …"

Eli slikte een braakneiging in, boog zich over de vrouw heen.

"Pardon?"

"Alsjeblieft …"

"Ja. Wat moet ik doen?"

"… alsjeblieft … alsjeblieft …"

Na een poosje veranderden de ogen van de vrouw, ze werden star. Zagen niets meer. Eli sloot haar oogleden. Ze gingen weer open. Eli pakte de deken van de vloer en legde die over haar gezicht, ze ging rechtop op de bank zitten.

Het bloed was wel voedzaam, ook al smaakte het beroerd, maar de morfine …

Op het tv-scherm een wolkenkrabber van spiegels. Een man in pak met een cowboyhoed op stapte uit een auto en liep naar de wolkenkrabber. Eli probeerde op te staan van de bank. Het lukte niet. De wolkenkrabber begon over te hellen, te draaien. De spiegels reflecteerden de wolken die in slow motion langs de hemel gleden en de vorm aannamen van dieren en planten.

Eli moest lachen toen een man met een cowboyhoed op achter een bureau ging zitten en Engels begon te praten. Eli verstond wat hij zei, maar het sloeg nergens op. Eli keek om zich heen. De hele kamer helde nu zo sterk dat het vreemd was dat de tv niet wegrolde. Het gepraat van de cowboy echode door haar hoofd. Eli keek waar de afstandsbediening lag, maar die lag in stukken over de tafel en de vloer verspreid.

Ik moet die cowboy stil zien te krijgen.

Eli liet zich op de vloer glijden en kroop op handen en voeten naar de tv, terwijl de morfine bedwelmend door haar lichaam schoot, ze lachte naar de personen die oplosten in alleen maar kleuren, kleuren. Ze kon het niet. Ze zakte plat op haar buik voor de tv in elkaar, terwijl de kleuren in haar ogen spatten.

Er waren nog steeds een paar kinderen op snowracers aan het sleeën op de helling tussen de Björnsonsgatan en het veldje bij de parkweg. De Dodenhelling, zoals hij om de een of andere reden heette. Drie schaduwen zetten tegelijkertijd af op de top en er klonk een luide vloek toen een van de schaduwen het bos in werd geduwd, gelach van de beide anderen die verder de heuvel af gleden, over een hobbel vlogen en met doffe klappen en gerammel neerkwamen.

Lacke bleef staan, hij keek naar de grond. Virginia probeerde hem voorzichtig mee te krijgen. "Toe nou, Lacke."

"Het is zo verschrikkelijk moeilijk."

"Ik kan je niet dragen, hoor."

Een snuiven dat waarschijnlijk een lach was, ging over in hoesten. Lacke liet haar schouders los, liet zijn armen hangen en keerde zijn hoofd naar de sleeheuvel.

"Verdorie, die kinderen zijn daar aan het sleetjerijden, en daar …", hij maakte een vaag gebaar naar de brug aan het eind van de heuvel waar de helling deel van uitmaakte, "… daar is Jocke vermoord."

"Daar moet je nu niet meer over nadenken."

"Hoe kan ik ermee stoppen? Misschien heeft een van die kinderen het wel gedaan."

"Daar geloof ik niks van."

Ze pakte zijn arm en wilde die weer om haar nek leggen, maar Lacke trok hem terug. "Nee, ik kan wel lopen."

Lacke liep voorzichtig over de parkweg. De sneeuw knerpte onder zijn voeten. Virginia stond stil naar hem te kijken. Daar liep hij, de man van wie ze hield en met wie ze onmogelijk kon leven.

Ze had het geprobeerd.

Acht jaar geleden, toen Virginia's dochter net uit huis was gegaan, was Lacke bij haar ingetrokken. Virginia werkte toen ook al in de ICA-winkel aan de Arvid Mörnesvägen, boven het Chinapark. In die straat woonde ze zelf ook, in een tweekamerflat met keuken, slechts drie minuten van haar werk.

Tijdens de vier maanden dat ze samenwoonden kwam Virginia er niet achter wat Lacke eigenlijk dééd. Hij had verstand van elektriciteit; zette een dimmer op de lamp in de woonkamer. Hij kon lekker koken; verraste haar een paar keer met fantastische maaltijden, met vis als basis. Maar wat dééd hij?

Hij zat in huis, maakte een wandelingetje, praatte met mensen, las een heleboel boeken en kranten. Dat was alles. Voor Virginia, die toen ze van school kwam meteen was gaan werken, was dat een onbegrijpelijke manier van leven. Ze had gevraagd: "Zeg, Lacke, ik bedoel er niks mee ... maar wat dóé je eigenlijk? Hoe kom je aan geld?"

"Ik heb geen geld."

"Een béétje geld heb je wel."

"Dit is Zweden. Zet een stoel op het trottoir. Ga erop zitten en wacht. Als je lang genoeg wacht, komt er iemand die je geld geeft. Of op een andere manier voor je zorgt."

"Kijk je zo ook tegen mij aan?"

"Virginia. Als je zegt: 'Lacke, ga weg'. Dan ga ik weg."

Het had een maand geduurd voordat ze het had gezegd. Toen had hij zijn kleren in één tas gepropt, zijn boeken in een andere. En was weggegaan. Vervolgens had ze hem een halfjaar niet gezien. In die periode was ze meer gaan drinken, in haar eentje.

Toen ze Lacke weer zag, was hij veranderd. Bedroefder. In dat halve jaar had hij bij zijn vader gewoond, die kanker had en wegkwijnde in een huis ergens in Småland. Toen zijn vader was overleden, hadden Lacke en zijn zus het huis geërfd, het verkocht en het geld gedeeld. Lackes deel was genoeg voor een flatje met lage maandlasten in Blackeberg en daar wilde hij nu voorgoed blijven.

In de jaren die volgden, zagen ze elkaar steeds vaker bij de Chinees, waar Virginia ook bijna elke avond kwam. Soms gingen ze samen naar huis, vrijden stilletjes, en zoals ze stilzwijgend waren overeengekomen was Lacke weg als zij de volgende dag thuiskwam van haar werk. Ze hadden een latrelatie op maximaal vrijwillige basis; soms gingen er twee, drie maanden voorbij zonder dat ze het bed deelden, en ze vonden het beiden prima zoals het nu ging.

Ze kwamen langs de ICA met reclames voor goedkoop gehakt en 'Eet, drink en wees vrolijk'. Lacke bleef op haar staan wachten. Toen ze naast hem kwam lopen, stak hij zijn ene arm naar haar uit. Virginia haakte haar arm in de zijne. Lacke knikte in de richting van de winkel.

"En je werk?"

"Hetzelfde als altijd." Virginia bleef staan, wees. "Dat heb ik gemaakt."

Een bord waarop stond TOMATEN IN BLOKJES. DRIE BLIKJES VOOR 5,-.

"Mooi."

"Vind je?"

"Ja. Je krijgt gewoon zin in blokjes tomaat."

Ze gaf hem voorzichtig een por in zijn zij. Voelde zijn ribben tegen haar elleboog. "Weet jij nog wel hoe eten smaakt?"

"Je hoeft niet …"

"Nee, maar dat ga ik wél doen."

"Eeeeli … Eeeeliii …"

De stem uit de tv was bekend. Eli probeerde ervoor weg te

176

lopen, maar haar lichaam gehoorzaamde niet. Alleen haar handen gleden in slow motion over de vloer, op zoek naar iets om zich aan vast te houden. Ze vonden een snoer. Ze kneep er hard in, alsof het een reddingslijn was uit een tunnel met aan het eind de tv die tegen haar praatte.

"Eli ... waar ben je?"

Haar hoofd was zo zwaar dat ze het niet van de grond kon tillen; Eli kon alleen haar ogen oprichten naar het scherm en, natuurlijk ... Hij was het.

Op de schouders van de zijden jas lagen lichte strengen van de blonde pruik van mensenhaar, die het vrouwelijke gezicht nog kleiner deed lijken dan het was. De dunne lippen waren samengeperst, omhooggetrokken in een lippenstiftglimlach, glanzend als een meswond in het bleek gepoederde gezicht.

Eli slaagde erin haar hoofd een klein stukje op te tillen en ze zag Zijn hele gezicht. Blauwe, kinderlijk grote ogen, en boven de ogen ... de lucht werd in stootjes uit Eli's longen geperst, haar hoofd viel slap op de grond, zodat haar neusbeen kraakte. Grappig. Op Zijn hoofd droeg Hij een cowboyhoed.

"Eeeliii ..."

Andere stemmen. Kinderstemmen. Eli tilde haar hoofd weer op, trillend als een zuigeling. Druppels van het zieke bloed stroomden uit Eli's neus, in haar mond. De man had zijn armen gespreid in een verwelkomend gebaar, hij liet de voering van de jas zien. De voering golfde, krioelde, bestond uit lippen. Honderden kinderlippen, die zich vertrokken in grimassen, hun verhaal vertelden, Eli's verhaal.

"Eli ... kom naar huis ..."

Eli snikte en deed haar ogen dicht. Ze wachtte op de koude greep om haar nek. Er gebeurde niets. Ze deed haar ogen weer open. Het beeld was veranderd. Het toonde nu een lange rij kinderen in armoedige kleren, die over een sneeuwvlakte trokken, voortwaggelden in de richting van een ijskasteel aan de horizon.

Dit gebeurt niet.

Eli spuugde bloed naar de tv. Er kwamen rode vlekken op de witte sneeuw, ze liepen uit over het ijskasteel.

Dit bestaat niet.

Eli rukte aan de reddingslijn, probeerde zich uit de tunnel te trekken. Er klonk een klik toen de stekker losschoot uit het stopcontact en de tv uitging. Taaie strepen van met bloed vermengd speeksel liepen over het donkere scherm en drupten op de vloer. Eli liet haar hoofd op haar handen rusten en verdween in een donkerrode kolk.

Virginia maakte een snelle hap van stukjes vlees, ui en blokjes tomaat, terwijl Lacke ging douchen. Een hele poos. Toen het eten klaar was, ging ze bij hem in de badkamer kijken. Hij zat met zijn hoofd naar beneden in de badkuip, de douchekop rustte slap in zijn nek. De ruggenwervels een rij pingpongballetjes onder de huid.

"Lacke? Het eten is klaar."

"Mooi. Mooi. Zit ik hier al lang?"

"Nee. Maar ze belden net van het waterleidingbedrijf om te zeggen dat het grondwater opraakt."

"Wat?"

"Kom nu maar." Ze haalde haar badjas van het haakje en reikte hem die aan. Hij ging staan in de badkuip door met beide handen af te zetten tegen de rand. Virginia schrok toen ze zijn uitgemergelde lichaam zag. Lacke merkte het en zei: "Toen klom hij uit het bad, die oogstrelend schone godenzoon."

Daarna aten ze en deelden een fles wijn. Lacke at niet veel, maar in elk geval iets. Ze deelden nog een fles in de woonkamer en daarna gingen ze naar bed. Ze lagen een poosje op hun zij naast elkaar en keken elkaar in de ogen.

"Ik ben gestopt met de pil."

"O. We hoeven niet ..."

"Nee, maar ik heb hem niet meer nodig. Geen menstruatie."

Lacke knikte. Peinsde. Streelde haar wang.

"Vind je het erg?"

Virginia glimlachte.

"Jij bent waarschijnlijk de enige man die ik ken die op het idee zou komen dat te vragen. Ja, een beetje wel. Alsof ... ja, wat mij tot vrouw maakt. Dat het niet meer zo is."

"Mmm. Voor mij is het in elk geval genoeg."

"Is dat zo?"

"Ja."

"Kom dan."

Dat deed hij.

Gunnar Holmberg sleepte met zijn voeten door de sneeuw om geen voetsporen achter te laten die het werk van de technische recherche zouden bemoeilijken, bleef staan en keek naar de sporen die van het huis wegvoerden. Het licht van de brand deed de sneeuw geelrood oplichten en de hitte was zo intens dat je er zweetdruppels van in je haargrens kreeg.

Holmberg had heel wat venijnige opmerkingen moeten incasseren vanwege zijn misschien wel naïeve geloof in de principiële goedheid van de jeugd. Die probeerde hij te versterken met zijn ijverige schoolbezoeken, met zijn vele lange gesprekken met jongeren die ontspoorden. Daarom werd hij zo onaangenaam getroffen door wat hij voor zijn voeten zag.

De sporen in de sneeuw waren afkomstig van kléíne schoenen. Niet eens van wat je een 'jongere' zou kunnen noemen, nee, dit waren sporen van kinderschoenen. Keurige kleine afdrukken op een behoorlijk grote afstand van elkaar. Iemand had gerend. Hard.

Uit zijn ooghoek zag hij aspirant Larsson dichterbij komen.

"Slepen met je voeten, verdorie!"

"Oeps, sorry."

Larsson slofte door de sneeuw, kwam naast Holmberg staan. De aspirant had grote, ver uit elkaar staande ogen met een uitdrukking van voortdurende verbazing, die hij nu op de sporen in de sneeuw richtte.

"Potverdomme."

"Ik had het zelf niet beter kunnen verwoorden. Het is een kind."

"Maar … dat is gewoon …" Larsson volgde het spoor een eind met zijn blik, "puur hink-stap-sprong."

"Een heel eind tussen de landingen, ja."

"Niet zomaar een heel eind, het is … het is niet normaal. Zo ver als dat is."

"Hoe bedoel je?"

"Ik doe aan hardlopen. Ik zou zo niet kunnen rennen. Niet meer dan … twee passen. En dit gaat het hele eind zo door."

Staffan kwam aanrennen tussen de huizen, drong zich door de groep nieuwsgierigen heen die zich rond het perceel had verzameld en liep naar het groepje dat toezicht stond te houden terwijl een paar broeders het lichaam van een vrouw, bedekt met een blauw kleed, in een ambulance tilden.

"Is het gelukt?" vroeg Holmberg.

"Nee … gingen naar … de Bällstavägen en daarna … waren ze niet meer … te volgen … auto's … moeten er honden op zetten."

Holmberg knikte, luisterde naar een gesprek dat vlak naast hen plaatsvond. Een buurman, die getuige was geweest van een deel van de gebeurtenissen, bracht aan een rechercheur verslag uit van zijn indrukken.

"Eerst dacht ik dat het vuurwerk of zoiets was. Toen zag ik de handen … dat het wuivende handen waren. En zij kwam hier naar buiten … door het raam … ze kwam naar buiten …"

"Het raam was dus open?"

"Ja, open. En ze kwam erdoor naar buiten … en toen stond het huis in brand, hè. Dat zag ik toen. Dat het achter haar brandde … en ze kwam naar buiten … potverdorie. Ze stond in brand, hè, helemaal. En ze liep bij het huis weg …"

"Pardon. Ze liep? Ze rende niet?"

"Nee. Dat was juist zo verdomd … ze liep. Zwaaide zo met haar handen alsof ze … ik weet het niet. En toen bleef ze staan. Begrijpt u? Ze bleef dus stáán. Ze stond in brand, helemaal. Bleef zo staan. En keek om zich heen. Alsof … heel rustig. En toen liep ze weer verder. En toen was het … of het ophield, begrijpt u? Geen paniek of zo, ze … ja, verdomme … ze schreeuwde niet. Gaf geen kik. Ze zakte gewoon in elkaar. Viel op haar knieën. En toen … plof. In de sneeuw.

En toen was het net of … ik weet niet … het was allemaal zo ontzettend vreemd. Tóén kwam ik … toen holde ik naar binnen en ging een deken halen, twee dekens, en ik sprong weer naar buiten en … doofde het vuur. Verdorie … toen ze daar lag, dat was … nee, mijn god."

De man bracht twee beroete handen naar zijn gezicht, hij huilde snikkend. De rechercheur legde een hand op zijn schouder.

"Misschien kunnen we hiervan morgen een formeler verslag opnemen. Maar u hebt dus niemand anders het huis zien verlaten?"

De man schudde zijn hoofd en de rechercheur maakte een notitie in zijn opschrijfboekje.

"Goed. Ik neem morgen contact met u op. Zal ik een broeder vragen u iets kalmerends te geven voordat ze weggaan, zodat u kunt slapen?"

De man wreef de tranen uit zijn ogen. Zijn handen lieten vochtige roetvegen achter op zijn wangen.

"Nee. Dat is … ik heb zelf anders wel."

Gunnar Holmberg richtte zijn blik op het brandende huis. De inspanningen van de brandweer hadden resultaat gehad en er waren nauwelijks nog vlammen te zien. Alleen een enorme rookwolk die naar de nachtelijke hemel opsteeg.

Terwijl Virginia Lacke in haar armen nam en terwijl de rechercheurs afgietsels maakten van de sporen in de sneeuw, stond Oskar voor zijn raam naar buiten te kijken. De sneeuw had een deken over de bosjes onder zijn vensterbank gelegd en een witte glijbaan gemaakt, die zo dicht en ononderbroken was, dat je zou kunnen denken dat je ervan af kon glijden.

Eli was vanavond niet gekomen.

Oskar had van halfacht tot negen op de speelplaats gestaan, heen en weer gelopen, geschommeld en gekleumd. Geen Eli. Rond negen uur had hij zijn moeder voor het raam zien staan en hij was naar binnen gegaan, vol bange vermoedens. *Dallas,* chocolademelk en koffiebroodjes en zijn moeder die vragen stelde; hij had het bijna verteld, maar toch niet.

Nu was het even na twaalven en hij stond voor het raam met een knagend gevoel in zijn maag. Hij zette het raam op een kier en ademde de koude nachtlucht in. Was het echt vanwege haar dat hij had besloten terug te vechten? Ging het niet om hemzelf? Jawel.

Maar vanwege haar.

Helaas. Het was zo. Als ze maandag achter hem aan kwamen, zou hij de puf, de kracht, de zin niet hebben om hen te weerstaan. Dat wist hij. Hij zou donderdag niet naar die training gaan. Nergens voor nodig.

Hij liet het raam een stukje openstaan in de vage hoop dat ze vannacht terug zou komen. Hem zou roepen. Als ze midden in de nacht weg kon gaan, kon ze ook midden in de nacht terugkomen.

Oskar kleedde zich uit en ging naar bed. Hij klopte op de muur. Geen antwoord. Hij trok het dekbed over zijn hoofd en ging op zijn knieën op bed zitten. Hij vouwde zijn handen, duwde zijn voorhoofd ertegenaan en fluisterde: "Lieve Heer. Laat haar alstublieft terugkomen. U krijgt wat U wilt. Al mijn tijdschriften, al mijn boeken en spullen. Wat U maar wilt. Maar maak dat ze terugkomt. Alstublieft, Heer."

Hij bleef liggen, in elkaar gedoken onder de deken, totdat hij het zo warm kreeg dat hij ging zweten. Toen stak hij zijn hoofd weer naar buiten, legde het op het kussen. Kroop in elkaar in foetushouding. Deed zijn ogen dicht. Beelden van Eli, van Jonny en Micke en Tomas. Moeder. Vader. Een hele poos lag hij beelden op te roepen die hij wilde zien, toen begonnen ze hun eigen leven te leiden, terwijl hij weggleed in de slaap.

Eli en hij zaten op een schommel die steeds hoger schommelde. Hoger en hoger, totdat hij losraakte van zijn kettingen en wegvloog naar de hemel. Ze hielden de rand van de schommel stevig vast, hun knieën zaten tegen elkaar aangedrukt, en Eli fluisterde: "Oskar. Oskar ..."

Hij deed zijn ogen open. De aardbol was uit en het maanlicht maakte alles blauw. Gene Simmons keek hem aan van de muur tegenover zijn bed, stak zijn lange tong uit. Hij kroop in elkaar, deed zijn ogen dicht. Toen hoorde hij het gefluister weer.

"Oskar."

Het kwam bij het raam vandaan. Hij deed zijn ogen open en keek die kant op. Aan de andere kant van het raam zag hij de contouren van een klein hoofdje. Hij gooide het dekbed van zich af, maar voordat hij uit bed was, fluisterde Eli: "Wacht. Blijf liggen. Mag ik binnenkomen?"

Oskar fluisterde: "Jaaa ..."

"Zeg dat ik binnen mag komen."

"Je mag binnenkomen."

"Ogen dicht."

Oskar kneep zijn ogen dicht. Het raam zwaaide open; een koude tocht gleed door de kamer. Het raam werd voorzichtig gesloten. Hij hoorde Eli's ademhaling, fluisterde: "Mag ik kijken?"

"Even wachten."

De bedbank in de andere kamer kraakte. Zijn moeder stond op. Oskar had zijn ogen nog steeds dicht toen de deken van hem af getrokken werd en een koud, naakt lichaam achter hem kroop, het dekbed over hen beiden heen trok en achter zijn rug in elkaar kroop.

De deur van zijn kamer ging open.

"Oskar?"

"Mmm?"

"Was jij aan het praten?"

"Nee."

Zijn moeder stond nog in de deuropening, luisterde. Eli lag doodstil achter zijn rug, duwde haar voorhoofd tussen zijn schouderbladen. Haar adem stroomde warm naar zijn onderrug.

Zijn moeder schudde haar hoofd.

"Dan zullen het die mensen van hiernaast wel geweest zijn." Ze luisterde nog even, zei toen: "Welterusten, lieve jongen", en sloot de deur.

Oskar was alleen met Eli. Achter zijn rug hoorde hij een fluistering.

"Die mensen van hiernaast?"

"Ssttt."

Het kraakte toen zijn moeder weer op de bedbank ging liggen. Hij keek naar het raam. Dat was dicht.

Een koude hand kroop over zijn middel, werd op zijn borst gelegd, op zijn hart. Hij legde zijn beide handen op die hand, warmde hem. De andere hand wroette onder zijn oksel door, over zijn borst en tussen zijn handen. Eli draaide haar hoofd en ging met haar wang tegen zijn rug liggen.

Er was een nieuwe geur de kamer binnengekomen. Een zwakke geur van de motorbakfiets van zijn vader als die net was volgetankt. Benzine. Oskar boog zijn hoofd, rook aan haar handen. Ja. Daar kwam de geur vandaan.

Ze lagen een hele poos zo. Toen Oskar de slapende ademhaling van zijn moeder hoorde in de kamer ernaast, toen de klomp van hun handen door en door warm was en zweterig begon te worden op zijn hart, fluisterde hij: "Waar ben je geweest?"

"Eten halen."

Haar lippen kietelden tegen zijn schouder. Ze maakte haar handen los uit de zijne, rolde op haar rug. Oskar lag nog even in Gene Simmons' ogen te kijken. Toen ging hij op zijn buik liggen. Achter haar hoofd zag hij vaag dat de kleine figuurtjes op het behang nieuwsgierig naar haar keken. Haar ogen waren wijdopen, blauwzwart in het maanlicht. Oskar kreeg kippenvel op zijn armen.

"En je vader dan?"

"Weg."

"Wég?" Oskar ging onwillekeurig harder praten.

"Ssttt. Dat maakt niet uit."

"Maar … wat … heeft hij …"

"Het. Maakt. Niet. Uit."

Oskar knikte ten teken dat hij niet verder zou vragen en Eli legde allebei haar handen onder haar hoofd en keek naar het plafond.

"Ik voelde me eenzaam. Dus ben ik hierheen gekomen. Is dat goed?"

"Ja. Maar … je hebt geen kleren aan."

"Sorry. Vind je dat naar?"

"Nee. Maar heb je het niet koud?"

"Nee. Nee."

De witte strengen in haar haar waren weg. Ja, ze zag er helemaal gezonder uit dan toen ze elkaar gisteren hadden gezien. Haar wangen waren ronder, Oskar zag dat er kuiltjes in kwamen toen hij voor de grap vroeg: "Je bent zo toch niet langs de kiosk van de Minnaar gelopen?"

Eli lachte, deed toen heel serieus en zei met een spookachtige stem: "Jawel. En weet je wat? Hij stak zijn hoofd naar buiten en zei: 'Ko-o-o-om …. Ko-o-o-om … ik heb snoe-oe-oep en … banaaaaanen …'"

Oskar boorde zijn gezicht in het kussen, Eli keerde zich naar hem toe, fluisterde in zijn oor: "Ko-o-o-om … spe-e-e-kjes … spe-e-e-kjes …"

Oskar riep: "Nee, nee!" in het kussen. Zo gingen ze nog even door. Toen keek Eli naar de boekenplank en Oskar vertelde in het kort de inhoud van zijn lievelingsboek *Mist* van James Herbert. Eli's rug lichtte in het donker wit op als een groot vel papier, zoals ze daar op haar buik op het bed naar de boekenplank lag te kijken.

Hij hield zijn hand zo dicht bij haar huid dat hij er de warmte van kon voelen. Toen kromde hij zijn vingers en liep ermee over haar rug, fluisterde:

"Bok, bok. Hoeveel vingers steek ik … op?"

"Mmm. Acht?"

"Acht zei je en het waren er ook acht, bok, bok."

Toen deed Eli het bij hem, maar hij voelde het lang niet zo goed als zij. Steen, schaar, papier won hij daarentegen met overmacht. Zeven-drie. Ze deden het nog een keer. Toen won hij met negen-één. Dat ergerde Eli een beetje.

"Wéét je wat ik ga kiezen?"

"Ja."

"Hoe dan?"

"Dat weet ik gewoon. Dat is altijd zo. Ik krijg er een beeld van, of zoiets."

"Nog een keer. Nu ga ik niet denken. Alleen doen."

"Probeer maar."

Ze deden het nog eens. Oskar won met acht-twee. Eli deed of ze woedend was, ging met haar gezicht naar de muur liggen.

"Ik doe niet meer met jou. Je speelt vals."

Oskar keek naar haar witte rug. Durfde hij het? Ja, nu ze niet naar hem keek, kon het.

"Eli. Wil je verkering met me?"

Ze draaide zich om, trok het dekbed op tot aan haar kin.

"Wat houdt dat in?"

Oskar richtte zijn blik op de ruggen van de boeken voor hem, haalde zijn schouders op.

"Dat ... of je met mij samen wilt zijn, eigenlijk."

"Hoezo 'samen'?"

Haar stem klonk achterdochtig, hard. Oskar haastte zich om te zeggen: "Misschien heb je op school al een vriendje."

"Nee, maar ... Oskar, ik kan niet ... Ik ben geen meisje."

Oskar snoof. "Wat dan? Ben je een jóngen of zo?"

"Nee. Nee."

"Wat ben je dan?"

"Niets."

"Hoezo 'niets'?"

"Ik ben niets. Ik ben geen kind. Ik ben niet oud. Ik ben geen jongen en geen meisje. Ik ben niets."

Oskar ging met zijn vinger over de rug van *De Ratten*, kneep zijn lippen op elkaar, schudde zijn hoofd. "Wil je verkering met me of niet?"

"Oskar, ik zou het graag willen, maar ... kunnen we het niet gewoon zo houden?"

"... jawel."

"Vind je het erg? We kunnen wel zoenen, als je wilt."

"Nee!"

"Wil je dat niet?"

"Nee, dat wil ik niet!"

Eli fronste haar wenkbrauwen.

"Moet je iets speciaals dóén met degene met wie je verkering hebt?"

"Nee."

"Is het gewoon ... net als anders?"

"Ja."

Eli's gezicht klaarde op, ze vouwde haar handen op haar buik en keek Oskar aan.

"Dan heb je verkering met me. Dan zijn we samen."

"Echt waar?"

"Ja."

"Fijn."

Met een stille vreugde in zijn buik ging Oskar verder met het bestuderen van de ruggen van de boeken. Eli lag stil te wachten. Na een poosje zei ze: "Verder niets?"

"Nee."

"Kunnen we niet weer zo gaan liggen als zonet?"

Oskar ging met zijn rug naar haar toe liggen. Ze sloeg haar armen om hem heen en hij pakte haar handen in de zijne. Zo bleven ze liggen totdat Oskar slaap begon te krijgen. Zijn oogleden werden zwaar, hij had moeite zijn ogen open te houden. Voordat hij de slaap binnengleed, zei hij: "Eli?"

"Mmm?"

"Fijn dat je gekomen bent."

"Ja."

"Waarom … ruik je naar benzine?"

Eli's handen duwden harder tegen zijn handen, tegen zijn hart. Ze knepen. De kamer werd groter om Oskar heen, de muren en het dak werden zacht, de vloer viel weg en toen hij voelde dat het hele bed vrij door de lucht zweefde, begreep hij dat hij sliep.

ZATERDAG 31 OKTOBER

De kandelaren van de nacht zijn uit,
boven de sluimerblinde toppen rilt het licht.
Heus, of ik ga en leef, of blijf en sterf.

William Shakespeare – *Romeo en Julia* III:5

Grijs. Alles was mistig grijs. Hij kon zijn ogen niet scherp stellen, het was net of hij in een regenwolk lag. Lag? Ja, hij lag. Druk tegen zijn rug, zijn billen, zijn hielen. Een sissend geluid links van hem. Het gas. Het stond aan. Nee. Nu werd het uitgezet. Weer aangezet. Er gebeurde iets met zijn borst op het ritme van het gesis. Hij werd gevuld en geleegd op het ritme van het geluid.

Was hij nog in het zwembad? Zat het gas aan hém gekoppeld? Hoe kon hij dan wakker zijn? Was hij wakker?

Håkan probeerde met zijn ogen te knipperen. Er gebeurde niets. Bijna niets. Er schokte iets voor zijn ene oog, waardoor het zicht nog slechter werd. Zijn andere oog was er niet. Hij probeerde zijn mond open te doen. De mond was er niet. Hij riep het beeld van zijn mond op in zijn hoofd, zoals hij die in de spiegel had gezien, hij probeerde het … maar hij was er niet. Niets reageerde op zijn commando. Net alsof hij probeerde met zijn bewustzijn een steen te laten bewegen. Er ontstond geen contact.

Een heet gevoel over zijn hele gezicht. Een pijl van angst schoot zijn maag binnen. Zijn hoofd zat ingebakken in iets warms, stollends. Stearine. Een apparaat zorgde voor zijn ademhaling, aangezien zijn gezicht bedekt was met stearine.

De gedachte strekte zich uit naar zijn rechterhand. Ja. Daar was hij. Hij deed hem open, kneep hem dicht, voelde zijn vingertoppen tegen zijn handpalm. Gevoel. Hij zuchtte van opluchting; stelde zich een zucht van opluchting voor, want zijn borst bewoog op het ritme van het apparaat en niet naar zijn wil.

Hij tilde zijn hand langzaam op. Het trok in zijn borst en schouder. Zijn hand kwam binnen zijn blikveld, een wazige klomp. Hij bracht de hand naar zijn gezicht, stopte. Een zacht piepen aan zijn rechterkant. Hij draaide zijn hoofd langzaam die kant op en voelde iets hards schuren onder zijn kin. Hij ging er met zijn hand naartoe.

Een metalen buisje. Dat vastzat in zijn keel. Er zat een slang aan het buisje vast. Hij volgde de slang zo ver hij kon, naar een geribbeld metalen onderdeel waar de slang ophield. Hij begreep het. Die moest eruit worden getrokken als hij wilde sterven. Zo hadden ze dat voor hem geregeld. Hij liet zijn vingers op de bevestiging van de slang rusten.

Eli. Het zwembad. De jongen. Het zoutzuur.

De herinneringen stopten bij het losdraaien van het deksel van de jampot. Hij moest het over zich heen hebben gegoten. Volgens plan. De enige misrekening was dat hij nog steeds leefde. Hij had foto's gezien. Vrouwen die zuur in hun gezicht hadden gekregen dat jaloerse mannen hadden gegooid. Hij wilde niet aan zijn gezicht voelen, het al helemaal niet zien.

De greep om de slang werd steviger. Hij gaf niet mee. Een schroefdraad. Hij probeerde of hij het metalen deel kon draaien en inderdaad, het draaide. Hij ging door met schroeven. Hij zocht zijn andere hand, voelde alleen een stekende bal van pijn waar zijn hand zou moeten zijn. Tegen de vingertoppen van zijn levende hand voelde hij nu een lichte, fladderende druk. Er begon lucht te stromen uit de bevestiging, het sissende geluid veranderde, werd dunner.

Het grijze licht om hem heen vermengde zich met knipperend rood. Hij probeerde zijn enige oog te sluiten. Dacht aan Socrates en de gifbeker. Omdat hij de jeugd van Athene had verleid. Vergeet niet een haan terug te geven aan … hoe heette hij? Archimandros? Nee …

Er klonk een zuigend geluid toen de deur werd opengeduwd en een witte gestalte naar hem toe kwam. Hij voelde vingers die zijn vingers loswrikten, ze loswurmden van de aansluiting van de slang. Een vrouwenstem.

"Wat dóét u?"

Asklepios. Offer een haan aan Asklepios.

"Laat los!"

Een haan. Aan Asklepios. De god van de geneeskunde.

Een puffen en sissen toen zijn vingers losgemaakt waren en de slang weer werd vastgeschroefd.

"We zullen bewaking bij u moeten zetten."

Offer die aan hem en vergeet het niet.

Toen Oskar wakker werd, was Eli weg. Hij lag met zijn gezicht naar de muur, er ging een koude tocht over zijn rug. Hij ging op zijn elleboog liggen en keek om zich heen in de kamer. Het raam stond op een kier. Daar moest ze door naar buiten zijn gegaan.

Naakt.

Hij draaide zich om in zijn bed, duwde zijn gezicht tegen de plaats waar zij had gelegen en snuffelde. Niets. Hij ging met zijn neus heen en weer over het laken, probeerde het geringste spoortje van haar aanwezigheid te vinden, maar niets. Zelfs die benzinelucht niet.

Was het echt gebeurd? Hij ging op zijn buik liggen, probeerde of hij het nog kon voelen.

Ja.

Daar waren ze. Haar vingers op zijn rug. De herinnering aan haar vingers op zijn rug. Bok, bok. Dat had zijn moeder met hem gespeeld toen hij klein was. Maar dit was nu. Zonet. De haartjes op zijn armen en in zijn nek gingen overeind staan.

Hij stapte uit bed en begon zich aan te kleden. Toen hij zijn broek aanhad, ging hij bij het raam staan. Het sneeuwde niet. Vier graden onder nul. Mooi. Als de sneeuw was gaan smelten, zou dat zo'n sneeuwbrij hebben opgeleverd dat hij zijn papieren tassen met reclamebladjes niet bij de mensen voor de deur op de grond neer kon zetten. Hij stelde zich voor hoe het was om je bij vier graden vorst naakt uit een raam te laten zakken, tussen met sneeuw overdekte struiken …

Nee.

Hij leunde voorover, knipperde met zijn ogen.

De sneeuw op de struiken was onaangeroerd.

Gisteravond had hij naar die perfecte glijbaan van sneeuw staan kijken, die naar de weg afdaalde. Die zag er nog net zo uit. Hij deed het raam wat verder open en stak zijn hoofd naar buiten. De bosjes liepen door tot aan de muur vlak onder zijn raam, het sneeuwdek ook. Dat was intact.

Oskar keek naar rechts, langs de ruwe buitenmuur. Haar raam zat drie meter verderop.

Koude lucht streek over Oskars blote borst. Het moest vannacht gesneeuwd hebben, nadat ze was weggegaan. Dat was de enige verklaring. Maar trouwens ... nu hij erover nadacht: hoe was ze bíj het raam gekomen? Was ze in de struiken geklommen?

Maar dan had de sneeuwlaag er niet zo uitgezien, toch? Het had niet gesneeuwd toen hij naar bed ging. Haar lichaam of haar haar was niet vochtig geweest toen ze kwam, dus sneeuwde het toen niet. Wanneer was ze weggegaan?

Tussen het moment dat ze wegging en nu, moest er dus zoveel sneeuw gevallen zijn dat het alle sporen had bedekt ...

Oskar deed het raam dicht en kleedde zich verder aan. Het was onbegrijpelijk. Hij was weer geneigd te geloven dat hij het allemaal had gedroomd. Toen zag hij het briefje. Het lag opgevouwen onder de klok op zijn bureau. Hij pakte het en vouwde het uit.

Raam, zuig het licht op, stoot het leven uit.

Een hartje, en dan:

Tot vanavond. Eli.

Hij las het briefje vijf keer. Toen dacht hij aan haar, hoe ze dat staande bij het bureau had geschreven. Gene Simmons' gezicht aan de muur een halve meter erachter, zijn tong uitgestoken.

Hij leunde over het bureau en haalde de poster van de muur, verfrommelde hem en gooide hem in de prullenbak.

Toen las hij het briefje nog drie keer, vouwde het op en stopte het in zijn zak. Hij kleedde zich verder aan. Vandaag mochten er in elk pakket wel víjf blaadjes zitten, dat zou hem niet uitmaken. Het zou een fluitje van een cent zijn.

Er hing een rooklucht in de kamer en stofdeeltjes dansten in de zonnestralen die tussen de jaloezieën door drongen. Lacke was net wakker, hij lag op zijn rug in bed en hoestte. De stofjes voerden een vrolijk dansje uit voor zijn ogen. Rokershoest. Hij draaide zich om in bed, kreeg de aansteker te pakken en het pakje sigaretten dat op het nachtkastje lag, naast een volle asbak.

Hij pakte een sigaret – Camel light, Virginia was op haar oude dag bewuster gaan leven – stak hem aan, ging weer op zijn rug liggen met één arm onder zijn hoofd, rookte en dacht na.

Virginia was een paar uur geleden naar haar werk gegaan, ze zou best moe geweest zijn. Ze hadden lang wakker gelegen nadat ze hadden gevreeën, gepraat en gerookt. Het was bijna twee uur toen Virginia de laatste sigaret had uitgemaakt en had gezegd dat het tijd was om te gaan slapen. Lacke was een poosje later stiekem opgestaan, had de laatste wijn uit de fles opgedronken en nog een paar sigaretten gerookt voordat hij weer naar bed ging. Misschien vooral omdat hij dat zo fijn vond: naast een warm, slapend lichaam in bed kruipen.

Het was jammer dat hij er niet tegen kon continu iemand om zich heen te hebben. Maar als het met iemand kon lukken, dan met Virginia. Bovendien … verdorie, hij had via via gehoord hoe het nu met haar ging. Ze had perioden. Perioden dat ze stevig dronk in de kroegen van de stad, dat ze Jan en alleman mee naar huis sleepte. Ze wilde er niet over praten, maar ze was de laatste jaren sneller oud geworden dan nodig was.

Als hij en Virginia … ja, wat? Als ze alles konden verkopen, een huisje op het platteland kopen, aardappels verbouwen. Ja, maar dat kon immers niet. Na een maand zouden ze elkaar vreselijk op de zenuwen werken, en zij had haar moeder hier, haar baan en hij had zijn … ja … zijn postzegels.

Niemand wist ervan, zelfs zijn zus niet, en hij voelde zich er best schuldig over.

De postzegelverzameling van zijn vader, die niet in de boedel beschreven stond, was een klein vermogen waard gebleken. Hij deed steeds een paar zegels van de hand als hij contanten nodig had.

Nu was de markt heel slecht en hij had niet veel zegels meer over. Maar toch zou hij binnenkort moeten verkopen – misschien die speciale zegels, Noorwegen nummer één – en drankjes aanbieden om alle biertjes die hij de laatste tijd had gebietst terug te betalen. Dat moest hij wel doen.

Twee huisjes op het platteland. Bij elkaar in de buurt. Boerderijtjes kosten immers bijna niets. En Virginia's moeder dan? Dríé boerderijtjes. En dan haar dochter, Lena. Vier. Natuurlijk, koop een heel dorp als je toch bezig bent.

Virginia was al gelukkig als ze bij Lacke was, dat had ze zelf gezegd. Lacke wist niet of hij nog het vermogen had om gelukkig te zijn, maar Virginia was de enige met wie hij het echt goed kon vinden. Waarom zouden ze niet op de een of andere manier iets leuks kunnen regelen voor zichzelf?

Lacke zette de asbak op zijn buik, tipte de as van zijn sigaret en nam een trekje.

Hij kon het nu met niemand zo goed vinden als met haar. Sinds Jocke was … verdwenen. Jocke was een goeie vent geweest. De enige uit zijn kennissenkring die hij zijn vriend had genoemd. Het was akelig dat zijn lichaam weg was. Dat hoorde niet. Er hoort een begrafenis te zijn. Er hoort een lijk te zijn waar je naar kunt kijken, zodat je kunt constateren: ja, ja, daar lig je dan, vriend. Je bent dood.

De tranen sprongen Lacke in de ogen.

Sommige mensen hadden zo verschrikkelijk veel vrienden, gebruikten dat woord te pas en te onpas. Hij had er één gehad, één enkele vriend, en die moest hem zonodig worden afgenomen door een koelbloedige hooligan. Waarom had zo'n jongere Jocke gedood?

Ergens wist hij dat Gösta niet loog of zomaar iets verzon, en Jocke wás echt weg, maar het leek zo zinloos. De enige logische reden was iets met drugs. Jocke moest betrokken zijn geweest in drugstoestanden en de verkeerde persoon besodemieterd hebben. Maar waarom had hij niets gezégd?

Voordat hij de flat verliet, leegde hij de asbak en zette de lege wijnfles onder in de keukenkast. Hij moest hem op zijn kop zetten om hem tussen de andere kwijt te kunnen.

Ja, potverdomme. Twee boerderijtjes. Een aardappellandje. Aarde op je knieën en in het voorjaar het gezang van de leeuwerik. Enzovoort. Ooit.

Hij trok zijn jas aan en ging naar buiten. Toen hij langs de ICA kwam, wierp hij een kushandje naar Virginia, die achter de kassa zat. Ze glimlachte en stak haar tong naar hem uit.

Onderweg naar zijn huis aan de Ibsengatan kwam hij een jongen tegen die met twee grote papieren tassen zeulde. Hij woonde aan de binnenplaats maar Lacke wist niet hoe hij heette. Lacke knikte naar hem.

"Zwaar, zeker?"

"Gaat wel."

Lacke keek de jongen na, die zijn zware tassen meesleepte naar de flats. Toch leek hij verdomd vrólijk. Zo moest je zijn. Je last aanvaarden en blijmoedig dragen.

Zo moest je zijn.

Hij bereidde zich erop voor dat hij op de binnenplaats de man tegen het lijf zou lopen die hem bij de Chinees een whisky had aangeboden. Hij was er meestal rond deze tijd. Soms liep hij rondjes over de binnenplaats. Maar hij had hem al een paar dagen niet gezien. Lacke gluurde naar de flat met de zwarte ramen waar hij dacht dat de man woonde.

Zit natuurlijk binnen te zuipen. Ik zou kunnen aanbellen.

Een andere keer.

Toen het donker werd, gingen Tommy en zijn moeder naar het kerkhof. Het graf van zijn vader lag vlak achter de scheidingswal met het Råckstameer, dus liepen ze door het bos. Zijn moeder zei niets, totdat ze bij de Kanaanvägen kwamen; Tommy had aangenomen dat ze zweeg omdat ze verdrietig was, maar toen ze het weggetje insloegen dat langs de rand van het meer liep, kuchte ze en zei: "Ja, weet je, Tommy ..."

"Ja."

"Staffan zegt dat er iets weg is. Uit zijn flat. Sinds wij daar geweest zijn."

"O."

"Weet jij daar iets van?"

Tommy schepte sneeuw met zijn ene hand, maakte er een bal van en gooide die naar een boom. Raak.

"Ja. Het ligt onder zijn balkon."

"Het is schijnbaar nogal belangrijk voor hem, omdat ..."

"Het ligt in de bosjes onder zijn balkon, zeg ik toch."

"Hoe is het daar terechtgekomen?"

De met sneeuw bedekte wal om het kerkhof heen lag voor hen. Een zwak rood schijnsel verlichtte de dennen van onderop. Het graflichtje dat zijn moeder in haar hand hield rinkelde. Tommy vroeg: "Heb je vuur?"

"Vuur? Ja, ja. Ik heb een aansteker. Hoe is ..."

"Ik heb het laten vallen."

Achter het hek van het kerkhof bleef Tommy staan, hij keek op de kaart; verschillende secties, die met letters waren gemarkeerd. Zijn vader lag in sectie D.

Eigenlijk was het krankzinnig allemaal. Dat mensen dit überhaupt déden. Mensen verbranden, de as bewaren, die in de aarde begraven en dan die plaats 'Graf 104, sectie D' noemen.

Bijna drie jaar geleden. Tommy had onduidelijke herinneringen aan de begrafenis, of hoe je het moest noemen. Dat gedoe met de kist en een heleboel mensen die beurtelings huilden en zongen.

Hij wist nog dat hij te grote schoenen aan had gehad, de schoenen van zijn vader; dat zijn voeten erin zwommen toen ze naar huis liepen. Dat hij bang was geweest voor de kist, dat hij er de hele begrafenisdienst naar had zitten staren, ervan overtuigd dat zijn vader eruit op zou staan en weer levend zou zijn, maar ... veranderd.

De twee weken na de begrafenis was hij continu bang geweest voor zombies. Vooral als het donker werd, dacht hij dat hij dat misvormde wezen uit het ziekenhuisbed, dat zijn vader niet meer was, met uitgestrekte armen uit de schaduwen op zich af zag komen, net als in de film.

Na het bijzetten van de urn was de angst verdwenen. Alleen zijn moeder en hijzelf en een koster en een dominee waren erbij geweest. De koster had de urn voor zich gehouden en was waardig voortgeschreden, terwijl de dominee moeder troostte. Het was allemaal straalbelachelijk. Het houten potje met deksel dat door een man in overal werd gedragen; dat dat iets te maken zou hebben met zijn váder. Het leek één grote verlakkerij.

Maar de angst was verdwenen en Tommy's verhouding tot het graf was mettertijd veranderd. Nu kwam hij hier wel eens alleen, zat een poosje bij de grafsteen en ging met zijn vingers over de uitgehouwen letters die de naam van zijn vader vormden. Daar kwam hij voor. Het potje in de grond kon hem niets schelen, maar de náám.

De verwrongen man in het ziekenhuisbed en de as in het potje waren geen van beide zijn vader, maar de naam verwees naar de man die hij zich herinnerde, en daarom zat hij daar soms en ging met zijn wijsvinger over de uithollingen in de steen die de naam MARTIN SAMUELSSON vormden.

"O, wat mooi", zei zijn moeder.

Tommy keek uit over de begraafplaats.

Overal brandden kaarsjes; een stad gezien vanuit een vliegtuig. Hier en daar bewogen zich donkere vormen tussen de grafstenen. Moeder liep in de richting van vaders graf, het lantaarntje bungelde aan haar hand. Tommy keek naar haar smalle rug en werd plotseling verdrietig. Niet om zichzelf, niet om zijn moeder, nee: om alles. Om alle mensen die hier tussen de fladderende lichtjes in de sneeuw liepen. Zelf slechts schaduwen die bij stenen stonden, naar stenen keken, stenen aanraakten. Het was zo ... stom.

Dood is dood. Weg.

Toch liep Tommy naar zijn moeder toe en ging op zijn hurken bij het graf van zijn vader zitten, terwijl zij het lantaarntje aanstak. Hij wilde de letters niet aanraken waar zijn moeder bij was.

Ze bleven even zitten kijken hoe het zwakke vlammetje de nuances in de marmeren steen liet kruipen, bewegen. Tommy voelde niets behalve een zekere gêne. Dat hij het spelletje meespeelde. Even later stond hij op en begon naar huis te lopen.

Moeder kwam achter hem aan. Iets te snel, vond hij. Zíj mocht zich de ogen uit het hoofd rouwen, de hele nacht blijven zitten. Ze haalde hem in, stak voorzichtig haar arm door de zijne. Hij liet het toe. Ze liepen naast elkaar en keken uit over het Råckstameer, waar al een laagje ijs op lag. Als het bleef vriezen, zou je er over een paar dagen op kunnen schaatsen.

Er maalde aldoor een gedachte door Tommy's hoofd als een koppige gitaarriff.

Dood is dood. Dood is dood. Dood is dood.

Moeder huiverde, drukte zich tegen hem aan.

"Het is akelig."

"Vind je?"

"Ja, Staffan heeft zoiets vreselijks verteld."

Staffan. Kon ze nú haar mond nog niet eens houden over hem ...

"O."

"Heb je gehoord van die brand in dat huis in Ängby? De vrouw die ..."

"Ja."

"Staffan vertelde dat ze sectie op haar hebben verricht. Ik vind het zo akelig. Dat ze dat doen."

"Ja, ja. Natuurlijk."

Er liep een eend over het broze ijsdek naar het wak dat zich bij de afvoerpijp aan de ene kant van het meer had gevormd. De visjes die je 's zomers uit het meer kon hengelen, stonken naar riool.

"Wat is dat voor afvoer?" vroeg Tommy. "Komt die van het crematorium?"

"Weet ik niet. Wil je het niet horen? Vind je het akelig?"

"Nee, nee."

En toen vertelde ze, terwijl ze door het bos naar huis liepen. Na een poosje raakte Tommy geïnteresseerd, begon vragen te stellen die zijn moeder niet kon beantwoorden; ze wist alleen wat Staffan had verteld. Ja, Tommy vroeg zoveel, raakte zo geïnteresseerd dat Yvonne spijt kreeg dat ze het überhaupt had verteld.

Later die avond zat Tommy op een kist in de schuilkelder, hij draaide het beeldje van de pistoolschutter alle kanten op. Hij zette het boven op de drie dozen met cassettedecks, als een overwinningsteken. De kroon op het werk.

Gejat van een ... politieman!

Hij sloot de schuilkelder nauwkeurig af met de ketting en het hangslot, verstopte de sleutel op de vaste plek, ging zitten nadenken over wat zijn moeder had verteld. Even later hoorde hij voorzichtige stappen de kelderruimte naderen. Een stem die fluisterde: "Tommy …?"

Hij stond op uit de stoel, liep naar de deur en deed die snel open. Daar stond Oskar; hij leek zenuwachtig, stak een bankbiljet naar hem uit.

"Hier. Je geld."

Tommy pakte het briefje van vijftig aan en propte het in zijn zak. Hij lachte naar Oskar.

"Word je hier stamgast of zo? Kom verder."

"Nee, ik moet ..."

"Kom binnen, zeg ik. Ik wil je iets vragen."

Oskar ging met gevouwen handen op de bank zitten. Tommy plofte in de stoel neer en keek hem aan.

"Oskar. Jij bent een slimme jongen."

Oskar haalde bescheiden zijn schouders op.

"Je weet wel, dat huis in Ängby waar brand is geweest. Die vrouw die naar buiten kwam en is verbrand."

"Ja, daar heb ik over gelezen."

"Dat dacht ik wel. Hebben ze iets over de sectie geschreven?"

"Niet dat ik weet."

"Nee. Maar dat hebben ze in elk geval wel gedaan. Sectie verricht op haar. En weet je wat? Ze hebben geen rook in haar longen gevonden. Weet je wat dat betekent?"

Oskar dacht na.

"Dat ze niet ademde."

"Ja. En wanneer stop je met ademhalen? Als je dood bent. Toch?"

"Ja." Oskar werd enthousiast. "Daar heb ik over gelezen. Precies. Daarom verrichten ze sectie als er brand geweest is. Om te zien of … de brand niet is aangestoken door iemand die degene die in het huis zit, in de brand, heeft vermoord en niet wil dat dat uitkomt. Ik heb gelezen … ja, dat stond in *Hemmets Journal,* dat er een man was in Engeland, die zijn vrouw had vermoord en die wist dit en dus had hij … voordat hij de brand stichtte, had hij een slang in haar keel gestopt en …"

"Oké, oké. Jij bent op de hoogte. Mooi. Maar deze vrouw had dus géén rook in haar longen en toch is ze het huis uit gegaan en heeft een poosje buiten rondgerend voordat ze stierf. Hoe kan dat?"

"Ze heeft zeker haar adem ingehouden. Nee, trouwens. Dat kan niet, dat heb ik ook ergens gelezen. Daarom doen mensen altijd ..."

"Oké, oké. Leg het mij eens uit dan."

Oskar leunde met zijn hoofd op zijn handen, dacht na. Zei toen: "Of ze hebben een vergissing gemaakt, of ze rende rond terwijl ze al dood was."

Tommy knikte. "Precies. En weet je? Ik geloof niet dat die lui zulke fouten maken. Denk je wel?"

"Nee, maar ..."

"Dood is dood."

"Ja."

Tommy trok een draad uit de stoel, rolde die tussen zijn vingers op tot een balletje en schoot het weg.

"Ja. Dat wil je natuurlijk graag geloven."

DEEL DRIE

Sneeuw, smeltend op huid

Hij zweeg en legde op mijn hand de zijne
En met een glimlach die mij vreugde deed,
Liet hij mij het verborgene verschijnen,

Dante Alighieri – *De goddelijke komedie*

Ik ben geen laken. Ik ben een ECHT spook. BOE … BOE …
Je moet bang zijn!
– Maar ik ben niet bang.

Nationalteatern – *Slavinken en onderbroeken*

DONDERDAG 5 NOVEMBER

Morgan had koude voeten. De kou die had ingezet ongeveer op het moment dat de onderzeeboot aan de grond liep, was de afgelopen week alleen maar erger geworden. Hij was dol op zijn oude cowboylaarzen, maar hij kon er geen dikke sokken in dragen. Bovendien zat er een gat in de ene zool. Natuurlijk kon hij wel wat Chinese rommel kopen voor een honderdje, maar dan had hij het net zo lief koud.

Het was halftien in de ochtend en hij kwam van de metro. Hij was op de schroothoop in Ulvsunda geweest om te zien of hij een paar honderd kronen zou kunnen verdienen door een handje te helpen, maar de zaken gingen slecht. Dit jaar dus weer geen winterlaarzen. Hij had koffiegedronken bij de jongens in het kantoortje vol met onderdelencatalogi en pin-upkalenders, toen had hij weer de metro naar huis genomen.

Larry kwam de flat uit en zag er als gewoonlijk uit als iemand die een doodvonnis boven het hoofd hing.

"Hallo, ouwe reus!" riep Morgan.

Larry knikte afgemeten, alsof hij al vanaf dat hij die ochtend wakker werd had geweten dat Morgan hier zou staan, en liep naar hem toe.

"Hoi. Hoe gaat ie?"

"Bevroren tenen, auto op de schroothoop, geen werk en op weg naar huis voor een bord soep uit een pakje. En met jou?"

Larry bleef in de richting van de Björnsonsgatan lopen, over de parkweg.

"Ja, ik wilde even bij Herbert op bezoek in het ziekenhuis. Ga je mee?"

"Is hij al wat helderder?"

"Nee, het is nog hetzelfde, geloof ik."

"Dan ga ik niet. Ik raak zo gedeprimeerd van dat gezwets. Laatst dacht hij dat ik zijn moeder was, toen moest ik hem een verhaaltje vertellen."

"Heb je dat gedaan?"

"Vanzelfsprekend. Goudhaartje en de drie beren. Maar nee. Vandaag ben ik daar niet voor in de stemming."

Ze liepen door. Toen Morgan zag dat Larry een paar dikke handschoenen aanhad, werd hij zich ervan bewust dat hij koude handen had en hij stopte ze met enige moeite in de te krappe zakken van zijn spijkerbroek. Voor hen doemde de brug op waar Jocke was verdwenen.

Misschien om het daar niet over te hebben, zei Larry: "Heb je vanmorgen de krant gezien? Nu zegt Fälldin dat er kérnwapens aan boord zijn van die Russische onderzeeër."

"Wat dacht hij eerst dat ze hadden dan? Katapulten?"

"Nee, maar … hij ligt daar nu al een week. Stel je voor dat hij was ontploft."

"Maak je geen zorgen. Die Russen weten wat ze doen."

"Ik ben geen communist, hoor."

"Ik toch ook niet."

"Nee. Waar heb je de laatste keer dan op gestemd? De Volkspartij?"

"Ik ben niet trouw aan Moskou in elk geval."

Ze hadden dit praatje wel eerder gehad. Nu deden ze het nog eens over om niet te hoeven zien, om niet te hoeven denken aan dat vreselijke, toen ze bij het bruggewelf kwamen. Toch verstomden hun stemmen toen ze onder de brug kwamen en bleven staan. Allebei dachten ze dat de ander het eerst was blijven staan. Ze keken naar de bergen bladeren die nu sneeuwhopen waren geworden en die vormen suggereerden waar ze allebei naar van werden. Larry schudde zijn hoofd.

"Wat moeten we doen, verdomme?"

Morgan stopte zijn handen dieper in zijn zakken en stampte met zijn voeten om ze warm te krijgen.

"Alleen Gösta kan iets doen."

Ze keken allebei omhoog naar de flat waar Gösta woonde. Geen gordijnen, een vuile ruit.

Larry hield Morgan een pakje sigaretten voor. Hij pakte er eentje uit, Larry pakte er een en gaf hun allebei vuur. Ze rookten zwijgend en keken naar de hopen sneeuw. Een poosje later werden ze in hun overpeinzingen gestoord door jonge stemmen.

Een groep kinderen met schaatsen en helmen in de hand kwam uit school, aangevoerd door een man met een militair uiterlijk. De kinderen liepen op een meter afstand van elkaar, bijna in de maat. Ze kwamen Morgan en Larry onder de brug voorbij. Morgan knikte naar een jongen die hij herkende bij hem uit de flat.

"Trekken jullie ten strijde of zo?"

Het kind schudde zijn hoofd, wilde iets zeggen, maar draafde gewoon verder, bang om uit het gelid te raken. Ze liepen door in de richting van het ziekenhuis; ze gingen zeker een dag naar buiten of zo. Morgan trapte zijn sigaret uit met zijn voet, vormde met zijn handen een trechter voor zijn mond en riep: "Luchtaanval! Zoek dekking!"

Larry grinnikte en doofde zijn sigaret.

"Mijn god. Dat die figuren nog bestaan. De jassen moeten zeker ook in de houding aan de kapstok hangen. Ga je echt niet mee?"

"Nee. Dat trek ik niet. Maar loop jij maar gauw door, dan kun je misschien nog aansluiten."

"Tot ziens."

"Ja, tot kijk."

Ze gingen onder de brug uit elkaar. Larry verdween met langzame stappen in dezelfde richting als de kinderen en Morgan liep de trap op. Nu had hij het koud over zijn hele lichaam. Soep uit een pakje was nog niet zo beroerd, als je het met melk aanmaakte.

Oskar liep naast de juf. Hij moest met iemand praten en de juf was de enige die hij kon verzinnen. Toch zou hij van groep geruild hebben als dat had gekund. Jonny en Micke gingen anders nooit mee met de wandelgroep als ze een dag naar buiten gingen, maar vandaag wel. Ze hadden vanochtend zitten smiespelen terwijl ze naar hem keken.

Dus Oskar liep naast de juf. Hij wist zelf niet of dat was om bescherming te hebben of om met een volwassene te praten.

Hij was nu vijf dagen samen met Eli. Ze zagen elkaar elke avond buiten. Tegen zijn moeder zei Oskar dat hij bij Johan was.

Gisternacht was Eli weer aan zijn raam gekomen. Ze hadden lang wakker gelegen, ze hadden verhalen verteld, waarbij de een verder moest gaan waar de ander was gestopt. Toen hadden ze geslapen met hun armen om elkaar heen en 's ochtends was Eli weg.

In zijn broekzak, naast het oude beduimelde, stukgelezen briefje zat nu nog een briefje dat hij vanmorgen op zijn bureau had gevonden toen hij zich klaarmaakte om naar school te gaan.

Of ik ga en leef, of blijf en sterf. Je Eli.

Hij wist dat het uit *Romeo en Julia* kwam. Eli had verteld dat wat ze op het eerste briefje had geschreven daar ook uit kwam en Oskar had het boek uit de schoolbibliotheek geleend. Hij vond het wel een leuk boek, ook al stonden er een heleboel woorden in die hij niet begreep. *Haar maagdenkleed is vaal en leverkleurig.* Snapte Eli dat allemaal?

Jonny, Micke en de meisjes liepen twintig meter achter Oskar en de juf. Ze kwamen langs het Chinapark waar een paar kinderen van de crèche op een slee om een paal heen draaiden en zo hard schreeuwden dat de lucht aan stukken gereten werd. Oskar schopte een klont sneeuw weg en zei zacht: "Marie-Louise?"

"Ja?"

"Hoe weet je of je van iemand houdt?"

"Oei. Ja …"

De juf duwde haar handen in de zakken van haar duffel en keek schuin omhoog naar de lucht. Oskar vroeg zich af of ze aan die man dacht die haar een paar keer uit school was komen halen. Zijn uiterlijk had Oskar niet aangestaan. Het leek een achterbaks type.

"Dat verschilt per persoon, maar … ik zou zeggen dat als je weet … of in elk geval als je heel erg gelooft dat je altijd bij die persoon wilt blijven."

"Je kunt niet zonder diegene, als het ware."

"Nee. Precies. Twee mensen die niet zonder elkaar kunnen … dat is liefde."

"Zoals Romeo en Julia."

"Ja, en hoe groter de hindernissen … heb je het stuk gezien?"

"Gelezen."

De juf keek naar hem en glimlachte op de manier die Oskar anders altijd zo mooi vond, maar die hem nu niet aanstond. Snel zei hij: "En als het twee mannen zijn?"

"Dan zijn het vrienden. Dat is immers ook een soort liefde. Of bedoel je … ja, mannen kunnen natuurlijk ook op díé manier van elkaar houden."

"Hoe doen ze dat dan?"

De juf ging zachter praten.

"Ja, er is natuurlijk niets verkeerds aan, maar … als je daarover wilt praten, kunnen we dat beter een andere keer doen."

Ze liepen een paar meter zwijgend verder en kwamen bij de helling naar de Molenbaai. De Spookhelling. De juf haalde diep adem, de geur van koud sparrenbos. Toen zei ze: "Je gaat een verbond aan. Of je nu een jongen of een meisje bent, je gaat een soort verbond aan … omdat je weet dat je bij elkaar hoort."

Oskar knikte. Hij hoorde de stemmen van de meisjes dichterbij komen. Straks zouden ze de juf gaan opeisen, zo ging het altijd. Hij liep zo dicht naast de juf dat hun jassen elkaar aanraakten en vroeg: "Kun je jongen én meisje zijn? Of geen jongen en geen meisje?"

"Nee. Bij mensen niet. Bij sommige dieren …"

Michelle kwam naast hen rennen, gilde met piepende stem: "Juffrouw! Jonny heeft sneeuw in mijn nek gestopt!"

Ze waren de helling al half af. Even later waren alle meisjes er en rapporteerden wat Jonny en Micke hadden gedaan.

Oskar ging langzamer lopen, bleef een paar passen achter. Hij keerde zich om. Jonny en Micke stonden boven aan de helling. Ze zwaaiden naar Oskar. Hij zwaaide niet terug. Hij pakte een stevige tak op, die langs de weg lag en haalde onder het lopen de zijtakjes eraf.

Hij kwam langs het Spookhuis dat de helling zijn naam had gegeven. Een reusachtige loods met wanden van golfplaat, die er totaal waanzinnig uitzag tussen de kleine boompjes. Op de muur aan de kant van de helling had iemand met grote letters gesprayd: MOGEN WE JOUW BROMMER?

De meisjes en de juf deden tikkertje, ze holden over de weg langs het water. Hij was niet van plan achter hen aan te rennen. Jonny en Micke zaten achter hem, ja. Hij pakte zijn stok steviger vast en stapte stevig door.

Het was mooi weer om buiten te zijn vandaag. Er lag al een paar dagen ijs en dat was nu zo dik dat de schaatsgroep erop ging schaatsen, onder aanvoering van meester Ávila. Toen Jonny en Micke zeiden dat ze met de wandelgroep mee wilden, had Oskar overwogen om snel thuis zijn schaatsen te gaan halen en van groep te wisselen. Maar hij had al in geen twee jaar nieuwe schaatsen gekregen, hij zou zijn voeten er waarschijnlijk niet in kunnen krijgen.

Bovendien was hij bang voor ijs.

Toen hij klein was, was hij een keer bij zijn vader in Södersvik geweest en zijn vader was de fuiken gaan leeghalen. Vanaf de steiger had Oskar zijn vader door het ijs zien zakken en een vreselijk moment lang was zijn hoofd onder de rand van het ijs verdwenen. Oskar had alleen op de steiger gestaan, hij was gaan krijsen om hulp. Zijn vader had gelukkig een paar grote spijkers in zijn zak, die hij gebruikte om uit het wak te komen, maar sindsdien ging Oskar niet graag het ijs op.

Iemand pakte zijn armen vast.

Hij draaide snel zijn hoofd om, zag dat de juf en de meisjes om een bocht in de weg verdwenen waren, achter de berg. Jonny zei: "Nu gaat Varkentje zwemmen."

Oskar pakte de stok steviger vast, klemde zijn handen eromheen. Zijn enige kans. Ze gaven een ruk en sleepten hem mee. Naar het ijs.

"Varkentje stinkt en hij moet in bad."

"Laat me los."

"Straks. Rustig maar. Straks laten we je los."

Ze stonden op het ijs. Er was niets waartegen hij zich schrap kon zetten. Ze sleepten hem achteruit over het ijs, naar het wak van de sauna. Zijn hielen trokken een dubbel spoor door de sneeuw. Daartussenin sleepte de stok, trok een ondieper spoor.

Ver weg op het ijs zag hij kleine figuurtjes bewegen. Hij schreeuwde. Schreeuwde om hulp.

"Schreeuw jij maar. Misschien kunnen ze je zo weer komen opvissen."

Nog een paar passen naar het gapend zwarte wak. Oskar spande wat hij aan spieren had en wierp zich met een ruk opzij. Micke verloor zijn greep. Oskar bengelde in Jonny's armen en zwaaide met de stok tegen zijn scheenbeen; die schoot bijna uit Oskars hand toen hout been raakte.

"Auu, verdomme!"

Jonny liet los en Oskar viel op het ijs. Hij stond op aan de rand van het wak, hield de stok met beide handen vast. Jonny pakte zich bij zijn scheenbeen.

"Stomme idioot. Ik zal je …"

Jonny liep langzaam op hem af, durfde waarschijnlijk niet te rennen uit angst om zelf in het water te belanden als hij Oskar een duw zou geven. Hij wees naar de stok.

"Leg neer die stok, anders vermoord ik je, snap je dat?"

Oskar beet zijn tanden op elkaar. Toen Jonny op iets meer dan een armlengte afstand was, zwiepte Oskar met de stok tegen zijn schouder. Jonny dook in elkaar en Oskar voelde een doffe klap in zijn handen toen het zware eind van de stok Jonny vlak boven zijn oor raakte. Hij vloog als een kegel opzij en plofte brullend languit op het ijs.

Micke, die een paar stappen achter Jonny had gestaan, deed nu een stap naar achteren, stak zijn handen voor zich uit.

"Verdorie, het was maar een grapje … We wilden niet …"

Oskar liep naar hem toe en zwaaide de stok met een dof, brommend geluid heen en weer door de lucht. Micke draaide zich om en holde naar de kant. Oskar bleef staan, liet de stok zakken.

Jonny lag in elkaar gedoken op zijn zij en hield zijn hand tegen zijn oor. Er sijpelde bloed tussen zijn vingers door. Oskar wilde sorry zeggen. Het was niet zijn bedoeling geweest hem zóveel pijn te doen. Hij hurkte bij Jonny neer, steunde op de stok, was van plan "sorry" te zeggen, maar voordat hij het kon zeggen, zág hij Jonny.

Hij was heel klein, opgetrokken in foetushouding en hij jammerde "aaauuu, aaauuu" terwijl een dun straaltje bloed zich een weg zocht onder de kraag van zijn jas. Zijn hoofd ging met kleine schokjes heen en weer.

Oskar keek verbaasd naar hem.

Dat kleine bloedende hoopje op het ijs kon hem níéts doen. Kon hem niet slaan of pesten. Kon zich niet eens verdedigen.

Ik kan hem nóg wel een paar keer slaan, dan is het daarna helemáál rustig.

Oskar stond op, hij leunde op de stok. De roes zakte weg en er kwam een misselijkheid voor in de plaats die onder uit zijn maag kwam. Wat had hij gedáán? Jonny moest erg gewond zijn als hij zo bloedde. Stel je voor dat hij doodbloedde. Oskar ging weer op het ijs zitten, trok zijn ene schoen en dikke sok uit. Hij kroop op zijn knieën naar Jonny toe, friemelde aan de hand die hij tegen zijn oor hield en stopte de sok erin.

"Hier. Pak aan."

Jonny pakte de dikke sok en duwde die tegen zijn gewonde oor. Oskar keek uit over het ijs. Hij zag iemand op schaatsen dichterbij komen. Een volwassene.

Uit de verte klonken ijle kreten. Geschreeuw van kinderen. Paniekkreten. Eén heldere, snijdende toon, die een paar seconden later met meer tonen werd vermengd. De figuur die was genaderd, stopte. Bleef een moment stilstaan. Keerde toen om en schaatste weer weg.

Oskar zat op zijn knieën bij Jonny en voelde de sneeuw smelten, zijn knieën nat worden. Jonny kneep zijn ogen dicht, hij jammerde tussen zijn tanden door. Oskar bracht zijn gezicht dichter bij dat van Jonny.

"Kun je lopen?"

Jonny deed zijn mond open om iets te zeggen en er spoot geel met wit braaksel uit zijn mond, bevlekte de sneeuw. Er kwam wat op Oskars ene hand terecht. Hij keek naar de slijmerige druppels die op de rug van zijn hand lagen te trillen en hij werd echt bang. Hij liet de stok los en rende naar de kant om hulp te halen.

Het geschreeuw van de kinderen in de buurt van het ziekenhuis was in kracht toegenomen. Hij holde naar hen toe.

Meester Ávila, Fernando Cristóbal de Reyes y Ávila, hield van schaatsen. Ja. Een van de dingen die hij het meest waardeerde aan Zweden, waren de lange winters. Hij had nu al tien keer meegedaan aan de Wasaloop, en de enkele jaren dat het water van de buitenste scheren dichtvroor, ging hij elk weekend met de auto naar Gräddö om een lange schaatstocht te maken, zo ver naar Söderarm als het ijsdek toeliet.

Dat was drie jaar geleden voor het laatst gebeurd, maar als de winter zo vroeg kwam als dit jaar, was er hoop. Natuurlijk zou Gräddö als gewoonlijk wemelen van de schaatsenthousiastelingen als het vroor, maar dat was overdag. Fernando Ávila schaatste het liefst 's nachts.

Met alle respect voor de Wasaloop, maar daar voelde hij zich een van duizenden mieren uit een mierenhoop die plotseling hadden besloten te emigreren. Iets heel anders was het om 's nachts alleen te zijn op het uitgestrekte, maanbeschenen ijs. Fernando Ávila was een zeer lauwe katholiek, maar waarachtig: op die momenten was God dichtbij.

Het ritmische krassen van de ijzers, het maanlicht dat het ijs een loden glans gaf, de sterren die zich in hun oneindigheid over hem welfden, de koude wind die langs zijn gezicht streek, eeuwigheid, diepte en ruimte aan alle kanten. Grootser kon het leven niet zijn.

Een jongetje trok aan zijn broekspijp.

"Meester, ik moet plassen."

Ávila ontwaakte uit zijn dromen over lange tochten, keek om zich heen en wees naar een paar bomen aan de kant, die zich over het water heen uitstrekten; de kale takken hingen als een beschermend gordijn op het ijs.

"Daar kun je plassen."

De jongen tuurde naar de bomen.

"Op het íjs?"

"Ja. Wat maakt dat uit? Wordt nieuw ijs. Geel."

De jongen keek hem aan alsof hij niet goed wijs was, maar schaatste weg in de richting van de bomen.

Ávila keek om zich heen of sommigen van de oudere kinderen niet te ver weg waren geschaatst. Met een paar snelle slagen reed hij weg om wat overzicht te krijgen. Hij telde de kinderen. Jawel. Negen. Plus het jongetje dat was gaan plassen. Tien.

Hij draaide zich om en keek de andere kant op, richting Molenbaai, en bleef staan.

Er gebeurde daarginds iets. Een kluitje jongens bewoog in de richting van iets wat een wak moest zijn; de plek was met recht-op neergezette boompjes gemarkeerd. Terwijl hij stil stond te kij-ken, loste het groepje op, hij zag dat iemand een soort stok in zijn hand hield.

Iemand zwaaide met de stok en iemand viel om. Hij hoorde gebrul uit die richting. Hij draaide zich om, keek nog één keer naar zijn groep en maakte toen vaart in de richting van het groepje bij het wak. Een van hen holde nu naar de kant.

Toen hoorde hij de schreeuw.

Een schrille schreeuw van een kind uit zijn groep. Hij bleef abrupt staan, zodat de sneeuw om zijn schaatsen heen stoof. Hij had gezien dat de jongens bij het wak wat ouder waren. Mis-schien Oskar. Oudere kinderen. Die redden zich wel. In zijn groep zaten kleine kinderen.

Het geschreeuw werd harder en terwijl hij omkeerde en die kant op schaatste, hoorde hij dat er meer kinderen aan mee begonnen te doen.

Cojones!

Net als hij er even niet was, gebeurde er natuurlijk iets. God verhoede dat het ijs was gebroken. Hij schaatste door zo snel hij kon, de sneeuw dwarrelde van zijn schaatsen toen hij op de bron van het geschreeuw af stoof. Hij zag nu dat er meer kinderen samengedromd waren, die in koor stonden te krijsen, en er kwa-men er nog meer aan. Hij zag ook dat een volwassene vanaf het ziekenhuis naar het water kwam lopen.

Met een paar laatste, krachtige slagen was hij bij de kinderen. Hij remde zo hard dat zaagselkrullen van ijs op de jassen van de kinderen terechtkwamen. Hij begreep het niet. Alle kinderen stonden bij elkaar bij het gordijn van takken; ze keken naar iets op het ijs en schreeuwden.

Hij gleed naar de kinderen toe.

"Wat is er?"

Een van de kinderen wees naar het ijs, naar een klomp die erin vastzat. Het leek een bruine, bevroren graspol met een rode snee aan de ene kant. Of een overreden egel. Hij bukte naar de klomp en zag dat het een hoofd was. Een hoofd, vastgevroren in het ijs, zodat alleen de kruin en het bovenste deel van het voorhoofd erboven uitstaken.

De jongen die hij weggestuurd had om te plassen, zat een paar meter verderop snikkend op het ijs.

"Ik ben erte-he-genaan gere-heden."

Ávila ging rechtop staan.

"Iedereen weg! Iedereen naar de kant! Nú!"

De kinderen leken ook wel vastgevroren in het ijs, de kleintjes bleven schreeuwen. Hij pakte zijn fluitje en blies er twee keer hard op. Het geschreeuw hield op. Hij deed een paar slagen zodat hij achter de kinderen kwam en hen naar de kant kon jagen. De kinderen werkten mee. Alleen een jongen uit de vijfde bleef staan en boog zich nieuwsgierig over de klomp heen.

"Jij ook!"

Ávila wenkte dat hij mee moest komen. Aan de kant zei hij tegen de vrouw die vanaf het ziekenhuis aan was komen lopen: "Bel politie. Ambulance. Hier ligt iemand vastgevroren in het ijs."

De vrouw rende terug naar het ziekenhuis. Ávila telde de kinderen op de kant en zag dat er een ontbrak. De jongen die tegen het hoofd aan was geschaatst, zat nog steeds met zijn hoofd in zijn handen op het ijs. Ávila gleed naar hem toe, pakte hem onder zijn armen en hees hem omhoog. De jongen draaide zich om en sloeg zijn armen om Ávila heen. Hij tilde de jongen zachtjes op als een breekbaar pakketje en reed met hem naar de kant.

"Kan ik met hem praten?"

"Hij kan toch niet pra…"

"Nee, maar hij begrijpt toch wel wat er wordt gezegd?"

"Dat denk ik wel, maar …"

"Heel even maar."

Door de mist die zijn oog bedekte, zag Håkan dat een man met donkere kleren aan er een stoel bij trok en naast zijn bed kwam zitten. Hij kon het gezicht van de man niet onderscheiden, maar vermoedelijk droeg dat een geforceerd neutrale uitdrukking.

De afgelopen dagen was Håkan in en uit een rode wolk gegleden die door haardunne lijntjes werd doorkruist. Hij wist dat ze hem een paar keer onder narcose hadden gebracht en hadden geopereerd. Dit was de eerste dag dat hij helemaal bij bewustzijn was, maar hij wist niet hoeveel dagen er voorbij waren gegaan sinds hij hier was terechtgekomen.

's Ochtends had Håkan zijn nieuwe gezicht onderzocht met de vingers van de hand waar gevoel in zat. Er zat een soort schuim-rubberachtig verband over zijn hele gezicht, maar aan de hand van de contouren onder het verband, die hij met veel pijn met zijn vingertoppen had gevolgd, had hij begrepen dat hij geen gezicht meer had.

Håkan Bengtsson bestond niet meer. Wat over was, was een onidentificeerbaar lichaam in een ziekenhuisbed. Ze zouden hem natuurlijk aan zijn andere moorden kunnen koppelen, maar niet aan zijn eerdere of tegenwoordige léven. Niet aan Eli.

"Hoe gaat het met u?"

Goed, agent, dank u wel. Prima leven. Ik heb een brandend vlies van napalm over mijn gezicht, maar verder gaat het allemaal best lekker.

"Ja, ik begrijp dat u niet kunt praten, maar kunt u knikken als u hoort wat ik zeg? Zou u dat kunnen doen?"

Kunnen wel. Maar willen niet.

De man naast het bed zuchtte.

"U hebt geprobeerd zelfmoord te plegen, dus kennelijk bent u niet helemaal ... weg. Is het moeilijk uw hoofd te bewegen? Kunt u uw hand optillen als u hoort wat ik zeg? Kunt u uw hand optillen?"

Håkan schakelde de politieman uit en begon te denken aan die plek in de hel van Dante, de limbus, waar na hun dood alle grote geesten heen gingen die geen kennis hadden van Christus. Hij probeerde zich die plaats in detail voor te stellen.

"Wij zouden graag willen weten wie u bent, begrijpt u?"

In welke helle- of hemelkring kwam Dante zelf na zijn dood terecht ...

De politieman trok de stoel tien centimeter dichterbij.

"We komen er wel achter, hoor. Vroeg of laat. U kunt ons wat werk besparen door nu met ons te communiceren."

Niemand mist me. Niemand kent me. Je doet je best maar.

Er kwam een verpleegster binnen. "Er is telefoon voor u."

De politieman stond op en liep naar de deur. Voordat hij de kamer uit liep, draaide hij zich om.

"Ben zo terug."

Nu gingen Håkans gedachten naar het echt wezenlijke. In welke kring zou hijzelf terechtkomen? Kindermoordenaar: zevende kring. Of de eerste kring, dat kon ook, die van mensen die hadden gezondigd omwille van de liefde. Dan hadden de sodomieten ook nog een eigen kring. Het leek het meest logische dat je in de kring belandde die paste bij de zwaarste misdaad die je had begaan.

Dus: als je echt een ernstig misdrijf had gepleegd, kon je daarna maar raak zondigen binnen de misdaden die in hoger gelegen kringen bestraft werden. Erger kon het toch niet worden. Ongeveer zoals de moordenaars in de Verenigde Staten die tot driehonderd jaar cel werden veroordeeld.

De verschillende kringen draaiden in spiralen rond. De trechter van de hel. Cerberus met zijn staart. Håkan riep de geweldplegers op, de verbitterde vrouwen, de hovaardigen in hun kokende modder, in hun vuurregens, dwaalde in hun midden rond, op zoek naar zijn plaats.

Van één ding was hij in elk geval zeker. Hij zou nooit in de laagste kring terechtkomen. Waar Lucifer zelf, staande in een ijszee, op Judas en Brutus zat te kauwen. De kring van de verraders.

De deur ging weer open met dat merkwaardige, zuigende geluid. De politieman ging weer bij zijn bed zitten.

"Ja, ja. Het schijnt dat ze er weer een hebben gevonden, bij het meer in Blackeberg. Hetzelfde touw in elk geval."

Nee!

Håkans lichaam schokte onwillekeurig toen de politieman het woord 'Blackeberg' zei. De politieman knikte. "U hoort kennelijk wat ik zeg. Dat is mooi. We kunnen wel raden dat u in Västerort hebt gewoond. Waar? Råcksta? Vällingby? Blackeberg?"

De herinnering aan hoe hij zich van de man had ontdaan, onder aan het ziekenhuis, schoot door zijn hoofd. Hij was slordig geweest. Hij had geknoeid.

"Oké. Dan laat ik u weer even met rust. U kunt erover nadenken of u wilt samenwerken. Dat maakt het zoveel gemakkelijker. Nietwaar?"

De politieman stond op en liep naar buiten. Zijn plaats werd ingenomen door een verpleegster, die de wacht ging houden.

Håkan begon heen en weer te bewegen met zijn hoofd, ontkennend. Zijn hand schoot uit en begon aan de slang van het beademingstoestel te trekken. De verpleegster kwam snel aanhollen en duwde zijn hand weg.

"We zullen u moeten vastmaken. Nog één keer en dan binden we u vast. Begrijpt u dat? Als u niet wilt leven, is dat uw zaak, maar zolang u hier bent, hebben wij de taak u in leven te houden. Ongeacht wat u hebt gedaan of niet hebt gedaan. Begrijpt u? En wij doen wat nodig is om die taak te vervullen, ook al moeten we u met riemen vastmaken. Hoort u wat ik zeg? Het is voor iedereen beter als u meewerkt."

Meewerken. Meewerken. Opeens wil iedereen dat ik meewerk. Ik ben geen mens meer. Ik ben een project. O god. Eli, Eli. Help me.

Al in het trappenhuis hoorde Oskar de stem van zijn moeder. Ze was met iemand aan het bellen en ze was boos. De moeder van Jonny? Hij bleef voor de deur staan luisteren.

"Straks bellen ze mij om te vragen wat ik fóút heb gedaan ... ja, dat gaan ze doen en wat moet ik dan zeggen? Helaas, mijn zoon heeft geen vader, dus hij ... ja, maar laat dat dan een keer zíén ... nee, dat doe je niet ... ik vind dat jij hier met hem over moet praten."

Oskar deed de deur open en liep de hal in. Zijn moeder zei in de hoorn: "Hij komt net binnen" en tegen Oskar zei ze: "Ze hebben gebeld van school en ik ... praat jij hier maar over met je vader, want ik ..." Ze praatte weer in de hoorn. "Nu mag jij ... ik bén kalm ... voor jou is het makkelijk; jij zit daar buitenaf en ..."

Oskar liep zijn kamer binnen, ging op bed liggen en duwde zijn handen tegen zijn oren. Zijn hartslag bruiste in zijn hoofd.

Toen hij bij het ziekenhuis kwam, had hij eerst gedacht dat alle mensen die daar rondholden iets te maken hadden met wat hij Jonny had aangedaan. Dat bleek niet het geval. Vandaag had hij voor het eerst van zijn leven een dood mens gezien.

Zijn moeder deed de deur van zijn kamer open. Oskar haalde zijn handen van zijn oren.

"Je vader wil je spreken."

Oskar hield de hoorn tegen zijn oor en hoorde een verre stem, die namen opnoemde van vuurtorens, windkracht en windrichting. Hij wachtte met de hoorn tegen zijn oor en zei niets. Zijn moeder fronste haar wenkbrauwen. Oskar legde zijn hand over de hoorn en fluisterde: "Scheepvaartberichten."

Zijn moeder deed haar mond open om iets te zeggen, maar er kwam alleen een zucht en ze liet haar handen vallen. Ze ging naar de keuken. Oskar ging op de stoel in de hal zitten en luisterde samen met zijn vader naar de scheepvaartberichten.

Hij wist dat zijn vader afgeleid zou worden door wat er op de radio werd gezegd, als Oskar nu begon te praten. De scheepvaartberichten waren heilig. De keren dat hij bij zijn vader was geweest, stopte alle activiteit in het huis om 16.45 uur, en ging zijn vader voor de radio zitten terwijl zijn blik afwezig over de velden gleed, als om te controleren of het waar was wat ze op de radio zeiden.

Zijn vader was al lang niet meer op zee geweest, maar die gewoonte was gebleven.

Almaplaat noordwest acht, vannacht ruimend naar west. Goed zicht. De zee bij Åland en de scheren noordwest tien, vannacht mogelijk storm. Goed zicht.

Zo. Het belangrijkste was geweest.

"Hallo, papa."

"Ah, ben je daar. Hallo. Het gaat hier vannacht stormen."

"Ja, ik hoor het."

"Hm. Hoe gaat het met je?"

"Goed."

"Ja, mama vertelde dat van Jonny. Dat is niet zo mooi."

"Nee. Dat zal wel niet."

"Hij had een hersenschudding, zei ze."

"Ja. Hij heeft overgegeven."

"Ja, dat gebeurt dan vaak. Harry ... die heb je wel eens ontmoet ... die kreeg op een keer het peillood op zijn hoofd en hij ... ja hij lag te kotsen als een kalf daarna."

"Is hij er weer bovenop gekomen?"

"Ja, dat was ... ja, hij is afgelopen voorjaar gestorven. Maar dat had daar niets mee te maken. Nee. Hij was er snel weer bovenop, daarna."

"Ja."

"En dat zullen we voor deze jongen ook hopen."

"Ja."

De radio rebbelde verder over de zeestreken: de Botnische golf en wat niet allemaal. Hij had een paar keer met de atlas voor zich gezeten bij zijn vader en had met zijn vinger de vuurtorens gevolgd die werden genoemd. Een tijdje kende hij alle plaatsen uit zijn hoofd, op volgorde, maar hij was ze weer vergeten. Zijn vader kuchte.

"Ja, mama en ik hadden het erover … of je zin zou hebben om dit weekend te komen."

"Mmm."

"Dan kunnen we het hier verder over hebben en … alles."

"Dít weekend?"

"Ja? Als je zin hebt."

"Ja. Maar ik moet wel … zal ik zaterdag komen?"

"Of vrijdagavond."

"Nee, maar … zaterdag. Ochtend."

"Ja, dat is prima. Dan haal ik een eidereend uit de vriezer."

Oskar ging met zijn mond dichter naar de hoorn en fluisterde: "Zonder hagel."

Vader lachte.

Toen Oskar daar afgelopen herfst was, had hij een tand stukgebeten op een hagelkorrel die in de zeevogel was blijven zitten. Tegen zijn moeder had hij gezegd dat het een steen in een aardappel was geweest. Oskar vond zeevogel het lekkerste wat er bestond, terwijl zijn moeder vond dat het 'ongekend wreed' was om op die weerloze vogels te schieten. Dat hij een tand had stukgebeten op het moordwerktuig zou kunnen leiden tot een verbod op het eten van dergelijk voedsel.

"Ik zal het extra goed controleren", zei zijn vader.

"Doet de bakfiets het?"

"Ja. Hoezo?"

"Nee, ik dacht gewoon."

"O. Ja, er ligt een aardige laag sneeuw, dus we kunnen wel een ritje maken."

"Leuk."

"Goed, dan zien we elkaar zaterdag. Kom je met de bus van tien uur?"

"Ja."

"Dan kom ik je halen. Met de bakfiets. De auto doet het niet helemaal goed."

"Oké. Goed. Moest je mama nog hebben?"

"Ja ... nee ... jij vertelt wel wat we hebben afgesproken, toch?"

"Mmm. Dag, tot ziens."

"Doen we. Ajuus."

Oskar hing op. Bleef even zitten en stelde zich voor hoe het zou zijn. Een ritje met de motorbakfiets. Dat was leuk. Dan deed Oskar mini-ski's aan en ze maakten een touw vast aan de bakfiets met een stokje aan het andere uiteinde. Aan dat stokje hield Oskar zich met beide handen vast en dan reden ze over de sneeuw door het dorp als waterskiërs. Dat en eidereend met lijsterbesgelei. En maar één avond weg bij Eli.

Hij ging naar zijn kamer en pakte zijn trainingsspullen plus zijn mes, aangezien hij niet meer thuis zou komen voordat hij Eli zag. Hij had een plan. Toen hij in de hal zijn jas aan stond te trekken kwam moeder de keuken uit, ze veegde meel van haar handen aan haar schort. "En? Wat zei hij?"

"Ik kon zaterdag komen."

"Ja. Maar over dat andere?"

"Ik moet nu naar de training."

"Heeft hij niks gezégd?"

"Jaa-wel, maar ik moet nu weg."

"Waarheen dan?"

"Naar het zwembad."

"Welk zwembad?"

"Bij onze school. Het kleine."

"Wat ga je daar doen?"

"Trainen. Ik ben om halfnegen terug. Of negen uur. Daarna ga ik naar Johan."

Zijn moeder keek bedroefd, wist niet waar ze haar bemeelde handen moest laten, stopte ze in de grote zak midden op het schort.

"O, ja. Ja, ja. Wees voorzichtig. Glij niet uit op de rand van het bad of zoiets. Heb je je muts bij je?"

"Ja, ja."

"Zet hem dan op. Als je hebt gezwommen, want het is koud buiten en met nat haar ..."

Oskar deed een stap naar voren, gaf haar een lichte zoen op haar wang, zei "dag" en ging weg. Toen hij de voordeur uit kwam, keek hij omhoog naar zijn raam. Daar stond moeder, nog steeds met haar handen in de grote zak. Oskar zwaaide. Zijn moeder tilde langzaam een hand op en zwaaide terug.

Hij huilde de halve weg naar de training.

De hele club stond bij elkaar in het trappenhuis bij Gösta voor de deur. Lacke, Virginia, Morgan, Larry en Karlsson. Niemand voelde zich geroepen aan te bellen, aangezien degene die aanbelde daarmee de verantwoordelijkheid op zich nam hun boodschap over te brengen. Buiten op de trap konden ze al iets van de geur van Gösta ruiken. Pis. Morgan gaf Karlsson een por in zijn zij en mompelde iets onverstaanbaars. Karlsson tilde zijn oorwarmers op, die hij droeg in plaats van een muts, en vroeg: "Wat?"

"Ik vroeg of je die niet eens af kon doen. Je ziet er idioot uit."

"Dat vind jij."

Hij deed de oorwarmers toch af, stopte ze in zijn jaszak en zei: "Jij moet het maar doen, Larry. Jij hebt het immers gezien."

Larry zuchtte en belde aan. Er klonk boos gegil van de andere kant van de deur en toen een zachte bons alsof er iets op de grond viel. Larry kuchte. Hij vond het maar niks. Hij voelde zich net een smeris met de hele club achter zich, alleen de getrokken pistolen ontbraken er nog aan. Hij hoorde slepende stappen uit het appartement, toen een stem: "Meisje toch, hoe is het nou?"

De deur ging open. Een golf van pislucht sloeg Larry in het gezicht en hij hapte naar adem. Gösta stond in de deuropening, gekleed in een versleten overhemd, vest en vlinderstrikje. Een oranje-wit gestreepte kat zat ineengedoken in zijn ene armholte.

"Ja?"

"Ha die Gösta, hoe gaat ie?"

Gösta's ogen bewogen onrustig over de groep in het trappenhuis. Hij had een flinke slok op.

"Ja, best."

"Ja, we komen je dus … Weet je wat er is gebeurd?"

"Nee."

"Nou, ze hebben Jocke gevonden. Vandaag."

"O. Ja, ja. Ja."

"En het is zo dat … dat …"

Larry draaide zijn hoofd om, zocht steun bij zijn delegatie. Er kwam alleen een bemoedigend gebaar van Morgan. Larry kreeg het niet voor elkaar om hier als iemand van een overheidsinstantie op de stoep te staan en een ultimatum te stellen. Het kon maar op één manier, hoe onaangenaam ook. Hij vroeg: "Mogen we binnenkomen?"

Hij had een soort tegenstand verwacht; Gösta was het niet gewend dat er zomaar vijf personen bij hem op bezoek kwamen. Maar Gösta knikte en deed een paar stappen achteruit de hal in om hen binnen te laten.

Larry aarzelde een ogenblik; de geur uit het appartement was ongekend, die hing als een plakkerige wolk in de lucht. Terwijl hij aarzelde, stapte Lacke naar binnen en Virginia liep achter hem aan. Lacke krabde de kat op Gösta's arm achter de oren.

"Mooie kat. Hoe heet hij?"

"Zij. Thisbe."

"Mooie naam. Heb je ook een Pyramus?"

"Nee."

Een voor een glipten ze de deur door, terwijl ze probeerden door hun mond te ademen.

Na een paar minuten hadden ze allemaal hun pogingen opgegeven om de stank buiten te sluiten, ze lieten het maar en wenden eraan. Er werden katten van de bank en uit de stoel gejaagd, er werden een paar stoelen uit de keuken gehaald, brandewijn, tonic en glazen kwamen tevoorschijn en na wat prietpraat over katten en het weer zei Gösta: "Dus ze hebben Jocke gevonden."

Larry goot het laatste restje van zijn longdrink naar binnen. De warmte van de alcohol in zijn maag maakte het gemakkelijker.

Hij schonk zichzelf nog eens in en zei: "Ja. Bij het ziekenhuis. Hij lag vastgevroren in het ijs."

"In het íjs?"

"Ja, het was daar vandaag een heel spektakel. Ik was bij Herbert op bezoek, ik weet niet of je die kent, nee ... in elk geval, ik kom naar buiten, staan er smerissen en een ambulance en even later kwam de brandweer eraan ..."

"Was er ook brand?"

"Nee, maar ze moesten hem toch loshakken. Ja, tóén wist ik niet dat hij het was, maar later, toen ze hem op de kant legden, herkende ik de kleren, want het gezicht ... daar zat ijs omheen, hè, dus dat kon ik niet ... maar de kleren ..."

Gösta zwaaide met zijn hand door de lucht alsof hij een grote, onzichtbare hond aaide.

"Wacht nou even ... was hij dan verdrónken? Ik begrijp het niet ..."

Larry nam een slok van de longdrink en veegde zijn mond af.

"Nee. Dat dacht de politie ook. Eerst. Wat ik ervan begrijp. Ze stonden daar maar met de armen over elkaar en de jongens van de ambulance hadden het druk met een knaap die uit zijn hoofd bloedde, dus het was ..."

Gösta was de onzichtbare hond nu nog enthousiaster aan het aaien of hij probeerde hem weg te duwen. Er spatte wat van de longdrink uit zijn glas op de vloerbedekking.

"Nee maar ... nu weet ik niet ... bloedde uit zijn hoofd ..."

Morgan zette de kat die hij op schoot had gehad op de grond en veegde zijn broek af.

"Dat heeft er niets mee te maken. Toe nou, Larry."

"Ja, maar toen ze hem op de kant kregen. Toen zag ik wel wie het was. Toen kon je ook een touw zien zitten, hè. Geknoopt. Met stenen eraan, zo. Toen kwamen de smerissen opeens in actie. Ze begonnen in hun mobilofoon te praten en afzettingen te maken met van die linten en mensen weg te jagen en een hoop drukte te maken. Opeens kregen ze er zin in. Dus hij ... ja, iemand heeft hem daar gewoon laten zinken."

Gösta leunde achterover op de bank, sloeg zijn hand voor zijn ogen. Virginia, die tussen hem en Lacke in zat, aaide over zijn knie. Morgan vulde zijn glas bij, zei: "Het gaat erom dat ze Jocke hebben gevonden, toch? Moet je tonic? Hier. Ze hebben Jocke gevonden en nu weten ze dat hij is vermoord. En daardoor ontstaat er een andere situatie."

Karlsson kuchte en sloeg een autoritaire toon aan.

"In het Zweedse rechtssysteem is er iets wat ze ..."

"Nou hou je je kop", onderbrak Morgan hem. "Mag ik hier roken?"

Gösta knikte flauwtjes. Terwijl Morgan zijn sigaretten en zijn aansteker pakte, boog Lacke naar voren op de bank, zodat hij Gösta in de ogen kon kijken.

"Gösta. Jij hebt toch gezien wat er is gebeurd. Dat zou bekend moeten worden."

"Bekend worden. Hoe dan?"

"Ja, dat je ermee naar de politie gaat en vertelt wat je hebt gezien, gewoon."

"Nee ... néé."

Het werd stil in de kamer.

Lacke zuchtte, vulde zijn glas voor de helft met brandewijn en een scheutje tonic, nam een grote slok en sloot zijn ogen toen de brandende wolk zijn maag vulde. Hij wilde hem niet dwingen.

Karlsson had het bij de Chinees gehad over getuigplicht en bewijsverantwoordelijkheid, maar hoe graag Lacke ook wilde dat degene die dit had gedaan gepakt zou worden, hij was niet van plan als de eerste de beste verklikker de politie op een kameraad af te sturen.

Een grijsgevlekte kat bonkte met zijn kop tegen zijn scheenbeen. Hij nam hem op schoot, aaide afwezig over zijn rug. *Wat maakt het uit?* Jocke was dood, nu wist hij het zeker. Wat deed het er voor de rest eigenlijk nog toe?

Morgan stond op en liep met het glas in zijn hand naar het raam.

"Stond je hier? Toen je het zag?"

"... Ja."

Morgan knikte, zoog aan zijn drankje.

"Ja, dan snap ik het. Je kunt het hier precies zien. Schitterende flat, trouwens. Mooi uitzicht. Ja, afgezien dan van ... mooi uitzicht."

Er rolde een stille traan over Lackes wang. Virginia pakte zijn hand vast en gaf er een kneepje in. Lacke nam een fikse slok om de pijn weg te branden die in zijn borst klauwde.

Larry, die een poosje naar de katten had zitten kijken, die in zinloze patronen door de kamer bewogen, trommelde met zijn vingers op zijn glas en zei: "Als je ze gewoon een tip gaf, dan? Over de plaats? Misschien kunnen ze vingerafdrukken vinden of … wat dan ook."

Karlsson glimlachte.

"Wat moeten we dan zeggen hoe we dat weten? Dat we het gewoon wéten? Dan zullen ze erg benieuwd zijn hoe … van wíé we het hebben gehoord."

"Je kunt toch anoniem bellen. Dan weten ze het."

Gösta zat op de bank iets te mompelen. Virginia boog haar hoofd dichter naar hem toe.

"Wat zei je?"

Gösta sprak met een heel, heel klein stemmetje terwijl hij in zijn glas keek.

"Jullie moeten het me niet kwalijk nemen. Maar ik ben te bang. Ik kan het niet."

Morgan keerde zich van het raam af en wapperde met zijn hand.

"Dat is dan zo. We hebben het er niet meer over." Hij wierp een scherpe blik op Karlsson. "We moeten iets verzinnen. Hoe het anders kan. Schrijven, bellen, wat dan ook. We verzinnen wel iets."

Hij kwam bij Gösta staan en schopte zachtjes tegen diens voet.

"Kop op, Gösta. We regelen dit wel. Geen zorgen. Gösta? Hoor je me? We regelen dit wel. Proost!"

Hij stak zijn glas uit, stootte met Gösta aan en nam een slok.

"We vinden er wel iets op. Toch?"

Uit het zwembad gingen de andere jongens een andere kant op dan hij en hij was op weg naar huis toen hij haar stem uit de richting van de school hoorde.

"Psst. Oskar!"

Er kwamen voetstappen de trap af en ze kwam uit de schaduw

tevoorschijn. Ze had daar zitten wachten. Dan had ze gehoord dat hij "dag" had gezegd tegen de anderen en antwoord had gekregen als een normaal mens.

Het was een leuke training geweest. Hij was helemaal niet zo slap als hij had gedacht, hij kon meer dan sommige jongens die al een paar keer waren geweest. Hij was ten onrechte bang geweest dat de meester hem van alles zou vragen over wat er vandaag op het ijs was gebeurd. De meester had alleen gevraagd: "Wil je erover praten?" en toen Oskar zijn hoofd had geschud, was daarmee de kous af.

Het zwembad was een andere wereld, gescheiden van school. De meester was minder streng en de andere jongens lieten hem met rust. Het scheelde misschien dat Micke er niet was. Was die nu báng voor hem? De gedachte was duizelingwekkend.

Hij liep Eli tegemoet.

"Hoi."

"Moi."

Zonder er een woord aan vuil te maken hadden ze van groet gewisseld. Eli had een veel te grote geruite blouse aan en ze zag er weer zo ... gekrompen uit. Haar huid was droog en ze was magerder in haar gezicht. Gisteravond had Oskar de eerste witte haren gezien en vanavond waren het er alweer meer.

Als ze gezond was, vond Oskar haar het mooiste meisje dat hij ooit had gezien. Maar zoals ze nu was ... dat kon je nergens mee vergelijken. Zo zag níémand eruit. Dwergen. Maar dwergen waren niet zo tenger, zo ... het bestond gewoon niet. Hij was dankbaar dat ze zich niet aan de andere jongens had vertoond.

"Hoe is het?" vroeg hij.

"Gaat wel."

"Zullen we iets doen?"

"Natuurlijk."

Ze liepen zij aan zij naar huis, naar de binnenplaats. Oskar had een plan. Ze zouden een verbond sluiten. Als ze een verbond sloten, zou Eli gezond worden. Een magische gedachte, geïnspireerd door de boeken die hij las. Maar magie ... natuurlijk bestáát magie. Ook al was het maar een heel klein beetje. Wie de magie ontkende verging het slecht.

Ze kwamen op de binnenplaats. Hij raakte Eli's schouder aan.

"Zullen we bij het afval gaan kijken?"

"O-ké."

Ze gingen Eli's portiek binnen en Oskar deed de kelderdeur van het slot.

"Heb jij geen sleutel van de kelder?" vroeg hij.

"Ik geloof van niet."

In de keldergang was het pikdonker. De deur viel zwaar achter hen dicht. Ze bleven stil naast elkaar staan, haalden rustig adem. Oskar fluisterde: "Eli, weet je. Vandaag … Jonny en Micke wilden mij in het water gooien. In een wak."

"Nee! Heb je …"

"Wacht nou. Weet je wat ik heb gedaan? Ik had een tak, een grote tak. Daar heb ik Jonny mee op z'n hoofd geslagen, zodat hij begon te bloeden. Hij had een hersenschudding, is naar het ziekenhuis gegaan. Ze hebben me niet in het water gekregen. Ik heb … ik heb hem geslagen."

Het was een paar seconden stil. Toen zei Eli: "Oskar."

"Ja?"

"Jippie."

Oskar stak zijn hand uit naar het lichtknopje, hij wilde haar gezicht zien. Hij deed het licht aan. Ze keek hem recht in de ogen en hij zag haar pupillen. Voordat ze aan het licht waren gewend, zagen ze er heel even net zo uit als de kristallen waar ze bij natuurkunde mee bezig waren, hoe heette dat ook … elliptisch.

Net als bij hagedissen. Nee. Katten. Katten.

Eli knipperde met haar ogen. Haar pupillen waren weer gewoon.

"Wat is er?"

"Niks. Kom mee …"

Oskar liep naar het vuilnishok en deed de deur open. De zak was bijna vol, hij was een poosje niet geleegd. Eli wrong zich naast hem en ze rommelden in het afval. Oskar vond een zak met lege flessen, waar ze statiegeld voor konden krijgen. Eli vond een speelgoedzwaard van plastic, zwaaide ermee, zei: "Zullen we in de andere kelders kijken?"

"Nee, Tommy en de anderen zitten daar misschien."

"Wie zijn dat?"

"O, een paar oudere jongens die een kelder hebben waar ze 's avonds … zitten."

"Zijn ze met veel?"

"Nee, met zijn drieën. Vaak alleen Tommy."

"En die zijn gevaarlijk."

Oskar haalde zijn schouders op. "We gaan wel even kijken."

Ze liepen samen naar buiten, Oskars portiek in, de volgende keldergang in, door Tommy's portiek. Toen Oskar met de sleutel in zijn hand stond, op het punt de laatste deur open te maken, aarzelde hij. Als ze er waren? Als ze Eli zagen? Als ze … er kon een situatie ontstaan die hij niet aankon. Eli hield het plastic zwaard voor zich. "Wat is er?"

"Niets."

Hij deed de deur open. Meteen toen ze in de gang kwamen, hoorde hij muziek uit de kelderberging. Terwijl hij zich omdraaide, fluisterde hij: "Ze zijn er! Kom mee."

Eli bleef staan, snoof de lucht op.

"Wat ruikt hier zo?"

Oskar keek of er niets bewoog verderop in de gang, stak zijn neus in de lucht. Hij rook niets behalve de gewone kelderluchtjes. Eli zei: "Verf. Lijm." Oskar rook weer. Hij rook niets, maar wist wel hoe of wat. Toen hij zich naar Eli omkeerde om samen met haar weg te gaan, zag hij dat ze iets met het slot van de deur deed.

"Kom nou. Wat doe je?"

"Alleen even dit …"

Terwijl Oskar de deur naar de volgende keldergang opende voor hun terugtocht, ging de deur achter hen dicht. Het klonk anders dan anders. Geen klik. Alleen een metalen bons. Op weg terug naar hún kelder vertelde hij Eli over het lijm snuiven; hoe gek de jongens soms deden als ze gesnoven hadden.

In zijn eigen kelder voelde hij zich weer veilig. Hij ging op zijn knieën zitten en telde de lege flessen in de plastic zak. Veertien bierflesjes en een drankfles waar geen statiegeld op zat.

Toen hij opkeek om Eli het resultaat mee te delen, stond ze voor hem met het plastic zwaard in de aanslag. Gewend als hij was aan plotselinge klappen, schrok hij even. Maar Eli mompelde iets en liet het zwaard op zijn schouder neerkomen, zei met een zo diep mogelijke stem: "Hiermee sla ik jou, overwinnaar van Jonny, tot ridder van Blackeberg en omstreken, zoals Vällingby ... mmm ..."

"Råcksta."

"Råcksta."

"Ängby, misschien?"

"Ängby misschien."

Eli gaf bij elke nieuwe plaats een zacht tikje met het zwaard op zijn schouder. Oskar haalde het mes uit zijn tas, hield het omhoog en proclameerde dat hij Ridder was van Ängby Misschien. Hij wilde dat Eli een Schone Jonkvrouw was die hij kon redden van de Draak.

Maar Eli was een gruwelijk monster dat schone jonkvrouwen als middageten at en hij moest juist tegen haar vechten. Oskar liet het mes in de schede zitten terwijl ze vochten, riepen, door de gangen holden. Midden in het spel schraapte een sleutel in het slot van de kelderdeur.

Ze kropen snel in een provisiekelder waar ze maar net konden zitten, heup tegen heup, en ze haalden diep en stil adem. Er klonk een mannenstem.

"Wat doen jullie hier beneden?"

Oskar zat dicht tegen Eli aan gedrukt. Het borrelde in zijn borst. De man kwam een paar stappen de kelder in.

"Waar zitten jullie ergens?"

Oskar en Eli hielden hun adem in terwijl de man stil stond te luisteren. Toen zei hij: "Rotkinderen" en hij liep weg. Ze bleven in de provisiekelder zitten totdat ze zeker wisten dat de man weg was, toen kropen ze naar buiten, leunden tegen de planken wand en giechelden. Even later ging Eli languit op de cementen vloer liggen; ze keek naar het plafond. Oskar duwde tegen haar voet.

"Ben je moe?"

"Ja. Moe."

Oskar haalde het mes uit de schede en bekeek het. Het was zwaar, mooi. Hij zette zijn wijsvinger even voorzichtig tegen de punt van het mes. Een rood puntje. Hij deed het nog eens, harder. Toen hij het mes weghaalde, kwam er een parel van bloed tevoorschijn. Maar zo hoorde het niet.

"Eli? Wil je iets doen?"

Ze keek nog steeds naar het plafond.

"Wat dan?"

"Wil je … een verbond met mij sluiten?"

"Ja."

Als ze had gevraagd hoe, had hij misschien voordat hij begon uitgelegd wat de bedoeling was. Maar ze zei alleen maar "ja". Ze deed mee, wat het ook werd. Oskar slikte moeizaam, pakte het lemmet vast, zodat de scherpe kant in zijn handpalm lag, deed zijn ogen dicht en trok het lemmet uit zijn hand. Een stekende, brandende pijn. Hij hijgde.

Heb ik dat gedaan?

Hij deed zijn ogen open, deed zijn hand open. Ja. Er zat een smalle snee in zijn handpalm, het bloed drong er langzaam uit naar buiten; niet zoals hij had verwacht in een streepje, maar als een snoer van parels die, terwijl hij gefascineerd toekeek, samenvloeiden in een dikkere, ongelijke streep.

Eli tilde haar hoofd op.

"Wat doe je?"

Oskar hield zijn hand nog steeds voor zijn gezicht, staarde ernaar en zei: "Het is heel makkelijk. Eli, het was helemaal niet …"

Hij liet haar zijn bloedende hand zien. Haar ogen verwijdden zich. Ze schudde heftig haar hoofd terwijl ze achteruit kroop, weg van zijn hand.

"Nee, Oskar …"

"Wat is er?"

"Oskar, nee."

"Het doet bijna helemaal geen pijn."

Eli stopte met achteruit kruipen, ze staarde naar zijn hand terwijl ze haar hoofd bleef schudden. Oskar hield met zijn andere hand het lemmet van het mes vast, gaf het haar aan met het heft naar haar toe.

"Je hoeft alleen maar in je vinger te prikken of zo. Dan mengen we. Dan hebben we een verbond."

Eli pakte het mes niet aan. Oskar legde het op de grond tussen hen in, om met zijn niet-gewonde hand een druppel bloed op te kunnen vangen die uit de wond viel.

"Toe nou. Wil je niet?"

"Oskar … Het kan niet. Je wordt besmet, je …"

"Je voelt er niks van, het …"

Er vloog een spook in Eli's gezicht, verwrong het tot iets wat zo anders was dan het meisje dat hij kende, dat hij vergat het bloed op te vangen dat van zijn hand drupte. Ze zag er nu uit als het monster dat ze net in het spel was geweest en Oskar deinsde achteruit, terwijl de pijn in zijn hand erger werd.

"Eli, wat …"

Ze ging overeind zitten, trok haar benen onder zich, ging op handen en voeten zitten, keek recht naar zijn bloedende hand en kroop een stap in die richting. Stopte, beet haar tanden op elkaar en siste: "Ga weg!"

Tranen van angst sprongen Oskar in de ogen. "Eli, hou op. Hou op met spelen. Ophouden."

Eli kroop nog wat dichterbij, stopte weer. Ze dwóng haar lichaam in zo'n kronkel dat haar hoofd naar de grond werd gebogen, ze schreeuwde: "Ga weg! Anders ga je dood!"

Oskar stond op en deed een paar stappen naar achteren. Met zijn voeten schopte hij tegen de zak met flessen, die rinkelend omviel. Hij ging dicht tegen de muur aan staan, terwijl Eli naar de kleine bloedvlek toe kroop die uit zijn hand op de vloer was gedruppeld.

Er viel nog een fles om, die stukbrak op de cementen vloer, terwijl Oskar tegen de muur aangedrukt naar Eli stond te staren, die haar tong uitstak en over het vieze cement likte, met haar tong ronddraaide over de plek waar zijn bloed was gevallen.

Een fles rinkelde zachtjes en hield op met heen en weer rollen. Eli bleef maar over de vloer likken. Toen ze haar hoofd naar hem optilde, zat er een grijze veeg van de vieze vloer op het puntje van haar neus. "Ga weg … alsjeblieft … ga …"

Toen vloog het spook weer in haar gezicht, maar voordat het de overhand had kunnen krijgen, stond ze op en holde weg door de keldergang, deed de deur naar haar portiek open en verdween.

Oskar bleef achter met zijn gewonde hand stijf tot een vuist gebald. Er begon bloed tussen de kieren door te sijpelen. Hij deed hem open en keek naar de wond. Hij was dieper geworden dan zijn bedoeling was geweest, maar het was niet erg, dacht hij. Het bloed begon al een soort smurrie te worden.

Hij keek naar de nu bleke vlek op de vloer. Toen proefde hij keurend wat van het bloed op zijn handpalm en spuugde het uit.

Nachtverlichting.

Morgen zouden ze hem aan zijn mond en zijn keel opereren. Ze hoopten vast dat er iets uit zou komen. De tong zat er nog, die kon hij bewegen in zijn gesloten mondholte, er zijn bovenkaak mee kietelen. Misschien zou hij weer kunnen praten, ook al waren zijn lippen weg. Maar hij was niet van plan te praten.

Een vrouw, hij wist niet of het een agente of een verpleegster was, zat in de hoek een paar meter bij hem vandaan. Ze las een boek en hield hem in de gaten.

Zetten ze zoveel middelen in voor de eerste de beste die zijn leven als afgesloten beschouwt?

Hij had begrepen dat hij waardevol was, dat ze veel van hem verwachtten. Vermoedelijk zaten ze op dit moment oude dossiers op te graven, zaken die ze hoopten te kunnen oplossen met hem als dader. Vanmiddag was een agent zijn vingerafdrukken komen nemen. Hij had zich niet verzet. Het maakte niet uit.

Wellicht zouden de vingerafdrukken hem in verband brengen met de moorden in Växjö en Norrköping. Hij had geprobeerd zich te herinneren hoe hij te werk was gegaan, of hij vingerafdrukken had achtergelaten of andere sporen. Vermoedelijk wel.

Het enige waar hij zich zorgen over maakte, was dat de mensen door die gebeurtenissen misschien Eli zouden weten op te sporen.

De mensen ...

Ze hadden briefjes bij hem in de bus gestopt, hem bedreigd.

Iemand die bij de post werkte en in de villawijk woonde, had de andere buren getipt over wat voor soort post, wat voor soort films hij kreeg.

Het duurde een maand voordat hij zijn baan aan de school kwijtraakte. Zo iemand kon je niet bij de kinderen hebben. Hij was vrijwillig weggegaan, hoewel hij vermoedelijk de vakbond had kunnen inschakelen.

Hij had immers niets gedáán op school, zo stom was hij niet.

De campagne tegen hem werd feller en op een nacht had iemand ten slotte een brandbom door zijn woonkamerraam gegooid. Hij was in zijn onderbroek naar buiten gevlucht en had staan kijken hoe zijn leven verbrandde.

Het misdaadonderzoek sleepte en daarom kreeg hij ook geen geld van de verzekering. Van zijn weinige spaarcentjes had hij de trein genomen en een kamer in Växjö gehuurd. Daar was hij werk gaan maken van doodgaan.

Hij was zover afgezakt dat hij dronk wat hij maar te pakken kon krijgen om in een roes te raken. Aco-anti-acnemiddel, spiritus. Hij stal zelfmaakwijn en gist in verfwinkels en dronk alles op voordat het goed en wel gegist was.

Hij hing zo veel mogelijk buiten rond, op de een of andere manier wilde hij dat 'de mensen' hem zouden zien doodgaan, dag na dag.

In zijn dronkenschap werd hij onvoorzichtig, zat aan jongetjes, werd geslagen, belandde op het politiebureau. Zat drie dagen in de cel en kotste zijn ingewanden eruit. Werd vrijgelaten. Dronk weer verder.

Op een avond toen Håkan op een bankje voor een speelplaats zat met een fles halfgegiste wijn in een plastic tas, kwam Eli naast hem zitten. In zijn dronkenschap had Håkan bijna meteen zijn hand op Eli's bovenbeen gelegd. Eli had hem daar laten liggen, had Håkans hoofd tussen haar handen genomen, het naar zich toe gedraaid en gezegd: "Jij gaat met mij mee."

Håkan had lallend gezegd dat hij op dat moment geen geld had voor zo'n schoonheid, maar als zijn financiën het toestonden ...

Eli haalde zijn hand van haar bovenbeen, bukte zich, pakte zijn wijnfles, goot hem leeg en zei: "Je begrijpt het niet. Luister. Je moet nu stoppen met drinken. Je gaat met mij mee. Je moet me helpen. Ik heb je nodig. En ik zal jou helpen." Toen stak Eli haar hand uit, Håkan pakte hem en ze liepen samen weg.

Hij stopte met drinken en kwam bij Eli in dienst.

Eli gaf hem geld om kleren te kopen en een ander appartement te huren. Hij had alles gedaan zonder zich af te vragen of Eli 'goed' of 'slecht' was of iets anders. Eli was mooi, en Eli had Håkan zijn waardigheid teruggegeven. En op zeldzame momenten … tederheid.

Het ritselde wanneer de bewaakster een bladzijde omsloeg in het boek dat ze aan het lezen was. Vermoedelijk een romannetje. In de staat van Plato waren de 'Wachters' de hoogst opgeleiden onder het volk. Maar dit was Zweden, 1981, en hier lazen ze vermoedelijk Jan Guillou.

De man in het water, de man die hij had laten zinken. Onhandig natuurlijk. Hij had moeten doen wat Eli had gezegd, hij had hem moeten begraven. Maar van die man kon geen spoor naar Eli leiden. De beet in zijn hals zou merkwaardig worden gevonden, maar ze zouden waarschijnlijk denken dat het bloed in het water was gelopen. De kleren van de man waren …

De trui!

Eli's trui, die Håkan op het lichaam van de man had gevonden toen hij zich over hem kwam ontfermen. Hij had hem mee moeten nemen, verbranden, wat dan ook.

Maar hij had hem in de jas van de man gestopt.

Hoe zouden ze dat interpreteren? Een kindertrui met bloedvlekken. Bestond er een risico dat iemand Eli met die trui aan had gezien? Iemand die hem zou kunnen herkennen? Als ze er een foto van in de krant zetten bijvoorbeeld? Iemand die Eli daarvoor had ontmoet, iemand die …

Oskar. De buurjongen.

Håkans lichaam kronkelde onrustig in het bed. De bewaakster legde haar boek neer en keek naar hem.

"Nu geen fratsen."

Eli stak de Björnsonsgatan over en liep de binnenplaats op van de negen verdiepingen tellende flats, twee monolithische vuurtorens boven de ineengedoken flats van drie verdiepingen die eromheen stonden. Er was niemand op de binnenplaats, maar er stroomde licht uit de ramen van de gymnastiekzaal. Eli sloop de brandtrap op en keek naar binnen.

Muziek knetterde uit een klein cassetterecordertje. Op het tempo van de muziek hopsten vrouwen van middelbare leeftijd rond, zodat de houten vloer ervan dreunde. Eli kroop in elkaar op het metalen rooster van de trap, leunde met haar hoofd op haar knieën en aanschouwde het tafereel.

Een aantal van de vrouwen was te zwaar en hun massieve borsten stuiterden als vrolijke bowlingballen onder hun shirts. De vrouwen sprongen en huppelden, en tilden hun knieën op zodat het vlees blubberde in hun te strakke broeken. Ze bewogen in een kring, klapten in hun handen en sprongen weer. Terwijl de muziek doorjengelde. Warm, zuurstofrijk bloed, stromend door dorstige spieren.

Het waren er te veel.

Eli sprong van de brandtrap, landde zacht op de bevroren grond eronder, liep om de gymnastiekzaal heen en bleef voor het zwembad staan.

De grote, matglazen ramen wierpen rechthoeken van licht op het sneeuwdek. Boven elk groot raam zat een kleiner, rechthoekig raam van gewoon glas. Eli sprong omhoog, ging met haar handen aan de dakrand hangen en keek naar binnen. Het zwembad was leeg. Het oppervlak van het bassin glinsterde in het schijnsel van de tl-buizen. Er lagen een paar ballen te dobberen.

Zwemmen. Spetteren. Spelen.

Eli zwaaide heen en weer als een donkere pendel. Ze keek naar de ballen, zag ze door de lucht vliegen, gegooid worden, ze hoorde gelach en geschreeuw en spetterend water. Eli liet de dakrand los, viel op de grond en liet zich opzettelijk zo hard neerkomen dat het pijn deed, ze liep over het schoolplein naar de parkweg en bleef onder een hoge boom naast de weg staan. Donker. Geen mensen. Eli keek omhoog naar de kroon van de boom, langs vijf, zes meter gladde stam. Ze schopte haar schoenen uit. Ze dacht nieuwe handen, nieuwe voeten tevoorschijn.

Het deed bijna helemaal geen pijn meer, het voelde als een soort prikkeling, een elektrische stroom door vingers en tenen toen ze smaller werden, zich omvormden. Het skelet van haar vingers knarste toen het werd uitgerekt, door de smeltende huid van de vingertoppen heen kwam en lange, kromme klauwen vormde. Hetzelfde bij de tenen.

Eli sprong een paar meter tegen de stam omhoog, zette haar klauwen erin en klom omhoog naar een dikke tak die over de weg hing. Ze kromde de klauwen van haar voeten om de tak en bleef stil zitten.

Een pijnscheut door de wortels van haar tanden en kiezen toen Eli ze scherp dacht. De kronen bogen naar buiten, ze werden door een onzichtbare vijl geslepen, werden spits. Eli beet voorzichtig in haar onderlip, een halvemaanvormige rij naalden prikte bijna door de huid heen.

Ze hoefde alleen maar te wachten.

Het liep tegen tienen en de temperatuur in de kamer naderde het ondraaglijke. Twee flessen brandewijn waren er al doorheen gegaan, er was een nieuwe tevoorschijn gehaald en iedereen was het erover eens dat Gösta een bovenste beste kerel was, en dat ze dit niet zouden vergeten.

Alleen Virginia deed het voorzichtig aan met de drank, aangezien zij de volgende dag weer aan het werk moest. Ze scheen ook de enige te zijn die last had van de lucht in de kamer. De toch al bedompte lucht van kattenpis en mufheid was nu vermengd met rook, alcoholdampen en de uitwasemingen van zes lichamen.

Lacke en Gösta zaten nog steeds elk aan een kant van haar op de bank, nu half lam. Gösta zat een kat op zijn schoot aan te halen; een kat die loenste, waardoor Morgan de slappe lach had gekregen, zijn hoofd had gestoten tegen de tafel en een slok pure alcohol had genomen om de pijn te doven.

Lacke zei niet veel. Hij zat voor zich uit te kijken, terwijl zijn ogen werden bedekt met een waas, toen een nevel, daarna dichte mist. Zijn lippen bewogen af en toe geluidloos, alsof hij met een spook in gesprek was.

Virginia stond op en liep naar het raam. "Vind je het goed als ik het openzet?"

Gösta schudde zijn hoofd.

"Dan springen de katten … misschien … naar buiten."

"Daar let ik dan wel op."

Gösta bleef automatisch met zijn hoofd schudden en Virginia deed het raam open. Lucht! Ze zoog gretig een paar teugen onbedorven lucht naar binnen en voelde zich meteen beter. Lacke, die opzij was gezakt op de bank toen de steun van Virginia was verdwenen, kwam nu overeind en zei luid: "Een vriend! Een echte ... vriend!"

Instemmend gemompel uit het vertrek. Iedereen begreep dat hij Jocke bedoelde. Lacke staarde naar het lege glas in zijn hand en ging verder.

"Je hebt een vriend ... die je nooit laat zitten. En dat is álles waard. Horen jullie dat? Álles! En jullie moeten begrijpen dat het tussen Jocke en mij zo was!"

Hij balde zijn vuist, schudde ermee voor zijn gezicht.

"En niets kan daarvoor in de plaats komen. Níéts! Jullie zitten hier te roepen over een 'verdomd goeie kerel' en zo, maar jullie, jullie zijn gewoon léég. Net schillen. Ik heb níéts nu Jocke ... weg is. Dus kom bij mij niet aan met gemis, kom bij mij niet aan met ..."

Virginia stond bij het raam te luisteren. Ze liep naar Lacke toe om hem aan haar bestaan te herinneren. Ging op haar hurken bij zijn knieën zitten, probeerde zijn blik te vangen, zei: "Lacke ..."

"Nee! Kom niet met ... 'Lacke, Lacke' ... het is gewoon zo! Je begrijpt het niet. Je bent ... koud. Je gaat de stad in en pikt een of andere lul van een vrachtwagenchauffeur op, neemt hem mee naar huis en laat hem op je rijden als het te moeilijk wordt. Zo doe jij dat. Er komt verdomme een complete karavaan van vrachtwagens voorbijtrekken. Maar een vriend ... een vriend ..."

Virginia stond op met tranen in haar ogen, gaf Lacke een klap in zijn gezicht en holde het appartement uit. Lacke viel om op de bank en kwam tegen Gösta's schouder aan. Gösta mompelde: "Het raam, het raam ..."

Morgan deed het dicht, zei: "Nou, Lacke. Dat heb je goed gedaan. Die zie je niet meer."

Lacke stond op, liep op onvaste benen naar Morgan toe, die uit het raam stond te kijken. "Verdomme, zo bedoelde ik het toch niet."

"Nee, nee. Dat kun je beter tegen haar zeggen."

Morgan knikte naar beneden, waar Virginia net de deur uit kwam; ze liep met haastige passen en neergeslagen ogen in de richting van het park. Lacke hoorde wat hij had gezegd. Zijn laatste woorden tegen haar echoden na in zijn hoofd. *Heb ik dat gezegd?* Hij draaide zich om en liep haastig naar de deur.

"Ik moet …"

Morgan knikte. "Geen getreuzel. Doe haar de groeten."

Lacke holde de trap af, zo snel zijn trillende benen hem konden dragen. De gespikkelde traptreden flikkerden voor zijn ogen en de leuning gleed zo snel dat zijn hand brandde van wrijvingswarmte. Hij gleed uit op een overloop, viel en kwam hard op zijn elleboog terecht. Zijn arm werd gloeiend heet en leek wel verlamd. Hij stond op en strompelde verder, de trappen af. Hij snelde te hulp om een leven te redden. Dat van hemzelf.

Virginia liep weg bij de flat, naar het park, ze keek niet om.

Ze huilde snikkend en liep met snelle pas, alsof ze weg wilde rennen van de tranen. Maar ze achtervolgden haar, drongen zich in haar ogen en drupten van haar wangen. Haar hakken prikten in de sneeuw, tikten tegen het asfalt van de parkweg en ze sloeg haar armen om zich heen.

Geen mens te zien, dus liet ze haar tranen de vrije loop, terwijl ze naar huis liep, haar armen tegen haar buik gedrukt; de pijn daarbinnen als van een boosaardige foetus.

Laat iemand binnen en hij doet je pijn.

Ze hield haar relaties niet voor niets kort. Niemand binnenlaten. Eenmaal binnen hebben ze totaal andere mogelijkheden om te kwetsen. Troost jezelf. Met angstgevoelens is te leven, zolang ze alleen op jezelf betrekking hebben. Zolang er geen hoop is.

Maar ze had op Lacke gehoopt. Dat er langzaam iets zou kunnen groeien. En dan. Op een dag. *Wát?* Hij nam haar eten en haar warmte in ontvangst, maar eigenlijk betekende ze níéts voor hem.

Ze liep ineengedoken over de parkweg, boog zich over haar verdriet. Haar rug was krom en het was net of er een demon zat, die vreselijke dingen in haar oor fluisterde.

Nooit meer. Niets.

Net toen ze zich begon voor te stellen hoe de demon eruitzag, sprong die boven op haar.

Er landde een zwaar gewicht op haar rug en ze viel pardoes op haar zij. Ze lag met haar wang in de sneeuw en het vlies van tranen veranderde in ijs. Het gewicht zat er nog.

Even dacht ze echt dat het de demon van haar verdriet was, die vaste vorm had aangenomen en zich op haar had gestort. Toen kwam de verscheurende pijn in haar hals en scherpe tanden drongen door haar huid heen. Ze slaagde erin weer op de been te komen, draaide rond en probeerde zich te bevrijden van het ding op haar rug.

Iets knauwde aan haar nek en hals, een straaltje bloed zocht zijn weg tussen haar borsten. Ze gilde en probeerde het dier van haar rug te schudden, ze bleef schreeuwen, terwijl ze weer omviel in de sneeuw.

Totdat er iets hards op haar mond werd gelegd. Een hand.

Klauwen op haar wang, die in het zachte vlees groeven … verder, totdat ze bij het wangbeen waren.

De tanden stopten met knauwen en ze hoorde een geluid zoals wanneer je met een rietje het laatste bodempje uit een glas zuigt. Er liep een vloeistof over haar oog en ze wist niet of het tranen waren of bloed.

Toen Lacke de flat uit kwam, was Virginia alleen nog een donkere gedaante in de buurt van de parkweg, die in de richting van de Arvid Mörnesvägen bewoog. Hij had pijn in zijn borst doordat hij zo snel de trappen was afgehold en zijn elleboog zond pijnscheuten door naar zijn schouder. Toch rende hij. Rende zo snel hij kon. Zijn hoofd begon helder te worden door de frisse lucht, door de angst voor verlies die hem voortdreef.

Toen hij de bocht in de parkweg had bereikt waar 'Jockes weg', zoals hij die was gaan noemen, op 'Virginia's weg' uitkwam, bleef hij staan, zoog zo veel mogelijk lucht in zijn longen om haar naam te roepen. Ze liep maar vijftig meter voor hem op de weg, onder de bomen.

Net toen hij wilde roepen, zag hij een schaduw uit de boom boven Virginia vallen en op haar landen, waardoor ze omviel.

Van zijn schreeuw bleef alleen een fluistering over, en hij begon weer in haar richting te rennen. Hij wilde roepen, maar hij had niet genoeg lucht om én te rennen én te roepen.

Hij rende.

Voor hem stond Virginia op met een grote bult op haar rug, ze draaide in het rond als een waanzinnige bultenaar en viel weer.

Hij had geen plan, geen gedachten. Niets behalve dit ene: bij Virginia zien te komen en dat geval van haar rug halen. Ze lag in de sneeuw naast de weg, terwijl die zwarte massa over haar heen kroop.

Hij kwam bij haar en zette alle kracht die hij nog had achter een trap recht tegen dat zwarte ding. Zijn voet stootte tegen iets hards aan en hij hoorde een scherpe krak als van barstend ijs. Het zwarte ding viel van Virginia's rug en landde in de sneeuw naast haar.

Virginia lag stil, er zaten donkere vlekken in de sneeuw. Het zwarte geval ging overeind zitten.

Een kind.

Lacke stond in een allerschattigst kindergezichtje te kijken, omlijst door een sluier van zwart haar. Een paar enorme, donkere ogen keken in die van Lacke.

Het kind ging op handen en voeten staan, zoals een katachtige, gereed voor de sprong. Het gezicht veranderde toen het kind zijn lippen optrok en Lacke een rij scherpe tanden zag blikkeren in het duister.

Een paar hijgende ademhalingen gingen zo voorbij. Het kind zat op handen en voeten, en Lacke kon nu zien dat zijn vingers klauwen waren, scherp afgetekend tegen de sneeuw.

Toen vertrok het kind zijn gezicht van pijn, het ging op twee benen staan en rende met grote, snelle passen in de richting van de school. Een paar seconden later gleed het de schaduwen in en weg was het.

Lacke bleef staan en knipperde met zijn ogen tegen het zweet dat erin liep. Toen wierp hij zich naast Virginia op de grond. Hij zag de wond. Haar hele nek was opengehaald, zwarte strepen liepen omhoog tot in de haargrens en naar beneden over de rug. Hij deed snel zijn jas uit, trok zijn trui uit en propte de mouw op tot een bal, die hij tegen de wond duwde.

"Virginia! Virginia! Lieve, liefste …"
Eindelijk kon hij de woorden over zijn lippen krijgen.

ZATERDAG 7 NOVEMBER

Op weg naar zijn vader. Elke bocht in de weg was welbekend; hij was hier zo vaak langs gekomen ... hoe vaak? Alleen misschien maar tien, twaalf keer, maar samen met zijn moeder nog minstens dertig keer. Zijn ouders waren gescheiden toen hij vier was, maar moeder en Oskar waren er altijd in weekenden en vakanties heen blijven gaan.

De laatste drie jaar mocht hij alleen met de bus. Deze keer was moeder niet eens meegegaan naar de Technische Hogeschool, waar de bussen vertrokken. Hij was nu een grote jongen; hij had zijn eigen metrokaartjes in zijn portemonnee.

Eigenlijk had hij die portemonnee voornamelijk om er zijn metrokaartjes in te doen, maar nu zaten er ook nog twintig kronen in voor snoep en dergelijke, en de briefjes van Eli.

Oskar peuterde aan de pleister in zijn handpalm. Hij wilde haar niet meer zien. Ze was eng. Wat er in de kelder was gebeurd, was ...

Ze heeft haar ware gezicht getoond.

... er zat iets in haar, iets ... ontzettends. Alles waar je voor op moet passen. Grote hoogten, brand, glas in het gras, slangen. Alles waar zijn moeder haar best voor deed om hem tegen te beschermen.

Misschien had hij daarom niet gewild dat Eli en zijn moeder elkaar zouden ontmoeten. Moeder zou het hebben herkend, zou hem hebben verboden erbij in de buurt te komen. Bij Eli.

De bus verliet de snelweg en sloeg af naar Spillersboda. Dit was de enige bus die naar Rådmansö ging, daarom moest hij overal langs slingeren om zo veel mogelijk dorpen aan te doen. De bus passeerde het berglandschap van gestapelde planken bij Zagerij Spillersboda, maakte een scherpe bocht en gleed bijna de heuvel af naar de steiger.

Hij had vrijdagavond niet op Eli gewacht.

Hij had de snowracer gepakt en was er alleen mee naar de Spookhelling gegaan. Zijn moeder protesteerde, aangezien hij overdag met een verkoudheid thuis gebleven was van school, maar hij zei dat hij zich beter voelde.

Hij liep door het Chinapark met de snowracer op z'n rug. De Spookhelling begon honderd meter voorbij de laatste parklantaarns, honderd meter donker bos. De sneeuw knerpte onder zijn voeten. Een zuigend geruis uit het bos, als ademhalingen. Het maanlicht sijpelde neer en de grond tussen de bomen was een web van schaduwen, waar gedaanten zonder gezicht heen en weer zwaaiend stonden te wachten.

Hij bereikte het punt waar de weg steil naar beneden begon te gaan naar de Molenbaai en ging op de snowracer zitten. Het Spookhuis was een zwarte wand naast de helling, een verbod: Je mag hier niet komen als het donker is. Deze plaats is nu van ons. Als je hier wilt spelen best, maar dan wel met óns.

Aan het eind van de helling glinsterde een enkel lichtje van de roeivereniging van de Molenbaai. Oskar gleed nog een paar decimeter verder, de steilte nam de overhand en de snowracer begon te glijden. Hij kneep hard in het stuur, wilde zijn ogen dichtdoen, maar durfde niet, want dan kon hij van de weg raken, in de steile afgrond naar het Spookhuis.

Hij vloog de heuvel af, een projectiel van zenuwen en gespannen spieren. Sneller, sneller. Vormeloze, sneeuwstuivende armen werden uitgestrekt vanuit het Spookhuis, grepen naar zijn muts, tikten zijn wangen aan.

Misschien was het maar een plotselinge windvlaag, maar onder aan de heuvel reed hij in een taai, doorzichtig vlies dat dwars over de weg was gespannen en hem probeerde te stoppen. Maar hij had te veel snelheid.

De snowracer reed in het vlies en dat plakte aan Oskars gezicht en lichaam, maar werd zo uitgerekt en gespannen dat het knapte, en hij was erdoor.

In de Molenbaai glinsterden de lichten. Hij zat op de snowracer en keek naar de plek waar hij de ochtend tevoren Jonny had neergeslagen. Hij keek om. Het Spookhuis was een lelijke ijzeren kolos.

Hij trok de snowracer weer de helling op. Gleed naar beneden. Weer omhoog. Weer naar beneden. Kon niet stoppen. En hij bleef glijden. Totdat zijn gezicht een masker van ijs was.

Toen ging hij naar huis.

Hij had die nacht maar een uur of vier, vijf geslapen, hij was bang dat Eli zou komen. Bang voor wat hij zou moeten zeggen en doen als ze kwam. Haar verstoten. Daarom was hij in de bus naar Norrtälje in slaap gevallen en pas wakker geworden toen ze er waren. In de bus naar Rådmansö was hij wakker gebleven, had een spelletje gedaan hoeveel hij nog van de route wist.

Straks komt een geel huis met een windmolen op het gazon.

Een geel huis met een besneeuwde windmolen op het gazon passeerde het raam. Enzovoort. In Spillersboda stapte een meisje in. Oskar pakte de rugleuning van de stoel voor zich vast. Ze leek een beetje op Eli. Natuurlijk was ze het niet. Het meisje ging een paar plaatsen voor Oskar zitten. Hij keek naar haar nek.

Wat is er met haar?

De gedachte was al in de kelder bij Oskar opgekomen, toen hij de flessen bij elkaar zocht en het bloed op zijn hand afveegde met een lap uit het vuilnishok: dat Eli een vampier was. Dat verklaarde een heleboel.

Dat ze zich overdag nooit liet zien.

Dat ze in het donker kon zien, want dat was hem wel duidelijk geworden.

Plus een heleboel andere dingen: haar manier van praten, de kubus, haar lenigheid, dingen die weliswaar een logische verklaring zouden kúnnen hebben ... maar dan had ze ook nog zijn bloed van de vloer opgelikt. En waar hij het echt koud van kreeg als hij eraan dacht: *"Mag ik binnenkomen? Zeg dat ik binnen mag komen?"*

Dat ze binnen gevraagd moest worden om in zijn kamer te kunnen komen, bij zijn bed. En hij had haar binnen gevraagd.

Een vampier. Een wezen dat leefde van mensenbloed. Eli. Er was níémand aan wie hij het kon vertellen. Niemand zou hem geloven. En wat gebeurde er als iemand hem toch geloofde?

Oskar zag een karavaan van mannen voor zich die Blackeberg binnenkwamen, die met scherpgepunte palen in hun handen door de poort kwamen waar hij en Eli elkaar hadden omhelsd. Hij was nu weliswaar bang voor Eli en wilde haar niet meer zien, maar dát mocht niet gebeuren.

Drie kwartier nadat hij in Norrtälje was ingestapt, was hij in Södersvik. Hij trok aan het koordje en er rinkelde een belletje voor bij de chauffeur. De bus bleef vlak voor de winkel staan en hij moest wachten tot een oude mevrouw die hij herkende, maar van wie hij de naam niet wist, uitgestapt was.

Zijn vader stond onder aan de treden, knikte en zei "hum" tegen de oude mevrouw. Oskar stapte uit de bus en stond even stil voor zijn vader. De laatste week waren er dingen gebeurd die Oskar het gevoel hadden gegeven dat hij ouder was geworden. Niet volwassen. Maar wel ouder. Dat gevoel viel van hem af nu hij tegenover zijn vader stond.

Moeder beweerde dat vader op een verkeerde manier kinderlijk was. Onvolwassen, hij kon geen verantwoordelijkheid aan. O, ze zei ook wel aardige dingen over hem, maar dit was een voortdurende steen des aanstoots. Die onvolwassenheid.

Voor Oskar was zijn vader het zinnebeeld van een volwassene, zoals hij nu zijn brede armen uitspreidde, en Oskar viel hem om de hals.

Vader rook anders dan alle mensen in de stad. Zijn kapotte Helly Hansen-vest, dat hij met klittenband had gerepareerd, rook altijd naar hetzelfde mengsel van hout, verf, metaal en vooral olie. Die geuren waren het, maar daar dacht Oskar verder niet bij na. Het was gewoon 'papa's geur'. Hij hield van die geur en ademde diep in door zijn neus, terwijl hij zijn gezicht tegen vaders borst duwde.

"Zo, hallo."

"Hoi, papa."

"Goeie reis gehad?"

"Nee, we zijn op een eland gebotst."

"Oei, dat is niet zo mooi."

"Grapje."

"Ja, ja. Ja, ja. Ik weet nog dat ik een keer …"

Terwijl ze naar de winkel liepen, begon zijn vader een verhaal over hoe hij een keer met een vrachtauto op een eland was gereden. Oskar had het verhaal eerder gehoord, hij keek om zich heen en humde af en toe.

De winkel van Södersvik zag er net zo rommelig uit als anders. Bordjes en vlaggetjes die waren blijven zitten in afwachting van de volgende zomer gaven de hele winkel het aanzien van een buitenproportionele ijskraam. De grote tent achter de winkel, waar tuingereedschap, tuinaarde, tuinmeubelen en dergelijke werden verkocht, was dichtgeknoopt voor het seizoen.

In de zomer groeide het aantal inwoners van Södersvik tot het viervoudige. De hele omgeving tot aan de Norrtäljebaai, Lågarö, was een wirwar van zomer- en weekendhuisjes, en ook al hingen de brievenbussen langs de weg naar Lågarö in dubbele rijen van dertig, de postbode hoefde hier in deze tijd van het jaar bijna nooit heen. Geen mensen, geen post.

Toen ze bij de motorbakfiets kwamen, was zijn vader net klaar met het verhaal van de eland.

"… dus ik moest hem een dreun verkopen met een koevoet die ik bij me had om kisten open te maken en zo. Midden tussen de ogen. Er ging een schok door hem heen en … ja. Nee, dat was geen pretje."

"Nee. Natuurlijk niet."

Oskar sprong in de bak, trok zijn benen onder zich. Zijn vader groef in de zak van zijn vest en haalde een muts tevoorschijn.

"Hier. Anders waait het om je oren."

"Nee, ik heb er een."

Oskar pakte zijn eigen muts en zette die op. Zijn vader stopte de andere weer in zijn zak.

"En jij dan? Het waait om je oren."

Zijn vader lachte.

"Nee, ik ben het gewend."

Dat wist Oskar best. Hij wilde alleen even plagen. Hij kon zich niet herinneren dat hij zijn vader ooit met een muts had gezien.

Als het echt ijskoud werd en woei, zette hij wel eens een soort berenmuts met oorkleppen op, die hij zijn 'erfenis' noemde, maar daarmee hield het op.

Zijn vader trapte de bakfiets aan, die gierde als een motorzaag. Hij riep iets over "stationair" en zette hem in zijn één. De bakfiets schoot naar voren zodat Oskar bijna achterover viel en vader riep "koppeling" en toen reden ze weg.

In zijn twee. In zijn drie. De bakfiets schoot steeds sneller door het dorp. Oskar zat in kleermakerszit op de rammelende bak. Hij voelde zich koning over alle wereldrijken en hij had in alle eeuwigheid verder kunnen rijden.

Een arts had het hem uitgelegd. De dampen die hij had ingeademd hadden zijn stembanden aangevreten en hij zou vermoedelijk nooit meer normaal kunnen praten. Met nog een operatie zouden ze een rudimentair vermogen om klinkers te produceren kunnen herstellen, maar aangezien ook de tong en de lippen zwaar beschadigd waren, zouden er nog meer operaties nodig zijn om opnieuw de mogelijkheid te creëren om medeklinkers te vormen.

Håkan, als voormalig leraar Zweeds, vond de gedachte ondanks alles fascinerend; om langs chirurgische weg taal te produceren.

Hij wist heel wat van fonemen en van de kleinste bestanddelen van de taal, die veel culturen gemeenschappelijk hadden. Hij had nooit over de eigenlijke instrumenten nagedacht – het verhemelte, de lippen, de tong, de stembanden – niet op die manier. Om met een scalpel de taal uit te kerven uit een vormeloze grondstof, zoals Dorés beeldhouwwerken uit onbewerkt marmer groeiden.

Toch was het natuurlijk zinloos. Hij was niet van plan te praten. Bovendien verdacht hij de arts ervan dat hij een speciale reden had om zo te praten. Hij was wat ze noemen suïcidaal. Dus was het belangrijk hem een soort lineaire tijdsopvatting in te prenten. Hem het gevoel terug te geven van het leven als een project, een droom over toekomstige veroveringen.

Hij trapte er niet in.

Als Eli hem nodig had, zou hij misschien willen leven. Anders niet. Niets wees erop dat Eli hem nodig had.

Maar hoe had Eli hier contact met hem kunnen opnemen?

Uit de boomtoppen voor zijn raam maakte hij op dat hij hoog zat. Bovendien werd hij goed bewaakt. Behalve artsen en verpleegkundigen was er altijd minstens één agent in de buurt. Eli kon niet bij hem komen en hij kon Eli niet bereiken. Hij had overwogen om te vluchten, om nog een laatste keer contact op te nemen met Eli. Maar hoe?

De operatie aan zijn hals had hem in staat gesteld weer te ademen, hij hoefde niet meer aan een beademingsapparaat te liggen. Voedsel kon hij echter niet langs de normale weg tot zich nemen (ook daar zou iets aan worden gedaan, had de arts hem verzekerd). De infuusslang zwaaide continu heen en weer aan de rand van zijn gezichtsveld. Als hij die eruit trok, zou er vermoedelijk ergens iets gaan piepen, en bovendien zag hij dus heel slecht. Vluchten was zo goed als ondenkbaar.

Een plastisch chirurg had een stuk huid van zijn rug getransplanteerd naar zijn ooglid, zodat hij zijn oog dicht zou kunnen doen.

Hij deed zijn oog dicht.

De deur van zijn kamer ging open. Het was weer zover. Hij herkende de stem. Dezelfde man als eerdere keren.

"Ja, ja", zei de man. "Ze zeggen dat er de eerste tijd nog niets van praten zal komen. Dat is jammer. Maar nu heb ik de stellige indruk dat wij beiden toch wel zouden kunnen communiceren, als u een beetje beter uw best deed."

Håkan probeerde zich te herinneren wat Plato in *De Staat* zei over moordenaars en geweldplegers, hoe je daarmee om moest gaan.

"O, u kunt nu ook uw oog dichtdoen. Dat is mooi. Zeg? Als ik nu eens wat concreter word. Want ik heb me gerealiseerd dat u misschien niet gelóóft dat we u zullen identificeren. Maar dat gaat wel gebeuren. U droeg immers een horloge, zoals u zelf ook weet. Gelukkig was het een wat ouder horloge, met de initialen van de maker, serienummer en alles. Daar krijgen we binnen een paar dagen gegevens over, op de een of andere manier. Een week, misschien. En er zijn meer dingen.

We vinden u, dat is zeker.

Dus ... Max. Ik weet niet waarom ik u Max wil noemen, het is maar voorlopig. Max? Misschien wilt u ons een beetje helpen? Anders moeten we een foto van u zien te vinden en die misschien in de krant laten zetten en ... ja, u begrijpt. Dat is ... een gedoe. Veel simpeler als u praat ... of zo ... met mij ... nú.

U had toch een briefje met de morsecode in uw zak. Kent u het morsealfabet? Want in dat geval kunnen we praten door te kloppen."

Håkan deed zijn oog open, keek in de richting van de twee donkere vlekken in het witte wazige ovaal dat het gezicht van de man was. De man interpreteerde dit kennelijk als een aanmoediging. Hij ging verder.

"En dan die man in het water. Die hebt ú niet vermoord, toch? De pathologen zeggen dat de beten in de hals vermoedelijk van een kínd afkomstig zijn. En nu hebben we een aangifte binnengekregen, waar ik helaas niet verder op in kan gaan, maar ... ik denk dat u iemand beschermt. Is dat zo? Til uw hand op als dat zo is."

Håkan sloot zijn oog. De politieman zuchtte.

"Oké. Dan gaan we gewoon op de ingeslagen weg voort. Is er niets wat u me nog zou willen zeggen voordat ik ga?"

De politieman maakte aanstalten om op te staan, toen Håkan zijn ene hand optilde. De politieman ging weer zitten. Håkan tilde zijn hand wat hoger op. En zwaaide.

Dag.

De politieman liet zich een grommend geluid ontvallen, stond op en liep weg.

Virginia's verwondingen waren niet levensbedreigend. Op vrijdagmiddag mocht ze het ziekenhuis verlaten met veertien hechtingen, een grote pleister in haar hals en een iets kleinere op haar wang. Ze sloeg Lackes aanbod af om bij haar in huis te blijven tot ze wat was opgeknapt.

Ze was vrijdagavond naar bed gegaan in de overtuiging dat ze zaterdagochtend naar haar werk zou kunnen. Ze kon het zich niet veroorloven om thuis te blijven.

Ze bleek moeilijk in slaap te kunnen komen. De gedachte aan

de overval maalde door haar hoofd, ze kreeg geen rust. Ze meende zwarte klompen te zien die zich losmaakten uit de schaduwen tegen het plafond van haar slaapkamer en die op haar vielen terwijl ze met wijd open ogen in bed lag. Het jeukte onder de grote pleister in haar hals. Tegen twee uur 's ochtends kreeg ze honger, ze ging naar de keuken en deed de koelkast open.

Het voelde of haar maag helemaal leeg was, maar toen ze naar het eten in de koelkast stond te kijken, had ze nergens zin in. Ze zette toch uit gewoonte brood, boter, kaas en melk op de keukentafel.

Ze maakte een boterham met kaas klaar en schonk een glas melk in. Toen zat ze aan tafel naar de witte vloeistof in het glas te kijken, naar de bruine boterham met een geel vlies van kaas erop. Het zag er vies uit. Ze hoefde het niet. Ze gooide de boterham weg en spoelde de melk door de gootsteen. In de koelkast stond een aangebroken, nog halfvolle fles witte wijn. Ze schonk een glas in en bracht het naar haar mond. Toen ze de geur van de wijn rook, verging haar de lust.

Met een gevoel van nederlaag liet ze een glas vollopen onder de kraan. Toen ze het naar haar mond bracht aarzelde ze. Wáter kon toch altijd? Ja, water kon ze wel drinken. Maar het smaakte ... bedorven. Alsof alles wat lekker was aan water eruit was gehaald, zodat er alleen een verschaald bezinksel over was.

Ze ging weer naar bed, lag nog uren te woelen, maar viel uiteindelijk in slaap.

Toen ze wakker werd, stond de klok op halfelf. Ze sprong uit bed en trok in het halfduister van de slaapkamer haar kleren aan. Jezus. Ze had om acht uur in de winkel moeten zijn. Waarom hadden ze niet gebeld?

Wacht even. Ze wás wakker geworden van de telefoon. In de laatste droom die ze had gehad voordat ze wakker werd, was de telefoon gegaan; het rinkelen was weer gestopt. Als ze niet hadden gebeld, had ze nog steeds geslapen. Ze deed de knopen van haar blouse dicht, liep naar het raam en trok de jaloezieën omhoog.

Het licht trof haar als een slag in haar gezicht. Ze wankelde achteruit, weg van het raam, en liet het koord van de jaloezieën schieten. Ze vielen ratelend weer naar beneden, kwamen scheef te hangen. Ze ging op het bed zitten. Een streepje licht viel door het raam naar binnen, op haar blote voet.

Duizend naalden.

Alsof haar huid twee kanten tegelijk op werd gedraaid; een dolende pijn in de blootgestelde huid.

Wat is dit?

Ze schoof haar voet opzij en trok haar sokken aan. Ze zette haar voet weer in het licht. Beter. Maar honderd naalden. Ze stond op om naar haar werk te gaan, ging weer zitten.

Een soort ... shock.

Het gevoel dat ze had gehad toen ze de jaloezieën optrok, was verschrikkelijk. Alsof het licht een zware materie was die tegen haar lichaam werd geslingerd, haar van zich af stootte. Het licht aan haar ogen was het ergst. Twee sterke duimen die ertegenaan werden geduwd en dreigden ze uit hun kassen te drukken. Het brandde nog steeds.

Ze wreef met haar handpalmen in haar ogen, haalde haar zonnebril uit het kastje in de badkamer en zette hem op.

De honger raasde door haar lichaam, maar ze hoefde maar aan de inhoud van de koelkast en de voorraadkast te denken en alle gedachten aan ontbijt waren zo weer weg. Bovendien had ze geen tijd. Ze was bijna drie uur te laat.

Ze ging naar buiten, deed de deur op slot en liep zo snel ze kon de trappen af. Haar lichaam was zwak. Misschien toch geen goed idee om aan het werk te gaan. Maar ja. De winkel was nog maar vier uur open, en nu begonnen de zaterdagklanten te komen.

In beslag genomen door deze kwesties dacht ze niet na voordat ze de voordeur opendeed.

Daar was het licht weer.

Het deed pijn aan haar ogen, ondanks de zonnebril, kokend water werd over haar gezicht en haar handen gegoten. Ze gilde het uit. Ze trok haar handen in de mouwen van de jas, boog haar gezicht naar de grond en hólde naar de winkel. Haar nek en hoofdhuid kon ze niet beschermen, daar brandde het als vuur. Gelukkig was het niet ver naar de winkel.

Toen ze de deur in was gekomen, werd het pijnlijke, brande-rige gevoel snel minder. De meeste ruiten van de winkel waren bedekt met reclameposters en plasticfolie, opdat het zonlicht de goederen niet zou aantasten. Ze zette haar zonnebril af. Het deed wel een beetje pijn, maar dat kon komen doordat de ramen wel wat zonlicht doorlieten in de spleten tussen de plak-katen. Ze stopte haar zonnebril in haar zak en liep naar het kan-toor.

Lennart, de bedrijfsleider en haar chef, stond formulieren in te vullen, maar keek op toen zij binnenkwam. Ze had een soort reprimande verwacht, maar hij zei alleen maar: "Hoi, hoe gaat het?"

"Ja … goed."

"Zou je niet thuis moeten blijven om een beetje uit te rusten?"

"Nee, ik dacht …"

"Je had niet hoeven komen. Lotten doet vandaag de kassa. Ik heb nog gebeld, maar je nam niet op, dus …"

"Is er niets wat ik kan doen?"

"Vraag maar aan Berit bij de vleeswaren. Zeg, Virginia …"

"Ja?"

"Ja, het is vervelend wat er is gebeurd. Ik weet niet wat ik moet zeggen, maar … ik vind het heel naar voor je. En ik begrijp het als je het een poosje rustig aan moet doen."

Virginia begreep er niets van. Het was niets voor Lennart om begrip te hebben voor ziekteverlof of überhaupt voor de proble-men van andere mensen. En hij had nooit eerder op deze manier zijn persoonlijke deelneming betuigd. Vermoedelijk zag ze er nogal beroerd uit met haar opgezette wang en haar pleisters.

Virginia zei: "Dank je wel. Ik kijk wel", en ze liep naar de vlees-waren.

Ze maakte een omweg langs de kassa's om Lotten te groeten. Er stonden vijf mensen bij Lotten voor de kassa te wachten en Vir-ginia bedacht dat ze ondanks alles nog een kassa zou moeten openen. Het was alleen de vraag of Lennart wel wílde dat ze ach-ter de kassa zat, zoals ze er nu uitzag.

Toen ze in het licht kwam van het onbedekte raam achter de kassa's ging het weer net zo. Haar gezicht verstrakte, haar ogen deden pijn. Het was niet zo erg als het directe zonlicht buiten op straat, maar erg genoeg. Ze kon daar niet zitten.

Lotten kreeg haar in het oog, zwaaide tussen twee klanten door.

"Hoi. Ik heb het gelezen … Hoe gaat het ermee?"

Virginia hield haar hand omhoog, bewoog die heen en weer: zozo.

Gelezen?

Ze pakte het *Svenska Dagbladet* en de *Dagens Nyheter*, nam ze mee naar de vleeswaren, keek snel wat er op de voorpagina stond. Niets. Dat zou ook wel overdreven zijn geweest.

De vleeswarenafdeling zat achter in de winkel, bij de zuivelproducten; een strategische plaats, omdat je de hele winkel door moest om er te komen. Virginia bleef bij de schappen met conserven staan. De honger zinderde in haar lichaam. Ze bekeek alle blikken nauwkeurig.

Tomaten in blokjes, champignons, mosselen, tonijn, ravioli, Bullens bierworstjes, erwtensoep … niets. Ze voelde alleen maar afkeer.

Berit zag haar vanaf de vleeswaren; ze zwaaide. Zodra Virginia achter de toonbank stond, omhelsde Berit haar, duwde voorzichtig met een vinger tegen de pleister op haar wang.

"Och, kind toch."

"Nee, dat valt best …"

Mee?

Ze trok zich terug in het kleine magazijn achter de vleeswaren. Als Berit de kans kreeg, zou er een lange tirade volgen over het lijden van de mensen in het algemeen en het kwaad in de huidige samenleving in het bijzonder.

Virginia ging op een stoel zitten tussen de weegschaal en de deur van de koelcel. De ruimte was maar een paar vierkante meter groot, maar het was de prettigste plek van de winkel. Hier kwam geen zonlicht. Ze bladerde in de kranten en in een klein berichtje in de *Dagens Nyheter* Binnenland las ze:

Vrouw overvallen in Blackeberg

Een vijftigjarige vrouw is in de nacht van donderdag op vrijdag overvallen en mishandeld in Blackeberg, een voorstad van Stockholm. Een voorbijganger kwam tussenbeide en de dader, een jonge vrouw, ontvluchtte de plaats meteen. Het motief voor de misdaad is onbekend. De politie onderzoekt nu een eventueel verband met andere gewelddadigheden in Västerort de afgelopen weken. De verwondingen van de vijftigjarige vrouw worden als licht omschreven.

Virginia liet de krant zakken. Vreemd om zo over jezelf te lezen. 'Vijftigjarige vrouw', 'voorbijganger', 'licht'. Alles wat er achter die woorden school.

'Een eventueel verband.' Ja, Lacke was er honderd procent zeker van geweest dat ze was aangevallen door hetzelfde kind dat ook Jocke had vermoord. Hij had op zijn tong moeten bijten om dat niet in het ziekenhuis te vertellen toen een agente en een dokter op vrijdagochtend nog eens naar haar verwondingen keken.

Hij wílde het vertellen, maar hij wilde het eerst tegen Gösta zeggen; hij dacht dat Gösta er anders tegenaan zou kijken, nu ook Virginia het slachtoffer was geworden.

Ze hoorde iets ritselen en keek om zich heen. Het duurde een paar seconden voordat ze besefte dat ze zelf zo trilde dat de krant in haar hand dat geluid maakte. Ze legde de kranten op de plank boven de witte jassen en liep naar Berit toe.

"Kan ik iets doen?"

"Maar kind, zou je dat nou wel doen?"

"Ja, ik kan maar beter bezig zijn."

"Ik begrijp het. Weeg dan maar garnalen af. Pondszakken. Maar zou je niet liever …"

Virginia schudde haar hoofd en liep terug naar het magazijn. Ze trok een witte jas aan, zette een muts op en haalde een doos garnalen uit de koelcel. Ze deed een plastic zak om haar hand en begon met afwegen. Ze groef met haar hand in de plastic zak in de garnalendoos, stopte de garnalen in plastic zakken en woog ze af op de weegschaal. Een saai, mechanisch werkje en haar rechterhand voelde bij de vierde zak al bevroren aan. Maar ze was bezig en zo kon ze even nadenken.

Die nacht in het ziekenhuis had Lacke iets vreemds tegen haar gezegd: dat het kind dat haar had overvallen geen mens was. Dat het slagtanden had en klauwen.

Virginia had dat natuurlijk afgedaan als dronkemanspraat of een hallucinatie.

Ze herinnerde zich niet veel meer van de overval. Maar één ding wist ze wel: de persoon die op haar was gesprongen, was te licht geweest voor een volwassene, bijna te licht voor een kind zelfs. Een heel klein kind in dat geval. Van een jaar of vijf, zes. Ze wist nog dat ze was opgestaan met het gewicht op haar rug. Daarna was alles zwart, totdat ze wakker werd in haar flat met alle jongens behalve Gösta om zich heen.

Ze deed een klem op een zak die klaar was, pakte de volgende, liet er een paar handen vol in vallen. Vierhonderddertig gram. Zeven garnalen erbij. Vijfhonderdtien.

Die krijg je er gratis bij.

Ze keek naar haar handen, die onafhankelijk van haar hersenen werkten. Handen. Met lange nagels. Scherpe tanden. Wat was het? Lacke had het recht voor zijn raap gezegd: "Een vampier." Virginia had gelachen, voorzichtig, zodat de hechtingen in haar wang niet los zouden gaan. Lacke had niet eens geglimlacht.

"Jij hebt hem niet gezien."

"Maar Lacke … zoiets bestáát niet."

"Nee. Maar wat was het dan?"

"Een kind. Met een rare fantasie."

"Dat zijn nagels had laten groeien? Zijn tanden had geslepen? Ik zou de tandarts wel eens willen zien die …"

"Lacke, het was donker. Je was dronken, het …"

"Dat is zo. Dat was ik. Maar ik zag wat ik zag."

Het werd warm en voelde strak aan onder de pleister in haar hals. Ze haalde de plastic zak van haar rechterhand en legde haar hand op de pleister. Hij was ijskoud en dat was een prettig gevoel. Maar ze was helemaal flauw, het voelde alsof haar benen haar niet veel langer konden dragen.

Ze moest deze doos afmaken en dan naar huis gaan. Dit was geen doen. Als ze het weekend kon uitrusten, zou het maandag vast beter gaan. Ze deed het plastic zakje weer om haar hand en ging met een zekere boosheid weer aan het werk. Ze had een hekel aan ziek zijn.

Een stekende pijn in haar wijsvinger. Verdomme. Zo gaat dat

als je je kop er niet bij hebt. De garnalen waren scherp als ze bevroren waren en ze had zich gestoken. Ze trok het plastic zakje van haar hand en keek naar haar wijsvinger. Een sneetje waar bloed uit begon te komen.

Ze stopte haar wijsvinger automatisch in haar mond om het bloed op te zuigen.

Een warme, helende, welsmakende vlek breidde zich uit vanaf het punt waar haar vingertop haar tong raakte, plantte zich voort. Ze zoog harder op haar vinger. Alle lekkere smaakjes bij elkaar vulden haar mond. Een huivering van welbehagen ging door haar lichaam. Ze bleef maar zuigen aan haar vinger, gaf zich over aan het genot, totdat ze zag waar ze mee bezig was.

Ze rukte haar vinger uit haar mond en staarde ernaar. Hij was vochtig van speeksel en het kleine beetje bloed dat nu naar buiten kwam loste meteen op in het speeksel als te waterige waterverf. Ze keek naar de garnalen die in de doos lagen. Honderden lichtroze lichaampjes, met rijp bedekt. En ogen. Zwarte speldenkoppen over het wit en roze gestrooid, een omgekeerde sterrenhemel. Patronen, constellaties begonnen voor haar ogen te dansen.

De wereld draaide om zijn as en iemand gaf een klap op haar achterhoofd. Voor haar ogen zag ze een wit vlak met een spinnenweb aan de randen. Ze begreep dat ze op de vloer lag, maar had niet de kracht er iets aan te doen.

In de verte hoorde ze de stem van Berit: "Mijn god ... Virginia ..."

Jonny trok graag met zijn grote broer op. Tenminste zolang die vervelende vrienden van hem er niet bij waren. Jimmy kende een paar jongens uit Råcksta voor wie Jonny nogal bang was. Een jaar geleden stonden ze op een avond op de binnenplaats om met Jimmy te praten, maar ze wilden niet bij hen aanbellen. Toen Jonny tegen hen zei dat Jimmy niet thuis was, hadden ze hem gevraagd een boodschap over te brengen.

"Zeg maar tegen je broer dat als hij maandag niet met geld over de brug komt, iemand een lijmtang op zijn hoofd komt zetten ... weet je wat dat is? ... Oké ... en die draait ie dan zo hard aan dat het geld uit zijn oren stroomt. Kun je dat zeggen? Oké, mooi. Jonny heet je toch, hè? Dag, Jonny."

Jonny had de boodschap overgebracht en Jimmy had alleen geknikt, gezegd dat hij het wist. Toen was er geld verdwenen uit moeders portemonnee en dat had een hoop gedonder gegeven.

Jimmy was tegenwoordig niet veel thuis. Het leek wel of er geen plaats voor hem was sinds het laatste kleine zusje gekomen was. Na Jonny kwamen er nog twee kinderen en het was niet de bedoeling dat het er meer zouden worden. Maar toen had zijn moeder een man ontmoet en … ja … zo was het gegaan.

Jonny en Jimmy hadden wel dezelfde vader. Hij werkte tegenwoordig op een boorplatform in Noorwegen en was niet alleen begonnen netjes geld voor hun onderhoud te sturen, maar zelfs iets extra om het goed te maken. Moeder was lyrisch over hem; ja, als ze dronken was, huilde ze wel eens om hem en zei dat ze waarschijnlijk nooit meer zo'n man zou ontmoeten. Voor zover Jonny zich kon herinneren, was het voor het eerst dat geldgebrek niet langer het eeuwige gespreksonderwerp was thuis.

Nu zaten ze in de pizzeria op het plein van Blackeberg. Jimmy was 's ochtends even thuis geweest, had wat ruzie gemaakt met moeder en daarna waren hij en Jonny uitgegaan. Jimmy deed salade op zijn pizza, vouwde die op, pakte de grote rol in zijn handen en begon te eten. Jonny at zijn pizza net als anders, maar als hij weer pizza ging eten en Jimmy was er niet bij, dan ging hij het ook zo doen, dat had hij al bedacht.

Jimmy kauwde en knikte naar het verband op Jonny's oor. "Ziet er niet best uit."

"Nee."

"Doet het pijn?"

"Gaat wel."

"Ma zegt dat het helemaal kapot is. Dat je niets meer kunt horen."

"Ach. Dat wisten ze niet. Misschien komt het goed."

"Hm. Dus, begrijp ik het nou goed? Die jongen pakte gewoon een joekel van een tak en sloeg jou ermee op je hoofd?"

"Mm."

"Dat slaat nergens op. Wat ga je eraan doen?"

"Weet ik niet."

Heb je hulp nodig?"

"... Nee."

"Hè? Ik kan een paar van mijn vriendjes optrommelen en dan pakken we hem."

Jonny trok een groot stuk met garnalen van zijn pizza, zijn lievelingsdeel, stopte het in zijn mond en kauwde. Nee. Jimmy's vrienden moesten hier niet in betrokken worden, dan werd het helemaal een zieke toestand. Toch glimlachte Jonny bij de gedachte dat Oskar de schrik van zijn leven zou krijgen als Jonny bij hem op de binnenplaats opdook met Jimmy en, bijvoorbeeld, die jongens uit Råcksta. Hij schudde zijn hoofd.

Jimmy legde zijn pizzarol neer, keek Jonny diep in de ogen.

"Oké, maar dit wil ik wel zeggen. Nog één keer, dan ..."

Hij knipte hard met zijn vingers en balde zijn vuist.

"Je bent mijn broer, en niemand moet ... Nog één keer zoiets, dan kun je zeggen wat je wilt. Dan neem ik hem te grazen. Oké?"

Jimmy strekte zijn gebalde vuist uit over tafel. Jonny balde zijn vuist en bokste ermee tegen die van Jimmy. Het gaf een goed gevoel. Dat het iemand iets kon schelen. Jimmy knikte.

"Mooi. Ik heb iets voor je."

Hij dook onder de tafel en haalde een plastic tas tevoorschijn die hij de hele ochtend had meegesjouwd. Uit de plastic tas haalde hij een dun fotoalbum. "Pa is vorige week langs geweest. Hij had zijn baard laten staan, ik herkende hem haast niet. Hij had dit bij zich."

Jimmy gaf het fotoalbum over de tafel heen aan Jonny. Jonny veegde zijn vingers af aan een servet en sloeg het open.

Foto's van kinderen. Van moeder. Zo'n tien jaar jonger dan nu. En een man die hij als zijn vader herkende. De man duwde de kinderen op de schommel. Op een foto had hij een veel te kleine cowboyhoed op. Jimmy, een jaar of negen oud, stond naast hem met een plastic geweer in zijn handen en een norse gezichtsuitdrukking. Een jongetje dat Jonny moest zijn, zat ernaast op de grond en keek met grote ogen naar hen.

"Dit mocht ik lenen totdat we elkaar weer zien. Hij wilde het terug hebben, zei dat het ... ja, wat zei hij ook weer, verdorie ...

'mijn dierbaarste bezit' zei hij, geloof ik. Ik dacht dat jij misschien ook geïnteresseerd was."

Jonny knikte zonder van het album op te kijken. Hij had zijn vader maar twee keer ontmoet sinds hij ervandoor was gegaan toen Jonny vier was. Thuis hadden ze één foto van hem, een tamelijk slechte foto waar hij met anderen op stond. Dit was heel wat anders. Hiermee kon hij zich een behoorlijk beeld van hem vormen.

"Nog één ding. Laat het niet aan ma zien. Ik denk dat pa het meegejat heeft toen hij wegging en als zij het ziet ... ja, hij wil het graag houden, dus. Dat moet je beloven. Dat je het niet aan ma laat zien."

Nog steeds met zijn neus in het album balde Jonny zijn vuist en hield die boven de tafel. Jimmy lachte even en een moment later voelde hij Jimmy's knokkels tegen de zijne. *Promise.*

"Zeg, dat kun je later nog wel bekijken. Neem de tas ook maar mee."

Jimmy hield de tas omhoog en Jonny sloeg het album met tegenzin dicht en stopte het in de tas. Jimmy had zijn pizza op, hij leunde achterover op de stoel en klopte op zijn buik.

"Ja, ja. En hoe staat het met de meisjes?"

Het dorp schoot voorbij. De sneeuw die opgeworpen werd door de wielen van de motorbakfiets spoot naar achteren en bombardeerde Oskars wangen. Hij hield het jeneverhouten stokje met beide handen stijf vast en zwenkte uit, de sneeuwwolk uit. Een hard schrapend geluid toen de ski's door de losse sneeuw sneden. Met de buitenste ski kwam hij tegen een oranje paaltje met reflector in de berm aan. Hij wankelde even, maar hervond zijn evenwicht.

De weg naar Lågarö en de zomerhuisjes was niet sneeuwvrij gemaakt. De motorbakfiets liet drie diepe sporen achter in het ongerepte sneeuwdek, en vijf meter erachter kwam Oskar op ski's, maakte nog twee sporen. Hij skiede zigzag over de wielsporen van de bakfiets, hij reed op één ski als een kunstrijder, hij dook in elkaar als een balletje van geconcentreerde snelheid.

Toen zijn vader al remmend de lange heuvel afreed naar de

oude aanlegsteiger van de stoomboot, had Oskar meer snelheid dan de bakfiets en moest hij voorzichtig remmen om de lijn strak te houden; als die slap ging hangen, zou dat een ruk tot gevolg hebben als de heuvel minder steil werd en de snelheid van de bakfiets groter.

De bakfiets kwam bij de steiger aan, zijn vader zette hem in zijn vrij en ging op de rem staan. Oskar had nog steeds veel snelheid en even was hij van plan *het stokje los te laten en gewoon door te gaan* ... Over de rand van de steiger, het zwarte water in. Maar hij zette de miniski's schuin naar buiten en remde een paar meter van de kant af.

Hij stond even op adem te komen en keek uit over het water. Dunne stukken ijs waren naar elkaar toe gedreven, ze lagen aan de oever op de golfjes te dobberen. Misschien was er kans op echt ijs dit jaar. Dan kon je naar de overkant, naar Vätö wandelen. Of hielden ze altijd een vaargeul open naar Norrtälje? Oskar kon het zich niet herinneren, het was jaren geleden dat er dat soort ijs had gelegen.

Als Oskar hier 's zomers was, viste hij altijd hier op de steiger op Oostzeeharing. Losse haakjes aan de lijn van zijn werphengel, een lepel aan het uiteinde. Als hij een behoorlijke school trof, kon het een paar kilo worden als hij geduld had, maar vaak waren het maar tien tot vijftien stuks. Dat was genoeg voor een maaltijd voor hem en zijn vader; de vissen die te klein waren om te bakken waren voor de kat.

Vader kwam naast hem staan.

"Dat ging goed, hè?"

"Mmm. Maar ik ging er soms wel doorheen."

"Ja, de sneeuw is wat los. Die zou je op de een of andere manier moeten aanstampen. Je zou ... als je er een houtvezelplaat achter zou hangen met een gewicht erop. Ja, jij zou erop kunnen gaan zitten, dan ..."

"Zullen we dat doen?"

"Nee, dat moet morgen dan maar. Het wordt nu donker. We moeten naar huis en met die vogel aan de gang, als we eten willen hebben."

"Oké."

Zijn vader stond een poosje zwijgend uit te kijken over het water.

"Ik heb zo es zitten denken."

"Ja?"

Nu kwam het. Moeder had tegen Oskar gezegd dat zij nadrúkkelijk tegen zijn vader had gezegd dat hij met hem over dat met Jonny moest praten. Eigenlijk wílde Oskar er ook wel over praten. Zijn vader zat als het ware op veilige afstand van alles, hij zou op geen enkele wijze ingrijpen. Zijn vader kuchte, wilde van wal steken. Ademde uit. Keek uit over het water. Toen zei hij: "Ja, ik dacht ... heb je schaatsen?"

"Nee. Geen schaatsen die passen."

"Nee, nee. Nee, nee. Nou, als er van de winter ijs komt en daar lijkt het wel op ... dan is het fijn om schaatsen te hebben. Ik heb ze wel."

"Die passen mij vast niet."

Zijn vader snoof, een soort lach.

"Nee, maar ... de zoon van Östen heeft een paar schaatsen waar hij uit is gegroeid. Maat negenendertig. Wat heb jij?"

"Achtendertig."

"Ja, maar met dikke sokken ... Nee, maar dan zeg ik dat ik ze graag wil overnemen."

"Hartstikke fijn."

"Ja. Ja, ja. Zullen we op huis aan, dan?"

Oskar knikte. Misschien later. En dat van die schaatsen was mooi. Als ze dat morgen konden regelen, kon hij ze meenemen terug naar de stad.

Hij liep op de miniski's naar het jeneverhouten stokje, liep achteruit totdat de lijn strak stond en gaf een teken aan vader, die de bakfiets aantrapte. Ze moesten in zijn één de heuvel op rijden. De bakfiets maakte zoveel kabaal dat kraaien verschrikt wegfladderden uit de top van een den.

Oskar gleed langzaam omhoog, als in een skilift, stond rechtop met zijn benen tegen elkaar aan gedrukt. Hij dacht nergens aan, behalve dat hij zijn ski's in de oude sporen moest houden om niet door de sneeuw heen te snijden. Terwijl de duisternis viel, gingen ze op huis aan.

Lacke liep de trap van het plein af met een doos chocolaatjes achter zijn broekband. Hij hield niet van jatten, maar hij was blut en hij wilde Virginia iets geven. Hij had eigenlijk ook rozen moeten hebben, maar probeer maar eens iets te pikken bij een bloemist.

Het was al donker en toen hij de heuvel af kwam naar de school toe, weifelde hij. Hij keek om zich heen, schraapte met zijn voet door de sneeuw en vond een vuistgrote steen, die hij losschopte en in zijn zak stopte; hij hield zijn hand eromheen. Niet dat hij dacht dat het zou helpen tegen datgene wat hij had gezien, maar het gewicht en de koelte van de steen gaven hem een veilig gevoel.

Zijn navraag bij de flats had geen resultaat opgeleverd, behalve nog meer argwanende blikken van ouders die buiten met hun kinderen een sneeuwpop aan het maken waren. Vieze man.

Ja, pas toen hij zijn mond opendeed om een vrouw aan te spreken die matten aan het kloppen was, begreep hij hoe onnatuurlijk zijn gedrag moest overkomen. De vrouw stopte met kloppen, keerde zich naar hem toe met de mattenklopper als een wapen in haar hand.

"Pardon", zei Lacke. "Ik wilde vragen … ik zoek een kind."

"O ja?"

Hij hoorde zelf wel hoe dat klonk, en het maakte hem nog onzekerder. "Ja, ze is … verdwenen. Ik vroeg me af of iemand haar misschien had gezien."

"Is het jouw kind?"

"Nee, maar …"

Hij had het opgegeven om te praten met mensen die hij niet kende of herkende, afgezien van enkele tieners. Hij kwam een paar bekenden tegen, maar die hadden niets gezien. Zoekt en gij zult vinden, natuurlijk. Maar dan moet je wel weten wat je zoekt.

Hij kwam bij de parkweg naar de school en wierp een blik in de richting van de brug van Jocke.

Het nieuws was gisteren breed uitgemeten in de krant, vooral vanwege de macabere manier waarop het lichaam was gevonden. Een vermoorde dronkelap was anders geen groot nieuws, maar nu zwolgen ze erin dat kinderen hadden toegekeken, dat de brandweer het ijs kapot had moeten zagen, enzovoort. Naast de tekst stond een pasfoto van Jocke waarop hij er op zijn minst als een massamoordenaar uitzag.

Lacke liep verder langs de duistere bakstenen façade van de Blackebergschool, de hoge, brede trappen, het leek wel de ingang van het paleis van justitie of van de Hel. Op de muur naast de onderste traptreden had iemand IRON MAIDEN gesprayd. Wat betekende dat nu weer? Misschien een popgroep.

Hij liep langs de parkeerplaats, de Björnsonsgatan op. Normaal zou hij een kortere route hebben genomen schuin achter de school langs, maar daar was het ... donker. Hij kon zich gemakkelijk voorstellen dat dat wezen ineengedoken in de schaduwen zat. Hij keek naar de kronen van de hoge dennen die de weg omzoomden. Een paar nog zwartere plekken binnen in het takwerk. Vermoedelijk eksternesten.

Het was niet alleen het uiterlijk van dat wezen, het was ook de manier waarop het had aangevallen. Hij zou misschien, misschién, hebben kunnen accepteren dat er een logische verklaring was voor die tanden en die klauwen, als er niet ook die sprong uit de boom was geweest. Voordat ze Virginia naar huis droegen, had hij omhoog gekeken naar de boom. De tak waarvan het wezen moest zijn gesprongen, zat zo'n vijf meter boven de grond.

Vijf meter naar beneden vallen op iemands rug; als je 'circusartiest' bij de andere gegevens voegde om een 'logische' verklaring te krijgen, dan misschien. Maar al met al was het even onlogisch als wat hij tegen Virginia had gezegd en waar hij nu spijt van had.

Verdomme ...

Hij haalde de doos chocola uit zijn broek. Was de chocola misschien al verpest, gesmolten door zijn lichaamswarmte? Hij schudde met de doos om dat te controleren. Nee. Het rammelde. De chocolaatjes waren niet aan elkaar gaan plakken. Hij liep verder over de Björnsonsgatan, langs de ICA, met de doos chocolaatjes in zijn hand.

TOMATEN IN BLOKJES. DRIE BLIKJES 5,-.

Zes dagen geleden.

Lackes hand rustte nog steeds op de steen in zijn zak. Hij keek naar het bordje, hij zag Virginia's hand bewegen om de gelijkmatige, rechte letters tevoorschijn te toveren. Ze was vandaag toch wel thuisgebleven om uit te rusten? Het was net wat voor haar om naar haar werk te strompelen nog voor het bloed goed en wel was gestold.

Voor haar deur keek hij omhoog naar haar raam. Geen licht. Misschien was ze bij haar dochter? Nee. Hij moest in elk geval naar boven en de doos chocolaatjes aan de deurkruk hangen als ze niet thuis was. Het was pikdonker in het portiek. Zijn nekharen gingen overeind staan.

Het kind is hier.

Hij bleef een paar tellen doodstil staan en wierp zich toen op de lichtgevende rode stip van het lichtknopje, hij drukte erop met de rug van de hand die de doos chocola vasthield. De andere hand bleef de steen in zijn zak stijf vasthouden.

Er was een zacht 'klonk' te horen van het relais in de kelder toen de verlichting aanging. Niets. Virginia's portiek. Een gele betonnen trap met kotspatronen. Houten deuren. Hij haalde een paar keer diep adem en begon de trappen op te lopen.

Nu voelde hij pas hoe moe hij was. Virginia woonde helemaal boven, op de derde verdieping en zijn benen gingen moeizaam de trappen op, twee levenloze planken die aan zijn heupen bevestigd waren. Hij hoopte dat Virginia thuis was, dat het goed met haar ging, dat hij in haar skai fauteuil kon neerploffen en gewoon lekker kon zitten op de plaats waar hij het liefst wilde zijn. Hij liet de steen in zijn zak los en drukte op haar bel. Wachtte even. Belde nog eens aan.

Hij was net bezig de doos chocola op de deurkruk te balanceren, toen hij sluipende stappen hoorde in het appartement. Hij deed een stap naar achteren, weg van de deur. Daarbinnen hielden de stappen op. Ze stond aan de andere kant voor de deur.

"Wie is daar?"

Nog nooit had ze dat gevraagd. Je belde aan: *tjip, tjip, tjip* klonken haar stappen en de deur ging open. Kom binnen, kom binnen. Hij kuchte. "Ik ben het."

Een pauze. Hij kon haar ademhaling horen, of verbeeldde hij zich dat maar?

"Wat kom je doen?"

"Horen hoe het met je gaat, gewoon."

Weer een pauze.

"Het gaat niet goed met me."

"Mag ik binnenkomen?"

Hij wachtte. Stond er wat mallotig bij met de doos chocola in beide handen voor zich uitgestoken. Een luide klik toen het slot werd opengemaakt, gerammel van sleutels toen het dievenslot omgedraaid werd. Nog meer gerammel toen de veiligheidsketting werd losgehaakt. De deurklink werd naar beneden geduwd en de deur ging open.

Hij deed onwillekeurig een halve stap naar achteren en stootte met zijn rug tegen het uiteinde van de trapleuning. Virginia stond in de open deur. Ze zag eruit of ze stervende was.

Niet alleen had ze een opgezette wang, maar haar gezicht was bedekt met kleine pukkeltjes en haar ogen zagen eruit alsof ze de kater van de eeuw had. Een dicht net van rode lijntjes liep over het oogwit en de pupil was bijna verdwenen. Ze knikte. "Ik zie er niet uit."

"Valt wel mee, hoor. Ik dacht alleen … misschien … mag ik binnenkomen?"

"Nee. Daar heb ik geen energie voor."

"Ben je bij de dokter geweest?"

"Daar ga ik morgen heen."

"Ja. Hier, ik …"

Hij overhandigde de doos chocola die hij de hele tijd als een schild voor zich had gehouden. Virginia nam hem in ontvangst. "Dank je wel."

"Virginia? Kan ik niet iets …"

"Nee. Het komt wel goed. Ik moet gewoon rusten. Ik ben te moe om hier te staan. We spreken elkaar wel weer."

"Ja. Ik kom …"

Virginia deed de deur dicht.

"… morgen."

Opnieuw gerammel van sloten en kettingen. Hij bleef met hangende armen voor de deur staan, waar hij vervolgens zijn oor tegen legde. Hij hoorde een kastdeur opengaan, langzame stappen binnen in het appartement.

Wat moet ik doen?

Hij kon haar niet dwingen iets te doen wat ze niet wilde, maar hij had haar het liefst nú meegenomen naar een ziekenhuis. Hij zou hier morgenvroeg weer komen. Als het dan nog hetzelfde was, zou hij haar naar het ziekenhuis brengen, of ze nu wilde of niet.

Lacke liep de trappen af, treetje voor treetje. Zo moe. Toen hij bij de laatste overloop voor de voordeur kwam, ging hij op de bovenste tree zitten, hij leunde met zijn hoofd op zijn handen.

Ik ben … verantwoordelijk.

Het licht ging uit. Zijn halsspieren spanden zich, hij hapte naar adem. Het was het relais maar. Met een tijdklok. Hij zat in het donker in het trappenhuis, haalde voorzichtig de steen uit zijn jaszak, liet hem in beide handen rusten, staarde het donker in.

Kom dan, dacht hij. Kom dan.

Virginia sloot Lackes smekende verschijning buiten, deed de deur op slot en de ketting erop. Hij mocht haar niet zien. Dat mocht niemand. Het had haar grote inspanning gekost om de woorden te zeggen die ze had gezegd, om een soort normaal basisgedrag aan den dag te leggen.

Haar toestand was snel verslechterd toen ze thuiskwam uit de ICA. Lotten had haar thuisgebracht en in haar benevelde toestand had Virginia de pijn van het daglicht aan haar gezicht gewoon geaccepteerd. Goed en wel thuis had ze in de spiegel gekeken en de honderden kleine blaasjes gezien op de huid van haar gezicht en de rug van haar handen. Brandwonden.

Ze had een paar uur geslapen en was wakker geworden toen het donker werd. Haar honger was toen van aard veranderd, was in onrust veranderd. Een school hysterisch spartelende stekelbaarsjes vulde haar bloedsomloop. Ze kon niet liggen, zitten of staan. Ze liep rondjes door haar appartement, krabde haar lichaam, nam een koude douche om dat kriebelende, trekkende gevoel te temperen. Het hielp allemaal niks.

Het was niet te beschrijven. Het deed denken aan toen ze op haar tweeëntwintigste het bericht had gekregen dat haar vader van het dak van het zomerhuisje was gevallen en zijn nek had gebroken. Toen had ze ook rondjes gelopen alsof er geen plaats ter wereld was waar haar lichaam kon zijn, waar het geen pijn deed.

Dit was hetzelfde, maar dan erger. De ongerustheid en de angst gunden haar geen moment rust. Ze dreven haar het appartement door totdat ze niet meer kon, totdat ze op een stoel ging zitten en met haar hoofd op de keukentafel beukte. In haar wanhoop nam ze twee tabletten rohypnol en spoelde ze weg met een slok witte wijn die naar slootwater smaakte.

Anders had ze aan één genoeg om weer in slaap te vallen, alsof ze een klap op haar hoofd had gekregen. Het enige effect was nu dat ze vreselijk misselijk werd en vijf minuten later groen slijm opgaf met de beide halfverteerde tabletten.

Ze bleef rondlopen, scheurde een krant in kleine snippertjes, kroop over de vloer en jammerde van angst. Ze kroop de keuken in, trok de wijnfles van de keukentafel, zodat die op de grond neerkwam en voor haar ogen kapotviel.

Ze raapte een van de puntige scherven op.

Ze dacht niet na. Duwde gewoon de scherpe punt in haar handpalm en de pijn deed haar goed, voelde echt. De school stekelbaarsjes in haar lichaam haastte zich naar het pijnpunt. Er kwam bloed uit. Ze duwde haar handpalm tegen haar lippen, likte en zoog, en de onrust week. Ze huilde van opluchting terwijl ze op een andere plek in haar hand prikte en doorging met zuigen. De smaak van bloed vermengde zich met die van tranen.

Ineengedoken op de keukenvloer, met haar hand tegen haar mond gedrukt, gretig zuigend als een pasgeboren kind dat voor het eerst de borst van zijn moeder vindt, voelde ze zich voor de tweede keer op deze vreselijke dag rustig.

Ruim een halfuur nadat ze van de grond was opgestaan, de glasscherven had opgeveegd en een pleister in haar handpalm had geplakt, nam de onrust weer toe. Op dat moment belde Lacke aan.

Toen ze hem had weggestuurd en de deur op slot had gedaan, ging ze de keuken in en legde de doos chocolaatjes in de voorraadkast. Ze ging op een keukenstoel zitten en probeerde het te begrijpen. Haar onrust liet dat niet toe. Ze moest snel weer in beweging komen. Het enige wat ze wist, was dat er niemand bij haar moest komen. Vooral Lacke niet. Ze zou hem pijn doen. De onrust zou haar daartoe dwingen.

Ze had een ziekte opgelopen. Voor ziektes bestaan medicijnen.

Morgen zou ze naar de dokter gaan, een dokter die haar onderzocht en zei: ja, dit is gewoon een aanval van zus en zo. Je hoeft alleen maar een paar weken dit en dat te gebruiken. Dan is het weer goed.

Ze wankelde heen en weer door het appartement. Het begon weer ondraaglijk te worden.

Ze sloeg zichzelf op de armen, op de benen, maar de kleine visjes waren weer tot leven gekomen, en niets hielp. Ze wist wat ze moest doen. Ze snikte even, zo bang was ze voor de pijn. Maar de pijn was kort en de verlichting groot.

Ze liep naar de keuken om een scherp fruitmesje te halen, ging op de bank in de woonkamer zitten en zette de punt van het mes tegen de binnenkant van haar onderarm.

Alleen om de nacht door te komen. Morgen zou ze hulp zoeken. Dit kon uiteraard zo niet doorgaan. Dat ze haar eigen bloed dronk. Dat sprak vanzelf. Het moest anders. Maar voor nu ...

Het water liep haar in de mond van vochtige verwachting. Ze sneed. Diep.

ZATERDAG 7 NOVEMBER
(AVOND)

Oskar ruimde de tafel af en zijn vader deed de afwas. De eend was verrukkelijk geweest, natuurlijk. Geen hagelstenen. Er viel niet veel af te wassen aan de borden. Nadat ze het grootste deel van de vogel hadden opgegeten en bijna alle aardappelen, hadden ze hun borden schoongeveegd met witbrood. Dat was het allerlekkerste. Saus zo op je bord gieten en het opzuigen met stukjes poreus witbrood, die half oplosten in de saus en daarna smolten op je tong.

Zijn vader was geen goede kok, maar er waren drie gerechten die hij zo vaak klaarmaakte dat hij daar goed in was: hachee, gebakken haring en eend. Morgen zouden ze hachee eten van de restjes aardappel en eend.

Oskar had het uur voor het eten op zijn kamer gezeten. Hij had bij zijn vader een eigen kamer, die armzalig was in vergelijking met zijn kamer in de stad, maar hij vond het een fijne kamer. In de stad had hij posters en foto's, een heleboel spullen, die kamer veranderde aldoor.

Deze kamer veranderde nooit, en dat vond hij er juist zo fijn aan.

Hij zag er nu net zo uit als toen hij zeven was. Als hij de kamer binnenkwam, met de welbekende geur van vocht dat nog in de lucht hing, nadat even gauw de kachel was aangedaan voor zijn komst, was het net of er niets was gebeurd sinds ... langgeleden.

Hier lagen nog steeds de *Donald Ducks* en *Bamse*-blaadjes die hij een aantal jaren lang in de zomer had gekocht. In de stad las hij die niet meer, maar hier wel. Hij kende de verhalen vanbuiten, maar hij las ze opnieuw.

Terwijl de geuren uit de keuken naar binnen sijpelden, had hij op bed liggen lezen in een oude *Donald Duck*. Donald, de neefjes en oom Dagobert reisden naar een ver land, waar geld niet bestond en waar de flessendoppen van oom Dagoberts kalmerende middeltje harde valuta werden.

Toen hij het uit had, prutste hij een tijdje met de lepels, blinkers en zinkloden die hij in een oude naaidoos bewaarde die hij van zijn vader had gekregen. Hij knoopte een nieuwe lijn met vijf losse haakjes en maakte de lepel voor het haringvissen van de zomer eraan vast.

Daarna gingen ze eten en nadat zijn vader de afwas had gedaan, deden ze boter, kaas en eieren.

Oskar vond het gezellig om zo bij zijn vader te zitten; het ruitjespapier op de smalle tafel, hun hoofden over het papier gebogen, dicht bij elkaar. Het vuur knapperde in de haard.

Oskar had het kruisje en vader het rondje, net als altijd. Zijn vader had Oskar nog nooit opzettelijk laten winnen en tot voor een jaar was hij de sterkste geweest, ook al won Oskar zo nu en dan een potje. Maar nu ging het meer gelijk op. Misschien had het ermee te maken dat hij zoveel met zijn kubus van Rubik bezig was geweest.

De partijtjes konden het halve blad in beslag nemen, wat in Oskars voordeel was. Hij kon goed onthouden waar nog gaten waren die opgevuld konden worden als zijn vader zus of zo deed, en net doen of hij aan het verdedigen was, terwijl hij verder oprukte.

Vanavond won Oskar.

Om drie partijen achtereen was een cirkel getrokken met een O in het midden. Alleen bij een kort potje, waarbij Oskar aan iets anders had zitten denken, stond een P. Oskar zette een kruisje en kreeg twee open rijen van vier, waarvan zijn vader er maar een kon blokkeren. Vader zuchtte en schudde zijn hoofd.

"Zo, het lijkt erop dat ik mijn meerdere heb ontmoet."

"Het lijkt erop."

Voor de vorm blokkeerde vader het ene rijtje en Oskar vulde het andere aan. Zijn vader sloot de ene kant van de vier af en Oskar zette zijn vijfde kruisje aan de andere kant, tekende een cirkel om het hele spelletje heen en schreef er een keurige O in. Zijn vader wreef over zijn stoppels en sloeg om naar een schoon blaadje. Hij zwaaide dreigend met zijn potlood.

"Deze keer zal ik …"

"Ja, dromen kan altijd. Jij begint."

Vier rondjes en drie kruisjes later werd er op de buitendeur geklopt. Meteen daarna ging de deur open en er klonk het geluid van iemand die de sneeuw van zijn voeten stampte.

"Volluk!"

Zijn vader keek op van het papier, leunde achterover in de stoel en keek de gang in. Oskar kneep zijn lippen op elkaar.

Nee.

Vader knikte naar de nieuwkomer. "Kom erin."

"Dank, dank."

Zacht gestommel toen iemand met dikke sokken aan de voeten door de gang liep. Even later kwam Janne de keuken in en zei: "Zo. Hier zitten jullie gezellig."

Vader maakte een gebaar naar Oskar. "Ja, je kent mijn zoon wel."

"Zeker", zei Janne. "Hallo, Oskar. Hoe gaat het?"

"Goed."

Tot nu toe. Ga weg!

Janne stampte naar de keukentafel, zijn dikke sokken waren aan de achterkant afgezakt en flapperden voor bij de tenen als vervormde zwemvliezen. Hij trok er een stoel bij en ging zitten.

"Dus jullie doen boter, kaas en eieren."

"Ja, maar hij is te goed geworden. Ik kan het niet meer van hem winnen."

"Nee, nee. Hij heeft zeker geoefend in de stad, hè? Durf je een potje met mij aan, Oskar?"

Oskar schudde zijn hoofd. Hij wilde Janne niet eens aankijken, hij wist wat hij te zien zou krijgen. Waterige ogen, een mond opgetrokken in een schaapachtige glimlach, ja, Janne zag eruit als een oud schaap en het blonde krulhaar versterkte die indruk alleen maar. Een van de 'maten' van vader, die Oskars vijanden waren.

Janne wreef in zijn handen, bracht een geluid ten gehore als van schuurpapier en in het tegenlicht vanuit de gang kon Oskar huidschilfertjes naar de vloer zien neerdalen. Janne had een of andere huidziekte waardoor vooral in de zomer zijn gezicht eruitzag als een rotte bloedsinaasappel.

"Ja, ja. Jullie zitten hier warm en gezellig."

Dat zeg je nou áltijd. Ga weg met je lelijke gezicht en je oudbakken woorden.

"Papa, spelen we niet door?"

"Ja, maar als er bezoek komt …"

"Spelen jullie maar verder."

Janne leunde achterover in zijn stoel en keek of hij alle tijd van de wereld had. Maar Oskar wist dat de slag verloren was. Nu was het afgelopen. Nu ging het weer zo.

Hij had willen schreeuwen, iets kapot willen slaan, het liefst Janne, toen vader naar de voorraadkast liep en de fles haalde, twee borrelglaasjes pakte en op tafel zette. Janne wreef in zijn handen, zodat de schilfers dansten.

"Ja, ja. Dus je hebt toch wat in huis …"

Oskar keek op het blad met de onafgemaakte partij.

Dáár zou hij zijn volgende kruisje gezet hebben.

Maar er zouden vanavond geen kruisjes meer worden gezet. Geen rondjes. Niks.

Er klonk een broos klokkend geluid toen vader inschonk. De dunne omgekeerde kegel van glas werd met een doorzichtige vloeistof gevuld. Hij was zo klein en breekbaar in vaders grove hand. Hij verdween haast.

Toch bedierf hij alles. Alles.

Oskar verkreukelde de onafgemaakte partij en stopte die in de haard. Vader protesteerde niet. Hij en Janne waren over een gemeenschappelijke kennis gaan praten die zijn been had gebroken. Gingen over op het bespreken van andere beenbreuken die ze hadden meegemaakt of waar ze over hadden gehoord en vulden de glaasjes bij.

Oskar zat nog voor de haard met het deurtje open en keek naar het papier dat opvlamde, zwart werd. Toen haalde hij de andere partijen en stookte die ook op.

Vader en Janne namen de glazen en de fles mee naar de woonkamer, vader zei iets tegen Oskar over 'er even bij komen zitten' en Oskar zei: "Straks misschien." Hij bleef voor de haard zitten en keek naar het vuur. De hitte streelde zijn gezicht. Hij stond op, haalde het ruitjesblok van de keukentafel, scheurde er ongebruikte bladzijden uit en verbrandde ze. Toen het hele blok met kaft en al was verkoold, haalde hij de potloden en verbrandde die ook.

Het ziekenhuis had iets bijzonders zo laat op de avond. Maud Carlberg zat in de receptie uit te kijken over de bijna lege entreehal. De cafetaria en de kiosk waren dicht; alleen af en toe roerden zich mensen als spoken in de hoge ruimte.

Zo 's avonds stelde ze zich graag voor dat zíj en zij alleen het gigantische gebouw bewaakte dat het Danderyd Ziekenhuis was. Dat was natuurlijk niet waar. Als zich een probleem voordeed, hoefde ze maar op een knop te drukken, dan verscheen er binnen drie minuten een bewaker.

Ze had een spelletje waar ze de late avonduren altijd mee verdreef.

Ze koos een beroep, een woonplaats en een rudimentaire achtergrond voor iemand. Misschien een ziekte. Dan paste ze alles toe op de eerste persoon die naar haar toe kwam. Vaak was het resultaat … vermakelijk.

Zo kon ze bijvoorbeeld een piloot verzinnen die aan de Götgatan woonde en twee honden had, waar de buurman of buurvrouw altijd op paste als de piloot op reis was. De buurman of buurvrouw was namelijk heimelijk verliefd op de piloot. Het grote probleem van de piloot was dat hij of zij groene mensjes met rode puntmutsjes op zag rondzweven tussen de wolken als hij of zij aan het vliegen was.

Oké. Nu was het een kwestie van wachten.

Misschien kwam er na een tijdje een oudere vrouw met een getekend gelaat. Een vrouwelijke piloot. Had stiekem te veel gedronken uit de kleine flesjes drank aan boord van het vliegtuig, had de groene mensjes gezien en haar ontslag gekregen. Nu zat ze de hele dag thuis met de honden. De buurman was nog wel steeds verliefd op haar.

Zo was Maud bezig.

Soms schold ze zichzelf uit om haar spel, aangezien het haar belette de mensen werkelijk serieus te nemen. Maar ze kon het niet laten. Op dit moment zat ze te wachten op een dominee die een passie had voor poenige sportwagens en die graag lifters meenam om hen te bekeren.

Man of vrouw? Oud of jong? Hoe ziet zo iemand eruit?

Maud liet haar kin op haar handen rusten en keek naar de entree. Niet veel mensen vanavond. Het bezoekuur voor de patiënten die waren opgenomen, was voorbij en de nieuwe patiënten die met zaterdagavondverwondingen binnenkwamen, waarbij vaak alcohol in het spel was, gingen naar de eerste hulp.

De draaideur begon te draaien. Misschien kwam daar de sport-wagendominee aan.

Maar nee. Dit was een van de gevallen waarbij ze het op moest geven. Het was een kind. Een tenger ... meisje van een jaar of tien, twaalf. Maud begon een keten van gebeurtenissen bij elkaar te fantaseren die ertoe zouden leiden dat dit kind ten slotte die dominee wérd, maar ze stopte er snel mee. Het meisje keek zo ongelukkig.

Ze liep naar de grote kaart van het ziekenhuis, waar strepen in verschillende kleuren routes markeerden die je moest volgen om op de ene of andere plaats te komen. Weinig volwassenen begrepen iets van de kaart, dus hoe moest een kind het snappen?

Maud boog naar voren en riep zachtjes: "Kan ik je helpen?"

Het meisje keerde zich naar haar om en glimlachte verlegen, kwam naar de receptie. Haar haar was vochtig, hier en daar licht-te een sneeuwvlok die nog niet gesmolten was, wit op tegen het zwart. Ze keek niet naar de grond, zoals kinderen in een vreem-de omgeving vaak doen; nee, de donkere, verdrietige ogen keken recht in die van Maud, terwijl ze op de balie af liep. Er flitste een gedachte door Mauds hoofd, zo duidelijk dat het net was of ze de woorden hoorde.

Ik moet je iets geven. Wat zal ik je eens geven?

Heel stom begon ze in gedachten snel na te gaan wat ze in haar bureauladen had. Een pen? Een ballon?

Het kind kwam voor de balie staan. Alleen haar hoofd en nek kwamen boven de rand uit.

"Pardon, maar … ik zoek mijn vader."

"Ja. Is hij hier opgenomen?"

"Ja, ik weet niet precies …"

Maud keek naar de deur, liet haar blik over de entreehal gaan en stoppen bij het kind voor haar, dat niet eens een jas aanhad. Alleen een zwarte, gebreide polotrui, waarop waterdruppels en sneeuwvlokken glinsterden in het licht van het hokje van de receptie.

"Ben je hier helemaal alleen, liefje? Zo laat?"

"Ja, ik … wilde alleen weten of hij hier is."

"We zullen eens kijken. Hoe heet hij?"

"Ik weet niet."

"Wéét je dat niet?"

Het kind boog haar hoofd, leek iets op de vloer te zoeken. Toen haar hoofd weer omhoogging, waren haar grote zwarte ogen vochtig en haar onderlip trilde.

"Nee, hij … Maar hij ís hier."

"Maar meisje …"

Maud voelde iets kapotgaan in haar borst en zocht bescherming in een handeling; ze bukte om de keukenrol uit de onderste la van haar bureau te pakken, scheurde er een stuk af en gaf het aan het meisje. Eindelijk kon ze iets geven, ook al was het maar een stuk papier.

Het meisje snoot haar neus en veegde haar ogen af op een heel … volwassen manier.

"Dank u wel."

"Maar dan weet ik niet … wat heeft hij dan?"

"Hij is … de politie heeft hem meegenomen."

"Maar dan kun je daar beter heen gaan."

"Ja, maar ze hebben hem hier. Want hij is ziek."

"Wat voor ziekte heeft hij dan?"

"Hij … ik weet alleen dat de politie hem hier heeft. Waar is hij dan?"

"Vermoedelijk op de bovenste verdieping, maar daar mag je niet komen, alleen als je dat … van tevoren met hen hebt afgesproken."

"Ik wilde alleen maar weten wat zijn raam is, dan kan ik … ik weet niet."

Het meisje begon weer te huilen. Mauds keel werd dichtgeknepen en deed pijn. Het meisje wilde dat dus weten, zodat ze buiten voor het ziekenhuis kon staan … in de sneeuw … en omhoog kon kijken naar het raam van haar vader. Maud slikte.

"Ik kan wel bellen als je wilt. Ik weet zeker dat je …"

"Nee. Het is goed. Nu weet ik het. Nu kan ik … Dank u wel."

Het meisje draaide zich om en liep naar de draaideur.

Mijn god, al die gebroken gezinnen.

Het meisje verdween door de deur en Maud bleef zitten staren naar het punt waar het meisje was verdwenen.

Er klopte iets niet.

Maud ging in haar geheugen na hoe het meisje eruit had gezien, hoe ze had bewogen. Er was iets wat niet klopte, iets … Het duurde een halve minuut voordat Maud erachter was wat dat was. Het meisje had geen schoenen aangehad.

Maud sprong op uit het receptiehokje en holde naar de deur. Ze mocht de receptie alleen onder heel bijzondere omstandigheden onbewaakt achterlaten. Dit vond ze zo'n omstandigheid. Ze tripte geërgerd door de draaideur, *schiet op, schiet op*, en de parkeerplaats op. Ze zag het meisje nergens. Wat moest ze doen? Jeugdzorg moest worden ingeschakeld; ze waren niet nagegaan of het meisje iemand had die voor haar zorgde, dat was de enige verklaring. Wie was haar vader?

Maud keek om zich heen op de parkeerplaats, maar kon het meisje niet vinden. Ze holde een stukje langs het ziekenhuis, naar de metro. Geen meisje. Onderweg terug naar de receptie probeerde ze te bedenken wie ze moest bellen, wat ze moest doen.

Oskar lag in zijn bed op de Weerwolf te wachten. Het kookte in zijn borst van woede en van wanhoop. Uit de woonkamer hoorde hij de luide stemmen van Janne en van zijn vader, vermengd met muziek uit de cassetterecorder. De gebroeders Djup. Oskar kon er geen woord van verstaan, maar hij kende het liedje uit zijn hoofd.

"Wij wonen op de boerderij, daar horen heel veel beesten bij

Maar het was nog leeg in onze stal

Dus hebben we het servies verkocht en voor het geld een varken gekocht …"

Waarop de hele groep verschillende dieren op de boerderij begon te imiteren. Gewoonlijk vond hij de gebroeders Djup grappig. Nu kon hij hen wel schieten. Omdat ze meededen. Hun stompzinnige liedje zongen voor vader en Janne, die zich aan het bezatten waren.

Hij wist precies hoe het zou gaan.

Over een uurtje of wat was de fles leeg en dan ging Janne naar huis. Dan waggelde vader een poosje heen en weer door de keuken om ten slotte op het idee te komen dat hij met Oskar moest praten.

Hij zou Oskars kamer binnenkomen en niet langer vader zijn. Alleen een naar drank stinkende, sentimentele kwast, die behoefte had aan tederheid. Hij zou willen dat Oskar uit zijn bed kwam. Even praten. Over hoeveel hij nog steeds van moeder hield, hoeveel hij van Oskar hield, hield Oskar van hem? Lallen over al het onrecht dat hem was aangedaan, en in het ergste geval zou hij zich opwinden, kwaad worden.

Hij sloeg nooit, nee. Maar wat er in die momenten met zijn ogen gebeurde was absoluut het naarste wat Oskar zich kon voorstellen. Dan was er geen spoor meer van zijn vader te bekennen.

Alleen een monster dat op de een of andere manier in zijn lichaam was gekropen en het commando had overgenomen.

De persoon die zijn vader werd als hij dronken was, had niets van doen met wie hij was als hij nuchter was. Dan was het een troost om zich vader als weerwolf voor te stellen. Dat er feitelijk *een heel ander wezen* in zijn lichaam zat. Zoals de maan de wolf naar boven riep in de weerwolf, riep de drank dit wezen in zijn vader naar boven.

Oskar pakte een *Bamse*-blaadje. Hij probeerde te lezen, maar kon zich niet concentreren. Hij voelde zich … overgeleverd. Over een uur of wat zou hij alleen zijn met het Monster. En hij kon niets anders doen dan wachten.

Hij gooide het blad tegen de muur, kwam uit zijn bed en pakte zijn portemonnee. Metrokaartjes en twee briefjes van Eli. De briefjes legde hij naast elkaar op het bed.

Raam, zuig het licht op, stoot het leven uit.

Het hartje.

Tot vanavond. Eli.

En het tweede.

Heus, of ik ga en leef, of blijf en sterf. Je Eli.

Vampiers bestaan niet.

De nacht was een zwart vlies voor het raam. Oskar sloot zijn ogen, dacht aan de weg naar Stockholm en passeerde in razende vaart de huizen, de boerderijen, de velden. Hij vloog de binnenplaats in Blackeberg op, door haar raam naar binnen, en daar was ze.

Hij deed zijn ogen open en keek naar de zwarte rechthoek van het raam. Daarbuiten.

De gebroeders Djup waren bezig met een lied over een fiets met een lekke band. Vader en Janne lachten ergens om, veel te hard. Er viel iets om.

Welk monster kies je?

Oskar stopte de briefjes van Eli in zijn portemonnee en kleedde zich aan. Hij sloop de gang in, trok zijn schoenen en zijn jas aan en zette zijn muts op. Hij bleef een paar seconden stil in de hal staan luisteren naar de geluiden uit de woonkamer.

Toen hij zich omdraaide om weg te gaan, viel zijn oog ergens op en hij bleef staan.

Op de schoenenplank in de hal stonden zijn oude rubberlaarzen, die hij had gehad toen hij een jaar of vier, vijf was. Die stonden daar al zolang hij zich kon herinneren, hoewel er niemand was die ze kon gebruiken. De reusachtige Tretorn-laarzen van zijn vader stonden ernaast, de ene op de hiel gerepareerd met zo'n plakker voor fietsbanden.

Waarom heeft hij die bewaard?

Oskar begreep het. Er kwamen twee mensen uit de laarzen groeien, die met de rug naar hem toe stonden. De brede rug van zijn vader en naast hem de smalle van Oskar. Oskars arm naar boven uitgestoken, zijn hand in die van zijn vader. Ze liepen met hun laarzen aan over een rots, misschien gingen ze frambozen plukken, misschien …

Hij snufte. Hij kreeg een brok in zijn keel. Hij stak zijn hand uit om de kleine laarzen aan te raken. In de woonkamer klonk een lachsalvo. De stem van Janne, vervormd. Hij deed zeker iemand na, dat kon hij goed.

Oskars vingers sloten zich om de schacht van de laars. Hij wist niet waarom, maar dat voelde goed. Hij deed voorzichtig de voordeur open en weer achter zich dicht. De nacht was ijskoud, de sneeuw een zee van diamantjes in het maanlicht.

Met de laarzen stevig in zijn hand begon hij naar de grote weg te lopen.

De bewaker sliep. Een jonge agent die daar was neergezet na protesten van het verplegend personeel dat een van hen steeds Håkan moest bewaken. De deur zat wel met een code op slot. Daarom durfde hij waarschijnlijk ook te slapen.

Er brandde alleen een nachtlampje en Håkan lag de vage schaduwen op het plafond te bestuderen, zoals een gezonde man in het gras naar wolken kan liggen kijken. Hij zocht vormen, figuren in de schaduwen. Hij wist niet of hij zou kunnen lezen, maar hij verlangde er wel naar.

Eli was weg en wat zijn oude leven had gedomineerd kwam nu weer terug. Hij zou een lange gevangenisstraf krijgen en die tijd zou hij besteden aan het lezen van alles wat hij niet had gelezen en het herlezen van alles waarvan hij zichzelf had beloofd dat hij het zou herlezen.

Hij was net bezig alle titels van Selma Lagerlöf langs te lopen, toen een schrapend geluid zijn gedachten onderbrak. Hij luisterde. Weer dat schrapen. Het kwam bij het raam vandaan.

Hij draaide zijn hoofd zo ver hij kon en keek die kant op. Tegen de zwarte hemel verscheen een lichter ovaal dat door het nachtlampje werd beschenen. Een licht klompje ging naast het ovaal omhoog, wipte heen en weer. Een hand. Zwaaide. De hand ging over het raam en weer klonk het schrapende geluid dat door merg en been ging.

Eli.

Håkan was dankbaar dat hij niet aan een of ander ECG-toestel gekoppeld zat, toen zijn hart begon te racen, te fladderen als een vogel in een net. Hij zag zijn hart uit zijn borst springen en over de vloer naar het raam kruipen.

Kom binnen, liefste. Kom binnen.

Maar het raam zat dicht, en al was het open geweest, dan hadden zijn lippen de woorden niet kunnen vormen die Eli toegang gaven tot de kamer. Misschien lukte het ook met een uitnodigend gebaar, maar dat wist hij niet.

Kan het?

Hij probeerde eerst één been over de rand van het bed te slaan, toen het andere. Hij zette zijn voeten op de grond, probeerde te gaan staan. Nadat ze tien dagen stil hadden gelegen, wilden zijn benen zijn gewicht niet dragen. Hij steunde op het bed, hij viel bijna opzij.

De infuusslang werd zo ver uitgerekt dat hij de huid waar hij in vastzat, strak trok. Er zat een soort alarm aan de slang gekoppeld, er liep een elektrisch snoertje langs. Als hij de slang er aan een van beide kanten uit trok, ging het alarm af. Hij stak zijn arm uit in de richting van de infuusstandaard, zodat de slang slapper ging hangen en keerde zich naar het raam. Het lichte ovaal was er nog steeds, het wachtte op hem.

Ik moet.

De infuusstandaard stond op wieltjes, de batterij van het alarm zat vlak onder de zak vastgeschroefd. Hij greep naar de standaard en kreeg hem te pakken. Met de standaard als steun stond hij op, langzaam, langzaam. De kamer zwom voor zijn ene oog toen hij een voorzichtige stap deed, bleef staan. Luisterde. De ademhaling van de bewaker was nog steeds rustig.

Met heel kleine stapjes slofte hij door de kamer. Zodra een van de wieltjes van de standaard piepte, bleef hij staan en luisterde. Iets zei hem dat dit de laatste keer was dat hij Eli zou zien en hij was niet van plan het te … *verprutsen.*

Zijn lichaam was uitgeput als na een marathonloop toen hij eindelijk het raam bereikte. Hij drukte zijn gezicht ertegenaan, zodat het gelatineachtige vlies dat zijn huid bedekte uitgesmeerd werd over de ruit en zijn gezicht weer begon te branden.

Slechts een paar centimeter dubbel glas scheidde zijn oog van dat van zijn geliefde. Eli ging met haar hand over het glas, als om zijn mismaakte gezicht te strelen. Håkan hield zijn oog zo dicht mogelijk bij dat van Eli en toch kon hij het nu slechter zien, Eli's zwarte ogen vervloeiden, werden onduidelijk.

Hij was ervan uitgegaan dat de traanbuis verbrand was, net als de rest, maar dat was niet zo. Tranen welden op in zijn oog en verblindden hem. Zijn provisorische ooglid kon ze niet wegknipperen en hij veegde voorzichtig over zijn oog met de hand die niet gewond was, terwijl zijn lichaam schudde van stille snikken.

Zijn hand zocht de venstersluiting. Draaide eraan. Snot liep uit het gat dat zijn neus was geweest, het drupte op de vensterbank toen hij het raam openschoof.

Koude lucht stroomde de kamer in. Het was slechts een kwestie van tijd voordat de bewaker wakker werd. Håkan stak zijn arm, zijn gezonde hand, door het raam naar buiten, naar Eli. Eli trok zich op op de vensterbank, nam zijn hand tussen haar handen, kuste die en fluisterde: "Hallo, lieverd."

Håkan knikte langzaam alsof hij wilde bevestigen dat hij het had gehoord. Hij maakte zijn hand los uit die van Eli en streelde haar wang. De huid was als bevroren zijde onder zijn hand.

Het kwam allemaal terug.

Hij zou niet rotten in een gevangeniscel, omgeven door zinloze letters. Gepest worden door andere gevangenen, omdat hij de in hun ogen ergste misdaad had begaan. Hij zou bij Eli zijn. Hij zou …

Eli boog zich naar hem toe, ineengedoken op de vensterbank.

"Wat moet ik doen?"

Håkan haalde zijn hand van Eli's wang en wees naar zijn hals.

Eli schudde haar hoofd.

"Dan moet ik je daarna … doden."

Håkan haalde de hand van zijn hals, bracht hem naar Eli's gezicht, hield zijn wijsvinger even tegen Eli's lippen en trok hem daarna terug.

Hij wees weer naar zijn hals.

Zijn adem kwam in witte wolken uit zijn mond, maar hij had het niet koud. In tien minuten was Oskar beneden bij de winkel. De maan was hem vanaf het huis van zijn vader gevolgd, had verstoppertje gespeeld achter de sparrentoppen. Oskar keek op zijn horloge. Halfelf. Hij had op de dienstregeling in de gang gezien dat de laatste bus uit Norrtälje om halfeen vertrok.

Hij stak de open plaats voor de winkel over, verlicht door de lampen van de benzinepompen, liep naar de Kapellskärsvägen. Hij had nooit eerder gelift, en zijn moeder zou gek worden als ze het wist. Bij vreemde mensen in de auto ...

Hij liep sneller, hij kwam langs een paar verlichte villa's. Daarbinnen hadden mensen het gezellig. Kinderen sliepen in hun bed zonder angst dat hun ouders binnen zouden komen om hen wakker te maken en een hoop onzin te vertellen.

Dit is de schuld van papa, niet mijn schuld.

Hij keek naar de laarzen die hij nog steeds in zijn hand hield, gooide ze in de sloot en bleef staan. Daar lagen de laarzen; twee donkere kluiten tegen de sneeuw in het maanlicht.

Van mama mag ik hier nooit meer heen.

Zijn vader zou over misschien ... een uur ontdekken dat hij weg was. Dan zou hij naar buiten gaan om te zoeken, hem roepen. Dan zou hij moeder bellen. Zou hij dat doen? Waarschijnlijk wel. Om te horen of Oskar had gebeld. Moeder zou horen dat vader dronken was, als hij vertelde dat Oskar weg was en het zou ...

Wacht. Ik heb het.

Als hij in Norrtälje kwam, zou hij zijn vader bellen uit een telefooncel en zeggen dat hij naar Stockholm ging, dat hij bij een vriend zou overnachten en dan morgen thuis zou komen bij moeder en net doen of er niets aan de hand was.

Dan kreeg vader zijn lesje zonder dat het een ramp werd.

Mooi. En dus ...

Oskar haalde de laarzen uit de sloot, propte ze in zijn jaszakken en liep verder naar de grote weg. Nu was het goed. Nu was het Oskar die besloot waar hij naartoe ging; de maan blikte vriendelijk op hem neer en lichtte hem bij. Hij tilde zijn hand op bij wijze van groet en begon te zingen.

"Hier komt Fritiof Andersson, de sneeuw valt op zijn hoed ..."

Toen wist hij de tekst niet verder, dus neuriede hij maar.

Na een meter of honderd kwam er een auto aan. Hij hoorde hem al in de verte, bleef staan en stak zijn duim op. De auto haalde hem in, stopte, reed achteruit. De deur aan de passagierskant ging open; in de auto zat een vrouw, wat jonger dan zijn moeder.

Niets om bang voor te zijn.

"Hallo. Waar moet je naartoe?"

"Stockholm. Ja, Norrtälje."

"Ik moet naar Norrtälje, dus …" Oskar boog de auto in. "Jeetje. Weten je ouders dat je hier bent?"

"Jawel. Maar de auto van mijn vader is kapot en … ja."

De vrouw keek hem aan, leek na te denken.

"Stap dan maar in."

"Dank u wel."

Oskar liet zich op de stoel glijden en deed de deur dicht. Ze reden weg.

"Moet je naar het busstation?"

"Ja, graag."

Oskar installeerde zich op de stoel, genoot van de warmte die in zijn lichaam begon op te stijgen, vooral over zijn rug. Het was zeker zo'n elektrische stoel. Dat het zo gemakkelijk ging. Verlichte villa's vlogen voorbij.

Blijven jullie maar lekker zitten.

We trekken met muziek en zang naar Spanje en … nog iets.

"Woon je in Stockholm?"

"Ja. In Blackeberg."

"Blackeberg … dat is aan de westkant, toch?"

"Ik geloof van wel. Het heet Västerort, dus dat zal dan wel."

"Ja, ja. Is er iets belangrijks wat thuis op je wacht?"

"Ja."

"Moet wel erg de moeite waard zijn als je er zo voor op pad gaat."

"Ja. Dat is het ook."

Het was koud in de kamer. Zijn gewrichten voelden stijf aan nadat hij zo lang in een ongemakkelijke houding had gezeten. Ze kraakten toen de bewaker zich uitrekte. Hij wierp een blik op het ziekenhuisbed en was klaarwakker.

Weg … die kou … verdomme!

Hij kwam op onvaste benen overeind en keek om zich heen. Godzijdank. De man was niet gevlucht. Maar hoe was hij in vredesnaam bij het raam gekomen? En …

Wat is dat?

De moordenaar stond tegen de vensterbank geleund met een zwarte klomp op zijn ene schouder. Zijn blote kont stak onder het ziekenhuishemd uit. De bewaker zette een stap in de richting van het raam, bleef staan, hijgde.

De klomp was een hoofd. Een paar donkere ogen keken hem aan.

Hij tastte naar zijn dienstwapen, herinnerde zich dat hij er geen had. Uit veiligheidsoverwegingen. Het dichtstbijzijnde wapen zat in de kluis op de gang. Bovendien: het was ook maar een kind, zag hij nu.

"Hallo! Geen beweging!"

Hij holde de drie stappen naar het raam en het hoofd van het kind kwam omhoog van de hals van de man.

Op het moment dat de bewaker bij het kind kwam, maakte het een sprong van de vensterbank en verdween naar boven. De voeten bungelden even aan de bovenkant van het raam, voordat ze verdwenen.

Het waren blote voeten.

De bewaker stak zijn hoofd door het raam, zag nog net een lichaam het dak op verdwijnen, uit het zicht. De man naast hem rochelde.

Och, gottegot.

De schouders en de rug van het hemd waren zwartgevlekt in het zwakke licht. Het hoofd van de man hing naar beneden en er glom een verse wond in zijn nek. Van het dak klonken lichte bonzen van iets wat over plaatijzer bewoog. Hij stond als verlamd.

Prioriteiten. Welke prioriteiten?

Hij wist het niet meer. Eerst levens redden. Ja. Maar dat konden anderen … hij holde naar de deur, toetste de combinatie in, gleed de gang op en riep: "Zuster! Zuster! Kom! Dit is een noodgeval!"

Hij rende naar de brandtrap terwijl de nachtzuster uit haar hokje kwam en in de richting holde van de kamer die hij zojuist had verlaten. Toen ze elkaar tegenkwamen, vroeg ze: "Wat is er?"

"Noodgeval. Het is een … noodgeval. Mensen hierheen roepen, het is … moord."

De woorden wilden niet. Hij had nog nooit eerder zoiets meegemaakt. Hij was op deze trieste wachtpost gezet, juist omdát hij onervaren was. Hij kon gemist worden, zeg maar. Terwijl hij naar de trap rende, pakte hij zijn portofoon, belde de centrale en vroeg om versterking.

De verpleegster probeerde zich op het ergste voor te bereiden; een lichaam dat op de grond lag in een plas bloed. Opgehangen aan een laken aan de waterleidingbuis. Beide had ze wel eens gezien.

Toen ze de kamer in kwam, zag ze alleen een leeg bed. En iets bij het raam. Eerst dacht ze dat het een stapel kleren was, die op de vensterbank was gelegd. Toen zag ze dat hij bewoog.

Ze snelde naar het raam om het te verhinderen, maar de man was al te ver. Hij zat al op de vensterbank, half buiten het raam, toen ze begon te rennen. Ze kon nog net een punt van het ziekenhuishemd vastpakken voordat het lichaam van de man naar buiten rolde en de infuusslang uit zijn arm werd getrokken. *Rits*, en ze stond met een stuk blauwe stof in haar hand. Een paar seconden later hoorde ze een verre, doffe bons toen zijn lichaam op de grond neerkwam. Toen het piepen van het alarm van de infuusstandaard.

De taxichauffeur draaide de ingang van de eerste hulp op. De oudere man op de achterbank, die hem de hele rit vanaf Jakobsberg had onderhouden met de geschiedenis van zijn hartklachten, deed zijn deur open en bleef afwachtend zitten.

Oké, oké.

De chauffeur opende zijn portier, liep achter de auto langs en stak een arm uit om de oude man te ondersteunen. De sneeuw viel in zijn nek. De oude man wilde zijn arm pakken, maar zijn blik bleef ergens in de lucht hangen en hij bleef zitten.

"Kom maar. Ik hou u vast."

De oude man wees omhoog. "Wat is dat?"

De chauffeur keek waar hij wees.

Er stond iemand op het dak van het ziekenhuis. Een klein mensje. Met een bloot bovenlichaam, de armen vlak langs het lichaam.

Alarm slaan.

Hij moest alarm slaan via de radio. Maar hij stond stil, niet in staat zich te bewegen. Als hij zich bewoog, zou er een soort evenwicht worden verstoord en zou het kleine mensje vallen.

Zijn ene hand deed pijn toen de oude die met klauwachtige vingers vastgreep en met zijn nagels in zijn handpalm groef. Toch verroerde hij zich niet.

Sneeuw viel in zijn ogen en hij knipperde. De persoon op het dak spreidde zijn armen, stak ze tot boven zijn hoofd uit. Iets strekte zich uit tussen de armen en het lichaam; een vlies ... een membraan. De oude man trok aan zijn hand, kwam de auto uit en ging naast hem staan.

Op het moment dat de schouder van de oude man de zijne raakte, viel het persoontje ... het kind ... recht naar beneden. Hij hijgde en de vingers van de oude man boorden zich weer in zijn handpalm. Het kind viel recht op hen af.

Instinctief doken ze beiden in elkaar, hielden hun armen voor hun hoofd.

Er gebeurde niets.

Toen ze weer opkeken, was het kind weg. De chauffeur keek om zich heen, maar alles wat er in het luchtruim te zien was, was vallende sneeuw onder de straatlantaarns. De oude man rochelde.

"De engel des doods. Dat was de engel des doods. Ik kom hier nooit meer weg."

ZATERDAG 7 NOVEMBER
(NACHT)

"Habba-Habba soudd-soudd!"

De groep zingende jongens en meisjes was bij Hötorget inge-stapt. Ze waren van Tommy's leeftijd. Dronken. De jongens stootten zo nu en dan een gebrul uit en vielen over de meisjes heen; de meisjes lachten en sloegen naar hen. Daarna zongen ze weer. Hetzelfde lied, keer op keer opnieuw. Oskar keek stiekem naar hen.

Zo word ik nooit.

Helaas. Dat had hij wel gewild. Ze leken plezier te hebben. Maar Oskar zou nooit zo kunnen zijn of doen als die jongens. Een van hen ging op de bank staan en zong luid: *"A Huleba-Huleba, A-ha-Huleba ..."*

Een man die zat te dommelen bij de plaats voor invaliden ach-ter in de wagon, riep: "Kan het een beetje rustig! Ik probeer te sla-pen."

Een van de meisjes stak haar middelvinger op naar de man.

"Slapen doe je thuis maar."

De hele groep lachte en hief het lied weer aan. Een paar plaat-sen verderop zat een man in een boek te lezen. Oskar boog zijn hoofd om de titel te kunnen lezen, maar hij kon alleen de naam van de schrijver zien: Göran Tunström. Die kende hij niet.

In het vierkant van stoelen naast Oskar zat een oude vrouw met een handtas op schoot. Ze praatte zachtjes in zichzelf, gesticule-rend naar een onzichtbare gesprekspartner.

Hij was nog nooit na tienen 's avonds met de metro geweest. Waren dit dezelfde mensen die overdag stil voor zich uit zaten te kijken of de krant lazen? Of was dit een speciale groep, die alleen 's nachts tevoorschijn kwam?

De man met het boek sloeg een bladzij om. Oskar had vreemd genoeg geen boek bij zich. Jammer. Hij had hetzelfde willen doen als die man: een boek lezen en alles om zich heen vergeten. Hij had alleen de walkman en de kubus. Hij was van plan geweest naar de cassette van Kiss te luisteren, die hij van Tommy had gekregen; hij had het in de bus naar huis even geprobeerd, maar was er na een paar nummers al flauw van.

Hij haalde de kubus uit zijn tas. Drie zijden waren opgelost. Eén stom stukje zat nog fout op de vierde zijde. Eli en hij waren een avond met de kubus bezig geweest, ze hadden besproken hoe je het kon aanpakken en sindsdien was Oskar er beter in geworden. Hij bekeek alle kanten en probeerde een strategie te bedenken, maar zag alleen Eli's gezicht voor zich.

Hoe zal ze eruitzien?

Hij was niet bang. Hij had een gevoel zo van ... ja ... hij kon hier niet zijn, op dit tijdstip, hij kon niet doen wat hij nu deed. Het bestond niet. Dit was hij niet.

Ik ben er niet, en niemand kan mij iets doen.

Hij had zijn vader vanuit Norrtälje gebeld en zijn vader had gehuild aan de telefoon. Hij zei dat hij iemand zou bellen om Oskar op te halen. Het was de tweede keer in zijn leven dat Oskar zijn vader hoorde huilen. Even wilde Oskar bijna toegeven. Maar toen zijn vader zich begon op te winden en schreeuwde dat hij toch recht had op een eigen leven en in zijn eigen huis mocht doen wat hij wilde, had Oskar opgehangen.

Toen was het echt begonnen: dat gevoel dat hij niet bestónd.

De groep jongens en meisjes stapte uit bij Ängbyplan. Een van de jongens draaide zich om en riep de wagon in: "Welterusten, lieve ... lieve ..."

Hij kwam niet op het woord en een van de meisjes trok hem mee. Vlak voordat de deuren dichtgingen, rukte hij zich los en holde erheen, hield één deur vast en riep: "Medepassagiers! Welterusten, medepassagiers!"

Hij liet de deur los en de metro begon te rijden. De lezende man liet zijn boek zakken en keek de jongeren op het perron na.

Daarna keek hij naar Oskar, hij keek hem in de ogen. En glim-lachte. Oskar glimlachte vluchtig terug en deed toen net of hij zijn aandacht weer op de kubus richtte.

In zijn hart een gevoel dat hij was … goedgekeurd. De man had hem aangekeken en de gedachte uitgestuurd: het is goed. Alles wat je doet is oké.

Hij durfde toch niet meer naar de man te kijken. Hij had het gevoel dat de man het wíst. Oskar draaide de kubus een slag, draaide hem weer terug.

Behalve hijzelf waren er nog twee reizigers die in Blackeberg uit-stapten, uit andere wagons. Een grote jongen die hij niet kende en een volwassene, type zwerver, die erg dronken leek. De zwer-ver wankelde naar de jongen toe en riep: "Hé, kan ik een saffie van je bietsen?"

"Sorry, ik rook niet."

De zwerver leek niet meer te horen dan de ontkenning op zich, want hij haalde een briefje van tien kronen uit zijn zak en wap-perde ermee. "Tien kronen! Voor één sigaretje!"

De jongen schudde zijn hoofd en liep door. De zwerver stond te wiebelen en toen Oskar voor hem langs liep, tilde hij zijn hoofd op en zei: "Jij daar!" Maar toen werden zijn ogen smaller, hij stelde zijn blik in op Oskar en schudde zijn hoofd. "Nee. Niks. Ga in vrede, broeder."

Oskar liep de trappen op naar de stationshal. Vroeg zich af of de zwerver nu van plan was op de elektrische rail te pissen. De grote jongen verdween door de deuren naar buiten. Oskar was, op de controleur na, alleen in de stationshal.

Alles was zo anders 's nachts. In de fotozaak, de bloemenwinkel en de kledingboetiek in de stationshal waren de lichten uit. De controleur zat in zijn hokje met zijn voeten op de plank van het loket iets te lezen. Zo stil. Op de klok aan de muur was het even over tweeën. Hij zou nu in bed moeten liggen. Slapen. Hij zou in elk geval slaperig moeten zijn. Maar niks daarvan. Hij was zo moe dat hij zich vanbinnen hol voelde, maar toch elektrisch gela-den. Zonder slaperigheid.

Onder bij het perron werd een deur opengegooid en hij hoorde de stem van de zwerver van beneden: "Toe, juten, maak een buiging, met helm en wapenstok."

Het liedje dat hijzelf ook had gezongen. Hij lachte en begon te rennen. Holde de deur uit, de heuvel af naar de school, de school en de parkeerplaats voorbij. Het was weer gaan sneeuwen en de grote vlokken prikten door de hitte in zijn gezicht heen. Onder het rennen keek hij omhoog. De maan was er nog steeds bij, deed kiekeboe achter de flats.

Op de binnenplaats bleef hij staan uithijgen. Bijna overal was het licht uit, maar was daar niet een zwak licht achter de jaloezieën van Eli's flat?

Hoe zal ze eruitzien?

Hij liep de heuvel op, wierp een blik op zijn eigen donkere raam. Daarbinnen lag de gewone Oskar te slapen. Oskar ... van vóór Eli. Met de Pisbol in zijn onderbroek. Zelf was hij daarmee gestopt, het was niet meer nodig.

Hij maakte zijn voordeur open en liep de keldergang door naar haar portiek, bleef níét staan om te kijken of er nog een vlek op de vloer zat. Liep gewoon verder. Dat was er nu niet. Hij had geen moeder, geen vader, geen eerder leven, hij was gewoon ... hier. Hij liep verder door het portiek, de trappen op.

Op de overloop keek hij naar de versleten houten deur, het naambordje zonder naam. *Achter die deur.*

Hij had zich voorgesteld dat hij gewoon de trap op zou hollen, aan zou bellen. In plaats daarvan ging hij op de één na onderste traptree zitten, bij de deur.

Stel je voor dat zij niet wilde dat hij kwam?

Zij was per slot van rekening bij hem weggerend. Ze zou misschien zeggen dat hij weg moest gaan, dat ze met rust gelaten wilde worden, dat ze ...

De kelderberging. Van Tommy en de andere jongens.

Daar kon hij slapen, op de bank. Want ze zouden daar 's nachts toch niet zijn? Dan kon hij Eli morgenavond ontmoeten, net als anders.

Het wordt niet zoals anders.

Hij staarde naar de bel. Het werd niet meer zoals anders. Er moest iets groots gedaan worden. Zoals weglopen, liften, midden in de nacht naar huis gaan om te laten zien dat het … belangrijk is. Waar hij bang voor was, was níét dat ze misschien een wezen was dat van het bloed van mensen leefde. Maar dat ze hem zou afwijzen.

Hij belde aan.

Er klonk gerinkel in de flat dat ophield toen hij de bel losliet. Hij bleef zitten, wachtte. Belde weer aan, langer. Niets. Geen geluid.

Ze was niet thuis.

Oskar zat stil op de tree, terwijl de teleurstelling als een steen in zijn maag zakte. Hij voelde zich plotseling moe, ontzettend moe. Hij stond langzaam op, liep de trap af. Halverwege kreeg hij een idee. Stom, maar toch. Hij liep weer naar haar deur, en met korte en lange belsignalen spelde hij haar naam in het morsealfabet.

Kort. Pauze. Kort, lang, kort, kort. Pauze. Kort, kort. E … L … I …

Hij wachtte. Geen geluid van de andere kant. Hij draaide zich om en wilde gaan, toen hij haar stem hoorde.

"Oskar? Ben jij het?"

En ondanks alles was zijn blijdschap een raket die in zijn borst werd afgestoken en uit zijn mond knalde met een veel te luid: "Ja!"

Om iets te doen te hebben haalde Maud Carlberg een kop koffie in de kamer achter de receptie en ging in het donkere hokje zitten. Haar dienst zat er een uur geleden al op, maar de politie had haar gevraagd te wachten.

Een paar mannen die niet gekleed waren als agenten, waren een soort poeder op de vloer aan het kwasten waar het meisje op blote voeten had gelopen.

De agent die haar had gevraagd wat het meisje had gezegd en gedaan en hoe ze eruitzag, was niet vriendelijk geweest. Uit zijn stem maakte Maud op dat hij haar iets verweet, dat ze iets verkeerd had gedaan. Maar hoe had ze het kunnen weten?

Henrik, een van de bewakers die vaak dezelfde avonddienst had als zij, kwam naar de receptie en wees naar het koffiekopje.

"Voor mij?"

"Als je wilt."

Henrik pakte het kopje, dronk een slok en keek uit over de hal. Behalve de mensen die bezig waren de vloer te kwasten, was er een agent in uniform die met een taxichauffeur stond te praten.

"Veel mensen vanavond."

"Ik begrijp er niets van. Hoe is ze boven gekomen?"

"Weet niet. Daar werken ze zeker aan. Het lijkt erop dat ze langs de muur omhoog geklommen is."

"Dat kan toch niet."

"Nee."

Henrik haalde een zakje dropjes uit zijn zak en hield het haar voor. Maud schudde haar hoofd en Henrik pakte drie dropjes, stopte ze in zijn mond en haalde verontschuldigend zijn schouders op.

"Ik ben gestopt met roken. Ik ben in twee weken vier kilo aangekomen." Hij trok een gezicht. "Nee, verdorie. Je had hem moeten zien."

"Hem … de moordenaar?"

"Ja. De hele muur zat eronder. En zijn gezicht … nee. Als ik ooit zelfmoord wil plegen, dan met pillen. Je zult maar lijkschouwer zijn. Dan moet je …"

"Henrik."

"Ja?"

"Hou op."

Eli stond in de deuropening. Oskar zat op de trap. In zijn ene hand hield hij het handvat van zijn tas vast, alsof hij elk moment weg kon gaan. Eli stopte een haarlok achter haar oor. Ze zag er helemaal gezond uit. Een verlegen klein meisje. Ze keek naar haar handen en zei zacht: "Kom je?"

"Ja."

Eli knikte bijna onmerkbaar, terwijl ze haar vingers ineenvlocht. Oskar bleef op de trap zitten.

"Mag ik … binnenkomen?"

"Ja."

De duivel voer in Oskar. Hij zei: "Zeg dat ik binnen mag komen."

Eli tilde haar hoofd op, wilde iets zeggen, maar deed het niet. Ze begon de deur een stukje dicht te doen, maar stopte. Ze trappelde met haar blote voeten en zei toen: "Je mag binnenkomen."

Ze draaide zich om en liep de flat in, Oskar ging achter haar aan en deed de deur achter zich dicht. Hij zette de tas in de gang neer, deed zijn jas uit en hing die aan een kapstok met haken waar allang niets meer aan hing.

Eli stond in de deur van de woonkamer met hangende armen. Ze had alleen een slipje aan en een rood T-shirt waar IRON MAIDEN op stond, boven een afbeelding van het skeletmonster dat ook op hun platen stond. Oskar dacht dat hij het herkende. Hij had het eens in het vuilnishok gezien. Was dit hetzelfde shirt?

Eli inspecteerde haar vieze voeten.

"Waarom zei je dat?"

"Dat zei jij toch?"

"Ja. Oskar …"

Ze aarzelde. Oskar bleef staan waar hij stond, met zijn hand aan de jas die hij net had opgehangen. Hij keek naar de jas toen hij vroeg: "Ben je een vampier?"

Ze sloeg haar armen stijf om haar lichaam en schudde langzaam haar hoofd.

"Ik leef … van bloed. Maar dát … ben ik niet."

"Wat is het verschil?"

Ze keek hem in de ogen en zei wat krachtiger: "Het is een enorm verschil."

Oskar zag dat ze haar tenen samenkneep, ontspande, samenkneep. Haar blote benen waren heel dun, waar het T-shirt ophield kon hij de rand van een wit slipje zien. Hij maakte een gebaar in haar richting. "Ben je als het ware … dood?"

Ze glimlachte voor het eerst sinds hij er was.

"Nee. Merk je dat niet?"

"Nee, maar … je weet wel … ben je al eens doodgegaan?"

"Nee. Maar ik leef al heel lang."

"Ben je óúd?"

"Nee. Ik ben twaalf. Maar dat ben ik al heel lang."

"Dus je bent wél oud. Vanbinnen. In je hoofd."

"Nee. Dat is niet zo. Dat is het enige wat ik zelf heel gek vind.

Ik kan het niet begrijpen. Waarom ik nooit … helemaal niet … ouder word dan twaalf jaar."

Oskar dacht na, streek over de mouw van zijn jas.

"Misschien daarom juist."

"Hoe bedoel je?"

"Ja, dus … je kunt niet begrijpen waarom je altijd twaalf bent, want je bent nog maar twaalf."

Eli fronste haar wenkbrauwen. "Bedoel je dat ik dóm ben?"

"Nee. Maar wat traag van begrip. Dat zijn kinderen altijd."

"O, ja. Hoe gaat het met de kubus?"

Oskar snoof, keek haar in de ogen en herinnerde zich dat van haar pupillen weer. Nu waren ze net als altijd, maar ze hadden er echt zo vreemd uitgezien, of niet? Toch … het was te veel. Het was niet te geloven.

"Eli. Dit verzin je gewoon. Toch?"

Eli aaide over het skeletmonster op haar buik, liet haar hand vlak boven de gapende muil van het monster stoppen.

"Wil je nog steeds een verbond met mij aangaan?"

Oskar deed een halve stap achteruit.

"Nee."

Ze keek naar hem op. Verdrietig, bijna verwijtend.

"Zó niet. Je snapt toch wel dat …"

Ze onderbrak zichzelf. Oskar maakte haar zin voor haar af.

"Als je mij had willen doden, had je dat allang gedaan."

Eli knikte. Oskar deed nog een halve stap achteruit. Hoe snel zou hij de deur uit kunnen komen? Zou hij zijn tas laten staan? Eli leek zijn ongerustheid niet te merken, zijn zin om te vluchten. Oskar bleef staan, zijn spieren gespannen.

"Word ik … geïnfecteerd?"

Nog steeds met de blik gericht op het monster op haar buik, schudde Eli haar hoofd. "Ik wil niemand infecteren. Zeker jou niet."

"Wat is het dan? Dat verbond?"

Ze tilde haar hoofd op naar het punt waar ze dacht dat hij stond, ontdekte dat hij daar niet was. Aarzelde. Liep toen naar hem toe, pakte zijn hoofd tussen haar handen. Oskar liet het toe. Eli zag er … blanco uit. Afwezig. Maar geen spoor van het gezicht dat hij in de kelder had gezien. Haar vingertoppen raakten zachtjes zijn oren. Een rustige kalmte stroomde door Oskars lichaam.

Laat maar komen.

Laat maar komen wat er komt.

Eli's gezicht was twintig centimeter van zijn eigen gezicht verwijderd. Haar adem rook vreemd, als het schuurtje waar zijn vader oud ijzer bewaarde. Ja. Er hing een geur van ... roest om haar heen. Een vingertop streek over zijn oor. Ze fluisterde: "Ik ben eenzaam. Niemand weet het. Wil je?"

"Ja."

Ze bracht haar gezicht snel bij het zijne, sloot haar lippen om zijn bovenlip en hield die vast met een lichte, lichte druk. Haar lippen waren warm en droog. Speeksel stroomde toe in zijn mond en toen hij zijn eigen lippen om haar onderlip sloot, werd die vochtig, zacht. Voorzichtig proefden ze van elkaars lippen en lieten ze over elkaar heen glijden. Oskar verdween in een warm duister dat geleidelijk lichter werd, het werd een grote zaal, de zaal van een kasteel met in het midden een lange tafel vol met eten, en Oskar ...

... holt op de lekkernijen af, begint ervan te eten met zijn handen. Om hem heen zijn andere kinderen, groot en klein. Allemaal eten ze van de tafel. Aan de korte kant van de tafel zit een ... man? ... vrouw ...

Iemand met een pruik op. Ja, het moet wel een pruik zijn. Een enorme bos haar bedekt het hoofd. De persoon heeft een glas in zijn hand, gevuld met een donkerrode vloeistof, zit behaaglijk achterovergeleund in zijn stoel, nipt van het glas en knikt Oskar bemoedigend toe.

Ze eten maar door. Verder weg in de zaal, tegen de muur, ziet Oskar mensen in armoedige kleren, die ongerust volgen wat er om de tafel heen gebeurt. Een vrouw met een bruine sjaal over haar haar staat met haar handen stijf gevouwen op haar buik en Oskar denkt 'mama'.

Dan wordt er tegen een glas getikt en alle aandacht richt zich op de man aan het uiteinde van de tafel. Hij gaat staan. Oskar is bang voor de man. Zijn mond is klein, smal, onnatuurlijk rood. Zijn gezicht krijtwit. Oskar voelt jus uit zijn mondhoek lopen, er zit een stukje vlees voor in zijn mond, hij gaat er met zijn tong overheen.

De man houdt een leren buideltje omhoog. Met een gracieus gebaar maakt hij de koordjes los waarmee het buideltje dichtzit en laat twee grote, witte dobbelstenen op tafel rollen. Het galmt door de zaal als de dobbelstenen rollen; dan blijven ze liggen. De man pakt de dobbelstenen in zijn hand en strekt ze naar Oskar en de andere kinderen uit.

De man doet zijn mond open om iets te zeggen, maar op hetzelf-de moment valt het stukje vlees uit Oskars mond en …

Eli's lippen verlieten de zijne, ze liet zijn hoofd los, deed een stap naar achteren. Hoewel hij het eng vond, probeerde Oskar het beeld van de zaal in het kasteel weer te pakken te krijgen, maar dat was weg. Eli keek hem onderzoekend aan. Oskar wreef in zijn ogen, knikte.

"Het is dus waar."

"Ja."

Ze bleven een poosje zwijgend staan. Toen zei Eli: "Wil je binnenkomen?"

Oskar zei niets. Eli trok aan haar shirt, deed haar handen omhoog, liet ze zakken.

"Ik zal je nooit kwaad doen."

"Dat weet ik wel."

"Waar denk je aan?"

"Dat shirt. Komt dat bij het vuilnis vandaan?"

"… Ja."

"Heb je het gewassen?"

Eli gaf geen antwoord.

"Je bent een beetje vies, weet je dat?"

"Ik kan wel een ander aantrekken, als je wilt."

"Ja, doe dat."

Hij had over de man onder het laken op de kar gelezen. De rituele moordenaar.

Bengt Edwards had allerlei mensen hier door de gangen gereden, naar de koelruimte. Mannen en vrouwen van alle leeftijden en in alle maten. Kinderen. Er was geen speciale kar voor kinderen en Benke kreeg bij weinig dingen zo'n naar gevoel als bij het lege oppervlak dat overbleef op de kar als hij een kind reed; de kleine gestalte onder het witte laken, als het ware tegen het hoofdeinde van de kar aan gedrukt. Het voeteneinde leeg, het laken glad. Dat oppervlak was de dood zelf.

Maar nu reed hij een volwassen man. Sterker nog: een beroemdheid.

Hij duwde de kar door de lege gangen. Het enige geluid dat hij hoorde, was het piepen van de rubberbanden over het linoleum. Hier waren geen kleurmarkeringen op de grond. Wanneer hier een bezoeker kwam, ging er altijd iemand van het ziekenhuis mee.

Benke had voor het ziekenhuis staan wachten terwijl de politie foto's van het dode lichaam maakte. Een paar persfotografen hadden met hun camera voor een afzetting gestaan en hadden met sterke flitsers foto's van het ziekenhuis gemaakt. Morgen zou er een foto van in de krant staan, compleet met een stippellijn die aangaf hoe de man was gevallen.

Een beroemdheid.

Aan de bult onder het laken kon je dat niet zien. Een bult als alle andere. Hij wist dat de man eruitzag als een monster, dat zijn lichaam als een met water gevulde ballon was geknapt toen hij op de bevroren grond terechtkwam, en hij was dankbaar voor het laken. Onder het laken zijn we allemaal gelijk.

Toch zouden vast een heleboel mensen opgelucht zijn dat nou net deze homp ontzield vlees naar de koeling werd gebracht, voor verder transport naar het vuur als de schouwartsen ermee klaar waren. De man had een wond in zijn hals gehad waarvan de politiefotograaf het bijzonder belangrijk had gevonden dat die ook op de foto kwam.

Maar maakte dat wat uit?

Benke beschouwde zichzelf als een soort filosoof. Dat had vast met zijn vak te maken. Hij had zoveel gezien van wat de mens, als puntje bij paaltje kwam, éígenlijk was, dat hij een theorie had ontwikkeld, een tamelijk simpele: "Het zit allemaal in de hersenen."

Zijn stem echode door de lege gang toen hij de kar voor de deur van de koeling neerzette, de code intoetste en de deur opende.

Ja. Het zit allemaal in de hersenen. Meteen al. Het lichaam is slechts een soort service-eenheid voor de hersenen; die moeten dat meeslepen om in leven te kunnen blijven. Alles zit al vanaf het begin in de hersenen. Er was maar één manier om zo iemand als de man onder het laken te veranderen, en dat was een hersenoperatie uitvoeren.

Of de hersenen uitschakelen.

Het slot dat de deur tien seconden moest openhouden nadat de code was ingetoetst, was nog steeds niet gerepareerd en Benke moest de deur met één hand openhouden, terwijl hij met de andere het hoofdeinde van de kar vastpakte en hem de koeling binnen trok. De kar knalde tegen de deurpost en Benke vloekte.

Op de afdeling Chirurgie zouden ze dit in no time gerepareerd hebben.

Toen zag hij iets vreemds.

Vlak onder en links van de bult die het hoofd van de man was, zat een bruinachtige vlek op het laken. De deur viel langzaam achter hen in het slot toen Benke bukte om te kijken. De vlek werd langzaam groter.

Hij bloedt.

Benke was niet iemand die gauw zenuwachtig werd. Bovendien was iets dergelijks wel eerder gebeurd. Vermoedelijk een bloedophoping achter het schedelbeen die losgeraakt was toen de kar tegen de deurpost knalde.

De vlek op het laken werd groter.

Benke liep naar het EHBO-kastje en haalde er leukoplast en gaas uit. Hij had het altijd komisch gevonden, zo'n kastje op een plaats als deze, maar het was dus bedoeld voor het geval een lévende hierbinnen gewond raakte: met zijn vinger achter een brancard bekneld raakte of iets dergelijks.

Met zijn hand op het laken vlak boven de vlek, concentreerde hij zich. Hij was natuurlijk niet bang voor lijken, maar deze had er wel heel vreselijk uitgezien. En Benke moest een nieuwe pleister opplakken. Hij zou de wind van voren krijgen als de koelruimte vol bloed stond.

Dus hij slikte en trok het laken weg.

Het gezicht van de man tartte elke beschrijving. Het was echt niet te begrijpen dat hij een week met zo'n gezicht had gelééfd. In zijn gezicht was niets wat als menselijk te herkennen viel, behalve een oor en een ... oog.

Hadden ze daar geen pleister overheen kunnen plakken?

Het oog was open. Natuurlijk. Er was nauwelijks een ooglid om het mee te sluiten. En het oog was zo kapot, dat het eruitzag alsof er in het oogwit zelf littekenvorming had plaatsgevonden.

Benke rukte zich los van de dode blik en concentreerde zich op wat hij moest doen. De bron van de vlek leek de wond in de hals te zijn.

Er klonk een zacht ploppen en Benke keek snel om zich heen. Verdomme. Hij was toch wel wat zenuwachtig. Nog een plop. Het kwam bij zijn voeten vandaan. Hij keek naar beneden. Er viel een waterdruppel van de kar en die landde op zijn schoen. *Plop.*

Water?

Hij onderzocht de wond in de hals van de man. Onder de wond had zich een plas gevormd die over het metaal van de brits heen liep.

Plop.

Hij verplaatste zijn voet. Nog een druppel op de tegelvloer.

Pliep.

Hij raakte met zijn vinger de plas vloeistof aan en wreef zijn wijsvinger en zijn duim tegen elkaar. Het was geen water. Het was een gladde, taaie, doorzichtige vloeistof. Hij rook aan zijn vingers. Niet iets wat hij herkende.

Toen hij naar de witte vloer keek, was daar een plasje gevormd. De vloeistof was niet doorzichtig, maar lichtroze. Het zag eruit zoals wanneer bloed gesepareerd wordt in transfusiezakken. Dat wat overblijft als de rode bloedlichaampjes naar de bodem zakken.

Plasma.

De man bloedde bloedplasma.

Hoe dat kon, mochten de experts morgen uitzoeken, of beter gezegd: vandaag. Hij hoefde het nu alleen maar te stelpen, zodat het geen kliederboel werd in de koelruimte. Hij wilde nu naar huis. Bij zijn slapende vrouw in bed kruipen, een paar bladzijden lezen in *De verschrikkelijke man uit Säffle* en dan slapen.

Benke vouwde het gaas op tot een dik kompres en duwde dat op de wond. Hoe moest hij in vredesnaam de leukoplast vastmaken? Ook de rest van de hals van de man was zo kapot dat het moeilijk was stukken onbeschadigde huid te vinden om een pleister op te plakken. Maakte ook niks uit. Hij wilde nu naar huis. Hij trok lange stukken van de leukoplast af en maakte een broddelwerkje schots en scheef over de hals, waar hij vermoedelijk later vragen over zou krijgen, maar wat donderde het.

Ik ben conciërge, geen chirurg.

Toen het kompres op zijn plaats zat, veegde hij de kar en de vloer schoon. Toen rolde hij het lijk kamer 4 binnen en veegde met de ene hand over de andere. Voor mekaar. Een taak goed uitgevoerd en een mooi verhaal om in de toekomst te vertellen. Terwijl hij alles nog even controleerde, begon hij al te schaven aan de formuleringen.

Jullie weten wel, die moordenaar die van de bovenste verdieping was gevallen? Ik moest hem daarna toch wegbrengen, en toen ik hem naar de koelruimte reed, zag ik iets vreemds …

Hij nam de lift naar zijn kamer, waste zijn handen zorgvuldig, verkleedde zich en gooide onderweg naar buiten zijn jas in de was. Hij liep naar de parkeerplaats, ging in de auto zitten en rookte rustig een sigaretje voordat hij de motor startte. Toen hij de sigaret had uitgemaakt in de asbak, die hij nodig moest legen, draaide hij de contactsleutel om.

De motor sputterde, zoals altijd als het koud of vochtig was. Maar hij startte altijd wel. Hij moest alleen eerst moeilijk doen. Toen het *wah-wah*-geluid bij de derde poging overging in een haperend motorgebrom, schoot het door hem heen.

Het stolt niet.

Nee. Wat er uit de hals van de man liep, zou niet stollen onder het kompres. Dat zou doorlekken en dan zou de vloeistof op de vloer lopen … en als ze over een paar uur de deur opendeden …

Verdomme!

Hij trok de sleutel uit het contactslot en stopte die boos in zijn zak, terwijl hij uitstapte en weer naar het ziekenhuis liep.

De woonkamer was niet helemaal even leeg als de gang en de keuken. Er stonden een bank, een stoel en een grote tafel met een heleboel kleine dingetjes. Drie verhuisdozen stonden op elkaar gestapeld naast de bank. Een eenzame staande lamp verspreidde een zwak, geel schijnsel over de tafel. Maar dat was alles. Geen vloerkleden, geen schilderijen, geen tv. Er hingen dikke dekens voor de ramen van de kamer.

Het lijkt wel een gevangenis. Een grote gevangenis.

Oskar floot, onderzoekend. Jawel. Het galmde wel, maar niet zo erg. Vermoedelijk vanwege de gordijnen. Hij zette zijn tas naast de stoel. De tik van het metalen beslag op het harde linoleum werd versterkt. Een naargeestig geluid.

Hij was de dingen die op tafel lagen aan het bekijken, toen Eli uit de kamer ernaast kwam, nu gekleed in haar veel te grote, geruite blouse. Oskar maakte een breed armgebaar door de woonkamer.

"Gaan jullie verhuizen?"

"Nee. Hoezo?"

"Dat dacht ik zo."

Jullie?

Dat hij daar niet eerder aan had gedacht. Oskar ging met zijn blik over de dingen op het tafeloppervlak. Het leken allemaal wel speeltjes. Oude speeltjes.

"Die man die hier eerst woonde. Dat wás je vader niet, hè?"

"Nee."

"Was hij ook …?"

"Nee."

Oskar knikte en keek weer de kamer rond. Onvoorstelbaar dat iemand hierin kon wónen. Tenzij …"

"Ben je misschien … arm?"

Eli liep naar de tafel, pakte iets op wat eruitzag als een zwart ei en gaf het aan Oskar. Hij boog naar voren en hield het onder de lamp om het beter te kunnen zien.

Het ei had een ruw oppervlak en toen Oskar beter keek, zag hij dat er honderden gecompliceerde strengen van goudddraad over-heen liepen. Het ei was zwaar, alsof het helemaal van metaal was gemaakt. Oskar draaide het ei alle kanten op, zag dat de gouden draden verzonken lagen in ondiepe voren in het oppervlak van het ei. Eli kwam naast Oskar staan, hij rook die lucht weer ... de geur van roest.

"Wat denk je dat dit waard is?"

"Weet niet. Veel?"

"Er zijn er maar twee van. Als je ze allebei had, kon je ze verkopen en misschien wel een ... kerncentrale kopen."

"Nee ...?"

"Ja, ik weet niet. Wat kost een kerncentrale? Vijftig miljoen?"

"Ik denk wel ... miljarden."

"O. Nou, dan zul je die wel niet kunnen kopen."

"Wat moet je ook met een kerncentrale?"

Eli lachte.

"Hou het eens tussen je handen. Zo. Handen op elkaar. En nu rol je het tussen je handen."

Oskar deed wat Eli zei. Hij rolde het ei voorzichtig tussen zijn handen en voelde het ... breken, het viel in stukjes in zijn handpalm. Hij hijgde en haalde zijn bovenste hand weg. Het ei was nu een berg van honderden ... duizenden stukjes in zijn hand.

"Sorry! Ik deed het echt voorzichtig, ik ..."

"Stt. Zo hoort het. Pas op dat je geen stukje laat vallen. Leg ze hier maar neer."

Eli wees op een wit vel papier, dat op de salontafel lag. Oskar hield zijn adem in, terwijl hij behoedzaam de glinsterende stukjes uit zijn hand liet rollen. De afzonderlijke deeltjes waren kleiner dan waterdruppels en Oskar moest met de vingers van zijn andere hand over zijn handpalm strijken om ze er allemaal af te halen.

"Hij is kapot."

"Hier. Kijk."

Eli trok de lamp dichter naar de tafel, liet het matte schijnsel op de stapel metalen stukjes vallen. Oskar bukte en keek. Een stukje, niet groter dan een teek, lag eenzaam naast de stapel, en toen hij van heel dichtbij keek, zag hij dat het aan sommige kanten inkepingen had en bijna microscopische, gloeilampvormige uitstulpingen aan andere kanten. Hij begreep het.

"Het is een puzzel."

"Ja."

"Maar ... kun je hem weer in elkaar krijgen?"

"Ik denk het wel."

"Maar dat duurt een eeuwigheid."

"Ja."

Oskar keek naar andere stukjes, die naast de stapel verspreid lagen. Ze leken identiek aan het eerste stukje, maar toen hij beter keek, zag hij dat er kleine variaties waren. De inkepingen zaten niet precies op dezelfde plaats, de uitstulpingen maakten een andere hoek. Hij zag ook een stukje dat één gladde zijde had, op een haardunne gouden bies na. Een stukje van de buitenkant.

Hij plofte in een van de stoelen neer.

"Ik zou er helemaal gek van worden."

"Wat dacht je van de man die hem heeft gemáákt?"

Eli draaide haar ogen omhoog en stak haar tong uit, zodat ze wel de dwerg Toker leek. Oskar lachte. Ha-ha. Het geluid bleef hangen, vibreerde in de muren. Naargeestig. Eli ging met haar benen over elkaar op de bank zitten en keek hem ... verwachtingsvol aan. Hij keek de andere kant op, naar het tafelblad, een ruïnelandschap van stukjes speelgoed.

Naargeestig.

Hij voelde zich opeens weer zo moe. Zij was 'zijn vriendinnetje' niet, dat kon ze niet zijn. Ze was ... iets anders. Er was een grote afstand tussen hen die ze niet konden ... Hij deed zijn ogen dicht, leunde achterover in de stoel, en het zwart achter zijn oogleden was de ruimte die hen scheidde.

Hij dutte in, gleed een korte droom binnen.

De ruimte tussen hen werd gevuld met lelijke, plakkerige insecten die op hem af kwamen vliegen en toen ze dichterbij kwamen zag hij dat ze tanden hadden. Hij wapperde met zijn hand om ze weg te jagen en werd wakker. Eli zat op de bank en keek hem aan.

"Oskar. Ik ben een mens, net als jij. Je moet het zo zien dat ik een ... heel zeldzame ziekte heb."

Oskar knikte.

Er zat een gedachte aan te komen. Iets. Een verband. Hij kreeg er geen vat op. Liet het los. Maar toen kwam die andere gedachte boven, die lelijke. Dat Eli maar deed alsof. Dat er binnen in haar een oeroud mens naar hem zat te kijken, die alles wist, hem stiekem uitlachte.

Het kan niet.

Om maar iets te doen haalde hij de walkman uit zijn tas, haalde de cassette eruit, las de tekst 'Kiss: *Unmasked*', draaide hem om, 'Kiss: *Destroyer*' en stopte hem weer terug.

Ik kan beter naar huis gaan.

Eli boog naar voren op de bank.

"Wat is dat?"

"Dit? Een walkman."

"Is dat … om naar muziek te luisteren?"

"Ja."

Ze weet niets. Ze is superintelligent en weet niets. Wat doet ze overdag? Slapen natuurlijk. Waar staat haar kist? Precies. Ze sliep nooit als ze bij mij was. Ze lag gewoon in mijn bed te wachten totdat het licht werd. Of ik ga en leef …

"Mag ik eens?"

Oskar reikte haar de walkman aan. Ze pakte hem aan en keek net of ze niet wist wat ze moest doen, maar zette toen de koptelefoon op haar oren. Ze keek hem vragend aan. Oskar wees naar de knoppen.

"Druk op de knop waar 'play' op staat."

Eli zocht met haar ogen over de knoppen, drukte 'play' in. Oskar voelde een soort rust. Dit was normaal; je muziek aan een vriendin laten horen. Hij was benieuwd wat Eli van Kiss zou vinden.

Ze drukte op 'play'; waar hij zat, hoorde Oskar het knarsende, fluisterende gerammel van gitaar, drums en zang. Ze was midden in een van de zwaardere nummers terechtgekomen.

Eli sperde haar ogen open, ze schreeuwde het uit van pijn en Oskar schrok zo dat hij achteruit klapte in zijn stoel. Die begon te wiebelen en viel bijna achterover, terwijl hij zag hoe Eli de koptelefoon zo heftig losrukte dat de snoertjes eruit getrokken werden. Ze gooide hem weg, duwde haar handen tegen haar oren, jammerde.

Oskar zat met open mond naar de koptelefoon te kijken, die tegen de muur gevlogen was. Hij stond op en pakte hem op.

Helemaal kapot. Beide snoertjes waren uit de koptelefoon getrokken. Hij legde hem op tafel en plofte weer in de stoel neer.

Eli haalde haar handen van haar oren.

"Sorry, ik ... het deed zo'n pijn."

"Het geeft niet."

"Was ie duur?"

"Nee."

Eli pakte de bovenste verhuisdoos van de stapel, stopte haar hand erin, haalde er een paar bankbiljetten uit en stak ze Oskar toe.

"Hier."

Hij nam de bankbiljetten in ontvangst en telde ze. Drie van duizend en twee van honderd. Hij voelde iets wat op angst leek, keek naar de doos waar ze de biljetten uit had gehaald, naar Eli, naar de bankbiljetten.

"Ik ... hij kostte vijftig kronen."

"Neem toch maar."

"Nee, maar ... alleen de koptelefoon is maar kapot en die ..."

"Je mag het hebben. Alsjeblieft?"

Oskar aarzelde, toen frommelde hij de bankbiljetten in zijn broekzak, terwijl hij ze omrekende in reclamebladjes. Ongeveer een jaar lang elke zaterdag, dat waren zo'n ... vijfentwintigduizend bezorgde krantjes. Honderdvijftig uur. Meer. Een vermogen. De biljetten schuurden lichtjes in zijn zak.

"Bedankt dan."

Eli knikte, ze pakte iets van tafel wat op een in de knoop geraakte kluwen leek, maar vermoedelijk een puzzel was. Oskar keek naar haar, terwijl ze aan de knopen pulkte. Haar gebogen nek, haar lange smalle vingers, die over de uiteinden van de draden gingen. Hij ging alles na wat ze hem had verteld. Haar vader, haar tante in de stad, de school waar ze op zat. Allemaal leugens.

En waar heeft ze al dat geld vandaan? Gestolen?

Het gevoel was zo ongewoon dat hij eerst niet begreep wat het was. Het begon als een soort prikkeling van de huid, ging verder het vlees in en maakte toen een scherpe, koude boog van zijn maag naar zijn hoofd. Hij was ... kwaad. Niet bang of wanhopig, maar kwaad.

Omdat ze had gelogen en verder … van wíé had ze trouwens dat geld gestolen? Van iemand die ze had …? Hij vouwde zijn handen op zijn buik, leunde achterover.

"Jij maakt mensen dood."

"Oskar …"

"Als dit waar is, moet je toch mensen doden. Hun geld roven."

"Ik heb het geld gekrégen."

"Je liegt gewoon. De hele tijd."

"Het is waar."

"Wat is waar? Dat je liegt?"

Eli legde de kluwen vol knopen op tafel en keek hem met een getergde blik aan. Ze zwaaide met haar handen. "Wat moet ik doen?"

"Geef me een bewijs."

"Waarvan?"

"Dat je bent … wat je zegt."

Ze keek een hele poos naar hem. Toen schudde ze haar hoofd.

"Dat wil ik niet."

"Waarom niet?"

"Raad maar."

Oskar zakte dieper weg in de stoel. Onder zijn handpalm voelde hij het bultje dat de biljetten in zijn broekzak vormden. Hij zag de stapels reclameblaadjes voor zich. Die vanmorgen waren gekomen. Die voor dinsdag bezorgd moesten zijn. Grauwe vermoeidheid in zijn lichaam. Grauwheid in zijn hoofd. Kwaadheid. "Raad maar." Nog meer spelletjes. Nog meer leugens. Hij wilde hier weg. Slapen.

Geld. Ze heeft me geld gegeven om me te laten blijven.

Hij stond op uit de stoel, haalde het verfrommelde bundeltje papier uit zijn zak, legde alles behalve een briefje van honderd op tafel. Stopte het honderdje weer in zijn zak en zei: "Ik ga naar huis."

Ze kwam naar hem toe en pakte hem bij zijn pols. "Blijf alsjeblieft."

"Waarom? Je liegt alleen maar."

Hij probeerde bij haar weg te komen, maar de greep om zijn pols werd steviger.

"Laat me los!"

"Ik ben geen kermisfreak!"

Oskar beet zijn kiezen op elkaar en zei rustig: "Laat me los."

Ze liet niet los. De koude boog van kwaadheid in Oskars borst begon te vibreren, te zingen, en hij stortte zich op haar, wierp zich over haar heen en duwde haar achterover op de bank. Ze woog haast niets, hij duwde haar tegen de armleuning van de bank, ging op haar borst zitten en terwijl de boog werd gespannen, trilde en zwarte stipjes voor zijn ogen deed verschijnen, hief hij zijn arm en sloeg haar zo hard mogelijk in het gezicht.

Een scherpe klets weerklonk tussen de muren en haar hoofd draaide met een ruk opzij, druppels speeksel vlogen uit haar mond en zijn hand werd heet toen de boog brak en in stukken viel, en de woede oploste.

Hij zat op haar borst, keek verward naar haar kleine hoofdje dat in profiel op het zwarte leer van de bank lag, terwijl een grote rode bloem ontlook op haar wang, waar hij had geslagen. Ze lag stil, met haar ogen open. Hij ging met zijn handen over zijn gezicht.

"Sorry. Sorry. Ik …"

Plotseling draaide zij zich om, gooide hem van haar borst en smeet hem tegen de rugleuning van de bank. Hij probeerde haar schouders vast te pakken maar miste. Hij kreeg haar heupen te pakken en ze landde met haar buik pal op zijn gezicht. Hij gooide haar van zich af, draaide zich om en allebei probeerden ze elkaar vast te pakken.

Ze rolden over de bank, worstelden. Met gespannen spieren en grote ernst. Maar voorzichtig, om elkaar geen pijn te doen. Ze draaiden om elkaar heen, stootten tegen de tafel.

Stukjes van het zwarte ei vielen op de vloer met het geluid van motregen op een plaatijzeren dak.

Hij nam niet de moeite zijn jas op te halen. Zijn dienst zat er immers op.

Dit is mijn vrije tijd en ik doe dit alleen voor mijn eigen genoegen.

Hij kon een van de extra jassen van de lijkschouwers pakken, die in de koelruimte hingen voor als het … een kliederboel was.

De lift kwam, hij stapte in en drukte op -2. Wat moest hij doen als het zo was? Bellen en zien of er iemand van de eerste hulp kon komen om de boel dicht te naaien? Er waren geen protocollen voor dit soort gevallen.

Vermoedelijk was het bloeden, of hoe je het moest noemen, gestopt, maar hij moest het wel controleren. Anders sliep hij vannacht niet. Hij zou steeds dat druppelen horen.

Hij glimlachte in zichzelf toen hij in de lift stapte. Hoeveel normale mensen zouden hiermee om kunnen gaan zonder de zenuwen te krijgen? Niet veel. Hij was behoorlijk tevreden met zichzelf omdat hij ... ja, zijn plicht deed. Zijn verantwoordelijkheid nam.

Ik zal gewoon wel niet normaal zijn.

En het viel niet te ontkennen: iets in hem hóópte dat het bloeden door was gegaan; dat hij naar de eerste hulp zou moeten bellen, dat het een beetje een spektakel werd. Hoe graag hij ook naar huis wilde om te gaan slapen. Want dan werd het gewoon een beter verhaal.

Nee, hij zou wel niet normaal zijn. Met lijken had hij geen problemen; service-eenheden met een gedoofd brein. Waar hij wel een beetje zenuwachtig van kon worden, waren deze gangen.

Alleen al de gedachte aan dit net van tunnels tien meter onder de grond, de lege zalen en vertrekken als de een of andere administratieve afdeling van de Hel. Zo groot. Zo stil. Zo leeg.

Daarbij vergeleken zijn de lijken de gezondheid zelve.

Hij toetste de code in en drukte ouder gewoonte op de deuropener, die alleen met een hulpeloze klik reageerde. Hij duwde met zijn hand de deur open, stapte de koelte in en trok een paar rubberhandschoenen aan.

Wat is dat nu?

De man die hij bedekt met een laken had achtergelaten, was nu naakt. Zijn penis was geërigeerd en stak schuin omhoog vanaf zijn onderbuik. Het laken lag op de grond. Benkes kapotgerookte luchtpijp piepte toen hij heftig naar adem hapte.

De man was niet dood. Nee. Hij was niet dood ... want hij bewoog.

Langzaam, het leek wel dromend, draaide hij zich om op de

308

brits. Zijn handen tastten in de lucht en Benke deed instinctief een stap naar achteren toen een ervan – het leek niet eens op een hand – langs zijn gezicht zwaaide. De man probeerde overeind te komen, maar viel terug op de stalen brits. Het eenzame oog keek recht vooruit zonder te knipperen.

Een geluid. De man maakte een geluid.

"Eeeeeeeee ..."

Benke ging met zijn hand over zijn gezicht. Er was iets gebeurd met zijn huid. Zijn hand voelde ... hij keek ernaar. Rubberhandschoenen.

Achter zijn hand zag hij de man nog een poging doen overeind te komen.

Wat moet ik doen, verdorie?

De man viel weer met een vochtige plof op de brits. Een paar druppels van dat vocht spatten Benke in het gezicht. Hij probeerde het met de rubberhandschoen weg te vegen, maar smeerde het alleen maar uit.

Hij trok een punt van zijn overhemd omhoog en droogde zichzelf daarmee af.

Tien verdiepingen. Hij is tien verdiepingen naar beneden gevallen.

Oké. Oké. Dit is de situatie. Doe er iets mee.

Als de man niet dood was, moest hij in elk geval stervende zijn. Moest hij verpleegd worden.

"Eeeee ..."

"Ik ben hier. Ik zal je helpen. Ik breng je naar de eerste hulp. Probeer stil te blijven liggen, ik ga ..."

Benke liep naar hem toe en legde zijn handen op het tegenstribbelende lichaam van de man. De niet-misvormde hand van de man schoot uit en greep Benkes pols vast. Verdomme, wat was hij nog sterk. Benke moest beide handen gebruiken om zich uit de greep van de man te bevrijden.

Er was daar verder niets wat hij over de man heen kon leggen om hem te verwarmen, behalve de lijkkleden. Benke pakte er drie en legde ze over het lichaam heen, dat aldoor kronkelde als een worm aan de haak, terwijl hij dat geluid uitstootte. Hij boog zich over de man heen, die een beetje rustiger was geworden, sinds Benke de kleden over hem heen had gelegd.

"Nu breng ik je zo snel mogelijk naar de eerste hulp, oké? Probeer stil te blijven liggen."

Hij duwde de brancard naar de deur en herinnerde zich ondanks de omstandigheden dat de deuropener het niet deed. Hij liep om de brancard heen naar het hoofdeinde, deed de deur open, keek neer op het hoofd van de man en zou wensen dat hij dat niet had gedaan.

De mond, die geen mond was, ging open.

Het half genezen wondweefsel werd kapotgetrokken met een geluid zoals wanneer je het vel van een vis stroopt, hier en daar weigerden lichtrode stukjes huid te breken, ze werden uitgerekt toen het gat in het onderste gedeelte van het gezicht groter en groter werd.

"AAAAA!"

De schreeuw weergalmde door de lege gangen en Benkes hart begon sneller te slaan.

Blijf liggen! Hou je stil!

Als hij op dat moment een hamer in zijn hand had gehad, was het risico groot geweest dat hij er recht mee in die afschuwelijke, trillende massa met het starende oog had geslagen, waar de huidreepjes over de mondholte nu knapten als te ver uitgerekte elastiekjes, en Benke kon de tanden van de man wit zien oplichten tussen het rode, bruine, vocht uitscheidende geheel dat zijn gezicht was.

Benke liep weer naar het voeteneinde van de kar en begon die door de gangen te duwen, naar de lift. Hij rende half, doodsbang dat de man zich zo zou draaien dat hij van de kar viel.

De gangen strekten zich eindeloos voor hem uit, als in een nachtmerrie. Ja. Het was net een nachtmerrie. Alle gedachten aan een 'goed verhaal' waren weg. Hij wilde gewoon naar boven, ergens heen waar andere mensen waren, lévende mensen, die hem van dit monster konden bevrijden dat op de kar lag te schreeuwen.

Hij kwam bij de lift en drukte op de knop die hem zou laten komen, hij visualiseerde de weg naar de eerste hulp. Vijf minuten, dan was hij er.

Al op de begane grond zouden er andere mensen zijn die kon-

den helpen. Twee minuten en dan was hij weer in de werkelijkheid.

Kom op, klerelift!

De gezonde hand van de man wuifde.

Benke keek ernaar en sloot zijn ogen, opende ze weer. De man
probeerde iets te zeggen, zachtjes. Hij wenkte Benke. Hij was dus
bij kennis.

Benke ging naast de kar staan, boog over de man heen. "Ja? Wat
is er?"

De hand greep hem plotseling bij zijn nek en trok zijn hoofd
naar beneden. Benke verloor zijn evenwicht, hij viel over de man
heen. De greep om zijn nek was als van ijzer. Zijn hoofd werd
naar beneden gesleept, naar het ... gat.

Hij probeerde de stalen buizen aan het hoofdeinde van de kar
te pakken om los te komen, maar zijn hoofd werd opzijgedraaid
en zijn ogen waren maar een paar centimeter van het doornatte
kompres in de hals van de man verwijderd.

"Laat me los, ver ..."

Een vinger prikte in zijn oor en hij hóórde hoe de botjes in zijn
gehoorgang werden geknakt toen de vinger naar binnen duwde,
verder naar binnen. Hij schopte met zijn benen en toen zijn
scheenbeen tegen de stalen buis van het onderstel van de kar
kwam, schreeuwde hij eindelijk.

Toen hieuwen de tanden in zijn wang en de vinger in zijn oor
drong zo diep door dat er iets doofde, iets doofde en hij ... gaf
het op.

Het laatste wat hij zag was hoe het vochtige kompres voor zijn
ogen van kleur veranderde en lichtrood werd, terwijl de man zijn
gezicht opat.

Hij hoorde alleen nog *pling* toen de lift arriveerde.

Ze lagen naast elkaar op de bank, zweetten, hijgden. Oskars hele
lichaam was geradbraakt, hij was uitgeput. Hij geeuwde zo dat
zijn kaken ervan kraakten. Eli geeuwde ook. Oskar draaide zijn
hoofd in haar richting.

"Hou op."

"Sorry."

"Jij bent toch helemaal niet slaperig, of wel?"

"Nee."

Oskar deed zijn best om zijn ogen open te houden, praatte bijna zonder zijn lippen te bewegen. Eli's gezicht begon wazig, onwerkelijk te worden.

"Hoe doe je het? Hoe kom je aan bloed?"

Eli keek hem aan. Een hele poos. Toen nam ze een besluit en Oskar zag hoe het binnen haar wangen en lippen begon te bewegen, alsof ze daar met haar tong in het rond bewoog. Toen deed ze haar lippen van elkaar en deed haar mond open.

Hij zag haar tanden. Ze deed haar mond weer dicht.

Oskar wendde zijn hoofd af en keek naar het plafond waar een draad stoffig spinrag van de ongebruikte lamp aan het plafond naar beneden kwam. Hij was niet eens in staat om verbaasd te zijn. Ja, ja. Ze was een vampier. Maar dat wist hij immers al.

"Zijn jullie met veel?"

"Wie 'wij'?"

"Je weet wel."

"Nee, dat weet ik niet."

Oskars blik schoot heen en weer over het plafond, hij probeerde meer spinnendraden te vinden. Hij vond er twee. Dacht dat hij een spin over een ervan zag kruipen. Hij knipperde met zijn ogen. Knipperde weer. Hij had zand in zijn ogen. Geen spin.

"Hoe moet ik je noemen? Dat wat jij bent?"

"Eli."

"Héét je zo?"

"Bijna."

"Hoe heet je dan?"

Een pauze. Eli schoof een eindje bij hem vandaan, tegen de rugleuning, ze draaide op haar zij.

"Elias."

"Maar dat is ... een jongensnaam."

"Ja."

Oskar deed zijn ogen dicht. Hij kon niet meer. Zijn oogleden plakten aan zijn oogbollen. Er begon een zwart gat te groeien dat zijn hele lichaam omarmde. Een vaag, druppelend gevoel achter in zijn hoofd dat hij iets moest zeggen, iets moest doen. Maar hij kon niet meer.

Het zwarte gat implodeerde in slow motion. Hij werd naar voren gezogen, naar binnen, maakte een langzame koprol de ruimte in, de slaap in.

Ver weg voelde hij iemand over een wang aaien. Hij slaagde er niet in de gedachte te formuleren dat, aangezien hij het voelde, het zijn eigen wang moest zijn. Maar ergens, op een planeet ver weg, aaide iemand voorzichtig over de wang van iemand anders.

En dat was goed.

Toen waren er alleen nog sterren.

DEEL VIER

Daar komt de trollencompagnie!

> *Daar komt de trollencompagnie*
> *Daar komt echt niemand langs.*
>
> Bamse in het toverbos

ZONDAG 8 NOVEMBER

De Tranebergbrug. Toen die in 1934 werd geopend was het zo'n beetje de nationale trots. De grootste betonnen brug in één overspanning ter wereld. Eén machtige boog, geslagen tussen Kungsholmen en Västerort, dat in die tijd bestond uit de tuindorpjes Bromma en Äppelviken en de kleine vrijstaande huizen van prefab bouwelementen in Ängby.

Maar de nieuwe tijd was in aantocht. De eerste eigenlijke voorsteden met flats van drie verdiepingen stonden al klaar in Traneberg en Abrahamsberg en de staat had grote grondgebieden in het westen opgekocht, om binnen een paar jaar te beginnen met de bouw van wat Vällingby, Hässelby en Blackeberg zou worden.

De Tranebergbrug werd de toegangsweg naar dit alles. Bijna iedereen die van of naar Västerort moet, komt over de Tranebergbrug.

Al in de jaren zestig kwamen er alarmerende rapporten dat de brug langzaam verweerde ten gevolge van de grote verkeersbelasting. De brug werd meerdere keren vernieuwd en versterkt, maar de grote renovatie waar af en toe over werd gesproken lag nog ver in het verschiet.

Dus op de ochtend van 8 november 1981 zag de brug er moe uit. Een bejaarde, der dagen zat, die droevig mijmerde over tijden toen de luchten helderder waren, de wolken lichter en toen hij nog de grootste betonnen brug in één overspanning ter wereld was.

Tegen de ochtend was het gaan dooien en de sneeuwbrij liep weg in de scheuren van de brug. Zout strooien durfde men niet, aangezien dat het oude beton verder aan kon vreten.

Er was nooit veel verkeer op dit tijdstip, zeker niet op zondag. De metro's waren na de nacht nog niet gaan rijden en de enkele passerende automobilist verlangde naar zijn bed of verlangde ernaar terug.

Benny Melin was een uitzondering. Oké, hij wilde zo zoetjes aan wel naar huis en naar bed, maar vermoedelijk was hij te opgetogen om te kunnen slapen.

Hij had al acht keer een afspraak gehad met een vrouw via een contactadvertentie, maar Betty, met wie hij zaterdagavond een afspraak had gehad, was de eerste met wie het had geklikt.

Dit zou iets worden. Dat wisten ze allebei.

Ze hadden er samen lol om gehad hoe belachelijk dat zou klinken: 'Benny en Betty'. Net een komisch duo, maar wat doe je eraan? En als ze kinderen kregen, hoe zouden ze die dan noemen? Lenny en Netty?

Ja, ze hadden echt plezier gehad samen. Ze hadden in haar flatje in Kungsholmen gezeten en allebei over hun eigen wereld verteld en geprobeerd ze in elkaar te passen, met een tamelijk goed resultaat. Tegen de ochtend waren er maar twee mogelijkheden voor wat ze nú zouden gaan doen.

En Benny had gedaan wat hij juist achtte, ook al had hij er moeite mee. Hij had afscheid genomen met de belofte dat ze elkaar zondagavond weer zouden zien, was in zijn auto gestapt en was naar huis gereden, naar het Brommaplan, terwijl hij hardop *"I can't help falling in love with you"* zong.

Dus Benny had geen energie over om zich over de ellendige toestand te beklagen waarin de Tranebergbrug zich deze zondagochtend bevond; hij zag het niet eens. Het was immers de brug naar het paradijs, naar de liefde.

Hij was net aan het eind van de brug aan de Tranebergkant gekomen en begon misschien wel voor de tiende keer aan het refrein toen de blauwe figuur opdook voor zijn koplampen, midden op de rijbaan.

Hij dacht nog: niet remmen! voordat hij het gaspedaal losliet, een ruk aan het stuur gaf en naar links draaide toen er misschien nog vijf meter over was tussen hem en de persoon. Hij ving een glimp op van een blauwe jas en een paar witte benen, voordat hij met de zijkant van de auto tegen de betonnen barrière tussen de rijstroken knalde.

Toen de auto tegen de barrière aan werd gedrukt en erlangs schuurde, maakte dat zo'n kabaal dat hij er doof van werd. De zijspiegel werd losgerukt en vloog weg, en de deur aan zijn kant werd zo ver ingedrukt dat die zijn heup raakte, waarna de auto weer de rijbaan op werd geslingerd.

Hij probeerde de slip op te vangen, maar de auto gleed naar de overkant en knalde tegen het hek van het voetpad. De andere zijspiegel werd weggeslagen en vloog over de brugleuning, terwijl hij de lichten van de brug reflecteerde naar de hemel. Hij remde voorzichtig en de volgende slip was minder erg; de auto schampte de betonnen barrière maar even.

Na een meter of honderd wist hij de auto tot stilstand te brengen. Hij haalde opgelucht adem, zat stil met zijn handen op zijn schoot, terwijl de motor nog draaide. Hij had een bloedsmaak in zijn mond; hij had in zijn lip gebeten.

Wat was dat voor een gek?

Hij keek in de achteruitkijkspiegel en kon in de gelige straatverlichting de persoon verder zien wankelen, midden op de rijbaan, alsof er niets was gebeurd. Hij werd kwaad. Een gek, zeker, maar ergens hield het op.

Hij probeerde de deur aan zijn kant open te maken, maar dat ging niet. Het slot was ingedeukt. Hij deed zijn gordel af en kroop naar de passagierskant. Voordat hij zich uit de auto wurmde, zette hij de waarschuwingslichten aan. Hij ging naast de auto staan wachten met zijn armen over elkaar.

Hij zag dat de man die over de brug aankwam, gekleed was in een soort ziekenhuisjas en meer niet. Blote voeten, blote benen. Hij zou eens zien of er een béétje een verstandig gesprek met hem te voeren was.

Met hem?

De persoon kwam dichterbij. Sneeuwbrij spetterde om zijn blote voeten, hij liep alsof er een draad aan zijn borst vastzat, die hem onvermurwbaar voorttrok. Benny deed een stap in zijn richting en bleef staan. De man was nu een meter of tien van hem af en Benny kon zijn ... gezicht duidelijk zien.

Benny hijgde, zocht steun bij de auto. Toen wrong hij zich snel weer naar binnen via de deur aan de passagierskant, zette hem in zijn één en reed zo hard weg dat de sneeuwprut van de achterwielen spoot en vermoedelijk de ... dat daar op de weg nat spatte.

Thuis in zijn flat schonk hij een flinke bel whisky in, waar hij de helft van opdronk. Toen belde hij de politie. Vertelde wat hij had gezien, wat er was gebeurd. Toen hij het laatste beetje whisky had opgedronken en begon te overwegen om toch maar naar bed te gaan, was er al een heleboel politie op de been.

Ze zochten het hele Judarnbos af. Vijf honden en twintig agenten. Zelfs een helikopter, wat ongebruikelijk was bij dit soort zoekacties.

Een gewonde, verwarde man. Een hondengeleider had hem in zijn eentje moeten kunnen oppakken.

Maar enerzijds genoot de zaak veel media-aandacht (twee agenten kregen de speciale taak om de journalisten in de hand te houden, die zich hadden verzameld rond de broeikassen van Weibull bij metrostation Åkeshov) en wilde men laten zien dat de politie niet laks was deze zondagochtend.

Anderzijds was Bengt Edwards gevonden.

Dat wil zeggen: ze gingen ervan uit dat wat ze hadden gevonden Bengt Edwards was, aangezien het een trouwring droeg met de naam 'Gunilla' erin.

Gunilla was de vrouw van Bengt, dat wisten zijn collega's. Niemand kon het opbrengen haar te bellen. Te vertellen dat hij dood was en dat ze toch niet zeker wisten of hij het was. Te vragen of zíj misschien bijzondere kenmerken kon geven van zijn ... onderlichaam?

De patholoog-anatoom, die 's ochtends om zeven uur was gekomen om zich om het lijk van de rituele moordenaar te bekommeren, kreeg een nieuwe taak. Als hij zonder enige kennis van de omstandigheden was geconfronteerd met datgene wat er van Bengt Edwards over was, zou hij gedacht hebben dat het om een lichaam ging dat een dag of wat buiten had gelegen in de felle kou.

Het lichaam moest vervolgens gedurende die tijd geschonden zijn door ratten en vossen, misschien ook door een veelvraat of een beer, voor zover het woord 'schenden' op zijn plaats is als het dieren zijn die de handeling uitvoeren. Grotere roofdieren zouden in elk geval op vergelijkbare wijze stukken vlees hebben losgerukt, en kleinere knaagdieren zouden zich over uitstekende delen zoals neus, oren en vingers hebben ontfermd.

Het snelle, voorlopige rapport dat de patholoog naar de politie stuurde, was de aanleiding van het massaal uitrukken. De man werd officieel als 'extreem gewelddadig' beschreven.

'Stapelkrankzinnig' heette het in de volksmond.

Dat de man überhaupt in leven was, was niets minder dan een wonder. Niet het soort wonder waar het Vaticaan met het wierookvat omheen zou willen zwaaien, maar niettemin een wonder. Voor de val van de tiende verdieping was hij een kasplantje geweest, nu was hij weer op de been, en hoe.

Maar het kon niet góéd gaan met hem. Weliswaar was het zachter weer geworden, maar het was slechts een paar graden boven nul en de man ging gekleed in een ziekenhuishemd. Hij had geen hulp gehad, voor zover de politie wist, en hij zou zich domweg niet langer dan een paar uur in het bos verstopt kunnen houden.

Het telefoontje van Benny Melin kwam bijna een uur nadat hij de man op de Tranebergbrug had gezien. Een paar minuten daarna kwam er alweer een telefoontje, van een oudere mevrouw.

Toen ze 's ochtends met haar hond wandelde, had ze een man in ziekenhuiskleren gezien in de buurt van de stallen van Åkeshov, waar 's winters de schapen van de koning stonden. Ze was meteen naar huis gegaan en had de politie gebeld, ze dacht dat de schapen misschien gevaar liepen.

Tien minuten later was de eerste patrouille ter plekke en het eerste wat ze hadden gedaan was met getrokken pistolen, nerveus, de stallen doorzoeken.

De schapen waren onrustig geworden en voordat de agenten de hele stal hadden doorzocht, was het een kolkende chaos van opgewonden, wollige lijven, luid gemekker en bijna menselijk geschreeuw dat nog meer agenten aantrok.

Tijdens het doorzoeken van de schaapskooien glipte een aantal schapen het middenpad op en toen de agenten eindelijk konden constateren dat de man niet in de stallen was en het gebouw met tuitende oren verlieten, sloop een ram de deur uit. Een oudere agent uit een boerenfamilie wierp zich op de ram, pakte hem bij de hoorns en sleepte hem de stal weer binnen.

Pas nadat hij het dier weer in zijn kooi had geduwd, besefte hij dat het felle flikkeren dat hij tijdens zijn actie uit een ooghoek had gezien, flitslicht van fototoestellen was geweest. Hij maakte de foutieve inschatting dat de zaak zo serieus was dat de pers zo'n foto niet zou willen gebruiken. Kort daarna werd er echter een basis voor de journalisten ingericht, buiten het zoekgebied.

Het was nu halfacht in de ochtend en het daglicht sloop onder druipende bomen naderbij. De jacht op de eenzame gek was goed georganiseerd en in volle gang. Men was zeker van een aanhouding voor lunchtijd.

Ja, er zouden nog een paar uur voorbijgaan zonder enig resultaat van de infraroodcamera van de helikopter en van de secreetgevoelige neuzen van de honden, voordat de speculaties serieus op gang kwamen dat de man misschien niet meer leefde. Dat ze op zoek moesten gaan naar een lijk.

Toen het eerste bleke ochtendlicht door de kieren van de jaloezieën stroomde en op Virginia's handpalm terechtkwam als een brandend hete gloeilamp, wilde ze maar één ding: sterven. Toch trok ze instinctief haar hand weg en kroop verder de kamer in.

Haar huid was op meer dan dertig plaatsen open. Overal in de flat zat bloed.

Meerdere keren die nacht had ze aderen opengesneden om te drinken, maar wat eruit liep had ze niet allemaal zo snel kunnen opzuigen of oplikken. Het was op de vloer terechtgekomen, op tafels en stoelen. Het grote kleurige handgeweven tapijt zag eruit alsof er een ree op was geslacht.

Bij elke nieuwe wond die ze maakte, bij elke slok die ze nam van haar eigen steeds dunner wordende bloed, voelde ze minder voldoening en opluchting. Tegen het ochtendgloren was ze een jammerend hoopje ontbering en angst. Angst voor wat ze wist dat ze moest doen als ze wilde blijven leven.

Het besef was geleidelijk aan gekomen, was zekerheid geworden. Het bloed van iemand anders zou haar ... gezond maken.
En ze zou geen zelfmoord kunnen plegen. Vermoedelijk was het
niet eens mogelijk; de wonden die ze zichzelf toebracht met het
fruitmes heelden absurd snel. Hoe hard en diep ze ook sneed, het
bloeden stopte binnen de minuut. Na een uur trad er al littekenvorming op.

Bovendien ...

Ze had iets gevoeld.

Tegen de ochtend, toen ze op een keukenstoel zat en een wond
in haar elleboogholte uitzoog, de tweede op dezelfde plaats, ging
ze de diepte van haar eigen lichaam binnen en toen zag ze het.

De infectie.

Ze zág het natuurlijk niet, maar plotseling kreeg ze een alles-
omvattend gevoel van wat die besmetting wás. Het was net als bij
een echo tijdens de zwangerschap, dat je op het scherm zag wat
er in je eigen buik zat; alleen was het geen kind, maar een grote,
kronkelende slang die ze in zich droeg.

Want wat ze op dat moment had gezien, was dat de infectie een
eigen leven had, een eigen motivatie, volledig onafhankelijk van
haar lichaam. Dat de infectie zou leven, ook als zij niet meer in
leven was. De moeder zou sterven van de schok bij de echo, maar
niemand zou iets merken, aangezien de slang de besturing van
het lichaam zou overnemen.

Daarom had zelfmoord geen zin.

Het enige waar de infectie bang voor leek te zijn was zonlicht.
Het bleke licht op haar hand had meer pijn gedaan dan de diep-
ste wonden.

Ze bleef lang ineengedoken in de hoek van de woonkamer zitten en zag hoe het ochtendlicht door de jaloezieën heen een
raamwerk op het vlekkerige kleed legde. Dacht aan haar klein-
zoon, Ted. Dat hij altijd naar de plek kroop waar de middagzon
op de vloer scheen en in de zonneplas ging liggen slapen met zijn
duim in zijn mond.

Het blote, zachte huidje, zo dun dat je alleen maar zou hoeven
...

WAT DENK IK!

Virginia schrok op, staarde met een lege blik voor zich uit. Ze had Ted gezien en ze had zich voorgesteld hoe ze ...

NEE!

Ze sloeg zichzelf voor het hoofd. Bleef slaan totdat het beeld kapot was. Maar ze mocht hem nooit meer zien. Ze mocht nooit meer íemand zien van wie ze hield.

Ik mag nooit meer iemand zien van wie ik houd.

Virginia dwong haar lichaam overeind te komen, ze kroop langzaam naar de lichtstrepen. De infectie protesteerde en wilde haar terugtrekken, maar zij was sterker, had nog steeds controle over haar eigen lichaam. Het licht brandde aan haar ogen, de randen van het traliewerk brandden op haar hoornvlies als gloeiend staaldraad.

Brand! Brand weg!

Haar rechterarm was overdekt met littekens, opgedroogd bloed. Ze hield hem in het licht.

Ze had er zich geen voorstelling van kunnen maken.

Wat het licht afgelopen zaterdag met haar had gedaan was een streling. Nu werd er een lasvlam aangestoken, gericht op haar huid. Na een seconde werd de huid krijtwit. Na twee seconden kwam er rook vanaf. Na drie seconden kwam er een blaar op, die werd zwart en brak met een sissend geluid door. De vierde seconde trok ze haar arm terug en kroop snikkend de slaapkamer binnen.

De stank van verbrand vlees verpestte de lucht, ze durfde niet naar haar arm te kijken toen ze zich haar bed in wurmde.

Uitrusten.

Maar het bed ...

Ondanks de neergelaten jaloezieën was het te licht in de slaapkamer. Ook als ze het dekbed over zich heen trok, voelde ze zich onbeschut in haar bed. Haar oren vingen het kleinste ochtendgeluid op in het gebouw om haar heen, en elk geluid was een potentiële dreiging. Ze hoorde een verdieping hoger iemand lopen. Ze schrok, draaide haar hoofd in de richting van het geluid en luisterde. Er werd een la uitgetrokken. Gerinkel van metaal op de verdieping boven haar.

Koffielepeltjes.

Ze wist aan de broosheid van het geluid dat het ... koffielepeltjes waren. Ze zag het met fluweel beklede doosje met zilveren koffielepeltjes voor zich dat van haar oma was geweest, en dat zij van haar moeder had gekregen toen die naar het bejaardenhuis verhuisde. Hoe ze dat doosje had geopend, naar de lepeltjes had gekeken en had geconstateerd *dat ze nooit waren gebruikt.*

Daaraan dacht Virginia nu ze zich uit bed liet glijden, het dekbed meetrok, naar de dubbele kast kroop en de deuren ervan openmaakte. Onder in de kast lagen een extra dekbed en een paar dekens.

Ze had een soort droefheid gevoeld toen ze naar de lepeltjes keek. De lepeltjes die zo'n zestig jaar in hun doosje hadden gelegen, zonder dat iemand ze er ooit uit had gehaald, ze in zijn hand had gehouden, ze had gebruikt.

Meer geluiden om haar heen, het huis werd wakker. Ze hoorde ze niet meer, toen ze het dekbed en de dekens eruit trok, ze om zich heen sloeg, in de kast kroop en de deuren dichtdeed. Het was pikdonker daarbinnen. Ze trok de dekbedden en de dekens over haar hoofd en kroop in elkaar als een larve in een dubbele cocon.

Helemaal nooit.

Netjes in het gelid, in de houding op hun bedje van fluweel, wachtend. Broze zilveren koffielepeltjes. Ze rolde zich op met de stof van de dekbedden stijf over haar gezicht.

Wie moet ze nu hebben?

Haar dochter. Ja. Lena zou ze krijgen en ze zou ze gebruiken om Ted te voeren. Dan werden de lepeltjes blij. Ted zou aardappelpuree eten van de lepeltjes. Dat was mooi.

Ze lag doodstil als een steen, de kalmte nam bezit van haar lichaam. Ze kon nog één gedachte denken, voordat ze wegzonk in de rust. *Waarom is het niet warm?*

Met de dekbedden over haar gezicht, ingesnoerd in dikke stof, zou het zweterig warm moeten zijn om haar hoofd. De vraag zweefde slaperig rond in een grote zwarte ruimte en landde ten slotte op een heel simpel antwoord.

Omdat ik al een paar minuten niet meer adem.

En zelfs nu ze zich dat realiseerde, had ze niet het gevoel dat het nodig was. Geen verstikkingsgevoelens, geen zuurstoftekort. Ze hoefde gewoon niet meer te ademen, dat was alles.

De dienst begon om elf uur, maar al om kwart over tien stonden Tommy en Yvonne op het perron in Blackeberg op de metro te wachten.

Staffan, die in het kerkkoor zong, had Yvonne verteld wat het thema was voor de dienst van vandaag. Yvonne had het aan Tommy verteld, voorzichtig gevraagd of hij mee wilde en tot haar verbazing had hij ja gezegd.

Het zou gaan over de hedendaagse jeugd.

Met als uitgangspunt de tekst uit het Oude Testament waar gesproken wordt over de uittocht van het volk van Israël uit Egypte, had de dominee met de hulp van Staffan een preek gemaakt over richtsnoeren. Waar een jongere in de hedendaagse samenleving naar kon kijken, waardoor hij zich kon laten leiden op zijn tocht door de woestijn enzovoort.

Tommy had de betreffende Bijbeltekst gelezen en gezegd dat hij graag wilde komen.

Dus toen de metro op deze zondagochtend vanaf het IJsland-plein uit de tunnel kwam denderen en een zuil van lucht voor zich uit duwde waar Yvonnes haar van ging wapperen, was ze compleet gelukkig. Ze keek naar haar zoon, die naast haar stond met zijn handen diep in zijn jaszakken.

Het komt goed.

Ja. Dat hij met haar mee wilde naar de zondagsdienst was al een heel ding. Maar wees het er bovendien niet op dat hij Staffan had geaccepteerd?

Ze stapten in de metro en gingen tegenover elkaar zitten naast een oudere man. Voordat de metro kwam, hadden ze gepraat over wat ze allebei op de radio hadden gehoord die ochtend: de jacht op de rituele moordenaar in het Judarnbos. Yvonne boog zich voorover naar Tommy.

"Denk je dat ze hem pakken?"

Tommy haalde zijn schouders op.

"Vast wel. Maar het is een groot bos, dus … dat moet je maar aan Staffan vragen."

"Ik vind het alleen zo eng. Stel je voor dat hij deze kant op komt."

"Wat zou hij hier moeten? Hoewel, natuurlijk. Wat moest hij in Judarn. Dan kan hij hier net zo goed komen."

"Jakkes."

De oudere man ging rechtop zitten, maakte een gebaar alsof hij iets van zijn schouders schudde en zei: "Je kunt je afvragen of zo iemand wel menselijk is."

Tommy keek naar de man op, Yvonne humde en glimlachte naar hem, wat de man opvatte als een aanmoediging om verder te gaan.

"Ik bedoel ... eerst die vreselijke ... daden, en dan ... in die toestand, zo'n val. Nee, ik zeg: dit is geen mens en ik hoop dat de politie hem ter plekke neerschiet."

Tommy knikte, deed net of hij het ermee eens was.

"Of hem aan de eerste de beste boom ophangt."

De man raakte opgewonden.

"Precies. Dat zeg ik de hele tijd al. Ze hadden hem in het ziekenhuis al een giftige injectie of zoiets moeten geven, dat doen ze bij dolle honden ook. Dan hadden we hier niet continu in angst hoeven zitten en deze paniekerige jacht niet hoeven meemaken, die wordt bekostigd met het geld van de belastingbetaler. Een helikopter. Ja, ik ben net langs Åkeshov gekomen en ze hebben een helikopter in de lucht. Daar is geld voor. Maar gepensioneerden een pensioen geven waar je van kunt leven, na een heel leven in dienst van de samenleving, dat kan niet. Maar wel een helikopter rondjes laten vliegen die de dieren een beroerte bezorgt met zijn geronk ..."

De monoloog ging door tot aan Vällingby, waar Yvonne en Tommy uitstapten, terwijl de man bleef zitten. De metro zou keren, dus vermoedelijk was hij van plan dezelfde weg terug te nemen om nog een glimp van de helikopter op te vangen, misschien zijn monoloog voort te zetten met een andere toehoorder.

Staffan wachtte hen op voor de Sint-Thomaskerk, die op een stapel bakstenen leek.

Hij droeg een pak en een flets blauw-geel gestreepte das, die Tommy deed denken aan die foto uit de oorlog: *Een Zweedse tijger*. Staffan straalde toen hij hen in het oog kreeg en liep hun tegemoet.

Hij omhelsde Yvonne en stak een hand uit naar Tommy, die hem pakte en schudde.

"Wat leuk dat jullie wilden komen. En voorál jij, Tommy. Hoe kwam het zo …?"

"Ik wilde het gewoon wel eens zien."

"Mm. Ja, ik hoop dat je het wat vindt. En dat we je hier vaker zullen zien."

Yvonne streek over Tommy's schouder.

"Hij heeft in de Bijbel gelezen over … waar jullie het over gaan hebben."

"Zo, zo. Ja, dat is echt … trouwens, Tommy. Ik heb die trofee niet kunnen vinden. Maar … we moeten er maar een streep onder zetten, vind je niet?"

"Mmm."

Staffan wachtte of Tommy nog iets meer ging zeggen, maar toen hij dat niet deed, wendde Staffan zich tot Yvonne.

"Ik moest nu eigenlijk in Åkeshov zijn, maar … dit wilde ik niet missen. Maar ik moet wel weg zodra we klaar zijn, dus dan moeten we maar …"

Tommy ging de kerk in.

In de banken zaten slechts hier en daar wat oudere mensen met de rug naar hem toe. Naar de hoeden te oordelen waren het oude dames.

De kerk werd geel verlicht door lampen die over de hele lengte van de muur hingen. In het middenpad lag een rode loper met ingeweven geometrische figuren tot aan het altaar, een stenen tafel waar vazen met bloemen waren neergezet. Boven dat alles hing een groot houten kruis met een modernistische Jezus eraan. Zijn gezichtsuitdrukking kon gemakkelijk worden opgevat als een hoonlach.

Helemaal achteraan in de kerk bij de ingang, waar Tommy zich bevond, stonden standaards met brochures, een spaarpot om geld in te stoppen en een grote doopvont. Tommy liep naar de doopvont en keek erin.

Perfect.

Toen hij die in het oog kreeg, had hij gedacht dat het té mooi was; dat hij vermoedelijk vol water zat. Maar dat was niet zo. De hele doopvont was uitgehouwen uit een stuk steen en reikte Tommy tot aan zijn middel. Het bekken zelf was donkergrijs, ruw, en er zat geen druppel water in.

Oké. Daar gaat ie dan.

Uit zijn jaszak haalde hij een stijf dichtgeknoopte plastic zak van twee liter, gevuld met wit poeder en hij keek om zich heen. Niemand keek zijn kant op. Hij maakte met zijn vinger een gat in de zak en strooide de inhoud in de doopvont.

Toen stopte hij de lege zak in zijn broekzak en liep weer naar buiten, terwijl hij een goede reden probeerde te verzinnen om niet naast zijn moeder in de kerk te hoeven zitten, maar helemaal achteraan bij de doopvont.

Hij kon zeggen dat hij naar buiten wilde gaan zonder te storen, als het te saai werd. Dat klonk goed. Dat klonk ...

Perfect.

Oskar deed zijn ogen open en de angst greep hem bij de keel. Hij wist niet waar hij was. De kamer om hem heen lag in het donker, hij herkende de kale wanden niet.

Hij lag op een bank. Met een viezig ruikend dekbed over zich heen.

De wanden zweefden voor zijn ogen, zwommen vrij door de lucht, terwijl hij probeerde ze op de goede plaats te krijgen, ze zo neer te zetten dat ze samen een kamer vormden die hij herkende. Het lukte niet.

Hij trok het dekbed op tot aan zijn neus. Een muffe lucht vulde zijn neusgaten en hij probeerde rustig te worden, te stoppen met het omvormen van de kamer en zich in plaats daarvan te herinneren.

Ja. Nu wist hij het weer.

Papa. Janne. De lift. Eli. De bank. Spinnenwebben.

Hij keek naar het plafond. Het spinrag hing er nog, moeilijk te onderscheiden in het halfdonker. Hij was in slaap gevallen met Eli naast zich op de bank. Hoeveel tijd was er sindsdien verstreken? Was het ochtend?

De ramen waren met dekens bedekt, maar aan de randen kon hij een vage zoom van grauw licht zien. Hij gooide het dekbed van zich af, liep naar het balkonraam en trok de deken een stukje opzij. De jaloezieën waren neergelaten. Hij draaide ze omhoog en ja, hoor: het was ochtend buiten.

Zijn hoofd deed pijn en het licht prikte in zijn ogen. Hij hijgde, liet de deken los en voelde met beide handen aan zijn hals en nek. Nee. Natuurlijk niet. Ze had immers gezegd dat ze nooit ...

Maar waar is ze?

Hij keek om zich heen in de kamer; zijn ogen stopten bij de gesloten deur naar de kamer waar Eli een andere trui had aangetrokken. Hij deed een paar stappen in de richting van die deur, hield toen in. De deur zat in de schaduw. Hij balde zijn vuisten, zoog op een knokkel.

Als ze echt ... in een kist ligt.

Belachelijk. Waarom zou ze dat doen? Waarom doen vampiers dat überhaupt? Omdat ze dood zijn. En Eli zei dat ze niet ...

Maar als ...

Hij zoog op zijn knokkel, ging er met zijn tong overheen. Haar kus. De tafel met eten. Alleen al dat ze dat kón. En dan ... die tanden. Roofdiertanden.

Was het maar wat lichter.

Naast de deur zat het lichtknopje. Hij drukte erop, zonder te geloven dat er iets zou gebeuren, maar jawel, de lamp aan het plafond ging aan. Hij kneep zijn ogen dicht tegen het felle licht, liet zijn ogen wennen voordat hij zich naar de deur keerde en zijn hand op de deurkruk liet rusten.

Het licht hielp helemaal niet. Het werd allemaal eerder nog enger nu de deur alleen maar een gewone deur was. Net zo'n deur als die van zijn eigen kamer. Precies eender. De deurkruk voelde net zo aan in zijn hand. Dat zij daarbinnen lag. Misschien met haar armen gekruist over haar borst.

Ik moet het zien.

Voorzichtig duwde hij de kruk naar beneden, die licht weerstand bood. De deur zat dus niet op slot, want dan zou de kruk gewoon naar beneden gegleden zijn. Hij duwde de kruk helemaal naar beneden en de deur ging open, de kier werd groter. Binnen in de kamer was het donker.

Wacht!

Zou het licht haar schaden, als hij de deur opendeed?

Nee. Gisteravond had ze bij de vloerlamp gezeten, en dat leek geen kwaad te kunnen. Maar deze lamp was feller en misschien zat er een speciaal soort lamp in de vloerlamp, een lamp ... waar vampiers tegen kunnen.

Straalbelachelijk. 'De speciaalzaak voor vampierlampen.'

En ze zou de lamp aan het plafond toch niet hebben laten zitten als die ... schadelijk zou kunnen zijn voor haar?

Toch deed hij de deur voorzichtig open, waardoor er langzaam een kegel van licht uitgroeide in de kamer. Het was er net zo leeg als in de woonkamer. Een bed en een stapel kleren, verder niets. Op het bed lagen alleen een laken en een kussen. Het dekbed dat hij over zich heen had gehad kwam vast hiervandaan. Aan de muur boven het bed was met plakband een briefje vastgemaakt.

De morsecode.

Daar lag ze dus toen ze ...

Hij haalde diep adem. Hij was erin geslaagd het te vergeten.

Aan de andere kant van deze muur is mijn kamer.

Ja. Hij bevond zich twee meter van zijn eigen bed, zijn eigen normale leven.

Hij ging op het bed liggen, kreeg de impuls om een boodschap op de muur te tikken. Aan Oskar. Aan de andere kant. Wat zou hij zeggen?

W.A.A.R.B.E.N.J.E.

Hij zoog weer op zijn knokkel. Híj was hier. Eli was degene die weg was.

Hij was duizelig, verward. Hij plofte met zijn hoofd op het kussen, zijn gezicht naar de kamer. Het kussen rook raar. Net als het dekbed, maar sterker. Een muffe, vettige lucht. Hij keek naar de stapel kleren die een paar meter van het bed af lag.

Het is zo goor.

Hij wilde hier niet meer zijn. Het was helemaal stil en leeg in de flat en het was allemaal zo ... abnormaal. Zijn blik gleed over de stapel kleren en stopte bij de kasten die de hele muur tegenover hem bedekten tot aan de deur. Twee dubbele kasten en één enkele.

Daar.

Hij trok zijn benen op tegen zijn maag en staarde naar de gesloten kastdeuren. Hij wilde niet. Hij had buikpijn. Een stekende, brandende pijn in zijn middenrif.

Hij moest nodig plassen.

Hij stond op van het bed en liep naar de deur zonder de kasten uit het oog te verliezen. Hij had net zulke kasten in zijn kamer, hij wist dat er plaats was. Daar zat ze en hij wilde het verder niet zien.

Ook de lamp in de hal deed het. Hij deed hem aan en liep door de korte gang naar de badkamer. De deur van de badkamer zat op slot. Het gekleurde plaatje boven de deurkruk stond op rood. Hij klopte op de deur.

"Eli?"

Geen geluid. Hij klopte weer.

"Eli, ben je daar?"

Niets. Maar toen hij haar naam hardop zei, herinnerde hij zich weer dat het fout was. Dat was het laatste wat ze had gezegd toen ze op de bank lagen. Dat ze eigenlijk ... Elias heette. *Elias*. Een jongensnaam. Was Eli een jongen? En ze hadden nog wel ... gezoend en in hetzelfde bed geslapen en ...

Oskar duwde met zijn handen tegen de deur van de badkamer en liet zijn voorhoofd op zijn handen rusten. Hij dacht na, dacht diep na. En hij begreep het niet. Dat hij op de een of andere manier kon accepteren dat ze een vampier was, maar dat ze een jongen was, dat dat ... moeilijker te accepteren kon zijn.

Hij kende het woord wel. Homo. Vuile homo. Dingen die Jonny zei. Dat het erger was om homo te zijn dan ...

Hij klopte weer op de deur.

"Elias?"

Een zuigend gevoel in zijn buik toen hij dat zei. Nee. Hij zou er niet aan kunnen wennen. Ze ... hij heette Eli. Maar het was te veel. Ongeacht wat Eli voor iets was, het was te veel. Hij kon het niet. Niets aan haar was normaal.

Hij tilde zijn voorhoofd van zijn handen en kneep zijn aandrang om te plassen weg.

Voetstappen in het trappenhuis en even later het geluid van de brievenbus die openging, een bons. Hij liep weg bij de badkamer en keek wat het was. Reclame.

RUNDERGEHAKT 14,90/KG

Schrilrode letters en cijfers. Hij pakte de reclameblaadjes op en begreep het; hij duwde zijn oog tegen het sleutelgat van het dievenslot, terwijl voetstappen weergalmden in het trappenhuis; het geklepper van brievenbussen die open- en weer dichtgedaan werden.

Na een halve minuut kwam zijn moeder langs het sleutelgat, op weg naar beneden. Hij kon maar een glimp van haar haar opvangen, van de kraag van haar jas, maar hij wist dat zij het was. Wie anders?

Ze bracht zijn reclameblaadjes rond als hij er niet was.

Met de folders stevig in zijn hand zakte Oskar op de vloer bij de voordeur neer, met zijn voorhoofd op zijn knieën. Hij huilde niet. Hij moest zo nodig plassen dat het voelde als een brandende mierenhoop in zijn onderbuik, die hem op de een of andere manier dwarszat.

Maar keer op keer dacht hij die ene gedachte: ik besta niet. Ik besta niet.

Lacke had de hele nacht liggen piekeren. Sinds hij Virginia had verlaten, was een sluipende ongerustheid een gat in zijn maag aan het knagen. Zaterdagavond had hij een uurtje met de jongens bij de Chinees gezeten. Hij had geprobeerd met hen over zijn ongerustheid te praten, maar ze toonden geen enkele interesse. Lacke voelde dat het uit de hand kon lopen, dat het risico bestond dat hij godsgruwelijk kwaad zou worden, dus was hij weggegaan.

Het waren waardeloze kerels.

Natuurlijk, dat was geen nieuws, maar hij had gedacht dat ... ja, wat had hij nou gedacht?

Dat we hetzelfde idee hadden.

Dat hij niet de enige was die het gevoel had dat er iets bijzonder griezeligs gaande was. Ze hadden een hoop praats, grote woorden, vooral Morgan, maar als puntje bij paaltje kwam, stak niemand een vinger uit.

Niet dat Lacke wel wist wat hij moest doen, maar hij was in elk geval ongerust. Voor zover dat wat hielp. Hij had het grootste deel van de nacht wakker gelegen, tussendoor geprobeerd wat in *Boze geesten* van Dostojevski te lezen, maar hij vergat steeds wat er op de vorige bladzijde, in de vorige zin was gebeurd en had het opgegeven.

Iets goeds had de nacht toch gebracht: hij had een besluit genomen.

Op zondagochtend was hij bij Virginia aan de deur geweest en had aangeklopt. Er werd niet opengedaan en hij was ervan uitgegaan … had gehóópt dat ze naar het ziekenhuis was gegaan. Op weg naar huis passeerde hij twee vrouwen die stonden te praten, ving iets op over een moordenaar op wie de politie jacht maakte in het Judarnbos.

Godnogaantoe, er zit tegenwoordig een moordenaar achter elk bosje. Nu hebben de kranten weer iets om van te smullen.

Er waren ruim tien dagen voorbij sinds ze de Vällingbymoordenaar hadden gepakt, en de kranten begonnen genoeg te krijgen van het speculeren over wie hij was en waarom hij had gedaan wat hij had gedaan.

In de artikelen over hem had duidelijk een toon van … ja, leedvermaak doorgeklonken. Ze hadden met pijnlijke nauwkeurigheid de huidige toestand van de moordenaar beschreven, dat hij een halfjaar lang zijn ziekbed niet zou kunnen verlaten. Een apart blokje met informatie over wat zoutzuur met het lichaam deed, zodat je echt kon huiveren over hoeveel pijn dat moest doen.

Nee, Lacke beleefde geen plezier aan dat soort dingen. Hij vond het verschrikkelijk hoe mensen zich op zaten te naaien over iemand die 'zijn gerechte straf' had gekregen enzovoort. Hij was faliekant tegen de doodstraf. Niet dat hij een 'moderne' rechtsopvatting had. Nee, eerder een oeroude.

Hij dacht: als iemand mijn kind doodt, dan dood ík de dader. Dostojevski had het altijd maar over vergeving en genade. Natuurlijk. Vanuit de samenleving gezien, absoluut. Maar ik als ouder van het gedode kind sta in mijn volle morele recht om degene die het heeft gedaan van kant te maken. Dat de samenleving mij vervolgens acht jaar in de cel stopt of zoiets, dat is een ander verhaal.

Dat was níét wat Dostojevski bedoelde en dat wist Lacke ook wel. Maar hij en Fjodor verschilden in dat opzicht gewoon van mening.

Lacke dacht over die dingen na terwijl hij terugliep naar de Ibsengatan. Thuis aangekomen ontdekte hij dat hij honger had, hij kookte een flinke pan vlugkokende macaroni en at die met een lepel zo uit de pan, met ketchup. Terwijl hij water in de pan liet lopen om hem zo meteen makkelijker af te kunnen wassen, klonk er een bons in de brievenbus.

Reclame. Niets voor hem, hij had toch geen geld.

O ja. Dat was ook zo.

Hij veegde de keukentafel af met het vaatdoekje en ging het postzegelalbum van zijn vader uit de drankkast halen, die ook een erfstuk van zijn vader was en die hij met de grootste moeite naar Blackeberg had getransporteerd. Hij legde het album behoedzaam op de keukentafel en sloeg het open.

Daar waren ze. Vier ongestempelde exemplaren van de eerste postzegel die in Noorwegen was uitgegeven. Hij boog over het album heen, tuurde naar de leeuw die op zijn achterpoten stond tegen een lichtblauwe achtergrond.

Waanzinnig.

Vier shilling hadden ze gekost toen ze in 1855 uitkwamen. Nu waren ze … meer waard. Dat ze twee aan twee bij elkaar hoorden maakte ze nog meer waard.

Dat had hij vannacht besloten terwijl hij lag te woelen tussen doorrookte lakens: dat het tijd was. Wat er nu met Virginia was gebeurd was de druppel. Daar kwam nog bij dat de jongens het niet konden begrijpen, het inzicht: nee, dit zijn geen mensen waar ik bij wil horen.

Hij ging hier weg en Virginia ook.

Slechte markt of niet, driehonderdduizend kreeg hij altijd voor de postzegels en dan nog eens tweehonderdduizend voor het appartement. Dan een huisje op het platteland. Ja, oké, twéé huisjes. Een tuin. Dat kon van dat geld, en het zou goed gaan. Zodra Virginia beter was, zou hij het aan haar voorleggen en hij dacht … ja, hij wist bijna zéker dat ze erin toe zou stemmen, het zelfs een prachtidee zou vinden.

Zo moest het worden.

Lacke voelde zich nu rustiger. Hij had het allemaal goed door-dacht. Hoe hij het vandaag zou doen en in de toekomst. Het kwam goed.

Vervuld van prettige gedachten liep hij de slaapkamer in, ging op het bed liggen om vijf minuten te rusten en viel in slaap.

"We zien hen op straat en we begrijpen hen niet goed. We vragen ons af: wat kunnen we doen?"

Tommy had zich nog nooit van zijn leven zo verveeld. De dienst was nog maar een halfuur bezig en hij had het idee dat hij zich beter had vermaakt als hij op een stoel naar een muur had zitten kijken.

'Gezegend zij', 'Jubelpsalm' en 'De vreugde van de Heer', ja, maar waarom zat iedereen dan zo wezenloos te kijken, als naar een kwalificatiewedstrijd Bulgarije-Roemenië? Wat ze in dat boek lazen, waar ze over zongen, het had geen betekenis voor hen. Voor de dominee leek het ook niets te betekenen. Het was gewoon iets waar hij doorheen moest om zijn loon te krijgen.

Nu was de preek in elk geval begonnen.

Als de dominee precies die tekst uit de Bijbel behandelde die Tommy had gelezen, zou hij het doen. Anders niet.

De dominee mag het zeggen.

Tommy voelde in zijn zak. De spullen waren in orde en de doopvont stond slechts drie meter van de achterste bank waar hij zat. Zijn moeder zat helemaal vooraan, vermoedelijk om Staffan stralend aan te kunnen kijken terwijl hij zijn zinloze liedjes zong, met zijn handen losjes gevouwen voor zijn politiepik.

Tommy beet zijn kaken op elkaar. Hij hóópte dat de dominee dat zou zeggen.

"We zien verwarring in hun ogen, de verwarring van iemand die verdwaald is en de weg naar huis niet kan vinden. Als ik zo'n jongmens zie, moet ik altijd denken aan de uittocht van Israël uit Egypte."

Tommy verstijfde. Maar de dominee zou misschien niet precies dáárop ingaan. Misschien werd het iets over de Rode Zee. Toch haalde hij de spullen uit zijn zak: een aansteker en een aanmaakblokje. Zijn handen trilden.

"Want zo moeten we deze jonge mensen zien, die we soms niet begrijpen. Ze dwalen door een woestijn van onbeantwoorde vragen en vage toekomstperspectieven. Maar er is een groot verschil tussen het volk van Israël en de jeugd van tegenwoordig …"

Zeg het dan …

"Het volk van Israël had iemand die hen leidde. U herinnert zich vast wel hoe het in de Schrift staat? 'De Here ging voor hen uit, des daags in een wolkkolom om hen te leiden op de weg, en des nachts in een vuurkolom om hun voor te lichten.' Het is deze wolkkolom, deze vuurkolom die de jeugd van vandaag ontbeert en …"

De dominee keek op zijn blaadje.

Tommy had het aanmaakblokje al aangestoken, hij hield het tussen duim en wijsvinger. De bovenkant brandde met een heldere, blauwe vlam die een weg zocht naar zijn vingers. Toen de dominee op zijn blaadje keek, greep hij zijn kans.

Hij dook in elkaar, deed een grote stap uit de bank, stak zijn arm zo ver mogelijk uit, gooide het aanmaakblokje in de doopvont en ging snel weer in zijn bank zitten. Niemand had iets gemerkt.

De dominee keek weer op.

"… en het is onze plicht, als volwassenen, om die wolk te zijn, dat richtsnoer voor de jongelui. Waar moeten ze die anders vandaan halen? En de kracht hiertoe kunnen we putten uit de daden van de Here …"

Er steeg witte rook op uit de doopvont. Tommy kon de bekende, zoete geur al ruiken.

Hij had het zo vaak gedaan; salpeterzuur en suiker in brand gestoken. Maar zelden zulke grote hoeveelheden tegelijk, en nooit eerder binnenshuis. Hij was benieuwd wat het effect zou zijn als er geen wind was die de rook wegvoerde. Hij vlocht zijn vingers ineen en duwde zijn handen stevig tegen elkaar.

Dominee Ardelius, waarnemend predikant in de gemeente Vällingby, zag de rook het eerst. Hij maakte er niet meer van dan het was: rook uit de doopvont. Zijn leven lang wachtte hij al op een teken van de Heer en toen hij de eerste rooksliert op zag stijgen, was er ontegenzeglijk een moment waarop hij dacht: o, Here. Eindelijk.

Maar die gedachte verdween. Dat het gevoel dat het een wonder was hem zo snel verliet, vatte hij op als een bewijs dat het geen wonder, geen teken wás. Het was alleen maar rook uit de doopvont. Maar waarom?

De koster, met wie hij op niet al te goede voet stond, had het behaagd een grap uit te halen. Het water in het bekken was gaan … koken …

Het probleem was dat hij midden in de preek zat en niet veel tijd kon besteden aan het overdenken van deze vraagstukken. Dus dominee Ardelius deed wat de meeste mensen in dergelijke situaties doen: ze gaan door alsof er niets aan de hand is en hopen dat de problemen vanzelf overgaan als je er geen aandacht aan schenkt. Hij kuchte en probeerde zich te herinneren wat hij het laatst had gezegd.

De daden van de Here. Iets over kracht zoeken in de daden van de Here. Een voorbeeld.

Hij gluurde naar de trefwoorden op zijn blaadje. Daar stond: blote voeten.

Blote voeten? Wat bedoel ik daarmee? Dat het volk van Israël op blote voeten liep, of dat Jezus … een lange tocht …

Hij keek op en zag dat de rook dikker was geworden en een zuil vormde die langzaam uit de doopvont naar het plafond steeg. Wat had hij het laatst gezegd? O ja. Hij wist het weer. De woorden hingen nog in de lucht.

"En de kracht hiertoe kunnen we putten uit de daden van de Here."

Dat was een logisch slot. Niet goed, niet wat hij zich had voorgesteld, maar logisch. Hij glimlachte verward naar de gemeente en knikte naar Birgit, die het koor leidde.

Het koor van acht personen stond als één man op en liep naar het podium. Toen ze zich naar de gemeente toe keerden kon hij aan hun gezichten zien dat ze de rook ook zagen. Loof de Heer; hij had heel even gedacht dat hij misschien de enige was die het zag.

Birgitta keek hem vragend aan en hij maakte een gebaar met zijn hand: toe maar, toe maar.

Het koor begon te zingen.

Leid mij Heer, leid mij in rechtvaardigheid
Laat mijn ogen Uwe weg aanschouwen …

Een van de fraaiere composities van de oude Wesley. Dominee Ardelius wilde dat hij had kunnen genieten van de schoonheid van het lied, maar de wolkkolom baarde hem zorgen. Dikke, witte rook wolkte op uit de doopvont en iets in het bekken zelf brandde met een knetterende, sissende blauwwitte vlam. Een zoetige lucht bereikte zijn neusgaten en de gemeente keek om zich heen om erachter te komen waar het geknetter vandaan kwam.

Want Gij alleen, Heer, Gij alleen
Verschaft mijn ziel de rust en veiligheid ...

Een van de vrouwen in het koor begon te hoesten. De gemeenteleden draaiden hun hoofd van de wolkende vont naar dominee Ardelius om van hem een hint te krijgen hoe ze zich moesten gedragen, of dit erbij hoorde.

Er begonnen meer mensen te hoesten, ze hielden hun zakdoek of hun mouw voor hun neus en mond. Een dunne mist begon de kerk te vullen, en door die mist zag dominee Ardelius iemand uit de achterste bank opstaan en door de deur naar buiten rennen.

Ja. Dat is het enige verstandige.

Hij boog naar de microfoon.

"Ja, er is een klein ... ongelukje gebeurd en ik denk dat het het beste is als we ... de kerk verlaten."

Al bij het woord 'ongelukje' verliet Staffan het podium en begon met snelle, gecontroleerde passen naar de uitgang te lopen. Hij begreep het. Het was dat hopeloze kind van Yvonne, die dief, die dit had gedaan. Nu al, terwijl hij van het podium af stapte, probeerde hij zich te beheersen, want hij vermoedde dat het risico groot was dat hij Tommy een klap zou verkopen als hij hem nu te pakken kreeg.

Weliswaar was dat nou precies wat dat stuk geboefte nodig had; juist dat soort leiding ontbeerde hij.

Hé, wolkkolom, help me es even. Die jongen heeft een paar flinke tikken nodig.

Maar dat zou Yvonne niet accepteren, zoals het er nu voor stond. Als ze getrouwd waren, zou er een andere situatie ontstaan. Dan zou hij pot-vol-blommen Tommy's opvoeding ter hand nemen. Maar nu moest hij hem allereerst te pakken zien te krijgen. Hem op zijn minst een beetje door elkaar schudden.

Staffan kwam niet ver. De woorden van dominee Ardelius vanaf de preekstoel werkten als een startschot op de gemeente, die alleen op toestemming had gewacht om de kerk uit te gaan. Halverwege het middenpad vond Staffan zijn weg afgesneden door voornamelijk kleine vrouwtjes die zich met grimmige vast-beslotenheid naar de uitgang spoedden.

Zijn rechterhand ging naar zijn heup, maar hij hield halverwe-ge in, balde zijn hand tot een vuist. Ook al had hij zijn wapenstok bij zich gehad, dan was dit nog niet het moment geweest om hem te gebruiken.

De rookontwikkeling in de doopvont begon minder te worden, maar de kerk was nu gehuld in een nevel die rook naar snoepfa-briek en chemicaliën. De buitendeuren werden wijd opengezet en door de nevel was een scherp afgebakende rechthoek van invallend ochtendlicht te zien.

De gemeente bewoog zich hoestend naar het licht.

In de keuken stond één windsorstoel en meer niet. Oskar trok die naar het aanrecht, ging erop staan en plaste in de gootsteen, ter-wijl hij de kraan liet lopen. Toen hij klaar was, zette hij de stoel weer terug waar die eerst ook stond. Hij zag er vreemd uit in de verder lege keuken. Als iets in een museum.

Waar heeft ze die voor?

Hij keek om zich heen. Boven de koelkast hing een rij kastjes waar je alleen maar bij kon als je op de stoel ging staan. Hij trok de stoel erheen en zette zijn hand op het handvat van de koelkast om steun te krijgen. Hij had een holle maag. Hij had honger.

Zonder er verder bij na te denken, deed hij de koelkast open om te zien wat erin zat. Niet veel. Een geopend pak melk, een half brood. Boter en kaas. Oskar reikte naar de melk.

Maar … Eli …

Hij stond met het pak melk in zijn hand, knipperde met zijn ogen. Dit klopte niet. At ze ook gewoon eten? Ja. Dat zou dan wel. Hij haalde het melkpak uit de koelkast, zette het op het aanrecht. In het keukenkastje erboven stond bijna niets. Twee borden, twee glazen. Hij pakte een glas en schonk er melk in.

En het drong tot hem door. Met het glas koude melk in zijn hand, drong het eindelijk keihard tot hem door.

Ze drinkt bloed.

Gisternacht, in de kluwen van slaperigheid en loskoppeling van de wereld, in het donker, had alles op een bepaalde manier mogelijk geleken. Maar nu, in de keuken, waar geen dekens voor de ramen hingen en de jaloezieën een zwak ochtendlicht doorlieten, met een glas melk in zijn hand, leek het … gewoon niet te kunnen.

Zo van: *als je melk en brood in de koelkast hebt, moet je toch een mens zijn?*

Hij nam een mondvol van de melk en spuugde die onmiddellijk uit. Hij was zuur. Hij rook aan de melk in zijn glas. Ja. Zuur. Hij goot de melk in de gootsteen, spoelde het glas om, dronk wat water om de smaak in zijn mond weg te spoelen en keek toen welke datum er op het melkpak stond.

THT 28 10

De melk was tien dagen over de datum. Oskar begreep het.

Het was de melk van die man.

De koelkast stond nog steeds open. Het eten van die man.

Smerig. Smerig.

Oskar smeet de koelkast dicht. Wat had die man hier te maken gehad? Wat hadden hij en Eli … Oskar huiverde.

Ze heeft hem vermoord.

Ja. Eli had de man in huis gehad voor … eten. Hij was een levende bloedbank voor haar. Zo deed ze dat. Maar waarom had de man daaraan meegewerkt? En áls ze hem had gedood, waar was het lichaam dan?

Oskar gluurde naar de hoge keukenkastjes. En plotseling wilde hij niet meer in de keuken zijn. Hij wilde überhaupt niet in dit appartement blijven. Hij liep de keuken uit, de gang door. De dichte badkamerdeur.

Dáár ligt ze.

Hij ging gauw naar de woonkamer en pakte zijn tas. De walkman lag op tafel. Hij moest alleen een nieuwe koptelefoon kopen. Toen hij de walkman wilde pakken om hem in zijn tas te stoppen, viel zijn oog op het briefje. Dat lag op de salontafel, op dezelfde hoogte waar hij met zijn hoofd had gelegen.

Hoi!

Ik hoop dat je lekker hebt geslapen. Ik ga nu ook slapen. Ik ben in de badkamer. Probeer daar alsjeblieft niet binnen te gaan. Ik vertrouw op je. Ik weet niet wat ik moet schrijven. Ik hoop dat je om mij kunt geven, ook al weet je hoe het zit. Ik geef wel om jou. Heel veel. Je ligt hier nu op de bank te snurken. Wees alsjeblieft niet bang voor me.

Wees alsjeblieft, alsjeblieft, alsjeblieft niet bang voor me.

Wil je me vanavond ontmoeten? Schrijf het op dit briefje als je dat wilt.

Als het 'nee' is, verhuis ik vanavond. Dat moet ik waarschijnlijk toch binnenkort doen. Maar als het 'ja' is, blijf ik nog een poosje. Ik weet niet wat ik moet schrijven. Ik ben eenzaam. Zo eenzaam, dat kun jij je denk ik niet voorstellen. Of misschien ook wel.

Sorry dat ik je muziekapparaat kapot heb gemaakt. Pak maar geld als je wilt. Ik heb veel geld. Wees niet bang voor me. Dat hoef je niet te zijn. Dat weet je misschien wel. Ik hoop dat je dat weet. Ik geef zo vreselijk veel om je.

Je Eli

PS: Je mag best blijven. Maar als je gaat, let er dan op dat je de deur in het slot laat vallen.

Oskar las het briefje een paar keer over. Toen pakte hij de pen die ernaast lag. Hij keek om zich heen door de lege kamer, Eli's leven. Op tafel lagen nog steeds de bankbiljetten die hij had gekregen, verkreukeld. Hij pakte één duizendje en stopte dat in zijn zak.

Hij keek lang naar de lege ruimte onder Eli's naam. Toen liet hij zijn pen zakken en schreef met letters die even hoog waren als de beschikbare ruimte het woord *JA*.

Hij legde de pen op het blaadje, stond op en stopte de walkman in zijn tas. Hij keerde zich om en keek nog eens naar de letters, die nu op hun kop stonden.

JA

Toen schudde hij zijn hoofd, haalde het duizendje uit zijn zak en legde het weer op tafel. Toen hij in het trappenhuis kwam, controleerde hij zorgvuldig of de deur in het slot was gevallen. Hij trok er een paar keer aan.

Uit *Dagens Eko* 16.45 uur, zondag 8 november 1981:

De zoektocht van de politie naar de man die in de nacht van zaterdag op zondag uit het Danderyd Ziekenhuis is ontsnapt na iemand te hebben vermoord, heeft niets opgeleverd.

De politie heeft vandaag het Judarnbos in Stockholm-West doorzocht, op zoek naar de man van wie men aanneemt dat hij de zogenaamde rituele moordenaar is. De man was zwaar gewond toen hij op de vlucht sloeg en de politie vermoedt nu dat hij hulp heeft gehad.

Arnold Lehrman, van de politie van Stockholm: "Ja, dat is het enige logische. Het is fysiek onmogelijk dat hij zich in deze … toestand verborgen zou hebben kunnen houden. We hebben hier dertig man zitten, honden, een helikopter. Het kan gewoon niet."

"Gaat u door met zoeken in het Judarnbos?"

"Ja. We kunnen ondanks alles de mogelijkheid niet uitsluiten dat hij zich nog in dit gebied bevindt. Maar wel met minder mensen, want we willen onze inzet concentreren op … uitzoeken hoe hij hier weg heeft kunnen komen."

De man heeft een ernstig verminkt gezicht en ging op het moment van de vlucht gekleed in een lichtblauw ziekenhuishemd. Als u iets heeft gezien of gehoord, neemt u dan contact op met de politie op nummer …

ZONDAG 8 NOVEMBER
(AVOND)

De publieke belangstelling voor het speurwerk in Judarn was enorm. De avondbladen vonden dat ze de compositietekening van de moordenaar niet nog een keer konden plaatsen. Ze hadden gehoopt op foto's van een arrestatie, maar bij gebrek daaraan plaatsten beide kranten de schapenfoto.

Expressen zette hem zelfs op de voorpagina.

Je kon zeggen wat je wilde, maar in díé foto zat tenminste een zekere dramatiek. Het van inspanning vertrokken gezicht van de agent, de spartelende poten en de open bek van het schaap. Je kon het gehijg en gemekker bijna horen.

Een van de kranten had zelfs het hof om commentaar gevraagd. Het was per slot van rekening het schaap van de koning dat op deze manier door de politie werd behandeld. De koning en de koningin hadden net twee dagen geleden bekendgemaakt dat ze hun derde kind verwachtten en vonden dat waarschijnlijk mooi genoeg. Het hof onthield zich van commentaar.

Natuurlijk werden er meerdere pagina's gebruikt voor plattegronden van Judarn en Västerort. Waar de man was gezien, hoe het speurwerk van de politie werd uitgevoerd. Maar dat hadden ze allemaal wel eerder gezien, in een ander verband. De schapenfoto was iets nieuws en die zou op het netvlies blijven staan.

Expressen had zich zelfs aan een grapje gewaagd. De tekst bij de foto werd ingeleid met de woorden *Wolf in schaapskleren?*

Er kon even gelachen worden en dat was wel nodig. De mensen waren immers bang. Dezelfde man die minstens twee personen had gedood, bijna drie, was nu weer op vrije voeten en de kinderen kregen weer een uitgaansverbod opgelegd, een schoolreisje naar Judarn op maandag werd afgeblazen.

Alles was doortrokken van een stille woede over het feit dat één persoon, één enkele persoon de macht had om het leven van zoveel mensen te domineren alleen op grond van zijn kwaadaardigheid en zijn ... onsterfelijkheid.

Ja. Deskundigen en professoren die werden opgetrommeld om hun verhaal te doen in kranten en op televisie zeiden allemaal hetzelfde: de man kon onmogelijk in leven zijn. Desgevraagd antwoordden ze in één moeite door dat de vlucht van de man al net zo onmogelijk was geweest.

Een arts van het Danderyd Ziekenhuis maakte een slechte indruk in het programma *Aktuellt* toen hij op agressieve toon zei: "Hij lag tot voor kort aan de beademing. Weet u wat dat inhoudt? Dat houdt in dat je zelf niet kunt ademen. Tel daar een val van dertig meter hoogte bij op ..." De toon van de arts gaf aan dat hij de verslaggever een idioot vond en dat het eigenlijk allemaal een verzinsel van de media was.

Dus het gonsde van de gissingen, ongerijmdheden, geruchten en – uiteraard – angst. Geen wonder dat ze toch de schapenfoto plaatsten. Die was in elk geval concreet. Dus de schapenfoto werd over het rijk verspreid en vond zijn weg naar de ogen van de mensen.

Lacke zag hem toen hij voor zijn laatste kronen een pakje rode Prince kocht in de kiosk van de Minnaar, op weg naar het huis van Gösta. Hij had de hele middag geslapen en hij voelde zich net Raskolnikov; de wereld was wazig onecht. Hij wierp een blik op de schapenfoto en knikte bij zichzelf. In zijn huidige toestand kwam het hem niet vreemd voor dat de politie schapen greep.

Pas halverwege het huis van Gösta zag hij de foto weer voor zich en hij dacht: wat was dat nou? maar hij had niet de puf om het na te gaan.

Oskar zag hem toen hij thuiskwam nadat hij de hele middag in Vällingby had rondgelopen. Toen hij uit de metro stapte, stapte Tommy in. Tommy was warrig en opgewonden en zei dat hij 'iets hartstikke gaafs' had gedaan, maar verder kwam hij niet voordat de deuren dichtgingen. Thuis lag er een briefje op de keukentafel; zijn moeder ging vanavond met het koor uit eten. Er stond eten in de koelkast, de reclameblaadjes waren bezorgd, kus.

Het avondblad lag op de keukenbank. Oskar keek naar de schapenfoto en las alles wat er over de jacht in stond. Toen ging hij bezig met een werkje dat was blijven liggen: het uitknippen en inplakken van de artikelen over de rituele moordenaar uit de kranten van de afgelopen dagen. Hij haalde de stapel kranten uit de bezemkast, pakte zijn plakboek, schaar en lijm en ging aan de slag.

Staffan zag hem op ongeveer tweehonderd meter van de plaats waar hij was genomen. Hij had Tommy niet te pakken gekregen, en na een paar korte woorden tegen een wanhopige Yvonne had hij zich naar Åkeshov begeven. Iemand had daar met het woord 'schapenman' verwezen naar een collega die hij niet kende, maar hij had het pas begrepen toen hij een paar uur later het avondblad zag.

Binnen de politieleiding was men kwaad over het gebrek aan tact bij de kranten, maar de meeste politiemensen in het veld vonden het grappig. Met uitzondering van de 'schapenman' zelf, natuurlijk. Wekenlang hoorde hij regelmatig "bèèèè", of "mooie trui, schapenwol?"

Jonny zag hem toen zijn kleine broertje van vier, zijn kleine hálf-broertje Kalle hem een cadeautje kwam brengen. Hij had een bouwsteen ingepakt in de voorpagina van de krant van die dag. Jonny stuurde hem zijn kamer uit, zei dat hij geen zin had en deed de deur dicht. Hij haalde het fotoalbum weer tevoorschijn en keek naar de foto's van zijn vader, zijn echte vader, die níét de vader van Kalle was.

Even later hoorde hij zijn stiefvader schelden op Kalle, omdat hij de krant kapot had gemaakt. Jonny pakte toen het cadeautje uit, draaide de bouwsteen rond tussen zijn vingers, terwijl hij naar de schapenfoto keek. Hij moest erom lachen en daardoor trok het bij zijn oor. Hij stopte het fotoalbum in zijn gymtas, het was het veiligst als hij dat op school bewaarde, en vandaar gingen zijn gedachten naar wat hij verder met Oskar aan moest.

De schapenfoto zou de aanzet geven tot een klein ethisch debat over krantenfoto's, maar zou toch met oudjaar deel uitmaken van het overzicht van de beste foto's van het jaar. De ram die was gegrepen werd in het voorjaar naar de wei op Drottningholm gebracht om te grazen, voor altijd onwetend van zijn dag in de spotlights.

Virginia rust, gewikkeld in dekbedden en dekens. Haar ogen zijn gesloten, haar lichaam doodstil. Zo meteen wordt ze wakker. Elf uur ligt ze al zo. Haar lichaamstemperatuur is gedaald naar zevenentwintig graden, wat overeenkomt met de luchttemperatuur in de kast. Haar hart slaat vier zeer zwakke slagen per minuut.

In deze elf uur is haar lichaam onherroepelijk veranderd. Haar maag en longen zijn aangepast aan een nieuw soort leven. Het interessantste, uit medisch oogpunt, is een nog groeiende cyste in de sinusknoop van het hart, de klomp cellen die de samentrekkingen van het hart regelt. De cyste is nu meer dan in omvang verdubbeld. Een kankerachtige groei van vreemde cellen schrijdt ongehinderd voort.

Als je deze vreemde cellen onder een microscoop zou kunnen leggen, zou je iets zien wat alle cardiologen tot de conclusie zou brengen dat er monsters verwisseld waren. Een onsmakelijke grap.

Het gezwel in de sinusknoop is namelijk opgebouwd uit hersencellen.

Ja. In Virginia's hart worden afzonderlijke kleine hersenen gevormd. Deze nieuwe hersenen waren in hun opbouwfase afhankelijk van de grote hersenen. Nu zijn ze zelfvoorzienend, en wat Virginia tijdens een vreselijk moment voelde, is geheel correct: ze zouden blijven leven, ook als het lichaam zou sterven.

Virginia sloeg haar ogen op en wist dat ze wakker was. Dat wist ze, hoewel het optrekken van haar oogleden geen verschil uitmaakte. Het was even donker als eerst. Maar haar bewustzijn werd aangezet. Ja. Haar bewustzijn ging knipperend aan en iets anders trok zich snel terug.

Net als ...

Net als wanneer je een zomerhuis binnenkomt dat in de winter heeft leeggestaan. Je doet de deur open, steekt je hand uit naar het lichtknopje en op het moment dat je het licht aandoet, klinkt haastig tikken en raspen van klauwtjes over de vloer, je vangt een glimp op van de rat die onder het aanrecht wegkruipt.

Een gevoel van onbehagen. Je weet dat die rat daar heeft gewoond terwijl jij weg was. Dat hij het huis als het zijne beschouwt. Dat hij weer aan zal komen sluipen zodra je het licht uitdoet.

Ik ben niet alleen.

Haar mond was net papier. Ze had geen gevoel in haar tong. Ze bleef liggen en dacht aan het huisje dat zij en Per, de vader van Lena, een paar zomers hadden gehuurd toen Lena klein was.

Ze dacht aan het rattennest dat ze achteraan onder het aanrecht hadden gevonden. De ratten hadden stukjes van lege melkpakken en een cornflakespak gebeten en een soort huisje gebouwd, een fantastische constructie van verschillend gekleurde stukjes papier.

Virginia had een soort schuldgevoel ervaren toen ze het huisje met de stofzuiger opzoog. Nee, meer dan dat. Een bijgelovig gevoel dat ze een *overtreding* had begaan. Toen ze de koude, mechanische slurf van de stofzuiger in dat mooie, fragiele bouwsel stak waar de rat de hele winter werk aan had gehad, voelde het alsof ze een goede geest op de vlucht dreef.

En inderdaad. Toen de rat niet in de val liep, maar van hun droge waren bleef eten, ook al was het zomer, had Per rattengif gestrooid. Ze hadden daar ruzie over gemaakt en ook over andere dingen. Ze hadden overal ruzie over gemaakt. In juli was de rat gestorven, ergens binnen in de muur.

Naarmate de stank van het dode, rottende lichaam van de rat zich door het huis verspreidde, was er die zomer een steeds grotere barst gekomen in hun huwelijk. Ze waren een week eerder naar huis gegaan dan ze van plan waren geweest, aangezien ze de stank en elkaar niet meer konden harden. De goede geest had hen verlaten.

Hoe was het verder gegaan met het huis? Woont er nu iemand anders in?

Ze hoorde piepen en sissen.

Er zit écht een rat! Onder de dekens.

Ze raakte in paniek.

Nog steeds ingesnoerd wierp ze zich opzij, kwam tegen de kast-deuren aan zodat die openzwaaiden, en tuimelde op de vloer. Ze schopte met haar benen, zwaaide met haar armen en wist uitein-delijk los te komen. Walgend kroop ze op het bed, in het hoekje, trok haar knieën op onder haar kin, staarde naar de hoop dek-bedden en dekens, en wachtte op een beweging. Als die kwam, zou ze schreeuwen. De hele flat bij elkaar schreeuwen, zodat iedereen aan zou komen rennen met hamers en bijlen en op de hoop dekens zou slaan totdat de rat dood was.

Het bovenste dekbed was groen, met blauwe stippen. Bewoog daar niet iets? Ze hapte naar adem om te schreeuwen en het pie-pen en sissen klonk weer.

Ik ... adem.

Ja. Het laatste wat ze had geconstateerd voordat ze in slaap viel, was dat ze niet ademde. Nu ademde ze weer. Ze zoog onderzoe-kend lucht op en hoorde het piepen en sissen. Het kwam uit haar luchtpijp. Die was uitgedroogd terwijl ze rustte en maakte geluid. Ze schraapte haar keel en kreeg een vieze smaak in haar mond.

Ze wist het weer. Allemaal.

Ze keek naar haar armen. Bedekt met bloedstrepen, al waren er geen wonden of littekens te zien. Ze keek strak naar de plek in haar armholte, waarvan ze wist dat ze er zeker twee keer had gesneden. Misschien een vaag streepje roze huid. Ja. Misschien. Verder was alles genezen.

Ze wreef in haar ogen en keek op de klok. Kwart over zes. Het was avond. Donker. Ze keek weer naar het groene dekbed met de blauwe stippen.

Waar komt het licht vandaan?

De lamp aan het plafond was uit, buiten was het avond, de jaloezieën waren neergelaten. Hoe kon het dat ze alle contouren en kleurnuances zo duidelijk kon zien? In de kast was het pik-donker geweest. Toen had ze niets gezien. Maar nu ... leek het wel klaarlichte dag.

Er sijpelt altijd een beetje licht naar binnen.

Ademde ze?

Dat kon ze niet controleren. Zodra ze over ademhalen begon na te denken, begon ze dat ook te sturen. Misschien ademde ze alleen als ze eraan dacht.

Maar die eerste ademhaling, waarvan ze had gedacht dat het een rat was ... daar had ze niet over nagedacht. Hoewel die misschien niet veel verschilde van ...

Ted.

Ze was erbij geweest toen hij werd geboren. Lena had de man die Teds vader was nooit meer gezien sinds de nacht dat Ted was verwekt. Een Finse zakenman op conferentie in Stockholm enzovoort. Dus Virginia was bij de bevalling geweest. Had gezéúrd of ze erbij mocht zijn.

En nu zag ze het weer voor zich. Teds eerste ademhaling.

Hoe hij eruit was gekomen. Het kleine lijfje, kleverig, paars, nauwelijks menselijk. De klap van geluk in haar borst, die een wolk van ongerustheid werd toen hij niet ademde. De vroedvrouw die het wezentje rustig in haar handen had gepakt. Virginia had gedacht dat ze hem op de kop zou houden, hem een klap op de billen zou geven, maar net toen de vroedvrouw hem in haar handen pakte, vormde zich een spuugbelletje voor zijn mond. Een belletje dat groeide, groeide ... en knapte. En toen kwam de schreeuw, de eerste schreeuw. En hij ademde.

Dus?

Was Virginia's eerste piepende ademhaling dat ook geweest? Een ... geboorteschreeuw?

Ze ging rechtop zitten, ze ging op haar rug in bed liggen. Ze ging verder met het afdraaien van haar inwendige film van de bevalling. Hoe ze Ted had mogen wassen, aangezien Lena te zeer verzwakt was, een heleboel bloed had verloren. Ja. Nadat Ted eruit gekomen was, was het over het verlosbed gestroomd en de verpleegsters waren aangekomen met papier, bergen papier. Het was langzamerhand vanzelf opgehouden.

De berg bloederige stukken papier, de donkerrode handen van de vroedvrouw. De rust, hoe efficiënt ze waren ondanks al het ... bloed. Al het bloed.

Dorst.

Haar mond plakte en ze spoelde de film vooruit en achteruit, zoomde in op alles wat met bloed bedekt was geweest; de handen van de vroedvrouw *ze wilde er met haar tong overheen glijden, de doordrenkte proppen op de grond in haar mond stoppen en erop zuigen, Lena's baarmoeder waar het bloed in een dun stroompje uit liep ...*

Ze ging met een ruk overeind zitten, rende gebukt naar de badkamer, gooide het deksel van de wc omhoog en boog haar hoofd over de pot. Er kwam niks. Alleen droge, hikkende oprispingen. Ze leunde met haar hoofd tegen de rand van de pot. De beelden van de bevalling begonnen weer op te borrelen.

Kwilniekwilniekwilnie

Ze bonsde met haar voorhoofd hard op het porselein en een geiser van ijzig heldere pijn spoot omhoog in haar hoofd. Alles werd helderblauw voor haar ogen. Ze glimlachte en viel zijwaarts op de grond, op de badmat die ...

14,90 kostte, maar ik mocht hem voor een tientje hebben omdat er een grote pluk van het dons aan het prijskaartje bleef hangen toen de caissière dat eraf trok en toen ik uit Åhléns warenhuis op het plein kwam, zat er een duif te pikken in een kartonnen bakje waar nog een paar patatjes in zaten en de duif was grijs ... en ... blauw ... het was ...

... tegenlicht ...

Ze wist niet hoe lang ze buiten westen was geweest. Een minuut, een uur? Misschien maar een paar seconden. Maar er was iets veranderd. Ze was rustig.

Het dons van de badmat voelde prettig aan tegen haar wang, zoals ze daar naar de buis met roestvlekken lag te kijken die van de wastafel naar de vloer liep. Ze vond dat de buis een fraaie vorm had.

Een sterke geur van urine. Zij had niet in haar broek geplast, nee, want het was ... Lackes pis die ze rook. Ze boog haar lichaam, ging met haar gezicht naar de vloer onder het toilet, snoof. Lacke ... en Morgan. Ze begreep niet hoe ze het wist, maar ze wist het: Morgan had ernaast gepist.

Maar Morgan is hier niet geweest.

Of ja, toch wel. Die avond, nacht toen ze haar hadden thuisgebracht. De avond dat ze was overvallen. Gebéten. Ja. Natuurlijk. Alles viel op zijn plaats. Morgan was hier geweest, Morgan had gepist en zij had in de kamer op de bank gelegen nadat ze was gebeten en nu kon ze in het donker zien en kon ze geen licht verdragen en had ze bloed nodig en ...

Vampier.

Zo was het. Ze had geen zeldzame, nare ziekte opgelopen die ze in een ziekenhuis konden genezen, of met behulp van psychiatrie, of met ...

Lichttherapie!

Ze moest erom lachen, hoestend, ze ging op haar rug op de grond liggen, keek naar het plafond en ging alles nog eens na. De snel genezende wonden, de uitwerking van de zon op haar huid, het bloed. Ze zei het hardop.

"Ik ben een vampier."

Het kon niet. Het bestond niet. En toch werd het makkelijker. Alsof er een druk in haar hoofd wegviel. Alsof er een zware schuld van haar af viel. Het was niet háár fout. De afschuwelijke fantasieën, dat vreselijke wat ze zichzelf de hele nacht had aangedaan. Daar kon zij niks aan doen.

Dat was ... volstrekt natuurlijk.

Ze kwam half overeind, liet een bad vollopen, ging op de wc zitten en keek naar het stromende water, naar de badkuip die langzaam vol raakte. De telefoon ging. Ze hoorde het alleen als een willekeurig signaal, een mechanisch geluid. Het betekende niets. Ze kon toch met niemand praten. Niemand kon met haar praten.

Oskar had de krant van zaterdag niet gelezen. Nu lag die voor hem op de keukentafel. Hij had hem al een hele tijd op dezelfde pagina opengeslagen liggen en het onderschrift bij de foto keer op keer gelezen. De foto die hem niet losliet.

De tekst ging over de man die ze vastgevroren in het ijs hadden gevonden bij het ziekenhuis van Blackeberg. Hoe hij was gevonden en hoe ze hem hadden geborgen. Er stond een fotootje bij van meester Ávila, die over het water stond te wijzen, naar het gat in het ijs. In de citaten van meester Ávila had de journalist de eigenaardigheden van zijn taalgebruik gecorrigeerd.

Dat was allemaal heel interessant en de moeite waard om uit te knippen en te bewaren, maar toch was dat niet hetgeen waarnaar hij zat te kijken, waar hij zich niet van los kon rukken.

Het was de foto van de trui.

Ze hadden een met bloed bevlekte kindertrui gevonden die in de jas van de dode man was gestopt. Die stond op de foto, uitgelegd op een neutrale ondergrond. Oskar herkende die trui.

Heb je het niet koud?

In de tekst stond dat de dode man, Joakim Bengtsson, voor het laatst levend was gezien op zaterdag 24 oktober. Twee weken geleden. Oskar herinnerde zich die avond. Toen Eli de kubus had opgelost. Hij had haar over haar wang geaaid en ze was de binnenplaats af gelopen. 's Nachts hadden zij en haar ... die man ... ruziegemaakt en was de man naar buiten gegaan.

Had Eli het die avond gedaan?

Ja. Vermoedelijk. De dag daarna had ze er veel gezonder uitgezien.

Hij keek naar de foto. Die was in zwart-wit, maar in de tekst stond dat de trui lichtroze was. De schrijver van het artikel speculeerde erin over de vraag of de moordenaar nog een jong slachtoffer op zijn geweten had.

Wacht es even.

De Vällingbymoordenaar. In het artikel stond dat de politie sterke aanwijzingen had dat de man in het ijs vermoord was door de zogenaamde rituele moordenaar, die ruim een week eerder gevangen was genomen in de Vällingbyhal en die nu voortvluchtig was.

Had ... die man? Maar ... de jongen in het bos ... waarom?

Oskar zag Tommy weer voor zich, hoe hij daar op het bankje bij de speelplaats had gezeten, de beweging met zijn vinger.

Opgehangen aan een boom ... keel doorgesneden ... swoesj.

Hij begreep het. Hij begreep het helemaal. Dat alle artikelen die hij had uitgeknipt en bewaard, de radio, de tv, al het geklets, alle angst ...

Eli.

Oskar wist niet wat hij moest doen. Wat hij zou moeten doen. Dus ging hij naar de koelkast en haalde het beetje lasagne eruit dat zijn moeder voor hem had klaargezet. Hij at het koud op terwijl hij naar de artikelen bleef kijken. Toen hij klaar was met eten, werd er op de muur geklopt. Hij deed zijn ogen dicht om het beter te horen. De code kende hij inmiddels uit zijn hoofd.

I.K.G.A.N.A.A.R.B.U.I.T.E.N.

Hij stond snel op van tafel, ging zijn kamer binnen, ging op zijn buik op bed liggen en klopte het antwoord.

K.O.M.H.I.E.R.

Een pauze. Toen:

J.E.M.O.E.D.E.R.

Oskar klopte terug.

W.E.G.

Zijn moeder kwam pas om een uur of tien thuis. Ze hadden ten minste drie uur de tijd. Toen Oskar het laatste had geklopt leunde hij met zijn hoofd op het kussen. Heel even, geconcentreerd bezig met het formuleren van woorden, was hij het vergeten.

De trui … de krant …

Hij schrok op, wilde opstaan en de kranten bij elkaar grissen die op tafel lagen. Anders zag ze … zou ze weten dat hij …

Toen legde hij zijn hoofd weer op het kussen, laat maar zitten.

Een zacht fluitje onder het raam. Hij stond op van het bed, liep naar het raam en leunde tegen het kozijn. Ze stond beneden met haar gezicht omhoog naar het licht. Ze had de veel te grote geruite blouse aan.

Hij maakte een gebaar met zijn vinger: ga naar de deur.

"Niet tegen hem zeggen waar ik ben, oké?"

Yvonne trok een gezicht, blies rook uit door haar mondhoek in de richting van het halfopen keukenraam, zei niets.

Tommy snoof. "Waarom rook je zo, door het raam?"

De askegel van haar sigaret was zo lang geworden dat die door begon te buigen. Tommy wees ernaar, maakte een tik-tik-tik-gebaar met zijn wijsvinger. Ze negeerde hem.

"Omdat Staffan er niet van houdt, hè? Van rook."

Tommy leunde achterover op de keukenstoel, keek naar de as en vroeg zich af hoe die eigenlijk zo lang kon worden zonder eraf te vallen, hij wapperde met zijn hand voor zijn gezicht.

"Ik hou ook niet van rook. Ik hield er helemáál niet van toen ik klein was. Maar toen had je het raam niet open. En moet je nu zien ..."

De askegel viel eraf en landde op Yvonnes bovenbeen. Ze veegde hem weg en er bleef een grijze streep achter op haar broek. Ze zwaaide dreigend naar hem met de hand waarmee ze de sigaret vasthield.

"Dat had ik écht wel. Meestal wel, in elk geval. Misschien een enkele keer als we bezoek hadden ... en dat moet jij zeggen, verdorie, dat je niet van róók houdt."

Tommy grijnsde. "Het was wel een béétje leuk toch?"

"Nee, dat was het niet. Stel je voor dat er paniek was uitgebroken, als de mensen ... en die schaal, die ..."

"Doopvont."

"Doopvont, ja. De dominee had het niet meer, er zat een hele ... zwarte korst op ... Staffan moest ..."

"Staffan, Staffan ..."

"Ja, Stáffan. Hij heeft niet gezegd dat jij het had gedaan. Hij zei tegen mij dat het moeilijk voor hem was in verband met zijn ... overtuiging, om de dominee iets voor te liegen, maar dat hij ... om jou te beschermen ..."

"Dat snap je toch wel."

"Wat snap ik wel?"

"Dat hij zichzelf beschermt."

"Híj heeft het toch niet ..."

"Denk nou eens na!"

Yvonne nam nog een laatste diepe haal van de sigaret, doofde hem in de asbak en stak meteen een nieuwe op.

"Hij was ... antiek. Nu moeten ze hem wegsturen om hem op te laten knappen."

"En dat heeft de stiefzoon van Staffan gedaan. Wat voor indruk zou dat maken?"

"Je bent zijn stiefzoon niet."

"Nee, maar goed. Als ik tegen Staffan zei dat ik van plan was naar de dominee te gaan om hem te vertellen: 'Ik heb het gedaan, ik heet Tommy, en Staffan ... is mijn aanstaande stiefvader.' Ik denk niet dat hij daar blij mee zou zijn."

"Je moet zelf maar met hem praten.

"Nee. Vandaag in elk geval niet."

"Je durft niet."

"Je praat als een kind."

"Jij gedraagt je als een kind."

"Een béétje leuk was het toch wel?"

"Nee, Tommy. Dat was het niet."

Tommy zuchtte. Hij had wel zien aankomen dat zijn moeder ook kwaad zou zijn, maar toch had hij gedacht dat ze er ergens de lol wel van zou inzien. Maar nu stond ze aan de kant van Staffan. Dat moest hij onder ogen zien.

Dus het probleem, het échte probleem was om een plek te vinden waar hij kon wonen. Als ze straks gingen trouwen, dus. Voorlopig kon hij op avonden zoals deze, als Staffan op bezoek kwam, in de kelder pitten. Om acht uur zat zijn dienst in Åkeshov erop en dan zou hij meteen hierheen komen. En Tommy was niet van plan naar een zedenpreek van die vent te gaan zitten luisteren. Echt niet.

Dus Tommy ging naar zijn kamer en haalde het dekbed en het kussen van zijn bed, terwijl Yvonne nog zat te roken en uit het keukenraam zat te kijken. Toen hij klaar was, ging hij in de keukendeur staan met het kussen onder zijn ene arm en het opgerolde dekbed onder de andere.

"Oké. Ik ga nu weg. Zeg alsjeblieft niet dat ik daar ben."

Yvonne draaide zich naar hem om. Ze had tranen in haar ogen. Glimlachte vaag.

"Je lijkt net … toen je ging …"

De woorden stokten in haar keel. Tommy stond stil. Yvonne slikte, kuchte en keek naar hem met compleet heldere ogen, zei zachtjes: "Tommy. Wat moet ik doen?"

"Ik weet niet."

"Moet ik …?"

"Nee, voor mij niet. Het is zoals het is."

Yvonne knikte. Tommy voelde dat hij ook heel erg verdrietig werd, dat hij nu weg moest gaan voordat het verkeerd ging.

"Maar je zegt toch niet dat …"

"Nee, nee. Ik zal niks zeggen."

"Mooi. Dank je wel."

Yvonne stond op, liep naar Tommy toe en knuffelde hem. Ze rook sterk naar sigarettenrook. Als Tommy zijn armen vrij had gehad, zou hij teruggeknuffeld hebben. Nu was dat niet zo, dus legde hij gewoon zijn hoofd op haar schouder en zo bleven ze even staan.

Daarna ging Tommy weg.

Ik vertrouw haar niet. Staffan kan allerlei verhaaltjes ophangen en ...

In de kelder gooide hij het dekbed en het kussen op de bank. Hij stopte tabak in zijn mond en ging liggen nadenken.

Het mooiste zou zijn als hij werd neergeschoten.

Maar Staffan zou niet zo gauw ... nee, nee. Hij was eerder degene die de moordenaar met een loepzuiver schot in het voorhoofd raakte. Die een doos bonbons kreeg van zijn collega-smerissen. De held. Vervolgens zou hij hier naar Tommy komen zoeken. Misschien.

Hij viste de sleutel op, liep de gang in, deed de schuilkelder van het slot en nam de ketting mee naar binnen. Met de aansteker als lamp zocht hij zijn weg door de korte gang met aan elke kant twee bergruimtes. In de bergruimtes lagen droge waren, conserven, oude gezelschapsspelletjes, een butagasstel en andere spullen om een belegering te doorstaan.

Hij deed een deur open en gooide de ketting naar binnen.

Oké. Hij had een nooduitgang.

Voordat hij de schuilkelder verliet, pakte hij de schutterstrofee. Hij woog hem op zijn hand, minstens twee kilo. Misschien kon hij hem verkópen? Alleen voor de prijs van het metaal. Dat ze hem smolten.

Hij bestudeerde het gezicht van de pistoolschutter. Leek hij niet tamelijk veel op Staffan? Dan moest hij helemaal worden gesmolten.

Crematie. Absoluut.

Hij moest lachen.

Het absoluut gaafste zou zijn alles te smelten, behalve het hoofd en hem dan aan Staffan terug te geven. Een gestolde plas metaal waar alleen het hoofdje boven uitstak. Dat kreeg hij vermoedelijk niet voor elkaar. Helaas.

Hij zette het beeldje weer op zijn plaats, liep naar buiten en deed de deur dicht, zonder de wielen op slot te draaien. Nu kon hij hier naar binnen sluipen als het nodig was. Al dacht hij niet dat het nodig zou zijn.

Maar voor het geval dat.

Lacke liet de telefoon tien keer overgaan voordat hij ophing. Gösta zat op de bank een roodgestreepte kat over zijn kop te aaien. Hij vroeg, zonder op te kijken: "Niemand thuis?"

Lacke veegde met zijn hand over zijn gezicht, zei geïrriteerd: "Tuurlijk wel, verdorie. Hoorde je ons niet praten?"

"Wil je er nog één?"

Lacke werd milder gestemd, probeerde te glimlachen.

"Sorry, ik bedoelde het niet zo … ja, verdorie. Dank je."

Gösta boog zo onvoorzichtig naar voren, naar de tafel, dat de kat op zijn schoot bekneld raakte. Die blies, glipte op de grond, ging zitten en keek verongelijkt naar Gösta, die een scheut tonic en een forse dosis gin in Lackes glas schonk en het hem aanreikte.

"Hier. Maak je geen zorgen, ze zal wel gewoon … ja …"

"Opgenomen zijn. Dank je. Ze is naar het ziekenhuis gegaan en ze hebben haar opgenomen."

"Ja … ja, precies."

"Zeg dat dan."

"Wat?"

"Ach, niks. Proost."

"Proost."

Ze dronken beiden. Even later begon Gösta in zijn neus te peuteren. Lacke keek naar hem en Gösta trok zijn vinger terug, hij glimlachte verontschuldigend. Niet gewend aan mensen.

Een dikke grijswitte kat lag plat op de vloer, hij zag eruit alsof hij zijn kop haast niet kon optillen. Gösta knikte naar de kat. "Miriam krijgt binnenkort jongen."

Lacke nam een diepe teug en vertrok zijn gezicht. Met elke druppel verdoving die de drank schonk, rook hij minder van de lucht in het appartement.

"Ga je ermee doen?"

"Hoezo?"

"Met de jongen. Wat ga je ermee doen? Laat je ze leven?"

"Ja. Maar ze zijn meestal dood. Tegenwoordig."

"Dus dan … wat? Die dikke, Miriam zei je? Zitten er dan nu … allemaal dode jongen in die buik?"

"Ja."

Lacke dronk zijn glas leeg en zette het op tafel. Gösta maakte een vragend gebaar naar de fles gin. Lacke schudde zijn hoofd.

"Nee. Ik doe het even rustig aan."

Hij boog zijn hoofd. Een oranje kleed zo vol kattenharen dat het leek alsof het ervan was gemáákt. Katten, katten, overal katten. Hoeveel waren het er? Hij begon te tellen. Kwam op achttien. Alleen in deze kamer.

"Heb je er nooit over gedacht om ze … te laten helpen? Castreren dus, of hoe heet dat … steriliseren? Eén sekse is genoeg, zogezegd."

Gösta keek hem onbegrijpend aan.

"Hoe kan dat nou?"

"Nee, natuurlijk."

Lacke zag Gösta al in de metro zitten met een stuk of … vijfentwintig katten. In een doos. Nee. In een tas, een zak. Naar de dierenarts en daar alle katten uit de zak schudden: "Castreren, alstublieft." Hij grinnikte. Gösta hield zijn hoofd schuin.

"Wat is er?"

"Nee, ik dacht alleen … misschien krijg je kwantumkorting."

Gösta kon de grap niet waarderen en Lacke zwaaide met zijn handen voor zich door de lucht. "Nee, sorry. 't Is alleen … ah, ik ben helemaal … dat met Virginia dus, ik …" Hij ging plotseling rechtop zitten en sloeg met zijn hand op tafel.

"Ik blijf hier niet langer!"

Gösta schrok ervan. De kat voor Lackes voeten sloop weg en verstopte zich onder de stoel. Ergens in de kamer hoorde hij gesis. Gösta schoof heen en weer, hij schommelde met zijn glas.

"Dat hoeft ook niet. Voor mij hoef je niet …"

"Dat bedoel ik niet. Hier. Híér. Deze hele klerezooi. Blackeberg. Alles. Deze huizen, de wegen waar je overheen loopt, de plaatsen, de mensen, het is verdomme allemaal … net één grote ziekte, snap je? Net of er iets fóút is. Ze hebben deze plaats bedacht, ze hebben alles zo ontworpen dat het perfect zou zijn, toch? En op de een of andere rare manier is het juist verkéérd uitgepakt. Een zootje.

Alsof … ik kan het niet uitleggen … alsof ze hadden nagedacht over de hóéken, wat dan ook, de hoeken waarin de huizen moesten staan, in verhouding tot elkaar, hè. Zodat er harmonie ontstond of zoiets. En toen was er iets mis met de meetlat, de winkelhaak, wat ze ook maar gebruiken, zodat het meteen fout was en alleen nog maar fouter werd. Zodat je nu tussen de huizen door loopt en gewoon voelt … nee. Nee, nee, nee. Hier moet je niét wezen. Het is hier foute boel, begrijp je?

Hoewel het 'em niet in die hoeken zit, het is iets anders, iets wat gewoon … een soort ziekte, die in de muren zit en … ik wil hier weg."

Er klonk gerinkel toen Gösta ongevraagd een nieuwe longdrink voor Lacke inschonk. Lacke nam hem dankbaar in ontvangst. De ontlading had een aangename rust teweeggebracht in zijn lichaam, een rust die de drank nu met warmte vulde. Hij leunde achterover in de stoel en zuchtte van opluchting.

Zo zaten ze zwijgend bij elkaar tot er werd aangebeld. Lacke vroeg: "Verwacht je bezoek?"

Gösta schudde zijn hoofd, terwijl hij moeizaam van de bank opstond.

"Nee. Wat een aanloop vanavond, verdorie."

Lacke grijnsde en hief zijn glas naar Gösta toen die langsliep. Hij voelde zich nu beter. Hij voelde zich oké, feitelijk.

De voordeur ging open. Iemand buiten zei iets, en Gösta antwoordde: "Kom gerust binnen."

Liggend in de badkuip, in het warme water dat roze kleurde toen het opgedroogde bloed op haar huid oploste, had Virginia een besluit genomen.

Gösta.

Haar nieuwe bewustzijn zei dat het iemand moest zijn die haar binnenliet. Haar oude zei dat het niet iemand mocht zijn van wie ze hield. Of zelfs maar aardig vond. Gösta voldeed aan beide beschrijvingen.

Ze stond op, droogde zich af en trok een broek en een blouse aan. Pas buiten op straat merkte ze dat ze geen jas had aangetrokken. Toch had ze het niet koud.

Aldoor nieuwe ontdekkingen.

Voor de flat bleef ze staan. Ze keek omhoog naar Gösta's raam. Hij was thuis. Hij was vast altijd thuis.

Als hij tegenstand biedt?

Daar had ze niet over nagedacht. Ze had niet verder gedacht dan dat ze ging halen wat ze nodig had. Maar misschien wilde Gösta blijven leven?

Natuurlijk wil hij blijven leven. Hij is een mens, hij heeft dingen waaraan hij plezier beleeft, en denk eens aan alle katten die ...

De gedachte werd geremd, verdween. Ze legde een hand op haar hart. Het sloeg vijf slagen per minuut en ze wist dat ze haar hart moest beschermen. Dat er iets in zat, in dat met die ... palen.

Ze nam de lift naar de op een na bovenste verdieping en belde aan. Toen Gösta de deur opendeed en Virginia zag, sperde hij zijn ogen open in iets wat ontzetting leek.

Weet hij het? Kun je het zien?

Gösta zei: "Nee maar, ben jij het?"

"Ja. Mag ik ..."

Ze maakte een gebaar naar binnen. Begreep het niet. Wist alleen intuïtief dat er een uitnodiging nodig was, anders ... anders ... iets. Gösta knikte, deed een stap naar achteren.

"Kom gerust binnen."

Ze stapte de hal in. Gösta trok de deur dicht en keek haar met waterige ogen aan. Hij was ongeschoren; de slappe huid van zijn hals was vies van grijze baardstoppels. De stank in het appartement was erger dan ze zich herinnerde, duidelijker.

Ik wil nie...

De oude hersenen werden uitgeschakeld. De honger nam het over. Ze legde haar handen op Gösta's schouder. Laat maar komen. De oude Virginia zat nu weggedoken ergens helemaal achteraan in haar hoofd, die had niets te vertellen.

Haar mond zei: "Wil je me ergens mee helpen? Blijf eens staan."
Ze hoorde iets. Een stem.
"Virginia! Hallo! Wat ben ik blij dat …"

Lacke deinsde terug toen Virginia haar hoofd naar hem toe keerde.

Haar blik was leeg. Alsof iemand naalden in haar ogen had gestoken en datgene wat Virginia was eruit had gezogen en alleen de nietszeggende blik van een anatomisch model had achtergelaten. Afbeelding 8: ogen.

Virginia staarde hem een seconde aan, toen liet ze Gösta los en keerde zich naar de deur. Ze duwde de klink naar beneden, maar de deur zat op slot. Ze draaide aan het slot, maar Lacke pakte haar vast en trok haar bij de deur weg.

"Jij gaat nergens heen voordat …"

Virginia worstelde in zijn greep, ze stootte met haar elleboog tegen zijn mond en hij kreeg een tand door zijn lip. Hij hield haar armen stevig vast en duwde zijn wang tegen haar rug.

"Ginie, verdorie. Ik moet met je praten. Ik heb me zoveel zorgen gemaakt. Doe eens rustig, wat is er?"

Ze deed een ruk in de richting van de deur, maar Lacke hield haar vast, duwde haar naar de woonkamer. Hij deed zijn best om rustig en zacht te praten, als tegen een verschrikt dier, terwijl hij haar voor zich uit duwde.

"Gösta schenkt nu een longdrink voor je in en dan gaan we er even rustig bij zitten en dan praten we erover, want ik … ga je helpen. Wat het ook is, ik ga je helpen, oké?"

"Nee, Lacke. Nee."

"Jawel, Ginie. Jawel."

Gösta wrong zich langs hen heen naar de woonkamer, schonk een longdrink in voor Virginia in Lackes glas. Lacke wist Virginia naar binnen te krijgen, liet haar los en ging in de deuropening naar de hal staan met zijn handen tegen de deurposten, als een bewaker. Hij likte wat bloed van zijn onderlip.

Virginia bleef midden in de kamer staan, gespannen. Ze keek om zich heen alsof ze een vluchtweg zocht. Haar ogen stopten bij het raam.

"Nee, Ginie."

Lacke stond klaar om naar haar toe te rennen, haar weer vast te pakken als ze iets doms probeerde te doen.

Wat is er met haar? Ze kijkt alsof de hele kamer vol spoken zit.

Hij hoorde een geluid als van het breken van een ei boven een hete koekenpan.

Nog een keer dat geluid.

En nog eens.

De kamer werd gevuld door een steeds harder blazen en sissen.

Alle katten in de kamer waren overeind gekomen en stonden met een hoge rug en dikke staart naar Virginia te kijken. Zelfs Miriam ging onhandig staan en sleepte met haar buik over de grond, trok haar oren naar achteren, liet haar tanden zien.

Vanuit de slaapkamer en de keuken kwamen meer katten.

Gösta was klaar met inschenken; hij stond met de fles in zijn hand en keek met grote ogen naar zijn katten. Het gesis hing nu als een elektrische wolk in de kamer, het nam in sterkte toe. Lacke moest roepen om zich verstaanbaar te maken boven de stemmen van de katten uit.

"Gösta, wat doen ze?"

Gösta schudde zijn hoofd, maakte een breed gebaar met zijn arm, zodat er wat gin uit de fles spatte.

"Ik weet niet … ik heb nog nooit …"

Een kleine zwarte kat sprong op Virginia's bovenbeen, boorde zijn klauwen erin en beet zich vast. Gösta zette de fles met een klap op tafel neer en zei: "Foei, Titania, foei!"

Virginia bukte, pakte de kat bij de rug en probeerde hem los te trekken. Twee andere katten maakten van de gelegenheid gebruik om op haar rug en in haar nek te springen. Virginia gaf een schreeuw, trok de kat van haar been en gooide hem van zich af. Hij vloog door de kamer, raakte de rand van de tafel en viel voor Gösta's voeten neer. Een van de katten op Virginia's rug klom door naar haar hoofd en klampte zich er met zijn klauwen aan vast terwijl hij naar haar voorhoofd uithaalde.

Voordat Lacke bij haar was, waren er nog drie katten op haar gesprongen. Ze krijsten, terwijl Virginia er met haar vuisten op sloeg. Toch bleven ze zich vasthouden, ze rukten aan haar vlees met hun kleine tandjes.

Lacke stak zijn handen in de krioelende, pulserende massa op de borst van Virginia, greep in huid die over gespannen spieren gleed, rukte kleine lijfjes weg en Virginia's blouse scheurde, ze schreeuwde en ...

Ze huilt.

Nee; het was bloed dat over haar wang stroomde. Lacke pakte de kat die op haar hoofd zat beet, maar de kat boorde zijn klauwen er dieper in, zat als vastgenaaid. Zijn kopje paste in Lackes hand en hij rukte het heen en weer totdat hij dwars door het lawaai heen *knak* hoorde en toen hij het kopje losliet viel het slap op Virginia's kruin. Er kwam een druppel bloed uit het neusje van de kat.

"Ooooo! Meisje ..."

Gösta kwam bij Virginia staan en begon met tranen in zijn ogen de kat te strelen die nog in de dood zat vastgeklemd op het hoofd van Virginia.

"Meisje, schatje ..."

Lacke liet zijn blik omlaag gaan en keek Virginia aan.

Ze was het weer.

Virginia.

Laat me gaan.

Door de dubbele tunnel van haar ogen zat Virginia te kijken naar wat er met haar lichaam gebeurde, naar Lackes pogingen om haar te redden.

Laat maar.

Zíj was het niet die verzet bood, die om zich heen sloeg. Het was dat andere dat wilde leven, dat wilde dat zijn ... gastvrouw zou leven. Zelf had ze het opgegeven toen ze Gösta's hals zag, toen ze de stank in het appartement rook. Dat was haar voorland. En dat wilde ze niet meemaken.

De pijn. Ze voelde de pijn, de krabben. Maar het zou gauw voorbij zijn. *Dus ... laat maar.*

Lacke zag het. Maar hij accepteerde het niet.

Het boerderijtje ... twee huizen ... een tuin ...

In paniek probeerde hij de katten van Virginia af te rukken. Ze zaten vast, met bont beklede spierbundels. Als hij er af en toe één los wist te krijgen, trok die flarden van haar kleren mee, liet diepe voren achter in de huid eronder, maar de meeste zaten vast als bloedzuigers. Hij probeerde erop te slaan, hij hoorde botten kraken, maar als er eentje af viel, kwam er een nieuwe bij, want de katten klommen over elkaar heen in hun ijver om ...

Zwart.

Hij kreeg een klap in zijn gezicht en wankelde een meter achteruit. Hij viel bijna, zocht steun bij de muur en knipperde met zijn ogen. Gösta stond met gebalde vuisten naast Virginia en staarde hem aan met tranen van woede in zijn ogen.

"Je doet ze píjn! Je doet ze píjn!"

Naast Gösta was Virginia slechts een kokende massa miauwend, sissend bont. Miriam sleepte zich voort over de grond, ze ging op haar achterpoten staan en beet in Virginia's dij. Gösta zag het, bukte en zwaaide met zijn vinger.

"Dat mag je niet dóén, meisje. Dat doet píjn."

Lacke verloor alle redelijkheid uit het oog. Hij deed twee stappen naar voren en gaf Miriam een schop. Zijn voet zakte weg in de opgezwollen buik van de kat en Lacke voelde geen walging, alleen tevredenheid toen de zak met ingewanden van zijn voet vloog en tegen de radiator te pletter sloeg. Hij pakte Virginia bij haar arm ...

Weg, we moeten hier weg

... en trok haar mee naar de voordeur.

Virginia probeerde zich te verzetten. Maar de drijvende krachten van Lacke en van de infectie waren één en sterker dan zij. Door de tunnels vanuit haar hoofd zag ze Gösta op zijn knieën op de grond vallen, ze hoorde hem brullen van verdriet toen hij een dode kat in zijn handen nam en over zijn ruggetje streelde.

Vergeef me, vergeef me.

Toen trok Lacke haar mee en ze zag niets meer toen een kat in haar gezicht klom en in haar hoofd beet. Alles deed pijn, levende naalden prikten door haar huid heen en ze bevond zich in een organische ijzeren maagd. Ze verloor haar evenwicht, viel, voelde hoe ze over de vloer werd gesleept.

Laat me gaan.

Maar de kat voor haar ogen veranderde van positie en ze zag de deur van het appartement voor zich opengaan; ze zag Lackes hand, donkerrood, die haar meetrok en ze zag het trappenhuis, de trappen, ze kwam weer op de been, worstelde verder, haar eigen bewustzijn binnen, ze nam het commando weer over en ...

Virginia trok haar arm uit zijn hand.

Lacke keerde zich om naar de krioelende massa bont die haar lichaam was, om haar opnieuw vast te pakken, om ...

Wat? Wat?

Naar buiten. Weg.

Maar Virginia wrong zich langs hem heen en een seconde lang werd een trillende kattenrug in zijn gezicht gedrukt. Toen stond ze in het trappenhuis, waar het gesis van de katten zich voortplantte als opgewonden fluisteringen, terwijl ze naar de overloop holde en ...

Neeneenee.

Lacke probeerde er op tijd te zijn om haar tegen te houden, maar als iemand die ervan overtuigd is dat ze zacht zal landen, of die het niet kan schelen als ze hard neerkomt, kieperde Virginia slap voorover en liet zich van de trap vallen.

De katten die bekneld raakten, schreeuwden toen Virginia van de betonnen treden rolde, stuiterde. Vochtig kraken van dunne, brekende botjes, zwaardere bonzen die een schok door Lacke heen deden gaan toen Virginia met haar hoofd ...

Er liep iets over zijn voet.

Een grijs katje dat iets aan zijn achterpoten mankeerde, sleepte zich het trappenhuis in, ging boven aan de trap zitten en piepte zorgelijk.

Onder aan de trap bleef Virginia stil liggen. De katten die de val hadden overleefd, liepen bij haar weg en kwamen de trap weer op. Ze liepen de hal in en begonnen zich te wassen.

Alleen het grijze katje bleef zitten, verdrietig dat hij niet mee had mogen doen.

Op zondagavond hield de politie een persconferentie.

Ze hadden een vergaderzaal op het politiebureau gekozen met

plaats voor veertig personen, maar die bleek te klein. Een aantal journalisten van buitenlandse kranten en tv-stations dook op. Het feit dat de man die dag niet was gegrepen, had het nieuws groter gemaakt, en een Britse journalist gaf misschien wel de beste analyse van waarom dit zoveel aandacht kreeg: "Het is de jacht op het Monster. In uiterlijk en in daden is hij het Monster waar het in de sprookjes over gaat. En elke keer als wij het monster opsluiten, doen we net of dat voorgoed is."

Al een kwartier voor aanvang was de lucht in het slecht geventileerde vertrek warm en vochtig geworden en de enigen die niet klaagden, waren de leden van het Italiaanse tv-team, die zeiden dat ze erger gewend waren.

Ze verhuisden naar een grotere zaal en klokslag acht kwam de hoofdcommissaris van het district Stockholm binnen, geflankeerd door de inspecteur die het onderzoek had geleid en die met de rituele moordenaar had gesproken in het ziekenhuis, alsmede de patrouilleleider die leiding had gegeven aan de operatie in het Judarnbos die dag.

Ze waren niet bang dat ze verscheurd zouden worden door de journalisten, aangezien ze hadden besloten hun een bot toe te werpen.

De politie had namelijk een foto van de man.

Het zoeken aan de hand van het horloge had uiteindelijk resultaat gehad. Een klokkenmaker in Karlskoga had op zaterdag de tijd genomen om zijn kaartenbak met verlopen verzekeringsbewijzen door te lopen, en had het nummer gevonden waarnaar de politie hem en alle andere klokkenmakers had gevraagd te zoeken.

Hij belde de politie en gaf hun naam, adres en telefoonnummer van de man die als koper stond geregistreerd. De politie van Stockholm doorzocht de registers op de naam van de man en vroeg de politie van Karlskoga om naar het adres te gaan om te zien wat ze konden vinden.

Er ontstond een zekere opwinding op het politiebureau toen bleek dat de man bestraft was voor een poging tot verkrachting van een negenjarig kind, zeven jaar geleden. Hij had drie jaar in een inrichting gezeten omdat men hem psychisch gestoord acht-te. Hij was vervolgens gezond verklaard en vrijgelaten.

Maar de politie van Karlskoga trof de man thuis aan, in goede gezondheid.

Jazeker, hij had zo'n horloge gehad. Nee, hij wist niet waar dat was gebleven. Na een verhoor van een paar uur op het politiebureau in Karlskoga en de waarschuwing dat een psychische gezondheidsverklaring altijd voorwerp van heroverweging kon worden, herinnerde de man zich weer aan wie hij het horloge had verkocht.

Aan Håkan Bengtsson uit Karlstad. Ze hadden elkaar ergens ontmoet en iets gedaan, hij wist niet meer wat. Hij had zijn horloge in elk geval aan hem verkocht, maar hij had geen adres en kon maar een vaag signalement geven en mocht hij nu naar huis?

Håkan Bengtsson leverde niks op in de registers. Ze vonden vierentwintig Håkan Bengtssons in de regio Karlstad. De helft kon onmiddellijk worden uitgesloten op grond van de verkeerde leeftijd. Ze begonnen rond te bellen. Het zoeken werd aanzienlijk vergemakkelijkt door het feit dat als iemand kon práten, hij daardoor meteen als kandidaat afviel.

Tegen negenen 's avonds waren ze erin geslaagd de lijst tot één persoon in te perken. Een Håkan Bengtsson die als leraar Zweeds in de bovenbouw had gewerkt en uit Karlstad was vertrokken toen zijn huis onder onduidelijke omstandigheden was afgebrand.

Ze belden naar de rector van de school en kregen te horen dat: inderdaad, er hadden geruchten de ronde gedaan dat Håkan Bengtsson … op een minder wenselijke manier van kinderen hield. Ze kregen de rector op zaterdagavond ook zover dat hij naar de school ging om een oude foto van Håkan Bengtsson uit het archief te halen, een foto die was genomen voor de school-almanak van 1976.

Een agent van de Karlstadse politie die zondag toch in Stockholm moest zijn, faxte een kopie en kwam vervolgens zaterdagnacht de originele foto brengen. Die bereikte het politiebureau in Stockholm om één uur 's nachts, dus ruim een halfuur nadat de man in kwestie uit het raam van het ziekenhuis was gevallen en dood was verklaard.

Aan de hand van gegevens van artsen en tandartsen uit Karlstad waren ze op zondagochtend nagegaan of de man op de foto dezelfde was als de man die tot de vorige nacht aan zijn ziekbed gekluisterd was geweest, en ja: dat was zo.

Op zondagmiddag hadden ze vergaderd op het politiebureau. Ze hadden erop gerekend dat ze op hun gemak zouden kunnen achterhalen wat de dode man had gedaan sinds hij Karlstad had verlaten, of zijn daden deel uitmaakten van een groter geheel, of hij onderweg meer slachtoffers had gemaakt.

Maar nu was de situatie anders.

De man leefde nog, was op vrije voeten, en op dat moment leek het het belangrijkst erachter te komen waar hij had gewoond, aangezien de kans bestond dat hij zou proberen daarheen terug te keren. De beweging naar Västerort kon daarop duiden.

Dus besloot men om, als de man niet voor de persconferentie was gearresteerd, de ietwat onbetrouwbare, maar o zo veelkoppige speurhond Publiek in te schakelen.

De mogelijkheid bestond dat iemand hem had gezien in de periode waarin hij er nog zo uitzag als op de foto, en misschien een idee had in welke buurt hij had gewoond. Bovendien, maar dat was natúúrlijk van ondergeschikt belang, hadden ze iets nodig om de media toe te werpen.

Dus daar zaten de drie politiemannen aan de lange tafel op het podium, en er ging een gemurmel door de groep verslaggevers toen de commissaris met een eenvoudig gebaar, waarvan hij wist dat dat het grootste dramatische effect had, de uitvergrote schoolfoto van Håkan Bengtsson omhooghield en zei: "De man die we zoeken, heet Håkan Bengtsson en voordat zijn gezicht werd verminkt, zag hij er ... zo uit."

De commissaris pauzeerde even terwijl de camera's klikten en flitsers het vertrek enkele seconden veranderden in een stroboscoop.

Natuurlijk waren er kopieën van de korrelige foto en die zouden worden uitgedeeld aan de journalisten, maar vooral de buitenlandse kranten zouden waarschijnlijk de meer tot het gevoel sprekende foto kiezen van de commissaris met de moordenaar –

om het zo maar eens te zeggen – in zijn hand.

Toen iedereen zijn foto had en de onderzoeker en de patrouilleleider hun relaas hadden gedaan, was het tijd voor vragen. Een journalist van *Dagens Nyheter* kreeg als eerste het woord.

"Wanneer denkt u hem te kunnen arresteren?"

De commissaris haalde diep adem, besloot zijn reputatie op het spel te zetten, boog naar de microfoon toe en zei: "Morgen op zijn laatst."

"Moi."

"Hoi."

Oskar liep voor Eli de woonkamer binnen om de plaat te pakken die hij in gedachten had. Hij bladerde door de dunne platenverzameling van zijn moeder en vond hem. De Vikingarna. De hele band stond bij elkaar in iets wat het skelet leek van een vikingschip, waar ze niet op hun plaats leken in hun glimmende pakken.

Eli kwam niet. Met de plaat in zijn hand liep Oskar terug naar de hal. Ze stond nog steeds voor de deur.

"Oskar. Je moet me binnen vragen."

"Maar … het raam. Je bent immers al …"

"Dit is een nieuwe ingang."

"O. Je mag …"

Oskar stopte, likte zijn lippen. Keek naar de plaat. De foto op de hoes was bij donker genomen, met flitslicht, en de Vikingarna straalden als een groep heiligen die voet aan land wilden zetten. Hij deed een stap in Eli's richting en liet haar de plaat zien.

"Moet je kijken. Ze zien eruit of ze in de buik van een walvis zitten of zoiets."

"Oskar …"

"Ja?"

Eli stond stil, haar armen hingen langs haar lichaam en ze keek Oskar aan. Hij grijnsde, liep naar de deur, ging met zijn hand door de lucht tussen de deurposten en de drempel, voor Eli's gezicht langs.

"Wat dan? Ís hier iets of zo?"

"Doe nou niet."

"Nee, serieus. Wat gebeurt er als ik het níét zeg?"

"Doe. Nou. Niet." Eli glimlachte dunnetjes. "Wil je het zien? Wat er gebeurt. Hè? Wil je dat?"

Eli zei het op een manier die duidelijk was bedoeld om Oskar nee te laten zeggen; de belofte dat er iets vreselijks zou gebeuren. Maar Oskar slikte en zei: "Ja. Dat wil ik! Laat zien!"

"Je schreef op het briefje dat ..."

"Ja, dat is zo. Maar nu wil ik het zien! Wat gebeurt er?"

Eli kneep haar lippen op elkaar, dacht een seconde na en deed toen een stap naar voren, over de drempel. Oskar spande zijn hele lichaam, wachtte op een soort blauwe flits, dat de deur zou gaan zwaaien, dwars door Eli heen, en dan dichtslaan of iets dergelijks. Maar er gebeurde niets. Eli liep de hal in, deed de deur achter zich dicht. Oskar haalde zijn schouders op.

"Was dat alles?"

"Niet helemaal."

Eli stond weer net zo als daarnet voor de deur. Stil, met haar armen langs haar lichaam en met haar ogen gericht op die van Oskar. Oskar schudde zijn hoofd.

"Wat? Dat is toch ..."

Hij onderbrak zichzelf toen er een traan uit Eli's ooghoek kwam, nee, uit elke ooghoek één. Maar het was geen traan, aangezien hij donker was van kleur. De huid van Eli's gezicht begon rood te worden, werd roze, lichtrood, wijnrood en ze balde haar vuisten toen de poriën in haar gezicht opengingen en kleine pareltjes bloed in stipjes over haar hele gezicht naar buiten begonnen te komen. In haar hals idem dito.

Eli vertrok haar lippen van pijn en er liep een druppel bloed uit haar mondhoek, die samenvloeide met de parels die op haar kin naar buiten drongen, steeds groter werden en zich een weg naar beneden zochten om zich met de druppels in haar hals te verenigen.

Oskars armen werden slap en hij liet ze vallen. De plaat gleed uit de hoes, stuiterde een keer op zijn kant op de grond en bleef toen plat op het halkleed liggen. Zijn blik gleed naar Eli's handen.

De ruggen van haar handen waren vochtig van een dun waas van bloed en er kwam nog meer aan.

Weer keek hij Eli in de ogen, maar hij vond haar niet. Haar ogen leken weggezonken in hun kassen, ze waren vol bloed dat overstroomde, over haar neusrug liep, over de lippen haar mond binnen, waar meer bloed naar buiten kwam, twee dunne stroompjes liepen uit haar mondhoeken in haar hals, verdwenen achter de boord van haar blouse, waar nu donkere vlekken ontstonden.

Ze bloedde uit elke porie van haar lichaam.

Oskar hapte hijgend naar adem, schreeuwde: "Je mág binnenkomen, je mag … je bent welkom, je mag … je mag hier zijn!"

Eli ontspande. Haar gebalde vuisten gingen open. De grimas van pijn loste op. Oskar dacht een moment dat ook het bloed zou verdwijnen, dat het net zou zijn of het allemaal niet was gebeurd, nu ze eenmaal binnen was gevraagd.

Maar nee. Het bloeden stopte, maar Eli's gezicht en handen waren nog steeds donkerrood en terwijl zij zonder iets te zeggen tegenover elkaar stonden, begon het bloed rustig te stollen, er ontstonden donkere strepen en klompjes op die plekken waar meer bloed had gestroomd en Oskar rook een vage ziekenhuisgeur.

Hij pakte de elpee van de vloer, stopte hem weer in de hoes en zei, zonder Eli aan te kijken: "Sorry, ik … ik had niet gedacht …"

"Het geeft niet. Ik wilde het. Maar ik denk dat ik misschien moet douchen. Heb je een plastic zak?"

"Plastic zak?"

"Ja. Voor de kleren."

Oskar knikte, liep naar de keuken en diepte uit de ruimte onder het aanrecht een plastic zak op, waarop stond ICA – EET, DRINK EN WEES VROLIJK. Hij liep de woonkamer in, legde de elpee op de salontafel en bleef staan, de zak ritselend in zijn hand.

Als ik niets had gezegd. Als ik haar had laten … bloeden.

Hij frommelde de tas ineen tot een bal in zijn hand, liet los en de zak schoot uit zijn hand, viel op de grond. Hij raapte hem op, gooide hem in de lucht, ving hem op. De douche ging aan in de badkamer.

Het is allemaal waar. Ze is … ze is …

Terwijl hij naar de badkamer liep, vouwde hij de plastic zak uit. Eet, drink en wees vrolijk. Er klonk gespetter achter de gesloten deur. Het slot stond op wit. Hij klopte voorzichtig op de deur.

"Eli …"

"Ja. Kom binnen."

"Nee, ik kom alleen … de zak."

"Ik hoor niet wat je zegt. Kom binnen."

"Nee."

"Oskar, ik …"

"Ik leg de zak hier neer."

Hij legde de zak voor de deur neer en vluchtte naar de woonkamer. Hij haalde de elpee uit de hoes, legde hem op de draaischijf, zette de platenspeler aan en verplaatste de naald naar het derde nummer, zijn favoriet.

Een tamelijk lange intro, en toen begon de zachte stem van de zanger uit de luidsprekers te rollen.

Het meisje doet bloemen in haar haar
terwijl ze wandelt door de wei
Ze wordt negentien dit jaar
En glimlacht in zichzelf zo blij

Eli kwam de woonkamer binnen. Ze had een handdoek om haar middel geknoopt, in haar hand hield ze de plastic zak met haar kleren. Haar gezicht was nu schoon en haar vochtige lange haar hing in slierten over haar wangen, haar oren. Oskar vouwde zijn armen over elkaar en knikte haar toe vanaf zijn plaats bij de platenspeler.

Wat glimlach je? vraagt dan de jongen
Als ze elkaar toevallig ontmoeten bij het hek
Ik denk aan de jongen met wie ik later trouw
Antwoordt het meisje met ogen zo blauw
De jongen van wie ik zoveel hou …

"Oskar?"

"Ja?" Hij zette het geluid zachter, maakte een gebaar met zijn hoofd naar de platenspeler.

"Belachelijk, hè?"

Eli schudde haar hoofd. "Nee, het is hartstikke goed. Dit vind ik wel mooi."

"Echt waar?"

"Ja. Maar uh …" Eli leek meer te willen zeggen, zei toen alleen

374

"èh" en maakte de handdoek los die ze om haar middel had geknoopt. Die viel voor haar voeten op de grond en ze stond naakt een paar stappen bij Oskar vandaan. Eli maakte een breed gebaar met haar hand over haar dunne lichaam, zei: "Dan weet je het maar."

... naar het meer, waar ze schrijven in het zand.
zacht zeggen die twee tegen elkaar:
Jij bent mijn lief, jou wil ik hebben
La-lala-lalala ...

Een kort instrumenteel stukje en toen was het nummer afgelopen. Een zacht geknetter uit de luidsprekers, terwijl de naald naar het volgende liedje kronkelde, terwijl Oskar naar Eli keek.

De kleine tepels leken bijna zwart tegen haar bleekwitte huid. Haar bovenlichaam was smal, recht en zonder contouren. Alleen de vorm van de ribben tekende zich duidelijk af in het felle schijnsel van de lamp aan het plafond. Haar dunne armen en benen leken onnatuurlijk lang zoals ze uit haar romp staken; een jong boompje, bekleed met menselijke huid. Tussen haar benen zat ... niks. Geen gleuf, geen penis. Alleen glad vel.

Oskar ging met zijn hand door zijn haar, liet hem als een kom om zijn nek rusten. Hij wilde dat belachelijke mama-woord niet zeggen, maar het ontglipte hem toch.

"Maar je hebt geen ... piemel."

Eli boog haar nek, keek naar haar onderbuik alsof dat een totaal nieuwe ontdekking was. Het volgende nummer begon en Oskar hoorde niet wat Eli antwoordde. Hij duwde het hefboompje terug dat de arm van de plaat tilde.

"Wat zei je?"

"Ik zei dat ik er wel een heb gehad."

"Wat is daar dan mee gebeurd?"

Eli schoot in de lach. Oskar hoorde zelf hoe die vraag klonk en hij kreeg een kleur. Eli zwaaide met zijn armen en schoof zijn onderlip over zijn bovenlip.

"In de metro laten liggen."

"Wat ben jij flauw, zeg."

Zonder Eli aan te kijken liep Oskar voor hem langs, naar de badkamer om te controleren of er geen sporen waren.

Warme damp hing nog in de lucht, de spiegel was beslagen. De badkuip was net zo wit als eerst, alleen een vage, gele streep van oude viezigheid vlak onder de rand die er nooit meer af ging. De wastafel, schoon.

Het is niet gebeurd.

Eli was alleen maar voor de show de badkamer in gegaan, had de illusie losgelaten. Maar nee: de zeep. Hij tilde hem op. De zeep was vaag roze gestreept en eronder, in de uitholling in de wastafel, in het plasje water, lag een klompje van iets wat eruitzag als, ja: een levend kikkervisje en hij schrok toen het begon te … zwémmen … te bewegen, met zijn staart te zwiepen en zich kronkelend naar de uitloop van de uitholling te bewegen. Het gleed in de wastafel en bleef aan de kant hangen. Maar daar hield het zich stil, leefde niet. Hij liet de kraan lopen en spatte erop zodat het in de afvoer stroomde, spoelde de zeep af en maakte de uitholling voor de zeep schoon. Toen pakte hij zijn badjas van de haak, liep weer naar de woonkamer en gaf hem aan Eli, die nog steeds naakt in de kamer stond en om zich heen keek.

"Dank je. Wanneer komt je moeder?"

"Paar uur nog." Oskar hield de zak met haar kleren omhoog. "Zal ik deze weggooien?"

Eli trok de badjas aan, bond de ceintuur vast.

"Nee. Ik neem hem straks wel mee." Ze raakte Oskars schouder aan. "Oskar? Je begrijpt dat ik geen meisje ben, dat ik niet …"

Oskar deed een stap bij haar vandaan.

"God, wat zeur je nou! Dat wéét ik toch wel. Dat heb je toch gezégd!"

"Nietes."

"Welles."

"Wanneer dan?"

Oskar dacht na.

"Dat weet ik niet meer, maar ik wíst het in elk geval wel. Ik weet het al een hele poos."

"Vind je het … erg?"

"Waarom zou ik?"

"Omdat … ik weet niet. Dat je het … vervelend vindt. Je vrienden …"

"Hou op! Hou op. Je bent niet wijs. Hou op."

"Oké."

Eli prutste aan de ceintuur van de badjas, liep toen naar de platenspeler en keek naar de draaiende plaat. Ze draaide zich om en keek om zich heen in de kamer.

"Weet je, het is lang geleden dat ik … gewoon zomaar bij iemand thuis ben geweest. Ik weet niet goed … Wat moet ik doen?"

"Weet ik niet."

Eli liet zijn schouders zakken, stopte zijn handen in de zakken van de badjas en keek als gehypnotiseerd naar het donkere gat van de elpee. Hij deed zijn mond open om iets te zeggen, deed hem weer dicht. Hij haalde zijn rechterhand uit zijn zak, strekte hem uit naar de plaat en duwde er met zijn wijsvinger op, zodat die bleef staan.

"Pas op. Zo maak je hem stuk."

"Sorry."

Eli trok zijn vinger gauw terug; de plaat kwam in beweging en draaide weer door. Oskar zag dat de vinger een vochtvlek had achtergelaten, die elke keer te zien was als de plaat de lichtcirkel van de lamp aan het plafond binnenkwam. Eli stopte zijn hand in de zak van de badjas en keek naar de plaat alsof hij naar de muziek probeerde te luisteren door de groeven te bestuderen.

"Dit klinkt misschien … maar …" Het trok in Eli's mondhoeken. "Ik heb in geen tweehonderd jaar een … gewone vriend gehad."

Hij keek naar Oskar met een sorry-dat-ik-zulke-rare-dingen-zeg-glimlach. Oskar sperde zijn ogen open.

"Ben je zó oud?"

"Ja. Nee. Ik ben ongeveer tweehonderdtwintig jaar geleden geboren, maar de helft van de tijd heb ik geslapen."

"Dat doe ik toch ook. Of in elk geval … acht uur. Hoeveel is dat … eenderde."

"Ja. Alleen … als ik zeg 'slapen', bedoel ik dat ik maandenlang helemaal niet opsta. En dan leef ik een paar maanden. Hoewel ik dan overdag rust."

"Werkt het zo?"

"Ik weet niet. Zo is het in elk geval bij mij. En als ik dan wakker word, ben ik weer klein. En zwak. Dan heb ik hulp nodig. Daarom heb ik het misschien overleefd. Omdat ik klein ben. En mensen mij willen helpen. Ook al is het om heel verschillende redenen."

Er trok een schaduw over Eli's wang toen hij zijn kaken op elkaar beet, zijn handen dieper in de zakken van de badjas stak, iets vond, het eruit haalde. Een glanzend, dun reepje papier. Iets wat Oskars moeder erin had laten zitten; zij gebruikte zijn badjas wel eens. Eli stopte het reepje voorzichtig weer in de zak, alsof het iets waardevols was.

"Slaap je dan in een kíst?"

Eli moest lachen, schudde zijn hoofd.

"Nee. Nee. Ik ..."

Oskar kon het niet meer inhouden. Het was eigenlijk niet zijn bedoeling, maar het kwam eruit als een verwijt toen hij zei: "Maar je doodt mensen!"

Eli keek hem in de ogen met een uitdrukking die op verbazing leek, alsof Oskar met nadruk had opgemerkt dat hij aan elke hand vijf vingers had, of iets even vanzelfsprekends.

"Ja. Ik dood mensen. Dat is vervelend."

"Waarom doe je het dan?"

Een glinstering van boosheid in Eli's ogen.

"Als je een beter idee hebt, hoor ik het graag."

"Ja, hoezo ... bloed ... dat kan toch ... op de een of andere manier ... dat je ..."

"Nee."

"Waarom niet?"

Eli snoof, zijn ogen werden smal.

"Omdat ik net zo ben als jij."

"Hoezo, net als ik? Ik ..."

Eli maakte een breed gebaar door de lucht, alsof hij een mes in zijn hand hield, zei: "Wat sta je daar te staren, stomme idioot. Wil je dood of zo?" Stak met de lege hand. "Dat heb je ervan als je naar me staart."

Oskar wreef zijn boven- en onderlip over elkaar, bevochtigde ze.

"Wat zeg je?"

"Dat zeg ík niet. Dat heb jij gezegd. Het was het eerste wat ik je hoorde zeggen. Op de speelplaats."

Oskar wist het weer. De boom. Het mes. Hoe hij het lemmet schuin had gehouden als een spiegel en voor het eerst Eli in het oog had gekregen.

Ben je in spiegels te zien? De eerste keer dat ik je zag, was in een spiegel.

"Ik ... maak geen mensen dood."

"Nee, maar je zou het wel willen. Als je het kon. En je zou het écht doen als het nodig was."

"Omdat ik ze haat. Dat is een groot ..."

"Verschil. Is dat zo?"

"Ja ...?"

"Als je ermee weg kwam. Als het gewoon gebéúrde. Als je ze dood kon wénsen en ze gingen dood. Zou je het dan niet doen?"

"... Jawel."

"Jawel. En dat zou gewoon voor je plezier zijn. Wraak. Ik doe het omdat ik wel moet. Er is geen andere manier."

"Maar het is omdat ... ze me kwaad doen, omdat ze me pesten, omdat ik ..."

"Omdat je wilt léven. Net als ik."

Eli strekte zijn armen uit, hield zijn handen tegen Oskars wangen en kwam met zijn gezicht dichter naar dat van Oskar toe.

"Word een beetje mij."

En kuste hem.

De vingers van de man zijn om de dobbelstenen gekromd en Oskar ziet dat de nagels zwartgelakt zijn.

De stilte ligt als een verstikkende nevel in de zaal. De smalle hand kiept ... langzaam ... en de dobbelstenen vallen eruit, op tafel ... pa-bang. Ze stoten tegen elkaar, draaien rond, blijven liggen.

Een twee. En een vier.

Oskar is opgelucht; hij weet niet waar dat gevoel vandaan komt als de man langs de tafel loopt en voor de rij jongens gaat staan als een generaal voor zijn leger. De stem van de man is toonloos, niet diep en niet hoog, als hij een lange wijsvinger uitsteekt en de rij af begint te tellen.

"Eén ... twee ... drie ... vier ..."

Oskar kijkt naar links, naar de kant waar de man met tellen is begonnen. De jongens staan er ontspannen bij, bevrijd. Een snik. De jongen naast Oskar kromt zich, zijn onderlip trilt. Ah. Hij is ... nummer zes. Nu begrijpt Oskar zijn eigen opluchting.

"Vijf ... zes ... en ... zeven."

De vinger wijst recht naar Oskar. De man kijkt hem in de ogen. En glimlacht.

Néé!

Het was toch ... Oskar rukt zich los uit de blik van de man, kijkt naar de dobbelstenen.

Nu laten ze een drie en een vier zien. De jongen naast Oskar kijkt om zich heen, slaapdronken alsof hij net uit een nachtmerrie is ontwaakt. Een seconde ontmoeten hun blikken elkaar. Leeg. Niet-begrijpend.

Dan een schreeuw bij de muur vandaan.

... mama ...

De vrouw met de bruine sjaal holt naar hem toe, maar twee mannen gaan voor haar staan, pakken haar bij haar armen en ... gooien haar weer tegen de stenen muur. Oskars armen schieten naar voren als om haar te vangen wanneer ze valt en zijn lippen vormen het woord: "mama!" wanneer sterke handen in zijn schouders knijpen en hij uit de rij wordt gehaald en naar een deurtje wordt geleid. De man met de pruik houdt zijn vinger nog steeds uitgestoken, wijst hem na, terwijl hij wordt geduwd, de zaal uit wordt getrokken een donkere kamer binnen die ruikt naar ... drank ... dan geflikker, onduidelijke beelden; licht, donker, steen, naakte huid ... totdat het beeld zich stabiliseert en Oskar een hevige druk op zijn borst voelt. Hij kan zijn armen niet bewegen. Zijn rechteroor voelt alsof het op springen staat, het ligt tegen een ... houten blad aan gedrukt.

Er zit iets in zijn mond. Een stuk touw. Hij zuigt op het touw, doet zijn ogen open.

Hij ligt op zijn buik over een tafel heen. Zijn armen zijn aan de tafelpoten vastgebonden. Hij is naakt. Voor zijn ogen twee gestalten: de man met de pruik en nog iemand. Een dik mannetje dat er ...

*grappig uitziet. Nee. Eruitziet als iemand die dénkt dat hij grappig
is. Altijd moppen vertelt waar niemand om lacht. De grappige man
heeft een mes in zijn ene hand, een kom in de andere.*

Er is iets niet in de haak.

*De druk op zijn borst, tegen zijn oor. Tegen zijn knieën. Hij zou
ook druk tegen zijn ... piemel moeten voelen. Maar het is net alsof
er net op die plek een ... gat in de tafel zit. Oskar probeert te draai-
en om te voelen of dat zo is, maar zijn lichaam is te strak vastgebonden.*

*De man met de pruik op zegt iets tegen de grappige man en de
grappige man lacht en knikt. Dan gaan ze allebei op hun hurken
zitten. De pruikenman vestigt zijn blik op Oskar. Zijn ogen zijn helderblauw, als de hemel op een koude herfstdag. Ze lijken vriendelijk
belangstellend. De man kijkt in Oskars ogen, alsof hij naar iets
moois daarbinnen zoekt, iets waar hij van houdt.*

*De grappige man kruipt onder de tafel met het mes en de kom in
zijn handen. En Oskar begrijpt het.*

*Hij weet ook dat als hij ... dat stuk touw maar uit zijn mond kan
krijgen, hij hier niet hoeft te blijven. Dan verdwijnt hij.*

Oskar probeerde zijn hoofd naar achteren te trekken, los te
komen van de kus. Maar Eli, die die reactie had voorzien, maakte van zijn ene hand een kom om zijn achterhoofd, duwde zijn
lippen tegen die van Oskar, dwong hem om in Eli's herinneringen te blijven, ging verder.

*Het stuk touw wordt in zijn mond gestopt en er klinkt een sissend,
vochtig geluid als Oskar een scheet laat van angst. De pruikenman
trekt zijn neus op en klakt met zijn tong, bestraffend. De ogen veranderen niet. Nog steeds dezelfde uitdrukking als van een kind dat
een doos gaat openmaken, waarvan hij weet dat er een hondje in
zit.*

*Koude vingers grijpen Oskars piemel, trekken eraan. Hij doet zijn
mond open om "neee!" te schreeuwen, maar het touw maakt het
hem onmogelijk het woord te vormen en er komt alleen "èèèè!" uit.*

*De man onder de tafel vraagt iets en de pruikenman knikt, zon-
der Oskar uit het oog te verliezen. Dan komt de pijn. Een gloeiende*

stang wordt in zijn onderbuik gestoken, glijdt omhoog door zijn maag, zijn borst en vreet een buis van vuur dwars door zijn lichaam heen en hij schreeuwt, schreeuwt terwijl zijn ogen zich vullen met tranen en zijn lichaam brandt.

Zijn hart klopt op de tafel als een vuist op een poort en hij knijpt zijn ogen dicht, hij bijt in het touw terwijl hij in de verte een klateren en spetteren hoort, hij ziet ...

... zijn moeder op haar knieën bij de beek zitten; ze is kleren aan het wassen. Mama. Mama. Ze laat iets vallen, een lap stof en Oskar staat op, hij heeft op zijn buik gelegen en zijn lichaam brandt, hij staat op, holt naar de beek, naar de snel wegdrijvende lap stof, hij werpt zich in de beek om zijn lichaam te blussen, om de lap stof te pakken en te redden. De blouse van zijn zus. Hij houdt hem tegen het licht, laat hem aan zijn moeder zien, die zich in silhouet aftekent op de oever en er vallen druppels van de lap stof, ze glinsteren in de zon, vallen spetterend neer in de beek, in zijn ogen en hij ziet niet helder, vanwege het water dat in zijn ogen loopt, over zijn wangen als hij ...

... zijn ogen opendoet en vaag het blonde haar ziet, de blauwe ogen als verre bosmeertjes. Hij ziet de kom die de man in zijn handen houdt, de kom die naar zijn mond gaat en hij ziet hem drinken. Ziet dat de man zijn ogen dichtdoet, eindelijk zijn ogen dichtdoet en drinkt ...

Meer tijd ... Eindeloze tijd. Gevangen. De man bijt. En drinkt. Bijt. En drinkt.

Dan bereikt de gloeiende stang zijn hoofd en alles wordt lichtrood als hij zijn hoofd achterwaarts van het touw wegrukt en valt ...

Eli ving Oskar op, toen hij achterover van Eli's lippen viel, en hield hem stevig in zijn armen. Oskar greep naar wat er te grijpen viel, het lichaam voor hem, en kneep er hard in; hij keek de kamer rond, maar zag niets.

Rustig.

Even later begon er een patroon te ontstaan voor Oskars ogen. Behang. Beige met witte, bijna onzichtbare rozen. Hij herkende het. Het was het behang bij hem in de woonkamer. Hij was in de woonkamer van hemzelf en zijn moeder.

Dit in zijn armen was … Eli.

Een jongen. Mijn vriend. Ja.

Oskar voelde zich misselijk, duizelig. Hij maakte zich los uit de omarming en ging op de bank zitten, keek weer om zich heen als om zich ervan te verzekeren dat hij terug was, dat hij niet … daar was. Hij slikte, merkte dat hij elk detail weer kon oproepen van de plek die hij net had bezocht. Het was net een echte herinnering. Iets wat hem onlangs was overkomen. De grappige man, de kom, de pijn …

Eli zat op zijn knieën voor hem op de grond, met zijn handen tegen zijn buik.

"Sorry."

Net als …

"Wat is er met moeder gebeurd?"

Eli keek onzeker, vroeg: "Bedoel je … míjn moeder?"

"Nee …" Oskar zweeg, zag het beeld voor zich van móéder bij de beek toen ze kleren waste. Maar het was immers zíjn moeder niet. Ze leken niet eens op elkaar. Hij wreef in zijn ogen, zei: "Ja. Precies. Jóúw moeder."

"Ik weet het niet."

"Ze zullen toch niet …"

"Ik weet het niet!"

Eli duwde zo hard met zijn handen tegen zijn buik, dat de knokkels wit werden, zijn schouders gingen omhoog. Toen ontspande hij, zei zachter: "Ik weet het niet. Sorry. Sorry voor … alles. Ik wilde dat je … ik weet niet. Sorry. Het was … stom."

Eli was een kopie van zijn moeder. Smaller, gladder, jonger, maar … een kopie. Over twintig jaar zou Eli er vermoedelijk net zo uitzien als de vrouw bij de beek.

Alleen zal dat niet gebeuren. Hij ziet er dan nog precies zo uit als nu.

Oskar zuchtte uitgeput en leunde achterover op de bank. Te veel. Een lichte hoofdpijn tastte over zijn slapen, vond houvast, duwde. Te veel. Eli stond op.

"Ik moet weg."

Oskar leunde met zijn hoofd op zijn hand, knikte. Had niet de energie om te protesteren, om na te denken over wat hij zou moeten doen. Eli deed de badjas uit en Oskar ving nog een glimp op van zijn onderbuik. Nu zag hij dat zich tegen de bleke huid een zachtroze vlek aftekende, een litteken.

Hoe doet hij dat met ... plassen? Misschien hoeft hij niet ...

Hij had niet de puf om het te vragen. Eli ging op zijn hurken bij de plastic tas zitten, maakte hem open en begon zijn kleren eruit te trekken. Oskar zei: "Je mag wel wat van mij aan."

"Hoeft niet."

Eli haalde de geruite blouse eruit. Donkere vlekken op het lichtblauw. Oskar ging rechtop zitten. De hoofdpijn wervelde tegen zijn slapen.

"Doe niet zo stom, je mag ..."

"Het is goed zo."

Eli begon de blouse met de bloedvlekken aan te trekken en Oskar zei: "Je bent vies, snap je dat niet? Je bent gewoon víés."

Eli draaide zich naar hem om met de blouse in zijn handen. "Vind je?"

"Ja."

Eli stopte de blouse weer in de zak.

"Wat moet ik dan aan?"

"Haal maar iets uit de kast, wat je maar wilt."

Eli knikte, liep naar Oskars kamer, waar de kasten stonden, ter-wijl Oskar zich zijwaarts op de bank liet glijden en zijn handen tegen zijn slapen drukte als om te voorkomen dat ze zouden springen.

Moeder, Eli's moeder, mijn moeder. Eli, ik. Tweehonderd jaar. Eli's vader. Eli's vader? Die man die ... die man.

Eli kwam de woonkamer weer in. Oskar nam een aanloopje om te zeggen wat hij had willen zeggen, maar stopte toen hij zag dat Eli een jurk aanhad. Een verbleekte, gele zomerjurk met witte stipjes. Een van de jurken van zijn moeder. Eli streek erover met zijn hand.

"Mag dit? Deze zag er het meest versleten uit."

"Maar dat is ..."

"Ik breng hem later weer terug."

"Ja. Ja, ja."

Eli kwam naar hem toe, ging op zijn hurken voor hem zitten, pakte zijn hand.

"Oskar? Het spijt me ... ik weet niet wat ik moet ..."

Oskar wuifde met zijn andere hand om hem te laten zwijgen, zei: "Je weet het toch van die man, dat die is gevlucht?"

"Welke man?"

"De man die ... van wie jij zei dat hij jouw vader was. Die bij jou in huis woonde."

"Wat is daarmee?"

Oskar deed zijn ogen dicht. Blauwe lichtflitsen schitterden aan de binnenkant van zijn oogleden. De keten van gebeurtenissen die hij had gereconstrueerd uit de kranten, rammelde voorbij. Hij werd boos, trok zijn hand uit die van Eli, balde zijn vuist en sloeg ermee tegen zijn eigen, bonzende hoofd. Met zijn ogen nog steeds dicht zei hij: "Hou op. Hou toch op. Ik weet alles, oké. Doe maar niet meer alsof. Hou op met líégen, daar heb ik het helemaal mee gehad."

Eli zei niets. Oskar kneep zijn ogen dicht, ademde in en ademde uit.

"Hij is ontsnapt. Ze hebben de hele dag jacht op hem gemaakt, maar ze hebben hem niet gevonden. Dan weet je dat."

Een pauze. Toen de stem van Eli, boven Oskars hoofd.

"Waar?"

"Hier. In het Judarnbos. Bij Åkeshov."

Oskar deed zijn ogen open. Eli was opgestaan, stond met zijn hand voor zijn mond en grote, bange ogen boven de hand. De jurk was hem te groot, hing als een zak om zijn smalle schouders en hij zag eruit als een kind dat stiekem zijn moeders kleren had geleend en nu op een strenge straf wachtte.

"Oskar", zei Eli. "Ga niet naar buiten. Als het donker is. Beloof me dat."

De jurk. De woorden. Oskar snoof, kon niet laten het te zeggen.

"Je lijkt mijn moeder wel."

De eekhoorn schiet pijlsnel langs de stam van de eik naar beneden, stopt, luistert. Een sirene in de verte.

Op de Bergslagsvägen komt een ambulance voorbij met blauw zwaailicht en de sirene aan.

In de ambulance zitten drie personen. Lacke Sörensson zit op een opklapbaar krukje en houdt een bloedeloze, bekraste hand vast, die aan Virginia Lindblad behoort. Een ambulancebroeder draait aan de slang die water met fysiologisch zout in Virginia's lichaam brengt, om haar hart iets te pompen te geven, nu ze zoveel bloed heeft verloren.

De eekhoorn beoordeelt het geluid als ongevaarlijk, irrelevant. Hij gaat verder langs de stam naar beneden. Er zijn de hele dag mensen in het bos geweest, en honden. Geen moment rust en pas nu het donker is, waagt de eekhoorn zich uit de eik waar hij de hele dag heeft moeten zitten.

Nu zijn het geblaf van de honden en de stemmen verstomd, verdwenen. Ook de dondervogel die boven de boomtoppen zweefde, lijkt naar zijn eigen nest te zijn teruggevlogen.

De eekhoorn bereikt de voet van de boom en rent over een dikke wortel. Hij verplaatst zich liever niet over de grond als het donker is, maar de honger drijft hem ertoe. Hij is waakzaam, blijft om de tien meter staan om te kijken en te luisteren. Hij maakt een omweg om een dassenburcht, waar van de zomer nog een dassenfamilie woonde. Hij heeft ze al een hele poos niet gezien, maar je kunt niet voorzichtig genoeg zijn.

Ten slotte bereikt hij zijn doel: de dichtstbij gelegene van de vele wintervoorraden die hij de afgelopen herfst heeft aangelegd. De temperatuur is vanavond weer onder het nulpunt gedaald, en op de sneeuw die in de loop van de dag was gaan smelten, is weer een dunne, harde korst gekomen. De eekhoorn krabbelt met zijn klauwtjes over de korst, breekt erdoorheen en duikt naar beneden. Hij stopt, luistert, graaft weer. Door sneeuw, bladeren en aarde.

Net als hij een noot in zijn pootjes pakt, hoort hij een geluid. *Gevaar.*

Hij pakt de noot tussen zijn tanden en rent een den in zonder eerst de voorraad nog af te kunnen dekken. Goed en wel in veiligheid op een tak, pakt hij de noot weer tussen zijn pootjes en probeert het geluid te lokaliseren. Zijn honger is groot en het eten maar een paar centimeter van zijn bek, maar voordat er gegeten kan worden moet eerst het gevaar worden gelokaliseerd en afgewend.

Het kopje van de eekhoorn gaat met schokjes heen en weer; zijn snuitje trilt als hij naar het landschap onder zijn pootjes kijkt, met schaduwen van de maan, en de bron van het geluid vindt. Ja. De omweg was de moeite waard. Het krabbende, vochtige geluid komt uit de dassenburcht.

Dassen kunnen niet in bomen klimmen. De eekhoorn laat iets van zijn waakzaamheid varen, neemt een hapje van de noot, maar blijft de grond in de gaten houden, nu meer als een toeschouwer van een theatervoorstelling, derde balkon. Hij wil zien wat er gebeurt, hoeveel dassen het zijn.

Maar wat er uit de burcht komt is helemaal geen das. De eekhoorn haalt de noot voor zijn bek weg en kijkt. Probeert het te begrijpen. Het aan bekende feiten te koppelen. Slaagt daar niet in.

Daarom pakt hij de noot weer in zijn bek, vliegt hoger de boom in, helemaal tot in de kroon.

Misschien kan zo'n wezen wel in bomen klimmen.

Je kunt niet voorzichtig genoeg zijn.

ZONDAG 8 NOVEMBER (AVOND/NACHT)

Het is zondagavond, halfnegen.

Op hetzelfde moment waarop de ambulance met Virginia en Lacke over de Tranebergbrug rijdt, de hoofdcommissaris van het district Stockholm de naar plaatjes hongerende journalisten een foto voorhoudt, Eli een jurk kiest uit de kast van Oskars moeder, Tommy contactlijm in een plastic zakje knijpt en de lieflijke bedwelming en vergetelheid diep door de neus inademt en een eekhoorn als eerste levende wezen in veertien uur Håkan Bengtsson ziet, schenkt Staffan, een van degenen die naar hem heeft gezocht, thee in.

Hij ziet niet dat er een hoekje van de tuit af is en een groot gedeelte van de thee loopt langs de tuit en de pot op het aanrecht. Hij mompelt iets en kiept de pot sneller, zodat de thee eruit klotst en het deksel van de pot valt, in het kopje. Gloeiend hete thee spat op zijn handen en hij zet de pot met een klap neer, houdt zijn armen stijf langs zijn lichaam, terwijl hij in gedachten het Hebreeuwse alfabet opzegt om de impuls te smoren de pot tegen de muur te gooien.

Alef, beet, gimel, dalet ...

Yvonne kwam de keuken binnen en zag Staffan gebogen over het aanrecht staan met zijn ogen dicht.

"Wat is er?"

Staffan schudde zijn hoofd. "Niets."

Lamed, mem, noen, samech ...

"Is er iets?"

"Nee."

Koef, reesj, sjien, tav. Zo. Beter.

Hij deed zijn ogen open, maakte een gebaar naar de theepot.

"Wat een rotpot."

"Is hij niet goed?"

"Nee, hij lekt als je inschenkt."

"Nooit wat van gemerkt."

"Nou, het is wel zo."

"Ik denk niet dat daar het probleem zit."

Staffan perste zijn lippen op elkaar, stak de hand die hij had gebrand uit naar Yvonne en maakte een gebaar in haar richting: vrede. Sjaloom. Stil. "Yvonne. Ik heb nu zo ... ontzettend veel zin om je een klap te verkopen. Dus alsjeblieft: niks meer zeggen."

Yvonne deed een halve stap achteruit. Iets in haar was hierop voorbereid geweest. Ze had dat inzicht niet tot haar bewustzijn toegelaten, maar toch aangevoeld dat er achter Staffans vrome façade een vorm van ... woede zat.

Ze sloeg haar armen over elkaar, ademde een paar keer in en uit, terwijl Staffan stil naar het theekopje met het deksel erin stond te staren. Toen zei ze: "Doe je dat altijd?"

"Wat?"

"Slaan. Als het je tegenzit?"

"Heb ik jou geslagen?"

"Nee, maar je zei ..."

"Dat zéí ik. En je hebt geluisterd. Nu is het goed."

"En als ik niet had geluisterd?"

Staffan leek nu helemaal kalm en Yvonne ontspande, liet haar armen zakken. Hij nam haar beide handen in de zijne, gaf er een lichte kus op.

"Yvonne. Mensen móéten naar elkaar luisteren."

De thee werd ingeschonken en ze gingen ermee in de woonkamer zitten. Staffan zou niet vergeten een nieuwe theepot voor Yvonne te kopen. Ze vroeg naar het speurwerk in het Judarnbos en Staffan vertelde. Ze deed haar best om het gesprek in de juiste banen te leiden, maar ten slotte kwam toch de onvermijdelijke vraag.

"Waar is Tommy?"

"Ik … weet het niet."

"Wéét je het niet? Yvonne …"

"Ja, bij een vriend."

"Hm. Wanneer komt hij thuis?"

"Nee, ik geloof … hij zou daar blijven slapen."

"Daar?"

"Ja, bij …"

Yvonne ging in haar hoofd de namen langs van de vrienden van Tommy die ze kende. Wilde niet tegen Staffan zeggen dat Tommy 's nachts weg was, zonder dat zij wist waar. Staffan tilde zwaar aan de verantwoordelijkheid van ouders.

"… bij Robban."

"Robban. Is dat zijn beste vriend?"

"Ja, dat geloof ik wel."

"Hoe heet hij nog meer?"

"… Ahlgren, hoezo? Is het iemand die jij …"

"Nee, ik dacht gewoon."

Staffan pakte zijn lepeltje, tikte ermee tegen het theekopje. Een broos tinkelen. Hij knikte.

"Mooi. Nee, weet je wat … ik denk dat we die Robban maar even moeten bellen en Tommy moeten vragen even thuis te komen. Dan kan ik met hem praten."

"Ik heb het nummer niet."

"Nee, maar … Ahlgren. Je weet toch wel waar hij woont? Dan kun je het toch gewoon in het telefoonboek opzoeken?"

Staffan stond op van de bank en Yvonne beet in haar onderlip, voelde dat ze bezig was een doolhof te bouwen waar ze steeds moeilijker uit kon komen. Hij haalde het plaatselijke deel van het telefoonboek en ging midden in de woonkamer staan, bladerde erin, mompelde: "Ahlgren, Ahlgren … Hm. In welke straat woont hij?"

"In … de Björnsonsgatan."

"Björnsons… nee. Daar zit geen Ahlgren. Maar er zit er wel een hier in de Ibsengatan. Kan dat hem zijn?"

Toen Yvonne geen antwoord gaf, zette Staffan zijn vinger in het telefoonboek en zei: "Ik denk dat ik hem toch maar even probeer. Robert heet hij zeker?"

"Staffan ..."

"Ja?"

"Ik heb hem beloofd om het niet te vertellen."

"Nu snap ik er niets meer van."

"Tommy. Ik heb gezegd dat ik niet zou zeggen ... waar hij is."

"Dus hij is niet bij Robban?"

"Nee."

"Waar is hij dan?"

"Ik ... ik heb het beloofd."

Staffan legde het telefoonboek op de salontafel en ging naast Yvonne op de bank zitten. Ze dronk een slok thee, hield het kopje voor haar gezicht alsof ze zich erachter wilde verstoppen, terwijl Staffan afwachtte. Toen ze het kopje op het schoteltje zette, merkte ze dat haar handen trilden. Staffan legde zijn hand op haar knie.

"Yvonne. Je moet begrijpen dat ..."

"Ik heb het beloofd."

"Ik wilde alleen met hem práten. Sorry, Yvonne, maar ik denk dat juist dit soort onvermogen om zaken aan te pakken op het moment dat ze spelen ervoor zorgt dat ... ja, dat die dingen gebeuren. Mijn ervaring met jongeren is dat hoe sneller ze een reactie krijgen op hun daden, des te groter de kans dat ... neem nou een heroïnegebruiker. Als iemand hem had aangesproken op het moment dat hij nog bezig was met, bijvoorbeeld, hasj ..."

"Daar houdt Tommy zich niet mee bezig."

"Weet je dat héél zeker?"

Het was stil. Yvonne wist dat een 'ja' als antwoord op Staffans vraag met elke seconde die wegtikte minder waard werd. Tik, tik. Nu had ze al 'nee' geantwoord, zonder het woord te zeggen. En Tommy wás soms wel vreemd. Als hij thuiskwam. Iets in zijn ogen. Stel je voor dat hij ...

Staffan leunde achterover op de bank, wist dat de slag gewonnen was. Nu wachtte hij alleen nog op het voorbehoud dat ze zou maken.

Yvonnes ogen zochten naar iets op de tafel.

"Wat is er?"

"Mijn sigaretten, heb jij ..."

"In de keuken. Yvonne …"

"Ja. Já. Je mag nú niet naar hem toe."

"Nee. Dat mag jij beslissen. Als jij vindt …"

"Morgenvroeg dan. Voordat hij naar school gaat. Beloof het. Dat je er nu niet heen gaat."

"Ik beloof het. Ja, ja. Wat is dat voor mysterieuze plaats waar hij zich bevindt?"

Yvonne vertelde het.

Toen ging ze naar de keuken, rookte een sigaret en blies de rook door het open raam naar buiten. Ze rookte er nog een, nu kon het haar minder schelen waar de rook terechtkwam. Toen Staffan de keuken in kwam, demonstratief de rook weg wapperde met zijn hand en vroeg waar de sleutel van de kelder was, zei ze dat ze dat vergeten was, maar dat het haar vermóédelijk morgenvroeg wel weer te binnen zou schieten.

Als hij lief was.

Toen Eli weg was, ging Oskar weer aan de keukentafel zitten; hij keek naar de opengeslagen artikelen. Zijn hoofdpijn werd minder naargelang de indrukken zich tot een patroon samenvoegden.

Eli had uitgelegd dat die man … geïnfecteerd was. Erger. De infectie was het enige in hem dat in leven was. Zijn hersenen waren dood en de infectie stuurde hem. Naar Eli.

Eli had tegen hem gezegd dat hij niets moest doen, had het hem gesméékt. Eli zou hier morgen weggaan zodra het donker werd en Oskar had natuurlijk gevraagd waarom niet nu al, vannacht?

Omdat … het kan niet.

Waarom niet? Ik help je wel.

Oskar, het kan niet. Ik ben te zwak.

Hoe kan dat? Je hebt toch …

Dat is gewoon zo.

En Oskar had begrepen dat hij de oorzaak was van Eli's gebrek aan kracht. Al het bloed dat weggestroomd was in de hal. Als die man Eli te pakken kreeg, was het Oskars schuld.

De kleren!

Oskar stond zo plotseling op dat de stoel achterover kiepte en tegen de vloer sloeg.

De tas met Eli's bebloede kleren stond nog steeds op de grond voor de bank, de blouse hing er half uit. Hij stopte die weer in de tas en de mouw leek wel een vochtige spons, toen hij hem er verder in duwde, de tas dichtknoopte, en ... Hij stopte, keek naar de hand waar hij de blouse mee had aangeduwd.

De snee die hij erin had gemaakt had een korstje gekregen dat een beetje kapot was gegaan en waardoor je kon zien wat eronder zat.

... het bloed ... hij wilde het niet mengen ... ben ik nu ... geïnfecteerd?

Met mechanische bewegingen liep hij naar de buitendeur met de tas in zijn hand. Hij luisterde of hij iets in het portiek hoorde. Er was niets te horen en hij holde de trap af naar de vuilstortkoker en deed de klep open. Hij stak de tas door het gat, bleef hem zo vasthouden en liet hem in het donker van de schacht bungelen.

Een koude tocht kwam zuigend door de vuilstortkoker en verkoelde zijn hand, die hij onbeweeglijk om de plastic knoop van de tas geklemd hield. De tas was wit tegen de zwarte, wat oneffen muren van de tunnel. Als hij losliet zou de tas niet omhooggaan. Die zou naar beneden vallen. De zwaartekracht zou hem naar beneden trekken. Naar de zak.

Over een paar dagen zou de vuilniswagen de zak komen halen. 's Ochtends vroeg kwam die. De oranje knipperlichten zouden over Oskars plafond spelen op ongeveer hetzelfde moment waarop hij altijd wakker werd en dan zou hij in zijn bed liggen en het gerommel horen, het zuigen en breken wanneer het vuilnis werd vermalen. Misschien zou hij opstaan en naar de mannen in overal kijken die met geroutineerde gebaren de zakken erin gooiden en op de knop drukten. De kaken van de vuilniswagen die dichtgingen, de mannen die daarna in de auto sprongen en het kleine eindje naar het volgende portiek reden.

Het gaf hem altijd zo'n gevoel van ... warmte. Dat hij veilig in zijn kamer zat. Dat dingen werkten. Misschien ook een verlangen. Naar die mannen, naar de auto. Dat hij in de zwakverlichte bestuurderscabine mocht zitten, wegrijden ...

Loslaten. Ik moet loslaten.

Zijn hand was krampachtig om de tas geklemd. Zijn arm deed

pijn doordat hij hem zo lang rechtuit had gehouden. De rug van zijn hand werd ijskoud in de tocht. Hij liet los.

Er klonk een soort sissen toen de tas langs de wanden schuurde, een halve seconde van stilte toen hij een vrije val maakte en een bons toen hij in de zak landde.

Ik help je.

Hij keek weer naar zijn hand. De helpende hand. De hand die …

Ik maak iemand dood. Ik ga mijn mes halen en dan ga ik naar buiten om iemand te doden. Jonny. Ik snij hem de keel door en vang het bloed op en ga ermee naar Eli, want wat maakt het uit, ik ben toch geïnfecteerd en zal gauw …

Hij zakte bijna door zijn benen en moest steun zoeken bij de rand van de vuilstortkoker om niet om te vallen. Hij had het gedácht. Echt gedacht. Het was niet zoals het spel met de boom. Hij had … even … echt gedacht dat hij het zou doen.

Heet. Hij had het zo heet, alsof hij koorts had. Hij voelde zich slap en wilde gaan liggen. Nu.

Ik ben geïnfecteerd. Ik word … een vampier.

Hij dwong zijn benen de trap af te lopen terwijl hij zich met zijn ene hand …

die niet geïnfecteerd was

… aan de leuning vastgreep. Hij slaagde erin het appartement binnen te komen, zijn kamer in. Hij ging op zijn bed liggen en staarde naar het behang. Het bos. Algauw kwam een van zijn figuren tevoorschijn en keek hem aan. Het kaboutertje. Hij aaide hem met zijn vinger, terwijl een onvoorstelbaar belachelijke gedachte kwam bovendrijven: morgen moet ik naar school.

En er was een stencil dat hij niet had gedaan. Afrika. Hij zou nu moeten opstaan, aan zijn bureau gaan zitten, de lamp aandoen en de atlas openslaan. Betekenisloze namen opzoeken en op de stippellijntjes invullen.

Dát zou hij moeten doen. Hij streek zachtjes over het mutsje van de kabouter. Toen klopte hij.

E.L.I.

Geen reactie. Was zeker weg om ... *van die dingen te doen die wij doen.*

Hij trok het dekbed over zijn hoofd. Koortsige rillingen gingen door zijn lichaam. Hij probeerde zich voor te stellen hoe het zou zijn. Altijd leven. Gevreesd, gehaat. Nee. Éli zou hem niet haten. Als ze ... samen ...

Hij probeerde het zich voor te stellen, hij fantaseerde. Na een poosje ging de voordeur van het slot en zijn moeder kwam thuis.

Vetkussentjes.

Tommy loerde met een lege blik naar de foto die voor hem lag. Het meisje perste haar borsten tegen elkaar aan met haar handen, zodat ze opbolden als twee ballonnen, ze trok een pruilmondje. Het zag er volkomen gestoord uit. Hij had zich af willen trekken, maar er was vast iets met zijn hersenen, want hij vond het meisje op een monster lijken.

Onnatuurlijk langzaam vouwde hij het blad op en stopte het onder het kussen van de bank. Elke kleine beweging voorwerp van een bewuste gedachte. Suf. Hij was helemaal suf van de lijm. En dat was mooi. Geen wereld. Alleen het vertrek waar hij in zat, en daarbuiten ... een golvende woestijn.

Staffan.

Hij probeerde aan Staffan te denken. Het lukte niet. Hij kreeg hem niet te pakken. Hij zag alleen de agent van bordpapier die op het postkantoor stond. Op ware grootte. Om overvallers af te schrikken.

Zullen we het postkantoor overvallen?

Nee, ben je gek, daar staat die agent van bordpapier!

Tommy gniffelde toen de agent van bordpapier het gezicht van Staffan kreeg. Voor straf het postkantoor bewaken. Er stond toch ook iets op dat kartonnen mannetje, wat was dat ook weer?

Misdaad loont niet. Nee. *De politie ziet je.* Nee. Wat was het nou, verdorie? *Pas op! Ik ben kampioen pistoolschieten.*

Tommy lachte. Lachte harder. Hij schudde van het lachen en dacht dat het kale peertje aan het plafond heen en weer zwaaide op het ritme van zijn lachen. Hij moest erom lachen. *Pas op! Agent van bordpapier! Met je bordpapieren pistool! En je bordpapieren hoofd!*

Er werd op zijn hoofd geklopt. Iemand wilde het postkantoor in.

De bordpapieren agent spitst zijn oren. Er ligt tweehonderd bord-
papier op het postkantoor. Maak je blaffer schietklaar. Pang-pang.
Klop. Klop. Klop.
Pang.
… Staffan … moeder, verdorie …
Tommy verstijfde. Probeerde na te denken. Dat lukte niet. In
zijn hoofd zat alleen een rafelige wolk. Toen werd hij rustig. Mis-
schien was het Robban of Lasse. Of het was Staffan. En die was
van bordpapier.
Grote klier, gemaakt van bordpapier.
Tommy kuchte, vroeg met een dikke stem: "Wie is daar?"
"Ik."
De stem kwam hem bekend voor, maar hij kon hem niet thuis-
brengen. Staffan was het in elk geval niet. Niet bordpapieren
papa.
Barbapapa. Ophouden.
"Wie ben je dan?"
"Kun je opendoen?"
"Het postkantoor is gesloten. Kom over vijf jaar maar terug."
"Ik heb geld."
"Papiergeld?"
"Ja."
"Dan is het goed."
Hij stond op van de bank. Langzaam, langzaam. De contouren
van de dingen wilden niet stil blijven liggen. Zijn hoofd zat vol
lood.
Een pet van beton.
Hij stond een paar seconden stil, wiebelde heen en weer. De
cementen vloer helde als in een droom naar rechts, naar links,
net als in het huis met de lachspiegels. Hij liep naar voren, voet-
je voor voetje, tilde de haak op en duwde de deur open. Daar
stond dat meisje. De vriendin van Oskar. Tommy gluurde naar
haar zonder dat tot hem doordrong wat hij zag.
Zon en strand.
Het meisje droeg alleen een dun jurkje. Geel, met witte stippen,
die Tommy's blik naar zich toe zogen en hij probeerde op die
stippen te focussen, maar ze begonnen zo te dansen en te bewe-

gen dat hij er misselijk van werd. Ze was een centimeter of twintig korter dan hij.

Lieflijk als … als de zomer.

"Is het nu opeens zomer?" vroeg hij.

Het meisje hield haar hoofd schuin.

"Wat?"

"Nou, jij hebt een … hoe heet dat … zomerjurk aan."

"Ja."

Tommy knikte, tevreden dat hij het woord had gevonden. Wat had ze gezegd? Geld? O ja. Oskar had verteld dat …

"Wil je … iets kopen of zo?"

"Ja."

"Wat dan?"

"Mag ik binnenkomen?"

"Ja, ja."

"Zeg dat ik binnen mag komen."

Tommy maakte een overdreven, breed gebaar met zijn arm. Hij zag zijn eigen arm in slow motion bewegen, een gedrogeerde vis die boven de vloer door de lucht zwom.

"Treed binnen. Welkom in dit … filiaal."

Hij kon niet langer blijven staan. De vloer wilde hem hebben. Hij draaide zich om en liet zich op de bank vallen. Het meisje stapte door de deur en deed die achter zich dicht, met de haak erop. Hij zag haar als een reusachtig kuiken en daar moest hij om gniffelen. Het kuiken ging in de stoel zitten.

"Wat is er?"

"Nee, ik … gewoon … je bent zo geel."

"O ja."

Het meisje legde haar handen over elkaar op een tasje op haar schoot. Hij had niet gezien dat ze dat bij zich had. Nee. Geen tasje. Meer een … toilettas. Tommy keek ernaar. Je ziet een tas. Je vraagt je af wat erin zit.

"Wat zit daar in?"

"Geld."

"Natuurlijk."

Nee. Dit deugt niet. Dit is raar.

"Wat wil je kopen voor iets, dan?"

Het meisje maakte de rits van de toilettas open en haalde er een duizendje uit. Nog één. Nog één. Drieduizend. De biljetten zagen er belachelijk groot uit in haar kleine handen, toen ze vooroverboog en ze op de grond neerlegde.

Tommy proestte: "Wat is dat nou?"

"Drieduizend."

"Ja. En dan?"

"Voor jou."

"Nee."

"Jawel."

"Dat is … monopoliegeld of zo, zeker?"

"Nee."

"Nee?"

"Waarom krijg ik dat dan?"

"Omdat ik iets van je wil kopen."

"Je wilt iets kopen voor dríédui… nee."

Tommy strekte zijn ene arm zo ver mogelijk uit, kreeg een biljet te pakken. Voelde eraan, ritselde ermee, hield het tegen het licht en zag dat het een watermerk had. Dezelfde koning of wat het ook was als op het biljet zelf. Echt.

"Je maakt dus geen grapje."

"Nee."

Drieduizend. Dan kan ik … ergens heen. Met het vliegtuig.

Dan hadden Staffan en zijn moeder mooi het nakijken … Tommy voelde zijn hoofd helderder worden. Het was totaal krankjorum, maar oké: drieduizend. Dat waren feiten. Nu was alleen de vraag …

"Wat wil je dan kopen? Hiervoor kun je …"

"Bloed."

"Bloed."

"Ja."

Tommy snoof, schudde zijn hoofd.

"Nee, helaas. Het is … niet meer op voorraad."

Het meisje zat stil in de stoel, keek naar hem. Glimlachte niet eens.

"Nee, serieus", zei Tommy. "Hoezo?"

"Jij krijgt dat geld … als ik wat bloed krijg."

"Dat heb ik niet."

"Jawel."

"Nee."

"Jawel."

Tommy begreep het.

Potverdomme ...

"Meen je dat?"

Het meisje wees naar de duizendjes.

"Het is niet gevaarlijk."

"Maar ... wat ... hoe dan?"

Het meisje stopte haar hand in de toilettas, haalde er iets uit. Een wit vierkant stukje plastic. Ze schudde ermee. Het rammelde een beetje. Nu zag Tommy wat het was. Een pakje scheermesjes. Ze legde het op haar schoot, haalde er nog iets uit. Een huidkleurige rechthoek. Een grote pleister.

Dit is belachelijk.

"Nee, hou op. Begrijp je niet dat ... ik kan dit geld toch zo van je afpakken. Het in mijn zak stoppen en zeggen: 'Nee, hoezo? Drieduizend? Heb ik nooit gezien.' Dat is véél geld, begrijp je dat niet? Waar heb je het vandaan?"

Het meisje deed haar ogen dicht, zuchtte. Toen ze ze weer opende, keek ze niet meer zo vriendelijk.

"Wil je. Of wil je niet?"

Ze meent het. Ze is bloedserieus. Nee ... nee ...

"Ga je dan gewoon ... *tsjak* en dan ..."

Het meisje knikte, enthousiast.

Tsjak? Wacht even. WACHT es even ... hoe zat het ... varkens ...

Hij fronste zijn wenkbrauwen. De gedachte stuiterde door zijn hoofd als een rubberbal die hard door een kamer werd gegooid, probeerde houvast te krijgen, te stoppen. En stopte. Hij wist het weer. Zijn mond viel open. Hij keek haar in de ogen.

"... nee ...?"

"Jawel."

"Dit is een grap, toch? Zeg. Ga nu weg. Nee. Nu moet je weggaan."

"Ik heb een ziekte. Ik heb bloed nodig. Je kunt meer geld krijgen als je wilt."

Ze graaide in de toilettas, zocht erin, haalde er nog twee briefjes van duizend uit, legde ze op de vloer. Vijfduizend. "Toe?"

De moordenaar. Vällingby. Keel doorgesneden. Maar verdomme
… dit meisje …

"Wat moet je ermee … verdorie … je bent nog maar een kind,
je …"

"Ben je bang?"

"Nee, ik kan immers … ben jíj bang?"

"Ja."

"Waarvoor?"

"Dat jij nee gaat zeggen."

"Maar ik zeg ook nee. Dit is toch … nee, gebruik je verstand.
Ga naar huis."

Het meisje zat stil in de stoel, dacht na. Toen knikte ze, stond
op, raapte het geld op van de vloer en stopte het in de toilettas.
Tommy keek naar het punt waar het had gelegen. Vijf. Duizend.
Gerammel toen de haak omhooggedaan werd. Tommy draaide
zich op zijn rug.

"Maar … wat … ga je mijn keel doorsnijden of zo?"

"Nee. In je arm alleen. Een klein sneetje."

"Maar wat ga je ermee doen?"

"Opdrinken."

"Nu?"

"Ja."

Tommy peilde naar binnen en zag het schema van de bloedsomloop als overtrekpapier over de binnenkant van zijn huid
gelegd. Hij voelde, misschien voor het eerst van zijn leven, dat hij
een bloedsomloop hád. Niet alleen geïsoleerde punten, wonden
waarbij een of meer druppels bloed naar buiten komen, maar
een grote, pompende boom van aderen gevuld met … hoeveel is
het? … vier, vijf liter bloed.

"Wat is dat voor ziekte?"

Het meisje zei niets, stond gewoon bij de deur met de haak in
haar hand, bestudeerde hem, en de lijnen van de slagaderen en
aderen van zijn lichaam, het schema, kreeg plotseling het karak-
ter van een … ontleedschema. Hij duwde de gedachte weg,
dacht in plaats daarvan: word bloeddonor. Vijfentwintig kronen

en een broodje kaas. Toen zei hij: "Geef mij het geld dan maar."

Het meisje trok de rits van de toilettas open, haalde de bankbiljetten eruit.

"Als ik je er nu drie geef. En twee na afloop?"

"Ja, ja. Maar ik zou toch net zo goed op je kunnen springen en het geld van je afpakken, snap je dat niet?"

"Nee, dat zou je niet kunnen."

Ze reikte hem drie duizendjes aan, die ze tussen haar wijsvinger en middelvinger vasthield. Hij hield elk ervan tegen het licht, constateerde dat ze echt waren. Maakte er vervolgens een rolletje van dat hij stevig in zijn linkerhand hield.

"En nu?"

Het meisje legde de beide andere duizendjes in de stoel, kwam op haar hurken bij de bank zitten, diepte het pakje scheermesjes op uit de toilettas, schudde er een mesje uit.

Dit heeft ze eerder gedaan.

Het meisje draaide het scheermesje om alsof ze wilde zien welke kant het scherpst was en hield het toen voor haar gezicht. Een korte mededeling, één woord maar: *Schick.* Ze zei: "Je mag dit aan niemand vertellen."

"Wat gebeurt er dan?"

"Je mag dit aan niemand vertellen."

"Nee." Tommy gluurde naar zijn uitgestrekte armholte, naar de duizendjes die op de stoel lagen. "Hoeveel ga je nemen?"

"Een liter."

"Is dat … veel?"

"Ja."

"Is het zoveel dat ik …"

"Nee. Je redt het wel."

"Het komt toch terug."

"Ja."

Tommy knikte. Vervolgens keek hij gefascineerd toe hoe het scheermesje, blinkend als een spiegel, naar zijn huid afdaalde. Alsof het iemand anders overkwam, ergens anders. Hij zag alleen het lijnenspel: het kaakbeen van het meisje, haar donkere haar, zijn witte arm, het vierkant van het scheermesje dat een dunne armhaar opzijschoof en zijn doel bereikte, een ogenblik rustte op de zwelling van de ader, iets donkerder dan de huid eromheen.

Licht, heel licht naar beneden werd geduwd. Een hoekje zakte in de huid zonder erdoorheen te prikken. Toen … *tsjak.*

Een haal naar achteren. Tommy hijgde en kneep met zijn andere hand steviger in de bankbiljetten. Het kraakte in zijn hoofd toen zijn kiezen op elkaar klapten en knarsend over elkaar schoven. Het bloed kwam naar buiten, werd er in stoten uit geperst.

Gerinkel toen het scheermesje op de vloer viel en het meisje met beide handen zijn arm vastgreep, haar lippen tegen zijn armholte duwde.

Tommy wendde zijn hoofd af, hij voelde alleen haar warme lippen, haar draaiende tong tegen zijn huid en hij zag weer het schema van zijn lichaam voor zich, de kanalen waar het bloed doorheen stroomde, naar … de snee.

Het stroomt uit me.

Ja. De pijn werd erger. Zijn arm raakte verlamd; hij voelde de lippen niet meer, alleen het zuigen, hoe er … uit hem werd gezogen, hoe het … *wegstroomt.*

Hij werd bang. Wilde er een eind aan maken. Het deed te veel pijn. De tranen sprongen hem in de ogen, hij deed zijn mond open om iets te zeggen, om … hij kon het niet. Er waren geen woorden die … Hij boog zijn vrije arm naar zijn mond en duwde zijn gebalde vuist tegen zijn lippen. Hij voelde het rolletje papier dat eruit stak. Beet erop.

Zondagavond, 21.17 uur, Ängbyplan.

Er wordt een man waargenomen voor de kapperszaak. Hij leunt met zijn gezicht en zijn handen tegen de ruit van de etalage en maakt een behoorlijk beschonken indruk. De politie is vijftien minuten later ter plaatse. De man is dan weg. De ruit vertoont geen beschadigingen, alleen sporen van modder of aarde. In de verlichte etalage een aantal foto's van jonge mensen, kappersmodellen.

"Slaap je?"

"Nee."

Een zweem van parfum en kou toen Oskars moeder zijn kamer in kwam en op de rand van zijn bed kwam zitten.

"Was het leuk?"

"Ja, hoor."

"Wat heb je gedaan?"

"Niets bijzonders."

"Ik zag de kranten. Op de keukentafel."

"Mm."

Oskar trok het dekbed steviger om zich heen, deed net of hij geeuwde.

"Ben je slaperig?"

"Mm."

Waar en niet waar. Hij was móé, zo moe dat zijn hoofd ervan suisde. Hij wilde zich gewoon oprollen in het dekbed, de ingang verzegelen en er niet eerder uit komen dan dat ... dan dat ... maar sláperig, nee. En ... kón hij slapen nu hij geïnfecteerd was?

Hij hoorde dat zijn moeder iets over zijn vader vroeg en hij zei "goed" zonder dat hij wist waarop hij antwoordde. Het werd stil. Toen zuchtte zijn moeder diep.

"Kereltje toch, hoe is het nou met je? Is er iets wat ik kan doen?"

"Nee."

"Wat is er dan?"

Oskar boorde zijn gezicht in zijn kussen en ademde uit zodat zijn neus, mond en lippen vochtig warm werden. Hij kon het niet. Het was te moeilijk. Maar hij moest het aan iémand vertellen. In het kussen zei hij: "... eninfeteer ..."

"Wat zei je?"

Hij tilde zijn mond van het kussen.

"Ik ben geïnfecteerd."

Zijn moeder aaide over zijn achterhoofd, over zijn nek, verder naar beneden en het dekbed gleed een stukje van hem af.

"Hoezo geïnfect... maar je hebt je kleren nog aan!"

"Ja, ik ..."

"Eens voelen. Ben je warm?" Ze legde haar koele wang tegen zijn voorhoofd. "Je hebt koorts. Kom. Je moet je uitkleden en echt naar bed gaan." Ze stond op van het bed, schudde voorzichtig aan zijn schouder. "Kom."

Ze begon heftiger in te ademen, er schoot haar iets te binnen en ze zei op een andere toon: "Had je je niet dik genoeg aangekleed toen je bij je vader was?"

"Jawel. Dat is het niet."

"Had je je múts op?"

"Jaa. Dat is het niet."

"Wat is het dan?"

Oskar drukte zijn gezicht weer in het kussen, omarmde het en zei …

"… ikordenamier …"

"Oskar, wat zeg je?"

"Ik word een vampier!"

Pauze. Een stil geritsel van moeders jas toen ze haar armen over elkaar sloeg.

"Oskar. Nu sta je op. Je trekt je kleren uit. En gaat slapen."

"Ik word een vampíér."

De ademhaling van zijn moeder. Duidelijk, boos. "Morgen gooi ik al die boeken weg waar je almaar in leest."

Het dekbed werd van Oskar af getrokken. Hij stond op en kleedde zich langzaam uit, zonder zijn moeder aan te kijken. Hij ging weer in bed liggen en zijn moeder stopte hem in.

"Wil je nog iets hebben?"

Oskar schudde zijn hoofd.

"Zullen we de temperatuur opnemen?"

Oskar schudde heftiger met zijn hoofd. Nu keek hij zijn moeder aan. Ze stond over het bed gebogen, haar handen tegen haar knieën. Onderzoekende, bezorgde ogen.

"Is er íéts wat ik voor je kan doen?"

"Nee. Of ja."

"Wat?"

"Nee, niets."

"Zeg het dan."

"Kun je een verhaaltje vertellen?"

Een flikkering van verschillende gevoelens trok over moeders gezicht: verdriet, vreugde, ongerustheid, een glimlach, een bezorgde rimpel. Alles in een paar seconden. Toen zei ze: "Ik ken geen verhaaltjes. Maar ik kan je er wel een voorlezen als je wilt.

Als we een boek hebben …"

Haar blik ging naar de boekenplank bij Oskars hoofd.

"Nee, dat hoeft niet."

"Ja, maar ik doe het graag."

"Nee. Ik wil het niet."

"Waarom niet? Je zei immers …"

"Ja, maar … nee. Ik wil het niet."

"Zal ik iets … zingen?"

"Nee!"

Zijn moeder kneep haar lippen op elkaar, beledigd. Toen besloot ze om dat niet te zijn, omdat Oskar ziek was en ze zei: "Ik kán wel iets verzinnen als dat …"

"Nee, het is goed. Ik wil nu slapen."

Zijn moeder zei uiteindelijk welterusten, ze ging de kamer uit. Oskar lag met zijn ogen wijd open, keek naar het raam en probeerde te voelen of hij het al … werd. Hij wist niet hoe dat moest voelen. Eli. Hoe was het eigenlijk gegaan toen hij dat … werd?

Overal afscheid van nemen.

Alles achterlaten. Moeder, vader, de school … Jonny, Tomas … Bij Eli zijn. Altijd.

Hij hoorde de tv aangaan in de woonkamer, het geluid dat gauw zachter werd gezet. Zacht gerammel met de koffiepot in de keuken. Het gasfornuis dat aangestoken werd, gekletter van kopjes en schoteltjes. Kastjes die opengingen.

De gewone geluiden. Hij had ze honderden keren gehoord. Hij werd er verdrietig van. Zo verschrikkelijk verdrietig.

De wonden waren genezen. Er waren alleen nog witte strepen over van de krabben op Virginia's lichaam, hier en daar resten van korstjes die er nog niet waren afgevallen. Lacke streelde haar hand, die door een leren riem tegen haar lichaam gedrukt werd en er ging nog een wondkorstje kapot onder zijn vingers.

Virginia had verzet geboden. Ze had zich met hand en tand verzet toen ze bij kennis kwam en begreep wat er gebeurde. Ze had de katheter voor de bloedtransfusie eruit getrokken, had geschreeuwd en geschopt.

Lacke had het niet aan kunnen zien toen ze met haar vochten, ze leek totaal veranderd. Hij was naar beneden gegaan, naar de cafetaria en had een kop koffie gedronken. Toen nog een, en nog een. Toen hij zijn derde kopje wilde inschenken, had de vrouw bij de kassa hem er vermoeid op gewezen dat er maar één tweede kopje bij de prijs inbegrepen was. Toen had Lacke gezegd dat hij blut was, dat hij zich voelde alsof hij morgen dood zou gaan, kon ze geen uitzondering maken?

Dat kon ze. Ze trakteerde Lacke zelfs op een droog bruidsgebakje 'dat anders morgen toch weggegooid werd'. Hij had het bruidsgebakje opgegeten met een brok in zijn keel, had over de betrekkelijke goedheid, de betrekkelijke slechtheid van de mensen nagedacht. Daarna ging hij voor de ingang staan en rookte de een na laatste sigaret uit het pakje voordat hij naar Virginia toe ging.

Ze hadden haar met een riem vastgespannen.

Een verpleegster had zo'n klap gekregen dat haar bril kapot was gegaan en een scherf haar ene wenkbrauw had opengehaald. Ze hadden Virginia met geen mogelijkheid kunnen kalmeren. Ze hadden haar geen spuitje durven geven vanwege haar algemene toestand, en daarom hadden ze haar armen met leren riemen vastgespannen, vooral met het doel om, zoals ze zeiden, "te voorkomen dat ze zichzelf iets aandeed".

Lacke wreef het korstje tussen zijn vingers fijn; een poeder fijn als pigment kleurde zijn vingertoppen rood. Een beweging in zijn ooghoek; het bloed uit de zak die aan een standaard naast Virginia's bed hing, viel druppelsgewijs in een kunststof cilinder en liep verder naar de katheter in Virginia's arm.

Kennelijk hadden ze Virginia eerst, toen ze haar bloedgroep hadden bepaald, een transfusie gegeven, waarbij ze een hoeveelheid bloed naar binnen hadden gepómpt; maar nu haar toestand was gestabiliseerd, kreeg ze het druppelsgewijs toegediend. Op de halfvolle zak met bloed zat een etiket met een heleboel onbegrijpelijke aanduidingen, gedomineerd door een grote 'A'. De bloedgroep natuurlijk.

Maar ... wacht eens even ...

Lacke had bloedgroep B. Hij herinnerde zich dat hij en Virginia het daar een keer over hadden gehad, dat Virginia ook bloedgroep B had, en dat ze daarom ... ja. Zo hadden ze dat precies besproken, dat ze elkaar bloed konden geven, omdat ze dezelfde bloedgroep hadden. En Lacke had B, dat wist hij heel zeker.

Hij stond op en liep de gang in.

Zulke vergissingen maken ze toch niet?

Hij kreeg een verpleegster te pakken.

"Pardon, maar ..."

Ze wierp een blik op zijn versleten kleren, stelde zich ietwat afwachtend op en zei: "Ja?"

"Ik vroeg me af. Virginia ... Virginia Lindblad, die ... is opgenomen ..."

De verpleegster knikte, ze keek nu bijna afwijzend. Ze was er misschien bij geweest toen ze ...

"Ja, ik vroeg me af ... haar bloedgroep."

"Wat is daarmee?"

"Nou, ik zag dat er een 'A' op de zak stond ... maar dat heeft ze niet."

"Dat begrijp ik niet helemaal."

"Ja ... uh ... hebt u een momentje?"

De verpleegster keek de gang door. Misschien om te controleren of er hulp te krijgen was als dit ontaardde, misschien om aan te geven dat ze belangrijkere dingen te doen had, maar ze ging toch met Lacke mee de kamer in waar Virginia met gesloten ogen lag, terwijl het bloed langzaam door de slang druppelde. Lacke wees naar de zak met bloed.

"Hier. Deze 'A'. Betekent dat dat ..."

"Er zit bloedgroep A in, ja. Er is tegenwoordig een onvoorstelbaar tekort aan bloeddonoren. Als de mensen eens wisten hoe ..."

"Sorry. Ja. Maar ze heeft bloedgroep B. Is het dan niet gevaarlijk om ..."

"Ja, dan wel."

De verpleegster was niet direct onvriendelijk, maar haar lichaamshouding gaf aan dat Lackes recht om de competentie van het ziekenhuis in twijfel te trekken minimaal was. Ze trok haar schouders een beetje op en zei: "Als je inderdaad bloedgroep B hebt. Maar dat heeft deze patiënte niet. Ze heeft AB."

"Maar … er staat toch 'A' op de zak."

De verpleegster zuchtte, alsof ze aan een kind uitlegde dat er geen mensen wonen op de maan.

"Mensen met bloedgroep AB kunnen bloed krijgen van alle bloedgroepen."

"Maar … ja, ja. Dan is ze dus van bloedgroep veranderd."

De verpleegster trok haar wenkbrauwen op. Het kind had zojuist beweerd dat het op de maan was geweest en daar mensen had gezien. Met een handbeweging alsof ze een lint doorknipte, zei ze: "Dat kan helemaal niet."

"Nee, nee. Dan zal ze het wel mis gehad hebben."

"Vast. Excuseer, maar ik heb nu iets anders te doen."

De verpleegster controleerde de katheter in Virginia's arm, draaide de standaard een stukje en met een blik op Lacke die zei dat dit belangrijke dingen waren en dat hij nog niet jarig was als hij eraan prutste, verliet ze met energieke pas de kamer.

Wat gebeurt er als je verkeerd bloed krijgt? Het bloed … gaat klonteren.

Nee. Virginia zou het wel verkeerd onthouden hebben.

Hij liep naar de ene hoek van de kamer waar een stoeltje stond en een tafel met een plastic plant erop. Hij ging in het stoeltje zitten en keek de kamer rond. Kale wanden, glanzende vloeren. Tl-buizen aan het plafond. Virginia's bed van stalen buizen, over haar heen een bleekgele ziekenhuisdeken.

Die kant gaat het op.

Bij Dostojevski waren ziekte en dood bijna altijd vies en armzalig. Verbrijzeld onder wagenwielen, modder, tyfus, met bloed bevlekte zakdoeken. Enzovoort. Maar verdomd als dat niet te verkiezen was boven dit hier. Weggestopt worden in een soort gepolijste machine.

Lacke leunde achterover in de stoel en sloot zijn ogen. De rugleuning was te laag, zijn hoofd viel achterover. Hij ging rechtop zitten, met zijn elleboog op de armleuning en leunde met zijn gezicht op zijn hand. Hij keek naar de plastic plant. Het was net of ze die er alleen hadden neergezet om te onderstrepen dat hier geen leven mocht zijn; hier heersten orde en netheid.

De plant bleef op zijn netvlies staan toen hij zijn ogen weer sloot. Hij veranderde in een echte bloem, groeide, werd een tuin. De tuin bij het huis dat ze zouden kopen. Lacke stond in de tuin en keek naar een rozenstruik met glimmende rode bloemen. Uit het huis viel een lange schaduw van iemand. De zon ging snel onder en de schaduw werd groter, langer, strekte zich uit over de tuin ...

Hij schrok wakker. Zijn handpalm was nat van het speeksel dat uit zijn mondhoek was gelopen terwijl hij sliep. Hij veegde zijn mond af, smakte en probeerde zijn hoofd op te tillen. Het lukte niet. Zijn nek zat op slot. Met geweld en gekraak van ligamenten zette hij hem recht, stopte toen.

Wijd open ogen keken hem aan.

"Hoi. Ben je ..."

De mond ging dicht. Virginia lag op haar rug, vastgehouden door de riemen, met haar gezicht naar hem toe. Maar haar gezicht was te stil. Geen beweging van herkenning, blijdschap ... niets. Haar ogen knipperden niet.

Dood! Ze is ...

Lacke vloog omhoog uit de stoel en er knapte iets in zijn nek. Hij wierp zich op zijn knieën voor het bed, pakte de stalen buis vast en bracht zijn gezicht dicht bij het hare alsof hij haar ziel met zijn aanwezigheid wilde dwingen weer vanuit de diepten naar haar gezicht terug te keren.

"Ginie. Hoor je me?"

Niets. Toch kon hij zweren dat haar ogen op de een of andere manier in de zijne keken, dat ze niet dood waren. Hij zocht haar, dwars door de ogen heen; wierp enterhaken uit vanuit zichzelf, de gaten in die haar pupillen waren, om daarachter in het donker houvast te krijgen om ...

De pupillen. Zien die er zo uit als je ...

Haar pupillen waren niet rond. Ze waren in de hoogte uitgerekt en liepen spits toe. Hij maakte een grimas toen een koude pijnscheut over zijn nek spoelde, bracht zijn hand erheen en wreef.

Virginia deed haar ogen dicht. Deed ze weer open. En daar was ze.

Lacke zat stom te staren met open mond, hij bleef mechanisch met zijn hand over zijn nek wrijven. Een houtachtig klikken toen Virginia haar mond opendeed en vroeg: "Heb je pijn?"

Lacke haalde zijn hand uit zijn nek, alsof hij was betrapt op iets wat niet netjes was.

"Nee, ik … ik dacht dat je …"

"Ik zit vast."

"Ja, je … had een beetje gevochten. Wacht dan zal ik …" Lacke stak zijn hand tussen twee spijlen van het bed, begon een van de riemen los te maken.

"Nee."

"Wat?"

"Niet doen."

Lacke aarzelde, met de riem tussen zijn vingers.

"Ga je dan weer vechten of zo?"

Virginia deed haar ogen half dicht.

"Niet doen."

Lacke liet de riem los, wist niet wat hij met zijn handen moest doen nu ze van hun taak waren beroofd. Zonder op te staan draaide hij zich op zijn knieën om, trok het stoeltje naar het bed, wat een nieuwe pijnscheut in zijn nek tot gevolg had en kroop er onhandig in.

Virginia knikte bijna onmerkbaar. "Heb je Lena gebeld?"

"Nee. Dat kan ik …"

"Mooi."

"Moet ik …"

"Nee."

Er viel een stilte tussen hen. De stilte die specifiek is voor ziekenhuizen en die ontstaat doordat de situatie – de een in het bed, ziek of gewond; de ander gezond ernaast – eigenlijk alles zegt. De woorden worden klein, overbodig. Alleen het belangrijkste kan worden gezegd. Lang keken ze elkaar aan. Zeiden wat gezegd kon worden, zonder woorden. Toen draaide Virginia haar hoofd gelijk met de rest van haar lichaam en keek naar het plafond.

"Je moet me helpen."

"Je zegt het maar."

Virginia likte haar lippen, ademde in en liet de lucht in zo'n diepe zucht naar buiten komen dat het leek of er verborgen luchtreserves in haar lichaam voor werden aangesproken. Toen liet ze haar blik over Lackes lichaam gaan, onderzoekend, alsof ze voor het laatst afscheid nam van een overleden geliefde en zijn beeld in haar geheugen wilde prenten. Ze wreef haar lippen over elkaar en wist ten slotte de woorden uit te spreken.

"Ik ben een vampier."

Lackes mondhoeken wilden in een dwaze grijns omhooggaan, zijn mond wilde een bagatelliserende, liefst gekscherende opmerking maken. Maar zijn mondhoeken bewogen niet en de opmerking verdwaalde, kwam niet in de buurt van de lippen. In plaats daarvan kwam er alleen: "Nee."

Hij wreef in zijn nek om de stemming te breken, de onbeweeglijkheid die alle woorden waarheid maakte. Virginia sprak rustig, beheerst.

"Ik ging naar Gösta. Om hem te doden. Als dat niet gebeurd was. Wat er gebeurde. Had ik hem gedood. En daarna … zijn bloed gedronken. Dat had ik gedaan. Dat was mijn bedoeling. Met alles. Begrijp je?"

Lackes blik dwaalde langs de wanden van het vertrek alsof ze een mug zochten, de bron van het storende, fluitende geluid dat de stilte in zijn hersenen kietelde, het denken onmogelijk maakte. Stopte uiteindelijk bij de armatuur van de tl-buis aan het plafond.

"Dat vreselijke gezoem van die tl-buis ook."

Virginia keek naar de tl-buis en zei: "Ik kan niet tegen licht. Ik kan niets eten. Ik heb vreselijke gedachten. Ik ga mensen iets aandoen. Jou iets aandoen. Ik wil niet leven."

Eindelijk iets concreets, iets waar hij op kon reageren.

"Dat mag je niet zeggen", zei Lacke. "Hoor je? Dat mag je niet zeggen."

"Je begrijpt het niet."

"Nee, dat zal wel niet. Maar je mag verdorie niet doodgaan. Begrepen? Je ligt hier nu, je praat, je bent … het gaat goed met je."

Lacke stond op uit de stoel, zette een paar doelloze stappen over de vloer en zwaaide met zijn hand.

"Je mag … dat mag je niet zeggen."

"Lacke. Lacke?"

"Ja!"

"Je weet het. Dat het waar is. Toch?"

"Wat?"

"Wat ik nu zeg."

Lacke snoof, schudde zijn hoofd, terwijl zijn handen over zijn lichaam klopten, op de zakken. "Ik moet even roken, dus. Het …"

Hij vond het verfrommelde pakje sigaretten, de aansteker. Slaagde erin de laatste sigaret eruit op te diepen en stopte hem in zijn mond. Vervolgens realiseerde hij zich waar hij was en haalde de sigaret uit zijn mond.

"Verdomme, ze schoppen me de deur uit als ik hier …"

"Doe het raam open."

"Moet ik dan maar zelf uit het raam springen, wou je zeggen?"

Virginia glimlachte. Lacke liep naar het raam, zette het wijd open en leunde zo ver mogelijk naar buiten.

De verpleegster met wie hij had gesproken, kon rook waarschijnlijk op een kilometer afstand ruiken. Hij stak de sigaret aan en inhaleerde diep, deed zijn best om de rook zo uit te blazen dat die niet weer door het raam naar binnen kwam en keek naar de sterren. Achter zijn rug begon Virginia weer te praten.

"Het is gekomen door dat kind. Toen ben ik geïnfecteerd. En sindsdien … is het alleen maar gegroeid. Ik weet waar het zit. In mijn hart. In mijn hele hart. Net kanker. Ik ben het niet de baas."

Lacke blies een rookpluim uit. Zijn stem galmde tussen de hoge gebouwen rondom.

"Je praat nu toch. Je bent … net als anders."

"Ik doe mijn best. En ik heb immers bloed gekregen. Maar ik kan mijn greep verliezen. Dat kan elk moment gebeuren. Dan neemt het de controle over. Ik weet het. Ik voel het." Virginia haalde een paar keer diep adem, ging verder. "Daar sta je. Ik zie je. En ik wil je … opeten."

Lacke wist niet of het van zijn stijve nek kwam of van iets anders dat de rillingen over zijn rug liepen. Hij voelde zich plotseling onbeschut. Snel maakte hij zijn sigaret uit tegen de muur, schoot de peuk in een boog weg en ging weer met zijn gezicht naar de kamer toe staan.

"Dit is complete waanzin."

"Ja, maar het is wel zo."

Lacke kruiste zijn armen voor zijn borst. Met een geforceerde lach vroeg hij: "Wat moet ik dan voor je doen?"

"Je moet mijn hart ... vernietigen."

"Wat? Hoe dan?"

"Hoe dan ook."

Lacke sloeg zijn ogen ten hemel.

"Hoor je het zelf? Wat je daar zegt? Het is idioot. Wat, moet ik ... een paal in je rammen of zoiets?"

"Ja."

"Nee, nee, nee. Dat kun je vergeten, hoor. Je verzint maar iets beters."

Lacke lachte, schudde zijn hoofd. Virginia keek naar hem, terwijl hij door de kamer ijsbeerde, nog steeds met zijn armen gekruist voor zijn borst. Toen knikte ze rustig.

"Oké."

Hij kwam bij haar staan, pakte haar hand vast. Het voelde onnatuurlijk dat die ... gefixeerd was. Hij kon zijn beide handen er niet eens omheen krijgen. Haar hand was in elk geval warm, gaf een kneepje in de zijne. Met zijn vrije hand streelde hij haar wang.

"Moet ik je echt niet losmaken?"

"Nee. Dan komt het misschien."

"Je wordt weer beter. Dit komt goed. Ik heb alleen jou maar, immers. Wil je een geheim weten?"

Zonder haar hand los te laten ging hij in de stoel zitten en begon te vertellen. Vertelde alles. De postzegels, de leeuw, Noorwegen, het geld. Het huisje dat ze zouden krijgen. Roodbruin geverfd. Hij fantaseerde een eind weg over hoe de tuin eruit zou zien, welke bloemen erin zouden staan en dat ze een tafeltje buiten neer konden zetten, een prieel konden maken waar je kon zitten en ...

Ergens tijdens dat verhaal begonnen de tranen uit Virginia's ogen te stromen. Stille, doorzichtige parels, die over haar wangen biggelden en het kussen natmaakten. Geen snikken, alleen de tranen die stroomden, juwelen van verdriet ... of van vreugde?

Lacke zweeg. Virginia kneep hard in zijn hand.

Toen liep Lacke de gang op. Hij kreeg na lang aandringen en een flinke dosis smeekbeden het personeel zover dat ze een extra bed de kamer in reden. Lacke verplaatste het en zette het vlak naast dat van Virginia. Deed toen het licht uit, kleedde zich uit, kroop onder de stijve lakens en zocht en vond haar hand.

Zo lagen ze een hele poos, zwijgend. Toen kwamen de woorden. "Lacke. Ik hou van je."

Lacke gaf geen antwoord. Liet de woorden gewoon in de lucht hangen, ingekapseld worden en groeien totdat ze een grote, rode deken werden die door de kamer zweefde, zich over hem heen legde en hem de hele nacht warm hield.

4.23 uur, maandagochtend, IJslandplein.

Een aantal mensen in de omgeving van de Björnsonsgatan wordt wakker van luid geschreeuw. Iemand die denkt dat het huilende baby's zijn, belt de politie. Als de politie tien minuten later arriveert, is het geschreeuw opgehouden. Men doorzoekt de omgeving en vindt een aantal dode katten. Van enkele katten zijn de uiteinden van het lichaam gescheiden. De politie noteert naam en telefoonnummer van de katten die een halsband om hebben, met het doel de eigenaars op de hoogte te stellen. Gemeentewerken wordt ingeschakeld voor het opruimen.

Een halfuur voor zonsopgang.

Eli zit achterovergeleund in de leunstoel in de woonkamer. Hij is de hele nacht en ochtend binnen geweest. Heeft alles ingepakt wat er in te pakken valt.

Morgenavond, zodra het donker wordt, zal Eli naar een telefooncel gaan en een taxi bellen. Hij weet niet welk nummer hij moet bellen, maar zoiets weet vermoedelijk iedereen. Gewoon vragen. Als de taxi er is, zal hij zijn drie dozen in de kofferbak zetten en de taxichauffeur vragen of hij naar …

Waarheen?

Eli doet zijn ogen dicht en probeert zich een plaats voor te stellen waar hij zou willen zijn.

Als gewoonlijk duikt eerst het beeld op van het huisje waar hij met zijn ouders en zijn oudere broers en zusters woonde. Maar dat is weg. Waar het stond, even buiten Norrköping, ligt nu een rotonde. De beek waar zijn moeder kleren waste, is opgedroogd, overwoekerd, is een uitholling in de berm geworden.

Eli heeft geld genoeg. Hij zou de taxichauffeur kunnen vragen zomaar wat te rijden, zolang het duister het toelaat. Naar het noorden. Naar het zuiden. Hij zou op de achterbank kunnen gaan zitten en tegen hem zeggen dat hij voor tweeduizend kronen naar het noorden moet rijden. Dan uitstappen. Opnieuw beginnen. Iemand zoeken die …

Eli werpt zijn hoofd naar achteren, schreeuwt naar het plafond: "Ik wil niet!"

Het stoffige spinrag wuift zachtjes heen en weer op de lucht van zijn uitademing. Het geluid sterft weg in de gesloten ruimte. Eli brengt zijn handen naar zijn gezicht en duwt met zijn vingertoppen tegen zijn oogleden. Hij voelt de onrust in zijn lichaam vanwege de naderende zonsopgang. Hij fluistert: "God. God? Waarom mag ik niets hebben? Waarom mag ik niet …"

Die vraag herkauwt hij al jaren.

Waarom mag ik niet leven?

Omdat je dood zou moeten zijn.

Slechts één keer nadat hij was geïnfecteerd, had Eli een andere drager van de besmetting ontmoet. Een volwassen vrouw. Even cynisch en verwoest als de man met de pruik. Maar Eli kreeg toen antwoord op een andere vraag die hem had beziggehouden.

"Zijn we met veel?"

De vrouw had haar hoofd geschud en met theatraal verdriet gezegd: "Nee. We zijn met zo weinig, zo weinig."

"Waarom?"

"Waarom? Ja, omdat de meesten zelfmoord plegen, natuurlijk. Begrijp je wel. Zo zwáár om te dragen, ach, ach, ach." Ze wapperde met haar handen en zei met schelle stem: "Ooooo, ik kán geen levens op mijn geweten hebben."

"Kúnnen we doodgaan?"

"Natuurlijk. We hoeven onszelf maar in brand te steken. Of anderen dat te laten doen. Ze doen dat zo graag, dat is van alle tijden. Of …" Ze stak haar wijsvinger uit, prikte er hard mee in Eli's borstkas, boven het hart. "Daar. Daar zit het toch, of niet? Maar nu, lieverd, weet ik iets leuks ..."

En Eli had weg moeten lopen voor dat leuke. Net als eerder. Net als later.

Eli legde een hand op zijn hart, hij voelde de langzame slagen. Misschien was het omdat hij een kind was. Misschien had hij er daarom geen eind aan gemaakt. Zijn gewetenswroeging was zwakker dan zijn levenslust.

Eli stond op uit de stoel. Håkan zou vannacht niet komen. Maar voordat Eli ging rusten, moest hij bij Tommy gaan kijken. Zien of hij was hersteld. Hij was niet geïnfecteerd. Maar omwille van Oskar wilde hij controleren of Tommy het redde.

Eli deed alle lampen uit en verliet het appartement.

In Tommy's portiek kon hij de kelderdeur gewoon opentrekken; hij had langgeleden toen hij hier met Oskar was, een propje papier in het slot gestopt, zodat de deur niet in het slot zou vallen als hij werd dichtgedaan. Hij stapte de keldergang in en de deur ging met een doffe bons achter hem dicht.

Hij bleef staan om te luisteren. Niets.

Geen geluid van de ademhaling van iemand die sliep; alleen die hardnekkige geur van oplosmiddel, lijm. Hij liep met snelle stappen door de gang naar de kelderberging en trok de deur open.

Leeg.

Over twintig minuten werd het licht.

Tommy was 's nachts van de ene onbewuste toestand in de andere gegleden: slapen, half wakker zijn en nachtmerries. Hij wist niet hoeveel tijd er verstreken was toen hij echt wakker begon te worden. Het licht van het kale peertje in de kelder was altijd hetzelfde. Misschien werd het bijna licht, was het ochtend, dag. Misschien was de school al begonnen. Het maakte hem niet uit.

Hij had een lijmsmaak in zijn mond. Slaapdronken keek hij om zich heen. Op zijn borst lagen twee bankbiljetten. Briefjes van duizend. Hij boog zijn arm om ze te pakken, voelde het trekken. Er zat een grote pleister in zijn armholte, waarop in het midden een bloedvlekje zat, dat erdoorheen gedrongen was.

Er was ... meer ...

Hij draaide zich om op de bank, zocht langs de binnenkant van de kussens en vond het rolletje dat hij 's nachts was kwijtgeraakt. Nog drieduizend. Hij rolde de biljetten uit, legde ze bij de biljetten die op zijn borst hadden gelegen, voelde hoeveel het was, ritselde ermee. Vijfduizend. Wat hij daar allemaal mee kon doen.

Hij keek naar de pleister en schoot in de lach. Een boel geld, waarvoor je alleen maar met je ogen dicht op je rug hoefde te liggen.

Een boel geld, waarvoor je alleen maar met je ogen dicht op je rug hoefde te liggen.

Wat was dat nou? Iemand had dat gezegd, iemand …

O, ja. De zus van Tobbe, hoe heette ze … Ingela? Die speelde de hoer, had Tobbe verteld; ze kreeg er vijfhonderd kronen voor en Tobbes commentaar was geweest: "Een boel geld, waarvoor je alleen maar …"

Met je ogen dicht op je rug hoefde te liggen.

Tommy kneep de biljetten stevig in zijn hand, hij verfrommelde ze tot een bal. Ze had betaald voor zijn bloed en ervan gedronken. Een ziekte, had ze gezegd. Maar wat was dat voor ziekte, verdorie? Hij had nog nooit van zo'n ziekte gehoord. En als je zoiets had, dan ging je toch naar het ziekenhuis, dan kreeg je toch … Je ging toch verdorie niet naar een kelder met vijfduizend kronen en …

Tsjak.

Nee?

Tommy ging rechtop zitten op de bank, gooide het dekbed van zich af.

Dergelijke dingen bestaan toch niet. Nee, nee. Vampiers. Het meisje met de gele jurk zal op de een of andere manier wel dénken dat ze … maar, wacht even, wacht even. Het was toch die rituele moordenaar die … op wie ze jacht maken …

Tommy steunde met zijn hoofd op zijn handen; de biljetten knisperden in zijn oor. Hij kon het niet rijmen. Hij had nu in elk geval de schrik te pakken voor dat meisje.

Net toen hij begon te overwegen toch maar naar huis te gaan, ook als het nog nacht was, en maar te zien wat ervan kwam, hoorde hij de deur in zijn trappenhuis opengaan. Zijn hart fladderde op als een verschrikte vogel en hij keek om zich heen.

Een wapen.

Alleen de veger was voorhanden. Tommy's mond vertrok in een grijns, die een seconde duurde.

Een veger, een goed wapen tegen vampiers.

Toen schoot het hem weer te binnen, hij stond op en liep de kelderberging uit, terwijl hij het geld in zijn broekzak propte. Hij liep in één stap de gang door en op het moment dat de kelderdeur openging, glipte hij de schuilkelder in. Hij durfde de deur niet op slot te doen uit angst dat zij het zou horen.

Hij ging in het duister op zijn hurken zitten en probeerde zo geruisloos mogelijk adem te halen.

Het scheermesje glinsterde op de vloer. Op een hoekje zaten bruine vlekken, als van roest. Eli trok een stuk van het voorblad van een motortijdschrift, rolde het scheermesje in het papier en stopte het in zijn zak.

Tommy was weg, dat betekende dat hij leefde. Hij was hier zelf weggegaan, naar huis om te slapen, en ook als hij het een met het ander combineerde, wist hij nog niet waar Eli woonde, dus …

Alles is zoals het moet zijn. Alles is … dik voor mekaar.

Tegen de muur stond een veger met een lange houten steel.

Eli pakte hem, brak hem over zijn knie in tweeën, onderaan bij de borstel. Er ontstond een ongelijk, puntig breukvlak. Een armlange, dunne paal. Hij zette de punt tegen zijn borstkas, tussen twee ribben. Precies de plek waar de vrouw met haar wijsvinger had geprikt.

Hij haalde diep adem, kneep in de steel en testte de gedachte.

Erin! Erin!

Hij ademde uit, verslapte zijn greep. Kneep weer. Duwde.

Twee minuten lang stond hij met de punt een centimeter van zijn hart, zijn hand stijf om de steel geklemd, toen de klink van de kelderdeur op de grond kletterde en de deur opengleed.

Hij haalde de houten stok van zijn borst en luisterde. Langzame, tastende stappen buiten op de gang, als van een kind dat net heeft leren lopen. Een heel groot kind dat net heeft leren lopen.

Tommy hoorde de voetstappen en dacht: wie?

Staffan niet, Lasse niet, Robban niet. Iemand die ziek was op de een of andere manier, iemand die iets heel zwaars droeg … *De kerstman!* Zijn hand ging naar zijn mond om een giechel te smoren toen hij de kerstman, de Disney-versie, voor zich zag … *Hohoho! Say "mama"!* … die wankelend door de keldergang aan kwam strompelen met de reusachtige zak op zijn rug.

Zijn lippen trilden achter zijn handpalm en hij beet zijn tanden op elkaar om ze te beletten tegen elkaar te klepperen. Nog steeds op zijn hurken gleed hij voetje voor voetje bij de deur weg. Hij voelde de hoek van de deur tegen zijn rug op hetzelfde moment dat de speer van licht, die door de kier van de deur viel, verduisterd werd.

De kerstman bleef tussen de lamp en de schuilkelder staan. Tommy sloeg nu ook zijn andere hand voor zijn mond, bovenop de eerste, om niet te schreeuwen, hij wachtte tot de deur open zou glijden.

Hij kon nergens heen vluchten.

Door de kieren van de deur tekende Håkans lichaam zich in gebroken lijnen af. Eli stak de stok zo ver mogelijk uit en duwde ermee tegen de deur. Die bewoog een decimeter, toen stond het lichaam buiten in de weg.

Een hand pakte de hoek van de deur vast en gooide hem open, zodat hij tegen de muur knalde en er een scharnier af vloog. De deur kantelde, zwaaide terug, steunend op zijn ene scharnier en knalde tegen de schouder van het lichaam dat nu de deuropening vulde.

Wat wil je van me?

Vlekken lichtblauw waren nog steeds te onderscheiden op het hemd dat het lichaam tot aan de knieën bedekte. De rest was een vieze kaart van aarde, modder en vlekken van iets wat Eli's neus identificeerde als dierlijk en menselijk bloed. Het hemd was op meerdere plaatsen kapotgescheurd; in de kieren was witte huid te zien, geëtst met schrammen die nooit zouden helen.

Het gezicht was niet veranderd. Een onhandig geknede homp naakt vlees met één rood oog dat er voor de grap op gesmeten leek, een rijpe kers als kroon op een bedorven gebakje. Maar de mond stond nu open.

Een zwart gat in de onderste helft van het gezicht. Geen lippen die de tanden konden bedekken, die daarom blootlagen: een ongelijke kring van wit, die het donker in de mondholte donkerder maakte. Het gat werd eerst groter, toen kleiner in een kauwende beweging en wat eruit kwam was: *"Eeeiiiij."*

Waarschijnlijk moest het geluid 'Eli' betekenen, maar kwam de 'l' er zonder hulp van tong of lippen niet goed uit. Eli richtte de stok op Håkans hart en zei: "Hoi."

Wat wil je?

De ondood. Daar wist Eli niets vanaf. Hij wist niet of het wezen dat tegenover hem stond aan dezelfde beperkingen onderhevig was als hijzelf. Hij wist niet of het iets uit zou halen om zijn hart te vernietigen. Dat Håkan stil bleef staan in de deuropening duidde toch op één ding: hij had een uitnodiging nodig.

Håkans pupil schoot omhoog en omlaag over Eli's lichaam, dat onbeschut aanvoelde in de dunne gele jurk. Hij had gewild dat er meer stof zat, meer hindernissen tussen zijn eigen lichaam en dat van Håkan. Tastend stak Eli de punt van de stok verder in de richting van Håkans borst.

Kan hij iets voelen? Kan hij nu wel … bang zijn?

Eli ervoer zelf een bijna vergeten gevoel: angst voor pijn. Alles genas immers, maar er ging zo'n sterke dreiging uit van Håkan dat …

"Wat wil je?"

Een hol, brauwend geluid toen het wezen lucht uitperste en er een druppel taaie, gelige vloeistof uit het gat liep waar de neus had gezeten. Een zucht? Toen een schor, gefluisterd: *"Uuuuuu …"* en de ene arm maakte een snelle, krampachtige zwaai, *babybewegingen,* pakte onhandig het hemd bij de zoom vast, trok het omhoog.

Håkans penis stond schuin omhoog van zijn lichaam, zeurde om aandacht, en Eli keek naar de stijve zwelling, doorkruist door een net van bloedaderen en …

Hoe kan hij … dat had hij zeker de hele tijd al.

"Eeiilll …"

Agressieve trekkingen in Håkans hand toen hij zijn voorhuid op en neer bewoog, op en neer, en de eikel opdook en verdween, opdook en verdween als een duveltje in een doosje, terwijl hij een geluid uitstootte van genot of van lijden.

"Ee ..."

Eli lachte van opluchting.

Wat een heisa. Om te kunnen rukken.

Hij zou daar blijven staan, niet in staat van zijn plaats te komen, totdat ... totdat ...

Kan hij klaarkomen? Hij blijft daar ... eeuwig staan.

Eli zag het beeld voor zich van zo'n obscene pop die je met een sleuteltje kon opwinden; een monnik wiens pij omhoogging en die begon te onaneren en daarmee door bleef gaan zolang de veer dat toeliet, *klikketieklik, klikketieklik ...*

Eli lachte, zo in beslag genomen door het waanzinnige beeld dat hij niet merkte dat Håkan een stap de kamer in deed, onuitgenodigd. Hij merkte het pas toen de vuist die zich zonet om onmogelijk genot had gesloten, boven zijn hoofd werd geheven.

In een flitsend spasme sloeg de arm naar beneden en de vuist landde op Eli's oor met een kracht die een paard had kunnen doden. De klap kwam schuin naar beneden en Eli's oor werd zo hard naar binnen gevouwen dat het half losgescheurd werd van zijn hoofd, dat steil naar beneden werd geslingerd en met een dof gekraak op de cementen vloer neerkwam.

Toen Tommy begreep dat wat daar over de gang liep niet op weg was naar de schuilkelder, durfde hij zijn handen van zijn mond te halen. Hij zat in de hoek gedrukt te luisteren, probeerde het te begrijpen.

De stem van het meisje.

Hoi. Wat wil je.

Toen het lachen. En toen die andere stem. Die klonk niet eens alsof hij van een mens afkomstig was. Toen gedempte bonzen, geluiden van bewegende lichamen.

Nu was er een soort ... verplaatsing gaande daarbinnen. Er werd iets over de vloer gesleept en Tommy was níét van plan te onderzoeken wat dat was. Maar de geluiden verhulden het lawaai dat hij misschien zelf maakte toen hij opstond, langs de muur tastte en de stapel dozen vond.

Zijn hart roffelde als een speelgoedtrommel en zijn handen trilden. Hij durfde de aansteker niet aan te doen, dus om zich beter te concentreren deed hij zijn ogen dicht, terwijl hij met zijn hand boven over de stapel dozen tastte.

Zijn vingers sloten zich om wat hij vond. De pistooltrofee van Staffan. Voorzichtig tilde hij die van zijn plaats en woog hem op zijn hand. Als hij hem om de borst van het figuurtje vastpakte, kon de stenen sokkel dienstdoen als knuppel. Hij deed zijn ogen open en merkte dat hij de contouren van de zilveren schutter vaag kon onderscheiden.

Makker. Maatje van me.

Met de trofee tegen zijn borst gedrukt, zakte hij weer in de hoek, wachtte totdat dit eindelijk allemaal voorbij zou zijn.

Eli werd hard aangepakt.

Terwijl hij naar het oppervlak zwom van het duister waarin hij was weggezakt, voelde hij hoe er in de verte, in een ander deel van de zee … ruig met zijn lichaam werd omgesprongen.

Een harde druk op zijn rug, zijn benen die omhoog en naar achteren werden geduwd, ijzeren ringen die om zijn enkels werden aangetrokken. Nu bevonden zijn enkels met de ijzeren ringen zich aan weerszijden van zijn hoofd en zijn ruggengraat was zo gespannen, uitgerekt, dat hij bijna knapte.

Ik knap.

Zijn hoofd was een vat vol fonkelende pijn toen zijn lichaam met geweld dubbel werd gevouwen, opgerold als een baal stof, en Eli dacht dat hij zich nog steeds in een hallucinatie van pijn bevond, want toen zijn ogen begonnen te zien, zagen ze alleen geel. En achter het geel een massieve, golvende schaduw.

Toen kwam de kou. Over de dunne huid tussen zijn billen werd een ijskogel gewreven. Iets probeerde, eerst pikkend, toen stotend, in hem binnen te dringen. Eli hijgde; de stof van de jurk die over zijn gezicht had gelegen werd weggeblazen en hij kon weer wat zien.

Håkan lag boven op hem. Het ene oog staarde strak naar Eli's gespreide billen. Zijn handen zaten om Eli's enkels geklemd. Eli's benen waren meedogenloos achterover geklapt, zodat de knieën aan weerszijden van Eli's schouders tegen de vloer geduwd werden en toen Håkan maar bleef duwen, hoorde Eli hoe de pezen aan de achterkant van zijn bovenbenen sprongen als te strak gespannen snaren.

"Neee!"

Eli schreeuwde in Håkans vormeloze gezicht, waaruit totaal geen gevoelens af te lezen waren. Er kwam een sliert taai kwijl uit Håkans mond; hij rekte uit, knapte en viel op Eli's lippen, en de lijkensmaak vulde zijn mond. Eli's armen vielen naast zijn lichaam neer, slap als die van een lappenpop.

Iets onder zijn vingers. Rond. Hard.

Hij probeerde na te denken, spande zich in om een duikerklok van licht te maken in de zwarte, zuigende waanzin. En hij zag zichzelf in de klok. Met een paal in zijn hand.

Ja.

Eli greep de steel van de veger stevig vast, hij kneep zijn vingers om de dunne reddingsplank, terwijl Håkan bleef pikken en stoten, probeerde binnen te dringen.

De punt. De punt moet aan de goede kant zitten.

Hij draaide zijn hoofd naar de stok en zag dat de punt in de stootrichting wees.

Het zou kunnen.

Het was stil in Eli's hoofd toen hij visualiseerde wat hij zou doen. Vervolgens deed hij het. In één beweging draaide hij de stok omhoog van de vloer en stootte die met alle kracht die in hem was in de richting van Håkans gezicht.

Zijn onderarm kwam langs de zijkant van zijn dijbeen en de stok werd een rechte lijn die … een paar centimeter van Håkans gezicht stopte, toen Eli vanwege zijn lichaamshouding niet verder kon komen met zijn hand.

Het was mislukt.

Een seconde lang dacht Eli dat hij misschien het vermogen had om zijn eigen lichaam te bevelen om te sterven. Als hij alles uitschakelde wat …

Toen stootte Håkan naar voren, waarbij zijn hoofd naar beneden knikte. Met een zacht geluid als van een opscheplepel die in de pap wordt gedompeld, drong de houten punt zijn oog binnen.

Håkan schreeuwde niet. Misschien voelde hij het niet eens. Misschien was het alleen de verbazing dat hij niets meer kon zien, waardoor hij de greep om Eli's enkels liet verslappen. Zonder de pijn te voelen van zijn vanbinnen kapotgescheurde benen, wrong Eli zijn voeten los en trapte recht naar voren, tegen Håkans borst.

Een vochtige klets toen zijn voetzool huid raakte en Håkan achterover viel. Eli trok zijn benen onder zich en met een golf van koude pijn vanuit zijn rug ging hij op zijn knieën zitten. Håkan was niet gevallen, alleen achterover geklapt en als een elektrische pop in het spookhuis richtte hij zich nu weer op.

Ze zaten op hun knieën tegenover elkaar.

De stok in Håkans oog zakte met kleine schokjes steeds verder naar beneden, met de duidelijkheid van een secondewijzer, en viel er toen uit, maakte een paar trommelslagen op de vloer en bleef liggen. Een doorzichtige vloeistof begon uit het gat te lopen waar de stok had gezeten, een tranenvloed.

Ze bewogen zich geen van beiden.

De vloeistof uit Håkans oog druppelde op zijn blote bovenbenen.

Eli concentreerde alles wat hij aan kracht had in zijn rechterarm en balde zijn vuist. Toen Håkans schouder schokte en het lichaam aanstalten maakte om zich weer naar Eli uit te strekken, verder te gaan waar ze waren gebleven, stompte Eli met zijn rechterhand recht in de linkerkant van Håkans borst.

Ribben braken en de huid werd even uitgerekt, gaf toen mee, scheurde.

Håkans hoofd ging naar beneden om te zien wat het niet kon zien toen Eli in de borstkas graaide en het hart vond. Een koude, zachte klomp. Onbeweeglijk.

Het leeft niet. Maar het moet toch …

Eli kneep het hart kapot. Het gaf al te gewillig mee, liet zich kapot knijpen als een dode kwal.

Håkan reageerde niet meer dan wanneer er een irritante vlieg op zijn huid was gaan zitten, hij tilde zijn arm op om het storende element weg te jagen en voordat hij Eli's pols te pakken kreeg, trok Eli zijn hand er weer uit, lillende stukken hart in zijn gebalde vuist.

Ik moet hier weg.

Eli wilde opstaan, maar zijn benen gehoorzaamden hem niet. Håkan tastte blind met zijn armen voor zich uit, zocht hem. Eli ging op zijn buik liggen en begon de kamer uit te tijgeren, zijn knieën fluisterend over het cement. Håkan draaide zijn hoofd in de richting van het geluid, maaide met zijn handen en kreeg de jurk te pakken, hij wist de ene mouw los te trekken voordat Eli de deuropening bereikte en weer op zijn knieën ging zitten.

Håkan stond op.

Eli had een paar seconden voordat Håkan bij de deuropening was. Hij probeerde zijn kapotte ledematen te bevelen zo ver te helen dat hij zou kunnen staan, maar toen Håkan de deuropening bereikte, waren zijn benen maar net sterk genoeg om steunend tegen de muur op te kunnen staan.

Er drongen splinters van de grove planken in zijn vingertoppen toen hij er met zijn hand overheen klauwde om niet te vallen. En nu wist hij het. Dat Håkan hem blind, zonder hart, zou achtervolgen tot … tot …

Moet hem … vernietigen … hem … vernietigen.

Een zwarte streep.

Een loodrechte, zwarte streep voor zijn ogen. Die was er zonet nog niet. Eli wist wat hij moest doen.

"*Eèèè …*"

Håkans hand om de ene kant van de deuropening en toen zijn lichaam, dat met kleine stapjes uit de kelderruimte kwam, de handen tastend voor zich uit. Eli duwde zijn rug tegen de wand, wachtte het juiste moment af.

Håkan kwam naar buiten, een paar voorzichtige stappen, bleef toen vlak voor Eli staan. Luisterend, snuivend.

Eli boog naar voren, zodat zijn handen op dezelfde hoogte waren als Håkans ene schouder. Hij zette zich vervolgens schrap met zijn rug tegen de muur, wierp zich naar voren en zette alles op alles om Håkan uit zijn evenwicht te brengen.

Het lukte.

Håkan deed een trippelpas opzij en viel tegen de deur van de schuilkelder. De kier die Eli had gezien als een zwarte streep werd groter toen de deur naar binnen toe openging en Håkan met hulpzoekende armen het duister in tuimelde, terwijl Eli voorover in de gang viel, de vloer wist tegen te houden voordat die zijn gezicht raakte, naar de deur kroop en het onderste van de sluitwielen te pakken kreeg.

Håkan lag stil op de vloer toen Eli de deur dichttrok, de wielen omdraaide en de deur op slot deed. Toen kroop hij de bergruimte in, haalde de stok op en zette die tussen de sluitwielen, zodat ze van binnenuit niet rondgedraaid konden worden.

Eli bleef zijn lichaamsenergie concentreren op genezen en begon de kelder uit te kruipen. Een spoor van bloed dat uit zijn oor stroomde, volgde hem kronkelend uit de schuilkelder. Bij de kelderdeur was hij zo ver geheeld dat hij kon staan. Hij duwde de deur open en liep op onvaste benen de trap op.

Rusten Rusten Rusten.

Hij duwde de deur open en stapte het schijnsel van het portieklicht binnen. Hij was in elkaar geslagen, vernederd en de zonsopgang doemde dreigend op onder de horizon.

Rusten Rusten Rusten.

Maar hij moest … uitroeien. En hij wist maar één zekere manier. Vuur. Wankelend verliet hij de binnenplaats, naar de enige plek waar hij dat zou kunnen vinden.

7.34 uur, maandagochtend, Blackeberg.

Het inbraakalarm gaat af in de ICA-winkel aan de Arvid Mörnesvägen. De politie arriveert elf minuten later en constateert dat de winkelruit is ingeslagen. De eigenaar van de winkel, die ernaast woont, is ter plaatse. Hij meldt dat hij vanuit zijn raam een heel jonge, donkerharige persoon heeft zien wegrennen. De winkel wordt doorzocht, maar er lijkt niets te zijn gestolen.

7.36 uur, zonsopgang.

De jaloezieën van het ziekenhuis waren veel beter, dichter dan die van haarzelf. Alleen op één plaats waren de lamellen beschadigd en lieten ze een dun straaltje ochtendlicht door, dat een stofgrijze snee maakte in het donkere plafond.

Virginia lag stijf languit in haar bed en staarde naar de grijze streep, die trilde wanneer een windstoot het raam deed vibreren. Gereflecteerd, zwak licht. Niet meer dan een milde irritatie, een korrel slaap in het oog.

Lacke snurkte en rochelde in het bed naast haar. Ze hadden nog lang liggen praten. Herinneringen opgehaald. Tegen vier uur 's ochtends was Lacke eindelijk in slaap gevallen, nog steeds met haar hand in de zijne.

Ze had haar hand los moeten maken uit die van Lacke, toen een verpleegster een uur later binnenkwam om haar bloeddruk te controleren, die in orde bevond en hen met een schuine, tedere blik op Lacke verliet. Virginia had gehoord hoe Lacke had gezeurd of hij mocht blijven, welke redenen hij had opgegeven. Vandaar vermoedelijk de tedere blik.

Nu lag Virginia met haar handen gevouwen op haar borst te vechten tegen de drang van haar lichaam om ... uit te schakelen. Slapen was niet het juiste woord. Zodra ze zich niet meer bewust op haar ademhaling concentreerde, stopte die. Maar ze moest wakker blijven.

Ze hoopte dat er een verpleegster zou komen voordat Lacke wakker werd. Ja. Het mooiste zou zijn als hij door zou slapen totdat het voorbij was.

Maar dat zou haast al te mooi zijn.

Bij de poort haalde de zon Eli in, een gloeiende tang die in zijn gehavende oor kneep. Instinctief trok hij zich terug in de schaduw van de poortboog, hield de drie plastic flessen spiritus tegen zijn borst geklemd, alsof hij die ook tegen de zon wilde beschermen.

Het was tien stappen naar zijn eigen portiek. Twintig stappen naar dat van Oskar. Dertig naar dat van Tommy.

Het kan niet.

Nee. Als hij gezond geweest was en sterk, zou hij misschien een poging gewaagd hebben om Oskars portiek te bereiken dwars door de vloed van licht heen, die elke minuut dat hij wachtte in kracht toenam. Maar Tommy's portiek niet. Nu niet.

Tien stappen. Dan het portiek in. Het grote raam in het trappen-

huis. Als ik struikel. Als de zon ...

Eli rende.

De zon stortte zich als een hongerige leeuw op hem, beet zich vast in zijn rug. Eli verloor bijna zijn evenwicht toen hij door de fysieke, brullende kracht van de zon vooruit werd geslingerd. De natuur spuugde zijn afschuw uit over zijn overtreding: dat hij zich ook maar een moment bij daglicht durfde te vertonen.

Het siste en bobbelde als kokende olie op Eli's rug toen hij de deur bereikte, die openrukte. Hij viel bijna flauw van de pijn en hij bewoog als gedrogeerd in den blinde naar de trappen; hij durfde zijn ogen niet open te doen uit angst dat ze zouden smelten.

Hij liet een van de flessen vallen, hoorde hem over de vloer wegrollen. Niets aan te doen. Met gebogen hoofd, zijn ene arm stijf om de overgebleven flessen, de andere op de leuning, hinkte hij de trappen op, bereikte de overloop. Nog één trap.

Door het raam deelde de zon een laatste klap uit met zijn poot in zijn nek, hapte, beet hem vervolgens in zijn bovenbenen, kuiten, hielen, terwijl hij de trap op ging. Hij stond in brand. Alleen de vlammen ontbraken nog. Hij kreeg zijn deur open en viel het lieflijke, koele duister binnen. Hij smeet de deur achter zich dicht. Maar het was niet donker.

De keukendeur stond open en in de keuken hingen geen dekens voor de ramen. Het licht was toch zwakker, grijzer dan dat waar hij zich net aan had blootgesteld en Eli liet de flessen resoluut op de grond vallen en liep door. Terwijl het licht betrekkelijk strelend over zijn rug krabde op zijn kruipende gang naar de badkamer, kringelde de stank van verbrand vlees zijn neus in.

Ik word nooit meer heel.

Hij stak zijn arm omhoog, deed de deur van de badkamer open en kroop het compacte duister binnen. Hij schoof een paar plastic jerrycans aan de kant, deed de deur achter zich dicht en op slot.

Voordat hij zich in de badkuip liet zakken, dacht hij nog:

Ik heb de voordeur niet op slot gedaan.

Maar toen was het te laat. De rust schakelde hem uit op hetzelfde moment dat hij in het vochtige duister wegzakte. Hij had het toch niet meer voor elkaar kunnen krijgen.

Tommy zat stil, in de hoek gedrukt. Hij hield zijn adem in totdat zijn oren begonnen te suizen en vallende sterren de nacht voor zijn ogen doorkruisten. Toen hij de kelderdeur dicht hoorde slaan, durfde hij de lucht te laten ontsnappen in een lange zucht, die langs de betonnen wanden rolde en wegstierf.

Het was helemaal stil. Het duister was zo totaal dat het massa had, gewicht.

Hij hield zijn ene hand voor zijn gezicht. Niets. Geen verschil. Hij streek over zijn gezicht als om zich ervan te verzekeren dat hij überhaupt bestond. Jawel. Onder zijn vingertoppen voelde hij zijn neus, zijn lippen. Onwerkelijk. Ze flitsten langs onder zijn vingers, verdwenen.

Het figuurtje in zijn andere hand voelde levender, werkelijker aan dan hijzelf. Hij kneep erin, hield zich eraan vast.

Tommy had met zijn hoofd tussen zijn knieën gezeten, zijn ogen dichtgeknepen, zijn handen tegen zijn oren gedrukt om niet te hoeven weten, niet te hoeven horen wat er in de kelderberging gaande was. Het had geklonken alsof het kleine meisje werd vermoord. Hij had niets kunnen of durven doen en daarom had hij geprobeerd de hele situatie te ontkennen door zelf te verdwijnen.

Hij was met zijn vader op het voetbalveld, in het bos en in het Kanaanbad geweest. Uiteindelijk was hij bij de herinnering gebleven van die keer op het Råckstaveld toen hij en zijn vader een radiografisch bestuurbaar vliegtuigje hadden uitgeprobeerd, dat zijn vader te leen had van iemand op het werk.

Zijn moeder was er ook even bij geweest, maar ze vond het uiteindelijk te saai om naar het vliegtuigje te kijken dat zijn krullen maakte in de lucht en was naar huis gegaan. Hij en zijn vader waren doorgegaan tot het donker werd en het vliegtuigje nog maar een silhouet was tegen de roze avondhemel. Toen waren ze naar huis gelopen, hand in hand door het bos.

Naar die dag was Tommy teruggegaan en hij was het geschreeuw, de waanzin die een paar meter van hem af plaatsvond vergeten. Er bestond alleen nog het boze geronk van het vliegtuigje, de warmte van vaders grote hand op zijn rug terwijl hij het vliegtuigje zenuwachtig in wijde cirkels boven het veld, boven het kerkhof manoeuvreerde.

Toen was Tommy nog nooit op het kerkhof geweest; hij had zich mensen voorgesteld die doelloos ronddwaalden tussen de graven, die grote, glimmende cartoontranen huilden die spetterend op de stenen vielen. Dat was toen. Toen was zijn vader gestorven en Tommy kwam erachter dat kerkhofverdriet er zelden, al te zelden zo uitziet.

Zijn handen stijver tegen zijn oren gedrukt en weg met dat soort gedachten. Haal je de weg door het bos voor de geest, de geur van de speciale vliegtuigbenzine in het flesje, haal je …

Pas toen hij, dwars door zijn gehoorbescherming heen, de tong van een slot dicht hoorde draaien, had hij zijn handen weggehaald en gekeken. Zonder effect, aangezien de schuilkelder toen zwarter was dan de ruimte achter zijn oogleden. Hij had zijn adem ingehouden terwijl de tweede tong ratelend op zijn plaats kwam, zo lang als wat-dat-ook-maar-mocht-zijn nog in de kelder was.

Toen het verre slaan van de kelderdeur, een trilling door de muren en hier zat hij nu. Levend.

Het heeft me niet te pakken gekregen.

Wat 'het' precies was wist hij niet, maar wat het ook was, het had hem niet ontdekt.

Tommy kwam overeind uit zijn ineengedoken houding. Een kriebelende stoet mieren kroop door zijn dove beenspieren toen hij tastend langs de muur de weg zocht naar de deur. Zijn handen waren zweterig geworden van angst en doordat hij ze zo stijf voor zijn oren had gehouden; het beeldje gleed bijna uit zijn hand.

Zijn vrije hand vond het sluitwiel, begon eraan te draaien.

Tien centimeter, verder ging het niet.

Wat is dat …

Hij zette meer druk, maar het wiel weigerde verder te bewegen. Hij liet het beeldje los om beide handen te kunnen gebruiken en het viel op de grond met een bons.

Hij bleef onbeweeglijk staan.

Wat klonk dat vreemd. Alsof het iets ... zachts was.

Hij hurkte bij de deur neer, probeerde het onderste sluitwiel te draaien. Weer hetzelfde. Tien centimeter, niet verder. Hij ging op de grond zitten. Probeerde praktisch te denken.

Verdorie, zit ik hier!

Zo ongeveer.

Maar toch kwam hij aansluipen ... die angst die hij een paar maanden na de dood van zijn vader had gehad. Hij had er een hele poos geen last meer van gehad, maar nu, opgesloten in het pikkedonker, liet die zich weer gelden. De liefde voor zijn vader, die door de dood was veranderd in angst. Voor hem en voor zijn lichaam.

Hij kreeg een brok in zijn keel, zijn vingers werden stijf.

Denk na. Denk na!

Er lagen kaarsen op een plank in de voorraadruimte aan de andere kant. Het probleem was hoe hij daar in het donker moest komen.

Idioot!

Hij gaf een klets tegen zijn voorhoofd, schoot in de lach. Hij had toch een aansteker! En bovendien: wat had het voor zin gehad om kaarsen te gaan zoeken als hij toch niets had gehad om ze mee aan te steken?

Zoals die man met duizend conservenblikjes, maar geen blikopener. Die kwam midden tussen het eten van honger om.

Terwijl hij in zijn zak naar de aansteker groef, bedacht hij dat zijn situatie ook weer niet zó hopeloos was. Vroeg of laat kwam er iemand in de kelder, was het niemand anders, dan zijn moeder wel, en als hij één keer licht had, nou.

Hij haalde de aansteker uit zijn zak en knipte hem aan.

Zijn ogen, die nu aan het donker gewend waren, werden een moment door de vlam verblind, maar toen ze eraan gewend waren, zag hij dat hij niet alleen was.

Languit op de grond, pal bij zijn voeten lag ...

... papa ...

Dat zijn vader was gecremeerd was hij even kwijt toen hij in het fladderende schijnsel van het aanstekervlammetje het gezicht van het lijk zag en het beantwoordde aan al zijn verwachtingen aan hoe iemand eruitzag die jaren in de grond had gelegen.

… papa …

Hij krijste in de aanstekervlam zodat die uitgeblazen werd, maar het moment daarvoor zag hij nog net hoe zijn vaders hoofd knikte en …

… het leeft …

Zijn darminhoud werd in zijn broek geleegd in een vochtige explosie die warmte over zijn achterste spatte. Toen knikten zijn knieën, zijn skelet loste op en hij zakte als een zoutzak in elkaar, hij liet de aansteker vallen zodat die weghuppelde over de vloer. Zijn hand kwam precies op de koude tenen van het lijk terecht. Scherpe nagels schramden zijn handpalm en terwijl hij bleef brullen … *Maar papa! Heb je je teennagels niet geknipt?* … bleef hij de koude voet aaien alsof het een klein hondje was dat het zo koud had dat het getroost moest worden. Hij aaide verder over de kuit, het dijbeen, voelde de spieren spannen onder de huid, voelde ze bewegen terwijl hij kreten uitstootte, blafte als een ree.

Zijn vingertoppen kwamen tegen metaal aan. Het beeldje. Het lag ingebed tussen de dijen van het lijk. Hij pakte de borst van het figuurtje vast, hield op met schreeuwen en keerde even terug naar het concrete.

Knuppelen.

In de stilte na het geschreeuw hoorde hij een druipend, klef geluid toen het lijk zijn bovenlichaam optilde, en toen een koud lid zijn handrug even aanraakte trok hij zijn hand terug en kneep het beeldje stevig vast.

Het is papa niet.

Nee. Tommy schoof achteruit, weg van het lijk, terwijl de ontlasting aan zijn billen plakte en even had hij het idee dat hij in het donker kon zien, toen zijn gehoorimpressies veranderden in visuele indrukken en hij het lijk zág opstaan in het donker, een gelige contour, een sterrenbeeld.

Terwijl hij met zijn voeten steppend afzette en over de vloer achteruit gleed naar de muur, stootte het lichaam aan de andere kant een kort, uitgeademd "… *aa* …" uit en Tommy zag … *Een olifantje, een klein getekend olifantje, en hier komt (tuuut) de GROTE olifant en dan … omhoog! … met je slurf en trompetter*

"A", dan komen Magnus, Brasse en Eva en die zingen "Daar! Is Hier! Waar je niet ..."

Nee, hoe gaat dat liedje ook weer ...

Het lijk had vast tegen de stapel dozen aangestoten, want er klonken bonzen, gekletter van stereoapparatuur die op de grond viel, terwijl Tommy al glijdend met zijn achterhoofd tegen de muur aan knalde en zijn schedel gevuld werd met witte ruis. Door de ruis heen klonk het smakkende geluid van blote, stijve voeten die over de vloer trappelden, zochten.

Hier. Is daar. Waar je niet bent. Nee. Jawel.

Zo was het wel. Hij was hier niet. Hij zag zichzelf niet, zag datgene niet wat de geluiden voortbracht. Dus waren het alleen gelúíden. Het was gewoon iets waar hij naar zat te luisteren terwijl hij in het zwarte stoffen net van de luidspreker staarde. Dit was iets wat niet bestond.

Hier. Is daar. Waar je niet bent.

Hij zou bijna hardop gaan zingen, maar een verstandig restje van zijn bewustzijn zei hem dat hij dat beter niet kon doen. De witte ruis werd stil, liet een leeg oppervlak achter waarop hij moeizaam gedachten begon te stapelen.

Het gezicht. Het gezicht.

Hij wilde niet aan het gezicht denken, wilde níét denken aan ...

Er was iets met het gezicht dat opgelicht was in het schijnsel van de aansteker.

Het lichaam kwam dichterbij. Niet alleen dat hij de stappen dichter bij hem hoorde, nu fluisterend over de vloer. Nee, hij kon zijn aanwezigheid voelen als een schaduw die donkerder was dan het donker.

Hij beet in zijn onderlip, zodat hij de smaak van bloed in zijn mond kreeg, deed zijn ogen dicht. Zag zijn eigen twee ogen uit beeld verdwijnen als twee ...

Ogen.

Hij heeft geen ogen.

Een zwakke tocht over zijn gezicht toen een hand door de lucht streek.

Blind. Hij is blind.

Hij wist het niet zeker, maar het had geleken of de klomp op de schouders van het wezen geen ogen had.

Toen de hand weer door de lucht zweefde, voelde Tommy de streling van weggeduwde lucht tegen zijn wang een tiende van een seconde voordat de hand zelf hem bereikte, hij kon zijn hoofd naar beneden draaien zodat die alleen over zijn haar streek. Hij voltooide de beweging en wierp zich plat op zijn buik, begon over de vloer te kruipen, met zijn handen voor zich maaiend, droogzwemmend.

De aansteker, de aansteker …

Er stak iets in zijn wang. Een oprisping vanuit zijn maag toen hij begreep dat het de teennagel van het wezen was, maar hij rolde snel om, hij moest niet nog op dezelfde plaats liggen als de handen hem kwamen zoeken.

Hier. Is daar. Waar ik niet.

Hij kokhalsde. Hij probeerde het in te houden, maar het lukte niet. Speeksel spoot uit zijn mond en uit zijn kapotgeschreeuwde keel kwam hikken van lachen of huilen, snikken, terwijl zijn handen, twee radarstralen, doorgingen met over de vloer te zwiepen op zoek naar het enige voordeel dat hij misschien, heel misschien had ten opzichte van het donker dat hem wilde pakken.

God, help me. Laat het licht van Uw aangezicht … God … vergeef me dat ik in de kerk … vergeef me … alles. God. Ik zal altijd in U geloven, wat U maar wilt als U mij … de aansteker maar laat vinden … wees mijn vriend alstublieft, God.

Er gebeurde iets.

Op hetzelfde moment dat Tommy de hand van het wezen over zijn voet voelde tasten, baadde de ruimte een fractie van een seconde in een blauwwit schijnsel, als verlicht door een flitser, en in die fractie zag Tommy werkelijk de omgegooide dozen, de oneffen structuur van de wand, de doorgang naar de bergruimte.

En hij zag de aansteker.

Die lag maar een meter van zijn rechterhand en toen het donker zich weer om hem sloot, zat de positie van de aansteker op zijn netvlies gebrand. Hij rukte zijn voet los uit de greep van het wezen, zwaaide met zijn arm en kreeg de aansteker te pakken, sloot hem in zijn vuist en kwam met een sprong overeind.

Zonder zich af te vragen of het misschien te veel gevraagd was, begon hij in zijn hoofd een nieuw gebed op te zeggen.

Laat hem blind zijn, God. Laat hem blind zijn. God. Laat hem …

Hij stak de aansteker aan. Een flits, die leek op wat hij zojuist had meegemaakt, toen de gele vlam met zijn blauwe kern.

Het wezen stond stil, keerde zijn hoofd naar het geluid en begon ernaartoe te lopen. Het vlammetje wapperde toen Tommy twee stappen opzij deed en de deur bereikte. Het wezen bleef staan waar Tommy drie seconden geleden had gestaan.

Als hij vreugde had kunnen voelen, had hij het gedaan. Maar in het zwakke schijnsel van de aansteker werd alles onbarmhartig écht. Geen mogelijkheid meer om te vluchten in een fantasie dat hij hier helemaal niet was, dat dit hem niet overkwam.

Hij was opgesloten in een geluiddichte kamer samen met datgene waar hij het allerbangst voor was. Iets rolde door zijn maag, maar er zat niets meer in wat eruit kon komen. Er kwam alleen een scheetje en het wezen draaide zijn hoofd weer zijn kant op.

Tommy rukte met zijn vrije hand aan het sluitwiel, zodat de hand die de aansteker vasthield trilde en het licht ging weer uit. Het wiel bewoog niet, maar Tommy had uit zijn ooghoek gezien dat het wezen op hem af kwam en hij sprong bij de deur weg, de kant op van de muur waar hij zonet had gezeten.

Hij snikte, snufte.

Laat het OPHOUDEN. God, laat het ophouden.

Weer de grote olifant, die zijn hoed oplichtte en met zijn nasale stem zei: "*Nu is het uuuiiiit! Trompetter met je slurf, je snuuiiit! Nu is het uuuiiit!*"

Ik word gek, ik … het …

Hij schudde zijn hoofd, deed de aansteker weer aan. Daar, op de grond voor hem, stond het beeldje. Hij bukte, pakte het op, maakte een paar sprongetjes opzij en schoof door naar de andere wand. Hij keek toe hoe het wezen met zijn handen door de ruimte tastte die hij net had verlaten.

Blinde bok.

De aansteker in zijn ene hand, het beeldje in de andere. Hij deed zijn mond open om het te zeggen, maar er kwam alleen maar gefluister uit.

"Kom dan …"

Het wezen luisterde, draaide zich om, kwam op hem af.

Hij hief Staffans trofee als een knuppel, en toen het wezen een halve meter van hem af was, gaf hij een zwieper in zijn gezicht.

Net als bij een perfecte strafschop, als je op het moment dat je voet de bal raakt voelt: hij hangt; zo voelde Tommy al halverwege de zwaai dat … *Ja!* … en toen de scherpe stenen hoek tegen de slaap van het wezen kwam met een kracht die zich met een scheut door Tommy's arm voortplantte, had de triomf al in hem postgevat. Het was alleen een bevestiging toen de schedel werd verbrijzeld met een gekraak als van brekend ijs, koude vloeistof spatte Tommy in het gezicht en het wezen stortte ter aarde.

Tommy bleef staan, hijgend. Hij keek naar het lichaam dat languit op de grond lag.

Hij heeft een stijve.

Ja. Als een minimale, halfomgegooide grafsteen stond de pik van het wezen overeind. Tommy bleef staan en staarde ernaar, wachtte totdat hij slap zou worden. Dat gebeurde niet. Tommy wilde lachen, maar zijn keel deed te veel pijn.

Kloppende pijn in zijn ene duim. Tommy keek naar beneden. De aansteker was bezig de huid van de duim die de gasknop ingedrukt hield te verbranden. Instinctief liet hij los. Maar toch niet. De duim zat verkrampt om de knop.

Hij hield de aansteker in een andere hoek. Wilde hem toch niet doven. Wilde toch niet in het donker zitten met dit …

Een beweging.

En Tommy voelde hoe iets essentieels, iets wat hij nodig had om Tommy te zijn, hem verliet toen het wezen zijn hoofd weer optilde, overeind begon te komen.

Een olifant balanceerde op een dunne, dunne spinnendra-aad.

De draad brak. De olifant zakte erdoor.

En Tommy sloeg weer. En nog eens.

Na een tijdje begon hij er echt plezier in te krijgen.

MAANDAG 9 NOVEMBER

Morgan liep gewoon door bij de controle, wapperend met een maandkaart die al een halfjaar verlopen was, terwijl Larry plichtsgetrouw bleef staan, een verkreukelde kaart tevoorschijn haalde en "Ängbyplan" zei.

De controleur keek op van het boek dat hij aan het lezen was en stempelde twee zones af. Morgan lachte toen Larry hem inhaalde en ze begonnen de trap af te lopen.

"Waarom doe je dat nou, verdomme?"

"Wat? Afstempelen?"

"Ja. Ze pakken je net zo goed."

"Dat is het niet."

"Wat is het dan?"

"Ik ben niet zoals jij, oké?"

"Maar … hij zat toch te … je had met een foto van de koning kunnen wapperen, dan had hij nog niet gereageerd."

"Ja, ja. Praat niet zo verrekte hard."

"Denk je dat hij achter ons aan komt dan?"

Voordat ze de deuren naar het perron opendeden, hield Morgan zijn handen als een trechter voor zijn mond en riep omhoog naar de stationshal: "Alarm! Alarm! Zwartrijders!"

Larry glipte naar buiten en liep een paar stappen in de richting van het perron. Toen Morgan hem inhaalde, zei hij: "Wat ben jij kinderachtig, zeg!"

"Zeker. Maar vertel. Hoe zat het nou?"

Larry had Morgan 's nachts al gebeld en hem kort verslag gedaan van wat Gösta hem tien minuten eerder door de telefoon had verteld. Ze hadden afgesproken elkaar 's ochtends vroeg bij de metro te ontmoeten om naar het ziekenhuis te gaan.

Nu vertelde hij het nog eens. Virginia, Lacke, Gösta. De katten. De ambulance waar Lacke in meegereden was. Hij smukte het nog wat op met eigen details en voordat hij klaar was, kwam de metro naar de stad er al aan. Ze stapten in, vonden een vierkant voor zichzelf en Larry besloot het verhaal met: "… toen reden ze met gillende sirenes weg."

Morgan knikte, knabbelde aan zijn ene duimnagel en keek door het raam, terwijl de trein de tunnel uit gleed en stopte bij het IJslandplein.

"Hoe kwam dat nou?"

"Dat van die katten? Weet ik niet. Die werden gek op de een of andere manier."

"Allemaal tegelijk?"

"Ja. Of weet jij het beter?"

"Nee. Rotkatten. Lacke zal wel helemaal gebroken zijn nu."

"Mm. Het ging al niet zo goed met hem. Laatst ook al niet."

"Nee." Morgan zuchtte. "Ontzettend sneu voor Lacke, echt. We zouden … ja, ik weet niet. Iets voor hem moeten doen."

"En voor Virginia dan?"

"Ja, ja, ja. Maar dan ben je gewond. Ziek. Dat is dan gewoon zo, hè? Daar lig je. Het is erger als je ernaast zit en … nee, ik weet niet, maar hij was best … laatst, toen hij … waar had hij het toen toch over? Weerwolven?"

"Vampiers."

"Ja. Dat is dan toch een teken dat het niet echt goed gaat met hem."

De trein stopte bij Ängbyplan. Toen de deuren dichtgingen zei Morgan: "Zo. Nu zitten we in hetzelfde schuitje."

"Ik denk dat ze minder streng zijn als je twee zones hebt afge-stempeld."

"Dat dénk je. Maar je weet het niet."

"Heb je de cijfers gezien? Van de communistische partij?"

"Ja, ja. Dat komt wel goed bij de verkiezingen. Een heleboel zogenaamde sociaal-democraten die toch hun hart laten spreken als ze één keer met het stembiljet in de hand staan."

"Dat denk jij."

"Nee. Dat weet ik. Op de dag dat de communisten uit het par-
lement verdwijnen, ga ik in vampiers geloven. Hoewel je natuurlijk wel altijd de conservatieven hebt. Bohman en consorten, je
kent ze wel. Dat zijn de echte bloedzuigers ..."

Morgan begon aan een van zijn monologen. Ergens bij Åkeshov stopte Larry met luisteren. Voor de kassen stond een eenzame agent omhoog te kijken naar de metro. Larry voelde een steek
van ongerustheid toen hij aan zijn metrokaart dacht waar hij niet
genoeg zones op afgestempeld had, maar zette die gedachte
meteen van zich af toen hij zich herinnerde waarom die agent
daar stond.

De agent keek alleen verveeld. Larry ontspande; losse woorden
uit Morgans tirade maalden door zijn bewustzijn terwijl ze verder denderden naar Sabbatsberg.

Kwart voor acht en nog geen verpleegster.

De vuilgrijze streep op het plafond was lichtgrijs geworden en
de jaloezieën lieten zoveel licht door dat het net voelde of Virginia op een zonnebank lag. Haar lichaam werd heet en klopte,
maar meer niet. Meer zou het niet worden.

In het bed naast haar lag Lacke fluitende geluiden te maken en
te kauwen in zijn slaap. Ze was er klaar voor. Had ze op een knop
kunnen drukken om een zuster te roepen, dan had ze dat gedaan.
Maar haar handen zaten vast en ze was er niet toe in staat.

Dus wachtte ze. De hitte op haar huid was pijnlijk, maar niet
ondraaglijk. Erger was dat ze voortdurend haar best moest doen
om wakker te blijven. Even niet opletten en haar ademhaling
stopte, in kamers in haar hoofd ging in ijltempo het licht uit en
ze moest haar ogen opensperren en haar hoofd schudden om het
weer aan te krijgen.

Tegelijkertijd was die noodzakelijke waakzaamheid een zegen:
die belette haar na te denken. Alle mentale energie ging zitten in
wakker blijven. Geen ruimte voor twijfel, berouw, andere mogelijkheden.

Klokslag acht uur kwam de verpleegster.

Toen ze haar mond opendeed om "goeiemorgen, goeiemorgen!" te zeggen, of wat verpleegsters 's ochtends ook zeiden, siste Virginia: *"Sssjjjjjsss!"*

De mond van de verpleegster ging met een verbaasde klik dicht en ze fronste haar wenkbrauwen toen ze in de schemering bij Virginia's bed kwam staan, zich over haar heen boog en zei : "O, hoe ..."

"Ssst!" Virginia fluisterde. "Sorry, maar ik wil hem niet wakker maken." Ze maakte een beweging met haar hoofd in de richting van Lacke.

De verpleegster knikte, zei zachter: "Nee, nee. Maar ik moet je even temperaturen en wat bloed afnemen."

"Ja, ja. Maar zou je hem eerst ... naar buiten kunnen rijden?"

"Naar buiten rij ... zal ik hem wakker maken?"

"Nee. Maar als je hem ... naar buiten zou kunnen rijden terwijl hij slaapt."

De verpleegster keek naar Lacke als om vast te stellen of wat Virginia vroeg überhaupt fysiek mogelijk was, schudde haar hoofd en zei: "Dat kan zo wel. We meten de temperatuur gewoon in de mond, dus u hoeft geen ..."

"Dat is het niet. Zou je niet gewoon ... willen doen wat ik vraag?"

De verpleegster wierp een blik op haar horloge.

"Ja, sorry, maar ik heb andere patiënten die ..."

Virginia siste zo hard ze durfde: "Alsjeblieft!"

De verpleegster deed een halve stap naar achteren. Ze was kennelijk geïnformeerd over wat er die nacht met Virginia was gebeurd. Haar ogen gingen over de riemen die Virginia's armen vasthielden. Wat ze zag leek haar gerust te stellen, ze kwam weer bij het bed staan. Nu sprak ze tegen Virginia alsof deze beperkte verstandelijke vermogens had.

"Nu is het wel zo dat ik ... dat wij, om u te kunnen helpen om weer beter te worden ... behoefte hebben aan een beetje ..."

Virginia deed haar ogen dicht, zuchtte, gaf het op. Toen zei ze: "Zou je de jaloezieën open kunnen doen?"

De verpleegster knikte en liep naar het raam. Intussen schopte Virginia het dekbed van zich af, ze lag naakt in bed. Ze hield haar adem in en deed haar ogen dicht.

442

Het was voorbij. Nu wílde ze uitschakelen. Dezelfde functies waar ze de hele ochtend tegen had gevochten, probeerde ze nu bewust toe te laten. Het lukte niet. In plaats daarvan gebeurde datgene waar iedereen het altijd over heeft: haar leven trok aan haar voorbij als een versneld afgedraaide film.

De vogel die ik in een kartonnen doos had ... de geur van pas gestreken lakens in het washok ... moeder die zich over de kruimels van kaneelbroodjes buigt ... vader ... de geur van zijn pijp ... Per ... het huisje ... Lena en ik, de grote cantharel die we die zomer hadden gevonden ... Ted met bosbessenpuree op zijn wang ... Lacke, zijn rug ... Lacke ...

De jaloezieën werden met gerinkel en geratel opgetrokken en ze werd een zee van vuur binnengezogen.

Oskars moeder had hem om tien over zeven wakker gemaakt, net als altijd. Hij was opgestaan en had ontbeten, net als altijd. Hij had zich aangekleed en zijn moeder een knuffel gegeven toen ze om halfacht wegging, net als altijd.

Hij voelde zich net als altijd.

Ongerust en vol bange voorgevoelens, dat wel. Maar dat was ook niet anders dan anders als hij na het weekend weer naar school moest.

Hij stopte zijn aardrijkskundeboek, de atlas en het stencil dat hij niet had gemaakt in zijn schooltas, was om vijf over halfacht klaar. Hij hoefde over een kwartier pas weg. Zou hij dat stencil alsnog maken? Nee. Geen zin.

Hij ging aan zijn bureau zitten en keek naar de muur.

Dit moest toch betekenen dat hij niet geïnfecteerd was? Of was er een incubatietijd? Nee. Die man ... dat had toch maar een paar uur geduurd.

Ik ben niet geïnfecteerd.

Hij zou blij moeten zijn, opgelucht. Dat was hij niet. De telefoon ging.

Eli! Er is iets gebeurd met ...

Hij sprong op van zijn bureau, de hal in, rukte de hoorn van de haak.

"HallometOskar!"

"Ja … hallo."

Zijn vader. Het was zijn vader maar.

"Hoi."

"Zo … dus je bent … thuis."

"Ik ga zo naar school."

"O, dan zal ik je niet … is mama thuis?"

"Nee, die is naar haar werk."

"Ja, dat dacht ik wel."

Oskar begreep het. Daarom belde hij op zo'n raar tijdstip; omdat hij wist dat zijn moeder niet thuis was. Zijn vader kuchte.

"Ja, ik dacht … dat van zaterdag. Dat was wat … ongelukkig."

"Ja."

"Ja. Heb je mama verteld hoe … hoe dat ging?"

"Wat dénk je?"

Het werd stil aan de andere kant. Het statische geruis van honderd kilometer telefoondraad. Kraaien die erop zaten te kleumen, terwijl gesprekken van mensen onder hun poten door schoten. Zijn vader kuchte weer.

"Ja, ik heb gevraagd naar die schaatsen en dat was goed. Je kunt ze krijgen."

"Ik moet nu weg."

"Ja, natuurlijk. Veel … veel plezier op school dan."

"Ja. Hoi."

Oskar legde de hoorn erop, pakte zijn tas en ging op weg naar school.

Hij voelde niets.

Over vijf minuten begon de les. Een paar kinderen uit de klas stonden in de gang voor het lokaal. Oskar aarzelde even, zwaaide toen zijn tas op zijn rug en liep naar het lokaal. Alle ogen werden op hem gericht.

Spitsroeden lopen. Volksgericht.

Ja, hij had het ergste gevreesd. Iedereen wist natuurlijk wat er donderdag met Jonny was gebeurd, en ook al zag hij Jonny's gezicht niet tussen de kinderen hier, dan hadden ze vrijdag Mickes versie wel te horen gekregen. Micke was er wel; die stond net als altijd stom te grijnzen.

In plaats van langzamer te gaan lopen, zich op de een of ande-re manier voor te bereiden op de vlucht, verléngde hij zijn pas en liep snel naar het lokaal. Hij voelde zich leeg vanbinnen. Het kon hem niet meer schelen wat er gebeurde. Het was niet belangrijk. En natuurlijk: het wonder gebeurde. De zee deelde zich.

De groep voor het lokaal loste op, maakte vrij baan voor Oskar tot aan de deur. Hij had eigenlijk niet anders verwacht. Of het was omdat hij een soort kracht uitstraalde of omdat hij een stin-kende paria was voor wie je opzij moest gaan, dat maakte niet uit.

Hij hoorde nu in een andere categorie. Ze voelden het en gin-gen opzij.

Oskar liep zonder op of om te kijken het lokaal in en ging in zijn bank zitten. Hij hoorde gemompel op de gang en een paar minuten later stroomden de anderen naar binnen. Johan stak zijn duim op toen hij langs Oskars bank liep. Oskar haalde zijn schouders op.

Toen kwam de juf en vijf minuten nadat de les was begonnen kwam Jonny. Oskar had gedacht dat hij een soort verband over zijn oor zou hebben, maar dat was niet zo. Zijn oor was donker-rood en opgezwollen en zag eruit alsof het niet bij het lichaam hoorde.

Jonny ging op zijn plaats zitten. Hij keek Oskar niet aan, hij keek niemand aan.

Hij schaamt zich.

Ja, zo was het. Oskar draaide zich om om naar Jonny te kijken, die een fotoalbum uit zijn tas haalde en het in zijn vak stopte. En hij zag dat Jonny's wangen vuurrood geworden waren, dezelfde kleur als zijn oor. Oskar overwoog zijn tong naar hem uit te ste-ken, maar deed het niet.

Te kinderachtig.

Tommy hoefde op maandag pas om kwart voor negen naar school, dus om acht uur stond Staffan op en dronk snel een kopje koffie voordat hij naar beneden ging om een hartig woordje met de jongen te spreken.

Yvonne was al naar haar werk; Staffan zelf moest om negen uur in Judarn zijn om op een laag pitje door te gaan met het door-

445

zoeken van het bos, waarvan hij zag aankomen dat het niets op zou leveren.

Nou ja, het was wel lekker om buiten te zijn, en het beloofde mooi weer te worden. Hij spoelde het koffiekopje af onder de kraan, dacht even na en ging toen zijn uniform aantrekken. Hij had overwogen om in zijn gewone kleren naar Tommy toe te gaan, met hem te praten als een gewoon mens, om het zo maar eens te zeggen. Maar strikt genomen was dit een politieaangelegenheid, vandalisme, en bovendien verleende het uniform hem een autoritair voorkomen, ook al vond hij dat hij in het dagelijkse leven ook wel gezag uitstraalde, maar … nou ja.

Bovendien was het immers praktisch om de goede kleren aan te hebben, aangezien hij daarna toch naar zijn werk moest. Dus trok Staffan zijn dienstkleding aan en zijn winterjas, hij keek in de spiegel of hij een goede indruk maakte en hij meende van wel. Toen pakte hij de keldersleutel die Yvonne voor hem op de keukentafel had klaargelegd, liep naar buiten, deed de deur dicht, wierp een blik op het slot (beroepsdeformatie), ging de trap af en maakte de kelderdeur open.

En over beroepsdeformatie gesproken …

Hier was echt iets mis met het slot. Geen weerstand toen hij de sleutel omdraaide, hij hoefde de deur maar open te doen. Hij hurkte, onderzocht het mechanisme.

Ja, ja. Propje papier.

Een klassiek inbrekersfoefje: onder een of ander voorwendsel een ruimte bezoeken waar je toe wilde slaan, het slot manipuleren en vervolgens hopen dat de eigenaar niets merkte als hij de ruimte verliet.

Staffan klapte de priem van zijn zakmes uit en peuterde het propje papier eruit.

Tommy, natuurlijk.

Staffan vroeg zich niet af waarom Tommy het slot open zou laten staan van een deur waar hij zelf een sleutel van had. Tommy was een dief, hij zat daar, en dit was een dieventruc. Dus: Tommy.

Yvonne had beschreven welke kelderberging van Tommy was en terwijl Staffan die kant op liep, bereidde hij in zijn hoofd de rede voor die hij zou houden. Hij was van plan geweest op de kameraadschappelijke toer te gaan, het behoedzaam aan te pakken, maar dit gepruts met het slot had hem weer kwaad gemaakt.

Hij zou Tommy uitleggen – uitleggen, niet dreigen – hoe het zat met jeugdgevangenis, sociale instanties, leeftijd waarop je bestraft kon worden, enzovoort. Zodat hij begreep op welke weg hij zich nu bevond.

De deur naar de kelderberging stond open. Staffan keek naar binnen. Ja, ja. *De vos is zijn hol uit geslopen.* Toen zag hij de vlekken. Hij hurkte neer en ging er met een vinger overheen.

Bloed.

Tommy's dekbed lag op de bank, ook daar zaten hier en daar bloedvlekken op. En de vloer, dat zag hij nu zijn blik erop ingesteld was, zat onder het bloed.

Verschrikt liep hij achteruit de berging uit.

Voor zijn ogen lag nu … de plaats van een misdrijf. In plaats van de rede die hij had zullen houden, begon hij in zijn hoofd de voorschriften door te bladeren voor hoe je moest omgaan met de plaats van een misdrijf. Hij kende ze uit zijn hoofd, maar terwijl hij de paragrafen afvinkte … materiaal bewaren dat kan verdwijnen … tijdstip noteren … besmetting voorkomen van plaatsen waar eventuele vezelsporen aanwezig kunnen zijn … hoorde hij een zacht gemompel achter zich. Een gemompel afgewisseld door gedempte stoten.

Er was een stok door de sluitwielen op de deur van de schuilkelder gestoken. Hij liep erheen en luisterde. Jawel. Het gemompel en de stoten kwamen achter die deur vandaan. Het klonk bijna als een … mis. Een opgedreunde litanie waarvan hij de woorden niet kon verstaan.

Duivelaanbidders.

Idiote gedachte, maar toen hij naar de stok keek die in de deur zat, kreeg hij echt de schrik te pakken, door wat hij op de punt ervan zag zitten. Donkerrode, klonterige strepen, die zich een decimeter over de stok uitstrekten. Zo, precies zo, zag het lemmet van een mes eruit als het gebruikt was bij een gewelddaad en al gedeeltelijk was opgedroogd.

Het mompelen achter de deur ging door.

Versterking roepen?

Nee. Misschien vond er iets misdadigs plaats, wat, net als hij even boven ging bellen, afgesloten zou worden. Dit moest hij zelf oplossen.

Hij maakte zijn pistoolholster open om gemakkelijk bij het pistool te kunnen en haakte zijn wapenstok los. Met zijn andere hand trok hij een zakdoek uit zijn zak, legde die behoedzaam om het uiteinde van de stok en begon die tussen de sluitwielen uit te trekken, terwijl hij luisterde of het geschraap van de stok een verandering teweegbracht, een activiteit in het vertrek.

Nee. De litanie en de bonzen gingen door.

De stok was eruit. Hij zette hem tegen de muur om geen hand- of vingerafdrukken te bederven.

Hij wist dat een zakdoek geen garantie was dat afdrukken niet uitgeveegd zouden worden, dus hij pakte de sluitwielen niet vast, maar zette twee stijve vingers op een van de spaken en draaide.

De tongen van het slot gleden opzij. Hij likte zijn lippen. Hij had een droge keel. Het andere sluitwiel werd omgedraaid tot het stopte, en de deur gleed een centimeter open.

Nu hoorde hij de woorden. Het was een liedje. De stem een fluitende, gebroken fluistering.

Tweehonderdvierenzeventig olifanten balanceerden
Op een dunne, dunne spinnendra…
(Bonk.)
…aaad!
Dat vonden ze zo interessant
Dus haalden ze nog een olifant!
Tweehonderdvijfenzeventig olifanten balanceerden
Op een dunne, dunne spinnendra…
(Bonk.)
…aaad!
Dat vonden ze zo interessant …

Staffan hield de wapenstok voor zich uitgestoken en duwde er de deur mee open.

Hij zag het.

De homp waar Tommy op zijn knieën achter zat, zou moeilijk als een menselijk lichaam te herkennen zijn geweest, zonder de uitgestoken arm, die half gescheiden was van het lichaam. De borstpartij, de buik, het gezicht waren één berg vlees, ingewanden en gebroken botten.

Met beide handen hield Tommy een vierkante steen vast, waar hij op een bepaald punt in het liedje mee op de slachtresten sloeg, die zo weinig weerstand boden dat de steen er dwars doorheen kon gaan en met een klap op de vloer neerkwam, voordat hij weer werd opgetild en er nog een olifant bij kwam op de draad.

Staffan wist niet zeker of het Tommy wás. De figuur die de steen vasthield zat zo onder het bloed en de kliederige slierten dat het moeilijk was om ... Staffan werd verschrikkelijk misselijk. Hij slikte een zure oprisping weg die dreigde te groeien, sloeg zijn blik neer om het niet te hoeven zien, en zijn ogen bleven rusten op een tinnen soldaat die bij de drempel lag. Nee. Het was een pistoolschutter. Hij herkende hem. Het figuurtje lag zo dat het pistool recht naar het plafond wees.

Waar is de sokkel?

Toen begreep hij het.

Zijn hoofd tolde en hij dacht niet meer aan vingerafdrukken of het veiligstellen van bewijzen en hij leunde met zijn hand tegen de deurpost om niet om te vallen, terwijl het lied dreunend verderging.

Tweehonderdzevenenzeventig olifanten balanceerden
op een dunne, dunne ...

Het zou wel slecht met hem gaan, want hij hallucineerde. Hij meende te zien ... ja ... hij zag helder en duidelijk dat de menselijke resten op de vloer tussen twee klappen door ... bewogen.

Overeind probeerden te komen.

Morgan was een zenuwachtige roker; toen hij zijn sigaret uitmaakte in het perkje voor de entree van het ziekenhuis, had Larry de zijne nog maar half op. Morgan stopte zijn handen in zijn zakken, sjokte heen en weer over de parkeerplaats en vloekte toen een vieze plas door het gat in zijn zool drong en zijn sok natmaakte.

"Larry. Heb jij geld?"

"Zoals je weet loop ik in de ziektewet en ..."

"Ja, ja, ja. Maar heb je geld?"

"Hoezo? Ik leen niks uit als je ..."

"Nee, nee, nee. Maar ik dacht: Lacke. Als we die nou eens trakteerden op echte ... je weet wel."

Larry hoestte, keek beschuldigend naar de sigaret.

"Wat ... om hem op te vrolijken?"

"Ja."

"Nee ... ik weet niet."

"Wat nee? Denk je niet dat hij ervan opknapt, heb je geen geld, of ben je te gierig om ermee over de brug te komen?"

Larry zuchtte, nam hoestend nog een trekje, trok een lelijk gezicht en maakte de sigaret uit onder zijn voet. Vervolgens raapte hij de peuk op, gooide die in een met zand gevulde bloempot en keek op zijn horloge. "Morgan ... het is halfnegen 's ochtends."

"Ja, ja. Maar over een paar uur. Als ze opengaan."

"Nou, we zien wel."

"Dus je hébt geld."

"Zullen we naar binnen gaan of niet?"

Ze gingen door de draaideur. Morgan ging met zijn handen door zijn haar en liep op de vrouw bij de receptie af om erachter te komen waar Virginia lag, terwijl Larry een paar aquariumvissen ging bekijken die slaperig rondzwommen in een grote, borrelende cilinder.

Een minuut later kwam Morgan, hij streek over zijn leren vest als om iets af te schudden wat aan hem was blijven plakken en zei: "Die stomme trut. Ze wilde het niet zeggen."

"Ach, ze ligt vast op de intensive care."

"Kun je daar naar binnen?"

"Soms."

"Je schijnt goed op de hoogte te zijn."

"Ja, dat klopt."

Ze liepen richting intensive care, Larry wist de weg.

Veel van Larry's 'kennissen' lagen in het ziekenhuis of hadden er gelegen. Op dit moment waren het er alleen in het Sabbatsberg-ziekenhuis al twee, Virginia niet meegerekend. Morgan vermoedde dat mensen met wie Larry maar vluchtig had kennisgemaakt, kennissen of zelfs vrienden werden op het moment dat ze in het ziekenhuis belandden. Dan wist hij ze te vinden, ging bij hen op bezoek.

Morgan wilde net vragen waarom hij dat deed, toen ze bij de zwaaideuren van de intensive care kwamen, die openduwden en verderop in de gang Lacke zagen zitten. In zijn onderbroek in een stoel met armleuningen. Zijn handen omklemden die, terwijl hij naar een kamer voor zich staarde, waar mensen opgewonden in en uit liepen.

Morgan snoof de geur op. "Verdorie, hebben ze hier iemand gecremeerd of zo?" Hij lachte. "Die verdomde conservatieven. Kostenbesparing, natuurlijk. Laat de ziekenhuizen zelf maar …"

Hij zweeg toen ze dichter bij Lacke kwamen. Lackes gezicht was asgrauw en hij had rode ogen waar hij niets mee zag. Morgan voelde aan wat er was gebeurd en liet Larry voorop lopen. Hij was zelf niet goed in die dingen.

Larry ging bij Lacke staan en legde een hand op zijn arm.

"Hallo, Lacke. Hoe is het?"

Tumult in de kamer voor hen. De ramen die vanaf de deur te zien waren, stonden wijd open, maar toch dreef een zure lucht van as de gang op. Er hing een nevel in de kamer; daarin stonden mensen luid te praten, te gebaren. Morgan ving de woorden "verantwoordelijkheid van het ziekenhuis" op, en "we moeten proberen …"

Wat ze moesten proberen hoorde hij niet, want Lacke keerde zich naar hem toe, staarde naar hen alsof ze vreemden waren, zei: "… had het moeten begrijpen …"

Larry boog over hem heen.

"Wat had je moeten begrijpen?"

"Dat het zou gebeuren."

"Wat is er dan gebeurd?"

Lackes ogen werden helder en hij keek naar de nevelige, droomachtige kamer, zei eenvoudig: "Ze is verbrand."

"Virginia?"

"Ja. Ze is verbrand."

Morgan deed een paar stappen in de richting van de kamer en keek naar binnen. Een oudere man met een autoritair uiterlijk kwam naar hem toe.

"Sorry, het is hier geen circus."

"Nee, nee. Ik kwam alleen …"

Morgan wilde iets geestigs zeggen: dat hij zijn boa constrictor kwam zoeken, maar deed het maar niet. Hij had in elk geval al iets gezien. Twee bedden. Het ene met kreukelige lakens en een deken die aan de kant waren gegooid, alsof iemand er snel van was opgestaan.

Het tweede was van voeteneinde tot hoofdkussen met een dikke, donkergrijze deken bedekt. De houten plank aan het hoofdeinde van het bed was door roet zwart verkleurd. Onder de deken waren de contouren te zien van een onvoorstelbaar dun mensje. Hoofd, borstkas en bekken waren het enige wat duidelijk te onderscheiden was. Voor de rest konden het evengoed vouwen, oneffenheden in de deken zijn.

Morgan wreef zo hard in zijn ogen dat zijn oogbollen een centimeter zijn schedel in geduwd werden. *Het is waar. Het is verdomme waar.*

Hij keek om zich heen in de gang, zocht iemand om zijn verwarring op af te reageren. Hij kreeg een oudere man in het oog, die tegen een rollator geleund stond met een infuus aan een standaard op wieltjes naast zich, en die de kamer in probeerde te kijken. Morgan deed een stap in zijn richting.

"Waar sta jij naar te loeren, idioot? Moet ik die rollator onder je uit trekken of zo?"

De man deinsde achteruit, decimeter voor decimeter. Morgan balde zijn vuisten, maar hield zich in. Toen schoot hem iets te binnen wat hij in de kamer had gezien, hij draaide zich abrupt om en liep terug.

De man die hem eerder had aangesproken kwam net naar buiten.

"Ja, sorry hoor, maar …"

"Ja, ja, ja …" Morgan duwde hem aan de kant, "… ik kom alleen even de kleren van mijn maat halen, als het mag. Of vind je dat hij daar de hele dag in zijn blootje moet blijven zitten?"

De man sloeg zijn armen over elkaar, maar liet Morgan erlangs.

Hij pakte Lackes kleren van de stoel naast het onopgemaakte bed en wierp een blik op het andere bed. Een zwartverbrande hand met gespreide vingers stak onder de deken uit. De hand was onherkenbaar; de ring die aan de middelvinger zat niet. Een goudkleurige ring met een blauwe steen, Virginia's ring. Voordat Morgan zich omdraaide zag hij ook nog dat er een leren riem om de pols gespannen zat.

De man stond nog steeds met zijn armen over elkaar in de deuropening.

"Tevreden?"

"Nee. Waarom is ze vastgebonden?"

De man schudde zijn hoofd.

"Je kunt tegen je vriend zeggen dat de politie zo komt, en dat ze vermoedelijk met hem willen spreken."

"Waarom?"

"Dat weet ik niet. Ik ben geen politieman."

"Nee, nee. Je zou het anders haast denken."

Op de gang hielpen ze Lacke samen met aankleden en ze waren net klaar toen er twee politie-inspecteurs arriveerden. Lacke was niet aanspreekbaar, maar de verpleegster die de jaloezieën had opgetrokken, had zoveel tegenwoordigheid van geest dat ze kon getuigen dat Lacke er niets mee te maken had gehad. Dat hij nog sliep toen het … begon.

Ze werd getroost door haar collega's. Larry en Morgan namen Lacke mee het ziekenhuis uit.

Toen ze de draaideur door waren, ademde Morgan een diepe teug koude lucht in, zei: "Nee, ik moet even kotsen", boog zich over het perkje en spuugde de resten van de maaltijd van de vorige dag, vermengd met groen slijm, over de kale struikjes.

Toen hij klaar was, veegde hij zijn mond af en droogde zijn hand af aan zijn broek. Toen hield hij zijn hand op alsof die bewijsmateriaal was en zei tegen Larry: "Nu mag je me wel eens even wat geven."

Ze gingen naar Blackeberg en Morgan kreeg honderdvijftig kronen om drank te kopen, terwijl Larry Lacke mee naar huis nam.

Lacke liet zich meevoeren. Hij had geen woord gesproken tijdens de rit met de metro.

In de lift naar Larry's appartement op de zesde verdieping van de flat begon hij te huilen. Niet stil en rustig, nee, hij brulde als een kind, maar dan erger, meer. Toen Larry de deur van de lift opendeed en hem het trappenhuis in joeg werd het geschreeuw dieper, het weergalmde tussen de betonnen muren. Lackes schreeuw van diepgevoeld, bodemloos verdriet vulde alle verdiepingen van het trappenhuis, stroomde door brievenbussen, sleutelgaten, veranderde de flat in een grafmonument voor liefde en hoop. Larry rilde; hij had nog nooit zoiets gehoord. Zo huil je niet. Zo mag je niet huilen. Je gaat dood als je zo huilt.

De buren. Straks denken ze nog dat ik hem vermoord.

Larry prutste met zijn sleutelbos, terwijl al het menselijk lijden, millennia van onmacht en teleurstellingen die op dit moment een uitweg vonden in Lackes breekbare lichaam, uit hem bleef stromen.

De sleutel kwam in het slot en met een kracht waarvan hij zelf niet wist dat hij die in zich had, droeg Lacke Larry bijna het appartement binnen en deed de deur dicht. Lacke bleef maar schreeuwen, de lucht leek niet op te raken. Het zweet stond in Larry's haargrens.

Wat moet ik verdomme … zal ik …

In paniek deed hij wat hij in films had gezien. Hij sloeg Lacke met de vlakke hand op zijn wang, schrok van de scherpe klets en had spijt zodra hij het had gedaan. Maar het werkte wel.

Lacke was meteen stil, staarde Larry met een verwilderde blik aan en Larry dacht dat hij een klap terug zou krijgen. Toen werd er iets in Lackes ogen zachter, hij opende zijn mond en deed hem weer dicht alsof hij naar lucht hapte, zei: "Larry, ik …"

Larry sloeg zijn armen om hem heen. Lacke leunde met zijn wang op Larry's schouder en huilde zo dat hij ervan schokte. Na een poosje hielden Larry's benen het niet meer. Hij probeerde zich uit de omarming los te maken om op het halstoeltje te gaan zitten, maar Lacke bleef hem vasthouden en ging mee naar beneden. Larry landde op de stoel en Lacke zakte door zijn benen, zijn hoofd gleed op Larry's schoot.

Larry streek over zijn haar. Hij wist niet wat hij moest zeggen en fluisterde alleen: "Toe maar … toe maar …"

Larry's benen begonnen al verdoofd te raken, toen er een verandering optrad. Het huilen was overgegaan in een stil gejammer, toen hij voelde hoe Lackes kaken zich spanden tegen zijn bovenbeen. Lacke tilde zijn hoofd op, veegde snot af aan de mouw van zijn shirt en zei: "Ik ga hem vermoorden."

"Wie?"

Lacke sloeg zijn ogen neer, keek recht door Larry's borst heen en knikte.

"Ik ga hem vermoorden. Hij mag niet leven."

In de grote pauze van halftien kwamen Staffe en Johan naar Oskar toe en zeiden "hartstikke goed gedaan" en "wat ontzettend goed". Staffe trakteerde op autosnoepjes en Johan vroeg of Oskar een keer meeging lege flessen ophalen.

Niemand die hem duwde of zijn neus dichtkneep als hij in de buurt kwam. Zelfs Micke Siskov grijnsde en knikte bemoedigend alsof Oskar een goeie mop had verteld, toen ze elkaar in de gang voor de kantine tegen het lijf liepen.

Alsof iedereen erop had gewacht dat hij datgene zou doen wat hij had gedaan, en nu het was uitgevoerd was hij een van hen.

Het probleem was dat hij er niet van kon genieten. Hij constatéérde het, maar het deed hem niets. Mooi dat hij niet geslagen werd, ja. Maar als iemand had geprobeerd hem te slaan, zou hij teruggeslagen hebben. Hij hoorde hier niet meer thuis.

Tijdens de rekenles keek hij op van zijn boek, keek naar de klas waar hij al zes jaar in zat. Ze zaten met hun hoofd over de sommen gebogen, kauwden op hun potloden, gaven briefjes aan elkaar door, giechelden. En hij dacht: het zijn gewoon … kinderen.

Hij was zelf ook een kind, maar ...

Hij kraste een kruis in zijn schrift, maakte er een galg van met een strop eraan.

Ik ben zelf ook een kind, maar ...

Hij tekende een trein. Een auto. Een boot.

Een huis. Met een open deur.

Hij werd steeds rustelozer. Aan het eind van de rekenles kon hij niet stil blijven zitten; hij trappelde met zijn voeten en trommelde met zijn handen op de bank. De leraar schudde verbaasd zijn hoofd en vroeg hem stil te zijn. Hij deed zijn best, maar algauw was de onrust er weer, trok aan zijn marionettendraden en zijn benen begonnen vanzelf te bewegen.

Toen het tijd was voor de laatste les, gymnastiek, hield hij het niet meer uit. Op de gang zei hij tegen Johan: "Zeg tegen Ávila dat ik ziek ben, oké?"

"Ga je weg of zo?"

"Ik heb geen gymspullen bij me."

Dat was waar: hij had zijn gymspullen vanmorgen thuis laten liggen, maar dat was niet de reden dat hij moest spijbelen. Op weg naar de metro zag hij de klas strak in het gelid staan. Tomas riep hem "boeee!" na.

Die zou wel klikken. Maakte niet uit. Totaal niet.

De duiven vlogen in grijze groepjes op toen hij zich over het Vällingbyplein haastte. Een vrouw met een kinderwagen trok haar neus voor hem op; zo'n jongen die geen hart heeft voor dieren. Maar hij had haast, en alles wat tussen hem en zijn doel kwam, waren maar rekwisieten die in de weg stonden.

Voor de speelgoedwinkel bleef hij staan, hij keek in de etalage. Er stonden smurfen uitgestald in een suikerzoet landschap. Daar was hij te oud voor. Thuis had hij een paar Big Jim-poppen in een doos, waar hij tamelijk veel mee had gespeeld toen hij nog klein was.

Een jaar geleden.

Er rinkelde een elektronisch belletje toen hij de deur van de speelgoedwinkel opentrok. Hij kwam door een nauwe gang waar de planken vol stonden met plastic poppen, vechtpoppetjes en bouwdozen. Bij de kassa stonden de dozen met gietvormen voor tinnen soldaatjes. Het tin moest je bij de kassa vragen.

Wat hij moest hebben stond op de toonbank bij de kassa.

Ja, de kopieën stonden opgestapeld onder de plastic poppen, maar met het origineel, met de handtekening van Rubik op de verpakking, waren ze voorzichtiger. Die kostten achtennegentig kronen per stuk.

Er stond een korte, gezette man achter de toonbank met een

glimlach die Oskar als 'minzaam' zou hebben omschreven als hij dat woord had gekend.

"Ja. Zoek je iets … speciaals?"

Oskar wist dat de kubussen op de toonbank stonden, hij had zijn plan klaar.

"Ja. Ik wilde vragen … verf. Voor tinnen spullen."

"Ja?"

De man gebaarde naar de rijen piepkleine verfblikjes die achter hem stonden opgesteld. Oskar boog naar voren, legde de vingers van één hand op de toonbank, vlak voor de kubussen, terwijl hij met zijn duim de tas vasthield, die er open onder hing. Hij deed net of hij een kleur uitzocht.

"Goud. Is dat er?"

"Goud, jazeker."

Toen de man zich omdraaide, pakte Oskar een van de kubussen, stopte hem in de tas en had zijn hand net weer in dezelfde positie als eerst, toen de man met twee blikjes verf kwam en die op de toonbank zette. Oskars hart bonsde hitte op zijn wangen, zijn oren.

"Mat of metallic."

De man keek naar Oskar, die voelde dat zijn hele gezicht een waarschuwingslicht was, waarop geschreven stond 'dit is een dief'. Om zijn roodheid niet al te duidelijk kenbaar te maken boog hij zich over de blikjes, zei: "Metallic … lijkt me goed."

Hij had twintig kronen. De verf kostte negentien. Hij kreeg die in een klein zakje dat hij in zijn jaszak frommelde om zijn tas niet open te hoeven maken.

Buiten de winkel kwam als gewoonlijk de kick, maar heviger dan gewoonlijk. Hij draafde bij de winkel weg als een vrijge-kochte slaaf die net van zijn boeien was verlost. Hij kon het niet laten om naar de parkeerplaats te hollen en in de beschutting van twee auto's voorzichtig de verpakking te openen en de kubus eruit te halen.

Hij was veel zwaarder dan de kopie die hijzelf had. De delen gleden als op kogellagers. Misschien wáren het wel kogellagers? Nou, hij was niet van plan hem uit elkaar te halen om te kijken, hij wilde het risico niet lopen hem kapot te maken.

Nu de kubus er niet in zat was het doosje een lelijk ding van doorzichtig plastic en onderweg van de parkeerplaats gooide hij het in een afvalbak. De kubus was mooier zonder. Hij stopte hem in zijn jaszak om erover te kunnen aaien, met het gewicht in zijn hand te ballen. Het was een mooi cadeau, een goed ... afscheids-cadeau.

In de hal van het metrostation bleef hij staan.

Als Eli denkt ... dat ik ...

Ja. Dat hij, door Eli een cadeau te geven als het ware accepteer-de dat Eli wegging. Geef een afscheidscadeau, prima. Dag, dag. Maar zo was het niet. Hij wilde immers absoluut niet dat ...

Zijn blik ging door de hal en stopte bij de kiosk. Bij de kran-tenstandaard. Bij de *Expressen*. De hele voorpagina was bedekt met een grote foto van de man die bij Eli in huis had gewoond.

Oskar liep erheen en bladerde door de krant. Vijf pagina's wer-den er besteed aan de jacht in het Judarnbos ... de rituele moor-denaar ... achtergrond, en toen: nog een pagina waar de foto was afgedrukt. Håkan Bengtsson ... Karlstad ... acht maanden lang een onbekende woon- en verblijfplaats ... de politie roept het publiek op ... als iemand iets heeft gezien ....

De angst zette zijn stekels op in Oskars borst.

Nog iemand die hem heeft gezien, die weet waar hij woonde ...

De mevrouw van de kiosk leunde door het loket naar buiten.

"Koop je die of niet?"

Oskar schudde zijn hoofd en smeet de krant weer in de stan-daard. Toen rende hij weg. Pas beneden op het perron drong het tot hem door dat hij zijn strippenkaart niet aan de controleur had laten zien. Hij stampte op de grond en zoog op zijn knokkels, hij kreeg tranen in zijn ogen.

Toe nou, metro, kom nou gauw ...

Lacke zat onderuitgezakt op de bank en keek met half dichtge-knepen ogen naar het balkon waar Morgan vruchteloos probeer-de een goudvink te lokken die op het hekje ernaast zat. De ondergaande zon zat net achter Morgans hoofd en verspreidde een aureool van licht om zijn haar.

"Jaaa ... kom dan. Ik doe je niks."

Larry zat in de fauteuil sloom naar een cursus Spaans te kijken. Stijve mensen in onnatuurlijke situaties bewogen over het scherm en zeiden: *"Yo tengo un bolso."*

"Qué hay en el bolso?"

Morgan boog zijn hoofd, zodat Lacke de zon in zijn ogen kreeg. Hij deed zijn ogen dicht terwijl hij Larry hoorde mompelen: *"Kee hai en el bolso."*

De flat rook muf naar sigarettenrook en stof. De fles was leeg, hij stond naast een volle asbak op de salontafel. Lacke staarde naar een paar brandplekken op het tafelblad van slordig uitgemaakte sigaretten; ze gleden voor zijn ogen heen en weer, zachtmoedige kevers.

"Oena kamisa i pantalones."

Larry grinnikte bij zichzelf.

"… pantalones."

Ze hadden hem niet geloofd. Of jawel, ze geloofden hem wel, maar ze weigerden de gebeurtenissen op zijn manier uit te leggen. "Spontane zelfverbranding" had Lacke gezegd, en Morgan had gevraagd of hij dat even wilde spellen.

Het enige is dat spontane zelfverbranding even goed gedocumenteerd en wetenschappelijk aangetoond is als het bestaan van vampiers. Dat wil zeggen, helemaal niet.

Maar iedereen wil het liefst geloven in de ongerijmdheid die het minst tot actie noopt. Ze waren niet van plan hem te helpen. Morgan had ernstig geluisterd naar Lackes verhaal over wat er in het ziekenhuis was gebeurd, maar toen hij op het punt kwam van het vernietigen van de oorzaak van alles, had hij gezegd: "Wat nou, vind je dat we … vampierjagers moeten worden of zo? Jij en ik en Larry. Voor palen en kruisen zorgen en … Nee, sorry hoor, Lacke, maar … dat zie ik dus niet zitten."

De gedachte die onmiddellijk bij Lacke opkwam toen hij hun wantrouwende, gereserveerde gezichten zag, was: *Virginia had me wel geloofd* en de pijn had zijn nagels weer in hem geboord. Híj had Virginia niet geloofd, en daarom had ze … hij had liever een paar jaar in de gevangenis gezeten vanwege euthanasie dan met dit beeld op zijn netvlies te moeten leven: *haar lichaam dat ligt te*

kronkelen in het bed, terwijl de huid zwart wordt, begint te roken.
Het ziekenhuishemd dat opkruipt over haar buik, haar geslacht ont-
bloot. Het gerammel van de stalen buizen van het bed als haar heu-
pen slaan, op en neer pompen in een waanzinnige wip met een
onzichtbare man, terwijl de vlammen uit haar dijen slaan, ze
schreeuwt, schreeuwt en de stank van verbrand haar, verbrande huid
vult het vertrek, met een panische blik kijkt ze me aan en een seconde
later worden haar ogen wit, beginnen te koken ... barsten ...

Lacke had meer dan de helft van wat er in de fles zat opgedronken. Morgan en Larry hadden hem zijn gang laten gaan.

"... *pantalones.*"

Lacke probeerde van de bank op te staan. Zijn achterhoofd
woog evenveel als de rest van zijn lichaam. Hij hield zich aan het
tafelblad vast en kwam moeizaam overeind. Larry stond op om
hem de helpende hand te reiken.

"Verdomme, Lacke ... ga even slapen."

"Nee, ik moet naar huis."

"Wat moet je thuis doen?"

"Ik moet iets ... regelen."

"Het heeft toch niets te maken met ... waar je het over had?"

"Nee, nee."

Morgan kwam vanaf het balkon naar binnen, terwijl Lacke zich
tastend een weg zocht naar de hal.

"Hé. Waar ga jij heen?"

"Naar huis."

"Dan ga ik mee."

Lacke keerde zich om, deed zijn best om zijn lichaam overeind
te houden, zich zo nuchter mogelijk voor te doen. Morgan liep
naar hem toe, klaar om zijn handen uit te steken als hij mocht
vallen. Lacke schudde zijn hoofd, klopte Morgan op de schouder.

"Ik wil alleen zijn, oké? Ik wil alleen zijn. Ik meen het."

"Red je het wel?"

"Ik red het wel."

Lacke knikte herhaalde malen, bleef in die beweging steken en
moest die bewust afbreken, anders blééf hij daar staan, keerde
zich toen om, liep de hal in en trok zijn schoenen en zijn jas aan.

Hij wist dat hij behoorlijk dronken was, maar dat was hij zo vaak geweest, dat hij er een soort bedrevenheid in had zijn bewegingen los te koppelen van zijn hersenen, ze mechanisch uit te voeren. Hij zou mikado kunnen spelen, ten minste eventjes, zonder dat zijn handen trilden.

In de kamer hoorde hij de stemmen van de anderen.

"Moeten we niet …?"

"Nee. Als hij dat zegt, moeten we dat respecteren."

Ze kwamen in elk geval de hal in om hem uit te zwaaien. Omhelsden hem wat onhandig. Morgan pakte hem bij zijn armen, boog zijn hoofd om hem in de ogen te kunnen kijken en zei: "Je gaat toch niks stoms doen, hè? Je hebt ons, dat weet je."

"Ja, ja. Nee, nee."

Voor de flat bleef hij even staan, keek naar de zon die in een dennentop rustte.

Zal de zon nooit meer kunnen …

Virginia's dood, de manier waarop ze was gestorven hing als een peillood in zijn borst op de plaats waar eerst zijn hart had gezeten, hij ging krom lopen van het gewicht. Het was net of het middaglicht in de straten met hem spotte. Of de enkeling die in het licht liep … spotte. De stemmen. Spraken over alledaagse dingen alsof niet … overal, op elk moment …

Het kan jullie ook treffen.

Voor de kiosk hing iemand door het loket met de eigenaar te praten. Lacke zag een zwarte homp uit de lucht vallen, die vast bleef zitten op zijn rug en …

Krijgen we nou …

Hij bleef voor de rij krantenbulletins staan, knipperde met zijn ogen, probeerde goed te focussen op de foto die bijna alle ruimte in beslag nam. De rituele moordenaar. Lacke snoof. Hij wist het immers. Hoe het echt zat. Maar …

Hij herkende dat gezicht. Dat was toch …

De Chinees. De man die hem … whisky aanbood. Nee …

Hij deed een stap naar voren om de foto beter te kunnen zien. Ja. Dat was hem. Dezelfde dicht op elkaar staande ogen, dezelfde … Lacke sloeg een hand voor zijn mond, duwde zijn vingers tegen zijn lippen. Beelden wervelden rond; hij probeerde een verband te leggen.

Hij had wat gedronken van degene die Jocke had vermoord. Jockes moordenaar had bij hem in de flat gewoond, een paar portieken verderop. Hij had hem een paar keer gegroet, hij had …

Maar hij had het immers niet gedaan. Dat had immers …

Een stem. Zei iets.

"Hallo, Lacke! Iemand die je kent?"

De eigenaar van de kiosk en de man ervoor stonden naar hem te kijken. Hij zei: "… ja" en liep weer door, naar de flat. De wereld verdween. Voor zich zag hij het portiek waar de man uit was gekomen. De afgedekte ramen. Hij zou hem opzoeken. Dat zou hij doen.

Zijn voeten bewogen sneller en hij rechtte zijn ruggengraat; het peillood was een klepel die tegen zijn borstkas sloeg, hem deed trillen, waarschuwingen beierde door zijn lichaam.

Ik kom eraan, verdomme. Ik … kom eraan.

De metro stopte bij Råcksta en Oskar kauwde op zijn lippen van ongeduld, paniek; hij vond dat de deuren te lang openstonden. Toen er een klik klonk uit de luidspreker dacht hij dat de bestuurder iets zou zeggen over dat ze hier even zouden blijven staan, maar … "PAS OP VOOR DE DEUREN. DE DEUREN GAAN DICHT" … en de trein rolde het station uit.

Hij had geen ander plan dan *Eli waarschuwen*; dat iedereen elk moment de politie kon bellen om te zeggen dat hij die man had gezien. In Blackeberg. Op die binnenplaats. In dat portiek. In dat appartement.

Wat gebeurt er als de politie … als ze de deur openbreken … de badkamer …

De metro rammelde over de brug en Oskar keek uit het raam. Er stonden twee mannen bij de kiosk van de Minnaar en half verborgen achter de ene kon Oskar de rij gehate gele aanplakbiljetten zien. De andere man liep snel weg bij de kiosk.

Iedereen. Iedereen kan het weten. Misschien weet hij het wel.

Toen de trein afremde, stond Oskar al bij de deuren en duwde zijn vingers tussen de rubberen strips alsof de deuren dan sneller open zouden glijden. Hij leunde met zijn voorhoofd tegen het glas, dat koel aanvoelde tegen zijn hete voorhoofd. De remmen piepten en de bestuurder had waarschijnlijk even niet opgelet, aangezien er nu pas klonk: "VOLGENDE STATION. BLACKE-BERG."

Jonny stond op het perron. En Tomas.

Nee. Neeneenee, haal ze weg.

Toen de trein schommelend tot stilstand kwam, ontmoetten Oskars ogen die van Jonny. Ze werden wijder en op hetzelfde moment dat de deuren sissend opengingen, zag Oskar dat Jonny iets tegen Tomas zei.

Oskar spande zich, stortte zich door de deuren naar buiten en zette het op een lopen.

Tomas stak een lang been uit om hem pootje te haken en Oskar viel languit op het perron, hij haalde zijn handpalmen open toen hij zijn val probeerde te breken. Jonny ging op zijn rug zitten. "Heb je haast of zo?"

"Laat me los! Laat me los!"

"Waarom?"

Oskar deed zijn ogen dicht, balde zijn vuisten. Hij haalde een paar keer diep adem, zo diep als hij kon met Jonny's gewicht boven op zich, en zei tegen het beton: "Doe wat jullie willen. En laat me los."

"O-ké."

Ze pakten hem bij zijn armen en zetten hem overeind. Oskar ving een glimp op van de stationsklok. Tien over twee. De secon-dewijzer schokte vooruit over de wijzerplaat. Hij spande de spie-ren van zijn gezicht en zijn buik, en probeerde zichzelf in een steen te veranderen, ongevoelig voor klappen.

Als het maar snel gaat.

Pas toen hij zag wat ze van plan waren, begon hij zich te ver-zetten. Maar ze hadden zijn armen al op zijn rug gedraaid, ieder aan een kant, alsof ze dat stilzwijgend overeengekomen waren, zodat het bij elke beweging voelde alsof zijn armen zouden bre-ken. Ze duwden hem naar de andere kant van het perron.

Dat durven ze niet. Ze kunnen niet …

Maar Tomas was gek en Jonny ...

Hij probeerde met zijn voeten tegen te stribbelen. Ze dansten zwierend over het perron, terwijl Tomas en Jonny hem naar de witte veiligheidsstreep brachten voor de rand van het perron.

Het haar bij Oskars linkerslaap kietelde op zijn oor, wapperde op de luchtstroom uit de tunnel toen de metro uit de stad naderde. De rails zongen en Jonny fluisterde: "Nu ga je eraan, snap je?"

Tomas giechelde en pakte zijn arm nog steviger vast. Het werd zwart in Oskars hoofd: *ze doen het echt.* Ze bogen hem naar voren zodat zijn bovenlichaam over de rand hing.

De lampen van de naderende metro schoten een pijl van koud licht over de rails. Oskar draaide zijn hoofd met een ruk naar links en zag de trein de tunnel uit denderen.

BEUEUEUEUEUE!

De metro toeterde loeiend en er ging een schok als een dood-klap door Oskars hart. Hij plaste in zijn broek en zijn laatste gedachte was ... *Eli!* ... voordat hij achteruitgetrokken werd en zijn gezichtsveld met groen werd gevuld toen de trein tien centi-meter voor zijn ogen voorbijraasde.

Hij lag op zijn rug op het perron, de damp kwam uit zijn mond. Het natte bij zijn onderbuik werd kouder. Jonny ging op zijn hurken naast hem zitten.

"Dan snap je het. Hoe het zit. Snap je het?"

Oskar knikte, instinctief. Zorgen dat het ophield. De oude impulsen. Jonny voelde voorzichtig aan zijn gewonde oor, glim-lachte. Toen legde hij zijn hand over Oskars mond en kneep in zijn wangen.

"Gil als een varken als je het snapt."

Oskar gilde. Als een varken. Ze lachten, allebei. Tomas zei: "Vroeger was hij beter."

Jonny knikte. "We zullen hem opnieuw moeten gaan trainen."

De metro van de andere kant kwam eraan. Ze lieten hem alleen.

Oskar bleef even liggen, leeg. Toen kwam er een gezicht door de lucht boven hem zweven. Een mevrouw. Ze stak een hand naar hem uit.

"Jongen toch, ik heb het gezien. Je moet ze aangeven bij de politie, dit was …" – *de politie* – "… poging tot moord. Kom, dan zal ik …"

Zonder zich iets van haar hand aan te trekken kwam Oskar overeind. Nog terwijl hij wegstrompelde naar de deuren, de trappen op, kon hij de stem van de mevrouw achter zich horen: "Hoe gáát het met je …"

De kit.

Lacke schrok toen hij de binnenplaats op kwam lopen en de politieauto op de helling zag staan. Er stonden twee agenten naast de auto, de ene schreef iets op in een notitieblok. Hij ging ervan uit dat ze hetzelfde zochten als hij, maar dat zij niet de goede informatie hadden. De agenten hadden zijn aarzeling niet opgemerkt, dus hij liep door naar het eerste portiek van het rijtje en ging naar binnen.

Geen van de namen op het tableau zei hem iets, maar hij wist het immers: helemaal onderaan rechts. Bij de kelderdeur lag een fles spiritus. Hij bleef staan, keek ernaar alsof die hem een aanwijzing kon geven hoe hij nu moest handelen.

Spiritus brandt. Virginia is verbrand.

Maar daar stopte de gedachte en hij voelde alleen weer de droge, gillende woede; hij liep door, de trap op. Er was een verschuiving opgetreden.

Nu was het de gedachte die helder was en het lichaam dat onhandig was. Zijn voeten gleden uit op de treden en hij moest de leuning vastgrijpen om zich de trap op te manoeuvreren, terwijl zijn hersenen helder redeneerden: *Ik ga naar binnen. Ik zal hem vinden. Ik steek iets door zijn hart. Dan wacht ik op de kit.*

Voor de deur zonder naambordje bleef hij staan.

En hoe kom ik binnen, verdomme?

Als voor de grap zwaaide hij één arm naar voren en voelde aan de deurklink. De deur ging open en legde een leeg appartement bloot. Geen meubels, vloerkleden of schilderijen. Geen kleren. Hij likte zijn lippen.

Hij is 'em gesmeerd. Ik heb hier niets te …

In de hal lagen nog twee flessen spiritus op de grond. Hij probeerde te begrijpen wat dat betekende. Dronk dit wezen ... nee. Maar ...

Het betekent alleen dat hier net nog iemand is geweest. Anders had die fles beneden er niet meer gelegen.

Ja.

Hij ging naar binnen, bleef in de hal staan luisteren, maar hoorde niets. Hij maakte een rondje door het appartement, zag dat er in een paar kamers dekens voor de ramen hingen en begreep waarom. Dat hij op de juiste plaats was aangekomen.

Ten slotte bleef hij voor de badkamerdeur staan. Hij duwde de kruk naar beneden. Op slot. Maar het was geen probleem om dit slot open te maken; hij had alleen een schroevendraaier of zoiets nodig.

Hij concentreerde zich weer op zijn bewegingen, op het uitvoeren van bewegingen. Hij zou niet meer denken, dat hoefde niet meer. Als hij begon te denken, zou hij aarzelen, en hij moest niet aarzelen. Dus: beweging.

Hij trok de keukenladen uit. Hij vond een keukenmes. Hij liep naar de badkamer. Hij zette de punt in de schroef in het midden en draaide hem tegen de klok in rond. De deur was van het slot en hij deed hem open. Het was pikdonker daarbinnen. Hij zocht het lichtknopje, vond het. Deed het licht aan.

God sta me bij. Dat is toch ...

Het keukenmes viel uit Lackes hand. De badkuip voor zijn voeten was halfvol met bloed. Op de vloer van de badkamer lagen een paar grote plastic jerrycans, waarvan de doorzichtige plastic oppervlakken onder de rode strepen zaten. Het mes viel rinkelend als een belletje op de tegels.

Zijn tong plakte aan zijn verhemelte toen hij vooroverboog om ... waarom? Om te ... voelen ... of iets anders, iets primitievers; de fascinatie voor zo'n hoeveelheid bloed ... zijn hand erin te dompelen, zijn handen te kunnen ... *baden in bloed.*

Hij liet zijn vingers naar het stille, donkere oppervlak afdalen en ... liet ze erin zakken. Zijn vingers werden als het ware afgekapt, verdwenen en met open mond bracht hij zijn hand verder naar beneden totdat hij ...

Hij gaf een gil, trok zich terug.

Hij rukte zijn hand uit de badkuip en bloeddruppels vlogen in het rond, landden op het plafond en op de muren. In een reflex sloeg hij zijn hand voor zijn mond. Hij besefte pas wat hij had gedaan toen zijn tong en lippen het zoete, kleverige goedje registreerden. Hij spuwde, veegde zijn hand af aan zijn broek en hield zijn andere, schone hand voor zijn mond.

Er ligt iemand in.

Ja. Wat hij onder zijn vingertoppen had gevoeld was een buik. Die geweken was voor de druk van zijn hand, voordat hij die omhoog had gehaald. Om zijn gedachten af te leiden van dat walgelijke, zocht hij met zijn ogen over de vloer, vond het keukenmes en nam het weer in zijn hand, hij pakte het heft stevig vast.

Wat moet ik …

Als hij nuchter was geweest, was hij nu misschien weggegaan. Had hij dit donkere meertje verlaten waar van alles en nog wat onder het nu weer stille, spiegelgladde oppervlak kon zitten. Een in stukken gesneden lichaam, bijvoorbeeld.

Misschien is die buik … is het alleen een buik …

Maar zijn dronkenschap maakte hem meedogenloos, ook tegenover zijn eigen angst, dus toen hij het kettinkje zag dat van de rand van de badkuip in de donkere vloeistof liep, stak hij zijn hand uit en trok eraan.

De stop werd er beneden uit getrokken, het begon te sijpelen en te klokken in de buizen en er ontstond een lichte werveling op het oppervlak. Hij ging op zijn knieën voor de badkuip zitten. Hij likte zijn lippen, voelde de stroeve smaak op zijn tong en spuwde op de vloer.

Het oppervlak daalde langzaam. Een scherp gemarkeerde rand van donkerder rood werd zichtbaar langs het hoogste niveau.

Die zit er vast al lang.

Een minuut later kwam aan de ene korte kant de omtrek van een neus boven. Aan de andere kant een stel tenen, die terwijl hij keek, bleven stijgen en twee halve voeten werden. De werveling op het oppervlak was nauwer geworden, heftiger, zat precies tussen de voeten.

Hij kroop met zijn blik langs het kinderlichaam dat langzamerhand zichtbaar werd op de bodem van de badkuip. Een paar handen, op de borst gevouwen. Knieschijven. Een gezicht. Er klonk een gedempt slurpgeluid toen het laatste bloed in de afvoer liep.

Het lichaam voor zijn ogen was donkerrood: vlekkerig, plakkerig als een pasgeborene. Hij had een navel. Maar geen geslachtsorgaan. Jongen of meisje? Maakte niet uit. Toen hij het gezicht met de gesloten ogen bestudeerde, herkende hij het maar al te goed.

Toen Oskar probeerde te rennen, wilden zijn benen niet meewerken. Ze weigerden.

Vijf zwarte seconden lang had hij echt gedacht dat hij dood zou gaan. Dat ze hem van het perron zouden duwen. Nu wilden zijn spieren die gedachte niet loslaten.

Op het pad tussen de school en de gymnastiekzaal ging het niet meer.

Hij wilde gaan liggen. Zich achterover in die bosjes laten vallen, bijvoorbeeld. Zijn jas en gevoerde broek zouden ervoor zorgen dat het niet prikte; de takken zouden hem alleen zacht opvangen. Maar hij had haast. De secondewijzer; zijn schokkerige gang over de wijzerplaat.

De school.

De roodbruine, hoekige bakstenen gevel, steen op steen. In gedachten ging hij als een vogel door de gangen, de lokalen binnen. Jonny was er. Tomas. Ze zaten in hun bank naar hem te grijnzen. Hij boog zijn nek, keek naar zijn schoenen.

De veters waren vies; de ene hing bijna los. Een metalen haakje op de wreef was naar buiten gebogen. Hij liep een beetje naar binnen; bij zijn hielen was het imitatieleer bij beide schoenen uitgerekt, versleten. Toch zou hij deze schoenen waarschijnlijk de hele winter nog moeten dragen.

Een koude, natte broek. Hij tilde zijn hoofd op.

Ze mogen niet winnen. Ze mogen. Niet. Winnen.

Een warme, murmelende vloeistof liep in zijn broekspijpen. De rechte, gemetselde strepen van de baksteengevel maakten een hoek, werden uitgewist, verdwenen toen hij begon te rennen. Zijn stappen werden groter, zodat het om zijn voeten zompte en spatte. De grond vloog onder hem door en nu voelde het omgekeerd, alsof de aardbol te snel draaide, hij hield het niet bij.

Zijn benen strompelden met hem verder, terwijl de flats, de oude Konsum-winkel en de negerzoenenfabriek langs hem heen draaiden. Zijn snelheid, in combinatie met zijn routine, liet hem recht de binnenplaats op hollen, voor Eli's portiek langs naar zijn eigen voordeur.

Hij holde bijna tegen een agent aan die zijn portiek binnenliep. De agent hield zijn armen wijd en ving hem op.

"Hooooo! Wat een haast!"

Zijn tong verstijfde. De agent liet hem los en bekeek hem ... achterdochtig?

"Woon je hier?"

Oskar knikte. Hij had deze agent nooit eerder gezien. Hij leek wel aardig. Nee. Hij had een gezicht dat Oskar normaal gesproken aardig zou vinden. De agent kneep in zijn neus, zei: "Ja, weet je, er is hier ... iets gebeurd. In het portiek hiernaast. Dus nu doe ik navraag of iemand iets heeft gehoord. Of gezien."

"Welk ... welk portiek?"

De agent maakte een beweging met zijn hoofd naar het portiek van Tommy en de eerste paniek viel van Oskar af.

"Die deur. Ja, niet in het portiek, maar ... in de kelder. Heb jij daar misschien iets ongewoons gezien of gehoord? De afgelopen dagen?"

Oskar schudde zijn hoofd. Zijn gedachten waren zo'n rommeltje dat hij eigenlijk helemaal niets dacht, maar hij was bang dat de angst uit zijn ogen schoot en dat de agent die duidelijk kon zien. De agent hield zijn hoofd daadwerkelijk schuin en keek hem onderzoekend aan.

"Hoe is het met je?"

"... goed."

"Je hoeft nergens bang voor te zijn. Het is ... nu voorbij. Dus je hoeft je nergens zorgen over te maken of zo. Zijn je ouders thuis?"

"Nee. Mijn moeder. Nee."

"Oké. Maar ik kom nog wel een keer langs ... dus je kunt er nog even over nadenken of je misschien iets hebt gezien."

De agent hield de deur voor hem open. "Na jou."

"Nee, ik moet even …"

Oskar keerde om en deed zijn best om op een natuurlijke manier de helling af te lopen. Halverwege draaide hij zich om en zag de agent zijn portiek in gaan.

Ze hebben Eli gearresteerd.

Zijn kaken begonnen te trillen en zijn kiezen klikten een onduidelijk morsebericht door zijn skelet terwijl hij Eli's voordeur optrok en de trap opliep. Zouden ze van die linten voor Eli's deur gespannen hebben, het daar hebben afgezet?

Zeg dat ik binnen mag komen.

De deur stond op een kier.

Als de politie hier was geweest, waarom hadden ze de deur dan open laten staan? Dat deden ze toch nooit? Hij legde zijn vingers op de deurklink, trok de deur voorzichtig open en sloop de hal binnen. Het was donker in het appartement. Hij stootte met zijn ene voet ergens tegen aan. Een plastic fles. Eerst dacht hij dat er bloed in de fles zat, maar toen zag hij dat het iets was om vuur mee te maken.

Ademen.

Iemand ademde.

Bewoog.

Het geluid kwam uit de gang bij de badkamer. Oskar liep die kant op, voorzichtig, stap voor stap, hij vouwde zijn lippen naar binnen om zijn kiezen stil te krijgen en het bibberen zakte af naar zijn kin, zijn hals, trok aan zijn beginnende adamsappel. Hij sloeg de hoek om en keek de badkamer in.

Dat is geen agent.

Een man in sjofele kleren zat op zijn knieën bij de rand van de badkuip met zijn bovenlichaam over het bad gebogen, buiten Oskars gezichtsveld. Hij zag alleen een vieze grijze broek, een paar kapotte schoenen met de tenen naar de tegelvloer gericht, de zoom van een jas.

Die man!

Maar hij … ademt.

Ja. In de badkamer klonk sissend in- en uitademen, bijna zuchten, en zonder na te denken sloop Oskar dichterbij. Stukje bij beetje zag hij meer van de badkamer en toen hij er bijna was, zag hij wat er stond te gebeuren.

Lacke kreeg het niet voor elkaar.

Het lichaam op de bodem van de badkuip zag er volkomen krachteloos uit. Het ademde niet. Hij had zijn hand op de borst gelegd en geconstateerd dat het hart klopte, maar slechts een paar slagen per minuut.

Hij had iets … angstaanjagends verwacht. Iets wat in verhouding stond tot de verschrikking die hij in het ziekenhuis had meegemaakt. Maar dit bloederige hoopje mens zag er niet naar uit dat het ooit nog zou kunnen opstaan, laat staan iemand kwaad doen. Het was maar een kind. Een gewond kind.

Net als wanneer je iemand van wie je houdt aan kanker kapot hebt zien gaan, en vervolgens een kankercel onder de microscoop ziet. Stelt niets voor. Dat? Heeft dat kleine dingetje dat gedaan?

Vernietig mijn hart.

Hij snikte en liet zijn hoofd vallen zodat het met een doffe, galmende klap tegen de rand van de badkuip kwam. Hij kon. Geen kind. Doden. Een slapend kind. Dat ging gewoon niet. Ongeacht

…

Zo heeft hij overleefd.

Hij. Hij. Geen kind. Híj.

Hij had zich op Virginia gestort en … hij had Jocke gedood. Hij. Het wezen dat hier nu voor hem lag. Dat wezen zou dat weer doen, met andere mensen. En het wezen was geen mens. Het haalde immers niet eens adem, en toch sloeg zijn hart als … als dat van een dier in winterslaap.

Denk aan de andere mensen.

Een giftige slang waar mensen wonen. Zal ik hem niet doden, alleen omdat hij op dit moment weerloos lijkt?

En toch was dat het niet wat uiteindelijk de doorslag voor hem gaf. Dat was toen hij weer naar het gezicht keek; het gezicht dat met een dun laagje bloed was bedekt, en hij dacht dat het … glimlachte.

Glimlachte om al het kwaad dat hij had gedaan.

Genoeg.

Hij hief het keukenmes boven de borst van het wezen, schoof met zijn benen een stukje naar achteren om al zijn gewicht achter de steek te kunnen zetten en …

"AAAAHHH!"

Oskar schreeuwde.

Er ging geen schok door het lichaam van de man heen; dat verstijfde alleen, hij draaide zijn hoofd naar Oskar en zei langzaam: "Ik moet dit doen. Snap je dat?"

Oskar herkende hem. Een van de alcoholisten die in de flat woonden en hem soms groetten.

Waarom doet hij dat?

Dat was niet van belang. Essentieel was dat de man een mes in zijn handen had, een mes dat recht op de borst van Eli wees, die naakt in de badkuip te kijk lag.

"Niet doen."

Het hoofd van de man bewoog naar rechts, naar links, meer alsof hij iets zocht wat op de vloer lag dan als een ontkenning.

"Nee …"

Hij keerde zich weer naar de badkuip, naar het mes. Oskar had het willen uitleggen. Dat het zijn vriend was daar in de badkuip, dat het zijn … dat hij een cadeautje voor hem had … *dat het Eli was.*

"Wacht."

De punt van het mes zat weer op Eli's borst, zo hard naar beneden gedrukt dat hij bijna door de huid heen prikte. Oskar wist eigenlijk niet wat hij deed toen hij zijn hand in zijn jaszak stopte, de kubus eruit haalde en hem aan de man liet zien.

"Kijk!"

Lacke zag hem alleen uit een ooghoek als een plotseling indringen van kleuren midden in al het zwart en grijs dat hem omringde. Ondanks de bel van besluitvaardigheid waar hij in zat, kon hij het niet laten zijn hoofd die kant op te draaien, te kijken wat het was.

De jongen hield zo'n kubus in zijn hand. Vrolijke kleuren.

Zag er compleet gestoord uit in deze omgeving. Een papegaai tussen kraaien. Even was het net of hij werd gehypnotiseerd door de kleurenpracht van het stuk speelgoed, toen wendde hij zijn blik weer naar de badkuip, naar het mes dat tussen de ribben door naar beneden zou gaan.

Ik hoef alleen maar ... te duwen ...

Een glinstering.

De ogen van het wezen waren open.

Hij spande zich om het mes helemaal naar beneden te duwen en zijn slaap explodeerde.

De kubus kraakte toen een hoek ervan het hoofd van de man raakte en uit Oskars hand werd gedraaid. De man viel zijwaarts, landde op een plastic jerrycan die weggleed en knalde met een dreun als van een basedrum tegen de rand van de badkuip.

Eli ging rechtop zitten.

Vanaf de deur van de badkamer kon Oskar alleen de achterkant van zijn lichaam zien. Zijn haar zat plat en plakkerig op zijn achterhoofd en zijn rug was één en al wonden.

De man probeerde te gaan staan, maar Eli kwam snel uit de badkuip – het was meer vallen dan springen wat hij deed – en landde op de knieën van de man, een kind dat bij zijn vader op schoot kruipt om troost te zoeken. Eli sloeg zijn armen om de hals van de man en trok zijn hoofd naar hem toe als om iets teders te fluisteren.

Oskar liep achteruit de badkamer uit toen Eli zich vastbeet in de hals van de man. Eli had hem niet gezien. Maar de man zag hem wel. Zijn ogen bleven Oskar aankijken terwijl hij achteruit de hal in schoof.

"Sorry."

Oskar slaagde er niet in het geluid te maken, maar zijn lippen vormden het woord, voordat hij de hoek om ging en het oogcontact werd verbroken.

Hij stond met zijn hand op de deurkruk toen de man schreeuwde. Toen verdween het geluid abrupt, alsof er een hand op zijn mond was gelegd.

Oskar aarzelde. Toen deed hij de deur dicht. En op slot.

Zonder naar rechts te kijken liep hij de hal door naar de woonkamer.

Ging in de fauteuil zitten.

Begon te neuriën om de geluiden uit de badkamer niet te horen.

DEEL VIJF

Laat de ware binnenkomen

Tegenwoordig is dit
mijn enige kans om te protesteren ...

bob hund – *Iemand die tegenstribbelt*

Let the right one in
Let the old dreams die
Let the wrong ones go
They cannot do
What you want them to do

Morrissey – *Let the Right One Slip In*

Uit *Dagens Eko* 16.45 uur, maandag 9 november 1981:

De zogenaamde rituele moordenaar is maandagochtend door de politie aangehouden. De man bevond zich op dat moment in een kelder in Blackeberg in Stockholm-West. De woordvoerder van de politie, Bengt Lärn:

"Er is een aanhouding verricht, dat klopt."

"Weet u zeker dat het de man is die wordt gezocht?"

"Tamelijk zeker. Er zijn echter bepaalde factoren die een positieve identificatie moeilijk maken."

"Welke factoren?"

"Daar kan ik op dit moment helaas niet op ingaan."

De man werd na de aanhouding naar het ziekenhuis gebracht. Zijn toestand wordt als uitermate kritiek omschreven.

Bij de man bevond zich ook een zestienjarige jongen. De jongen was fysiek ongedeerd, maar in zware shock, en is voor observatie naar het ziekenhuis overgebracht.

De politie doorzoekt nu de naaste omgeving om verdere informatie in te winnen over het verloop van de gebeurtenissen.

Koning Carl Gustaf heeft vandaag de nieuwe brug over de Almösund in Bohuslän geopend. In zijn toespraak ...

Uit diagnostische aantekeningen van prof. T. Hallberg, chirurg, gemaakt ten behoeve van de politie:

... eerste onderzoek bemoeilijkt ... spiersamentrekkingen van spastische aard ... niet te lokaliseren stimuli van het centrale zenuwstelsel ... hartactiviteit gestopt ...

Spierbewegingen houden op om 14.25 uur ... lijkschouwing toont tot nu toe onbekend ... sterk misvormde inwendige organen ...

Paling die dood en in stukken gehakt in de koekenpan springt ... nooit eerder waargenomen bij menselijk weefsel ... verzoek het lichaam te mogen houden ... vriendelijke groet ...

Uit de krant *Västerort*, week 46:

WIE HEEFT ONZE KATTEN GEDOOD?
"Ik heb alleen haar halsband nog", zegt Svea Nordström en ze gebaart met haar hand naar de sneeuwbrij op het grasveld, waar haar kat en de katten van acht andere bewoners van deze villa-wijk werden gevonden ...

Uit *Aktuellt*, maandag 9 november, 21.00 uur:

"De politie is eerder vanavond het appartement binnengegaan waarvan wordt aangenomen dat het aan de zogenaamde rituele moordenaar heeft toebehoord, die vanochtend werd aangehouden.

Een tip van het publiek heeft ervoor gezorgd dat de politie uiteindelijk de woning in Blackeberg kon lokaliseren, een meter of vijftig van de plaats waar de man vanochtend werd gearresteerd.

Onze verslaggever ter plaatse, Folke Ahlmarker: 'Ambulancepersoneel is op dit moment bezig het lichaam van een man weg te dragen die dood is aangetroffen in het appartement. Het is nog niet bekend wie de man is. Het ziet ernaar uit dat de woning verder helemaal leeg is. Kennelijk zijn er aanwijzingen dat er zich kortgeleden nog meer personen in de woning hebben opgehouden.'

'Wat doet de politie nu?'

'Ze zijn de hele dag bezig geweest met een buurtonderzoek, maar als daar al iets uit is gekomen, is dat nog niet bekendgemaakt.'

'Dank je wel, Folke.'

De Tjörnbrug, waarvan de bouw zes weken eerder dan gepland werd voltooid, kon vandaag al worden geopend door koning Carl Gustaf ..."

MAANDAG 9 NOVEMBER

Blauwe lichtpulsen over het plafond van zijn slaapkamer.

Oskar ligt in bed met zijn handen achter zijn hoofd.

Onder het bed staan twee kartonnen dozen. In de ene zit geld, een heleboel biljetten, en twee flessen spiritus, de andere zit vol met puzzels.

De doos met kleren is blijven staan.

Om de dozen te verbergen heeft Oskar zijn ijshockeyspel er schuin voor gezet. Morgen brengt hij ze naar de kelder, als hij er de puf voor heeft. Zijn moeder kijkt tv, roept dat hun flat in beeld is. Maar hij hoeft maar op te staan en bij het raam te gaan staan, dan ziet hij het ook, uit een andere hoek.

Toen het nog licht was en Eli zich waste, gooide Oskar de dozen van Eli's balkon over naar het zijne. Toen Eli uit de badkamer kwam, waren de wonden op zijn rug geheeld en was hij een beetje dronken van de alcohol in het bloed.

Ze lagen samen in bed, hielden elkaar vast. Oskar vertelde wat er bij de metro was gebeurd. Eli zei: "Sorry. Dat ik dit in gang heb gezet."

"Nee. Dat geeft niet."

Stil. Een hele poos. Toen vroeg Eli, voorzichtig: "Zou jij zo willen ... worden als ik?"

"... nee. Ik zou bij je willen zijn, maar ..."

"Nee. Natuurlijk wil je dat niet. Dat begrijp ik wel."

In de schemering stonden ze ten slotte op en kleedden zich aan. Ze stonden met de armen om elkaar heen in de woonkamer toen ze de zaag hoorden. Het slot werd doorgezaagd.

Ze renden naar het balkon, sprongen over het hekje en landden tamelijk zacht in de bosjes eronder.

Vanuit het appartement hoorden ze iemand zeggen: "Welverdorie ..."

Ze doken in elkaar onder het balkon. Geen tijd.

Eli keerde zijn gezicht naar dat van Oskar, zei: "Ik ...", deed zijn mond dicht en drukte toen een kus op Oskars lippen.

Oskar keek een paar seconden door Eli's ogen. En hij zag ... zichzelf. Alleen veel leuker, mooier en sterker dan hijzelf vond dat hij was. Met liefde gezien.

Een paar seconden.

Stemmen in het appartement naast hem.

Voordat ze opstonden had Eli nog gauw het briefje met de morsecode van de muur getrokken. Nu stampen er vreemde voeten door de kamer waar Eli naar hem heeft liggen kloppen.

Oskar zet zijn handpalm tegen de muur.

"Eli ..."

DINSDAG 10 NOVEMBER

Oskar ging die dinsdag niet naar school. Hij lag in bed naar de geluiden achter de muur te luisteren en vroeg zich af of ze iets zouden vinden wat hen naar hem zou kunnen leiden. 's Middags werd het stil en ze waren nog steeds niet gekomen.

Toen stond hij op, kleedde zich aan en ging naar Eli's portiek. De deur naar het appartement was verzegeld. Je mocht er niet in. Terwijl hij daar stond te kijken, kwam er een agent het trappenhuis in. Maar hij was immers gewoon een nieuwsgierig buurjongetje.

Toen het buiten schemerig werd, bracht hij de dozen naar de kelder en legde er een oud kleed overheen. Hij moest later maar beslissen wat hij ermee zou doen. Een dief die in hun kelderberging inbrak, zou er mooi blij mee zijn.

Hij bleef een hele poos in het donker van de kelder zitten, dacht aan Eli, aan Tommy en aan die man. Eli had alles verteld; dat het niet zijn bedoeling was geweest dat het zo zou gaan.

Maar Tommy leefde nog. Hij kwam er weer bovenop. Dat had zijn moeder aan Oskars moeder verteld. Hij mocht morgen naar huis.

Morgen.

Morgen moest Oskar weer naar school.

Naar Jonny en Tomas, naar …

We zullen hem opnieuw moeten gaan trainen.

Jonny's koude, harde vingers om zijn wangen. Duwen het zachte vlees tegen zijn kaken, totdat hij zijn mond wel open moet doen.

Gil als een varken.

Oskar vouwde zijn handen, leunde er met zijn hoofd op, keek naar het heuveltje dat werd gevormd door het kleed over de dozen heen. Hij stond op, trok het kleed weg en maakte de doos met geld open.

Briefjes van duizend, van honderd, door elkaar heen, een paar bundeltjes. Hij woelde met zijn hand door het geld totdat hij die ene plastic fles vond. Daarna ging hij thuis lucifers halen.

Een eenzame schijnwerper wierp een koud, wit schijnsel over het schoolplein. Buiten de lichtkring daarvan waren de contouren van vaste speeltoestellen te zien. De pingpongtafels, die zo vol scheuren zaten dat je er alleen met een tennisbal op kon spelen, waren met sneeuwbrij bedekt.

Een paar rijen ramen in het schoolgebouw waren verlicht. Avondcursussen. Daarom stond ook een van de zijdeuren van de school open.

Hij zocht zich een weg door de onverlichte gangen naar zijn lokaal. Hij bleef even naar de banken staan kijken. Het lokaal zag er onwerkelijk uit zo 's avonds; alsof de spoken het geluidloos fluisterend voor hún onderwijs gebruikten, welke vorm dat ook aannam.

Hij liep naar Jonny's bank, deed de klep open en sprenkelde er een paar deciliter spiritus in. Tomas' bank: hetzelfde. Hij bleef even stilstaan voor Mickes bank. Besloot het niet te doen. Toen ging hij in zijn eigen bank zitten. Liet het intrekken. Zoals je doet bij houtskool voor de barbecue.

Ik ben een spook. Boeoe ... boeoe ...

Hij deed de klep van zijn bank omhoog, haalde *Ogen van vuur* eruit, glimlachte om de titel en stopte het boek in zijn tas. Zijn taalschrift waarin hij een verhaal had geschreven dat hij goed vond. Zijn lievelingspen. In de tas. Toen stond hij op, liep een rondje door het lokaal en genoot er gewoon van daar te zijn. In alle rust.

Er hing een chemisch luchtje om Jonny's bank toen hij de klep weer optilde en de lucifers tevoorschijn haalde.

Nee, wacht ...

Hij ging twee grote dikke houten linialen halen van de plank achter in het lokaal. Hij zette de klep van Jonny's bank open met de ene en die van Tomas met de andere. Anders stopte het met branden zodra hij de klep losliet.

Twee hongerige beesten uit de oertijd, met hun bek open voor voedsel. Draken.

Hij streek een lucifer aan, hield die in zijn hand tot de vlam groot en helder was en liet hem toen los.

Hij viel, een gele druppel uit zijn hand en …

HOEMM.

Verd…

Zijn ogen brandden toen een kleine kometenstaart uit de bank omhoogschoot en over zijn gezicht likte. Hij deinsde achteruit; hij had gedacht dat het zou branden als … houtskoolbriketten, maar de bank vloog in een keer in brand, werd één grote vlam die tot het plafond reikte.

Het brandde te hard.

Het licht danste, fladderde over de muren van het lokaal en een slinger met grote papieren letters, die boven Jonny's bank hing, liet los en viel met een brandende P en Q op de grond. De andere helft van de slinger zwaaide in een grote boog weg en er vielen vlammen op Tomas' bank, die onmiddellijk in brand vloog met dezelfde *HOEMMM* zuigende klap terwijl Oskar het lokaal uit rende, zijn schooltas bonkend op zijn heup.

Stel je voor dat de hele school …

Toen hij aan het eind van de gang was, begon de bel te luiden. Een metalen gerinkel vulde het gebouw en pas toen hij al een eindje de trap af was, begreep hij dat het het brandalarm was.

Buiten op het plein gaf de grote bel nijdig rinkelend aan dat de afwezige leerlingen naar binnen moesten, hij verzamelde de spoken van de school en volgde Oskar tot halverwege zijn huis.

Pas toen hij bij de oude Konsum-winkel kwam en hij de bel niet meer kon horen, ontspande hij. Hij liep rustig verder naar huis.

In de spiegel van de badkamer zag hij dat de toppen van zijn wimpers opgekruld waren, verbrand. Toen hij er met zijn vinger overheen streek, vielen ze eraf.

WOENSDAG 11 NOVEMBER

Thuis van school. Hoofdpijn. Om een uur of negen ging de telefoon. Hij nam niet op. Midden op de dag zag hij uit het raam Tommy en zijn moeder buiten voorbijlopen. Tommy liep half voorovergebogen, langzaam. Als een oude man. Oskar kroop onder de vensterbank toen ze passeerden.

De telefoon ging om het uur. Rond een uur of twaalf nam hij ten slotte op. "Ja, met Oskar."

"Hallo. Met Bertil Svanberg. Ik ben, zoals je misschien weet, directeur van de school waar je …"

Hij hing op. Er werd weer gebeld. Hij bleef even naar de rinkelende telefoon staan kijken, stelde zich voor hoe de directeur met zijn geruite jasje aan met zijn vingers zat te trommelen en rare gezichten trok. Toen kleedde hij zich aan en ging naar de kelder. Hij prutste wat met de puzzels, stak zijn vinger in het witte houten doosje waar de honderden stukjes van het glazen ei lagen te glimmen. Eli had maar een paar duizendjes meegenomen en de kubus. Hij deed de doos met puzzels dicht, maakte de andere open, woelde met zijn hand door de ritselende biljetten en haalde er een vuistvol uit. Hij gooide de bankbiljetten op de grond, stopte ze in zijn zakken, haalde ze er een voor een uit en speelde *De jongen met de gouden broek* tot het hem begon te vervelen. Twaalf kreukelige duizendjes en zeven honderdjes lagen bij zijn voeten.

Hij maakte een stapeltje van de duizendjes en vouwde ze op. De honderdjes stopte hij terug en hij deed de doos dicht. Ging het appartement binnen, zocht een witte envelop en stopte daar de

485

duizendjes in. Hij zat zich met de envelop in zijn hand af te vragen wat hij zou doen. Hij wilde niet schrijven; iemand zou zijn
handschrift kunnen herkennen.

De telefoon ging.

Hou toch op. Snap dan dat ik er niet ben.

Iemand wilde een hartig woordje met hem spreken. Iemand
wilde hem vragen of hij begreep wat hij had aangericht. Hij
begreep het heel goed. Jonny en Tomas begrepen het vast ook.
Heel goed. Hoefden ze het niet meer over te hebben.

Hij ging naar zijn bureau en pakte zijn wrijfletters. Midden op
de envelop wreef hij een 'T' en een 'O'. De eerste 'M' kwam er
scheef op, maar de tweede zat recht. Net als de 'Y'.

Toen hij Tommy's portiekdeur opendeed met de envelop in zijn
jaszak was hij banger dan hij de avond tevoren in de school was
geweest. Behoedzaam en met bonzend hart stopte hij de envelop
voorzichtig in Tommy's brievenbus, want hij wilde niet dat
iemand het hoorde en dan naar de deur kwam of uit het raam
keek en hem zag.

Maar er kwam niemand en toen Oskar terug was in zijn appartement, voelde hij zich wat beter. Even. Tot het weer op hem af
kwam.

Ik moet ... hier niet zijn.

Om drie uur kwam zijn moeder thuis, een paar uur eerder dan
normaal. Oskar zat toen in de woonkamer en draaide de plaat
van de Vikingarna. Ze kwam de kamer in, tilde de naald op en
zette de platenspeler uit. Aan haar gezicht kon hij raden dat ze
het wist.

"Hoe is het met je?"

"Niet zo goed."

"Nee ..."

Ze zuchtte en ging op de bank zitten.

"De directeur van je school heeft me gebeld. Op het werk. Hij
vertelde dat ... dat er gisteren brand is geweest. In de school."

"O ja? Is die afgebrand?"

"Nee, maar ..."

Ze deed haar mond dicht, bleef een paar seconden naar het
vloerkleed kijken. Sloeg haar ogen toen op en keek hem aan.

"Oskar. Heb jij dat gedaan?"

Hij keek haar recht in de ogen en zei: "Nee."

Pauze.

"Nee, want kennelijk was het zo dat er veel vernield was in het lokaal, maar dat het … bij de banken van Jonny en Tomas … dat het daar was begonnen."

"Ja, ja."

"En zíj waren er kennelijk nogal zeker van … dat jij het had gedaan."

"Maar dat is niet zo."

Zijn moeder bleef op de bank zitten en ademde door haar neus. Ze zaten een meter van elkaar, een oneindige afstand.

"Ze willen … met je praten."

"Ik niet met hen."

Het zou een lange avond worden. Niks leuks op tv.

Die nacht kon Oskar niet slapen. Hij stond op en sloop naar het raam. Hij dacht dat er beneden iemand op het klimrek van de speelplaats zat. Maar dat verbeeldde hij zich natuurlijk maar. Toch bleef hij naar de schaduw daar beneden staren, totdat zijn oogleden zwaar werden.

Toen hij weer in bed ging liggen, kon hij nog steeds niet slapen. Voorzichtig klopte hij op de muur. Geen antwoord. Alleen het droge geluid van zijn eigen vingertoppen en knokkels op het beton, kloppen op een deur die voorgoed gesloten was.

DONDERDAG 12 NOVEMBER

's Ochtends moest Oskar overgeven en hij mocht nog een dag thuisblijven. Hoewel hij maar een paar uur had geslapen die nacht kon hij niet rusten. Er zat een knagende onrust in zijn lichaam die hem door het appartement dreef. Hij liep rond, pakte dingen op, bekeek ze, legde ze weer neer.

Het was net of hij iets moest dóén. Iets waarvan het absoluut noodzakelijk was dat hij het deed. Maar hij kon niet bedenken wat.

Toen hij de banken van Tomas en Jonny in brand stak, had hij een moment gedacht dat dát het was. Toen hij het geld bij Tommy bracht, had hij gedacht dat dát het was. Maar dat was het niet. Het was iets anders.

Een grote theatervoorstelling die nu voorbij was. Hij liep rond op het ontruimde toneel waar de lichten uit waren en veegde bij elkaar wat was blijven liggen. Als het iets ánders was …

Maar wat?

Toen om elf uur de post kwam, was er maar één brief. Zijn hart maakte een sprong in zijn borst toen hij hem opraapte en omdraaide.

Hij was aan zijn moeder gericht. In de rechterbovenhoek stond een stempel van 'schooldistrict Ängby-Zuid'. Hij opende hem niet, maar scheurde hem in stukjes en spoelde ze door de wc. Had spijt. Te laat. Het kon hem niet schelen wat erin stond, maar als hij zich er op deze manier mee bemoeide, werd het nog meer gedoe dan wanneer hij niets deed.

Maar het maakte niet uit.

Hij kleedde zich uit en trok zijn badjas aan. Hij bestudeerde zichzelf in de spiegel in de hal. Deed net of hij iemand anders was. Boog naar voren om het spiegelglas te kussen. Op het moment dat zijn lippen het koude oppervlak raakten, ging de telefoon. Zonder na te denken nam hij op: "Ja, met mij."

"Oskar?"

"Ja."

"Hallo, met Fernando."

"Wat?"

"Ja, Ávila. Meester Ávila."

"O ja. Hallo."

"Ik wilde eens horen … kom je vanavond op training?"

"Ik ben … een beetje ziek."

Het werd stil aan de andere kant. Oskar kon de meester horen ademhalen. Een. Twee. Toen: "Oskar. Of je het hebt gedaan. Of niet. Mij maakt het niet uit. Als je wilt praten, we praten. Als je niet wilt praten, we doen het niet. Maar ik wil dat je op training komt."

"Waarom … dat?"

"Omdat, Oskar, je niet kan blijven zitten als een caracole, hoe zeg je … slak. In je huisje. Als je niet ziek bent, word je ziek. Ben je ziek?"

"… Ja."

"Dan heb je lichaamsbeweging nodig. Je komt vanavond."

"En de anderen dan?"

"De anderen? Wat zijn de anderen? Als ze vervelend zijn, zeg ik 'boe', ze houden op. Maar ze doen niet vervelend. Het is training."

Oskar antwoordde niet.

"Oké? Je komt?"

"Ja …"

"Mooi. Tot vanavond."

Oskar hing op en het was stil om hem heen. Hij wilde niet naar de training. Maar hij wilde wel met de meester praten. Misschien kon hij wat eerder gaan, kijken of de meester er was. En dan naar huis gaan als het begon.

Niet dat de meester dat goed zou vinden, maar …

Hij liep nog een paar rondjes door het appartement. Hij pakte zijn trainingstas in, vooral om iets te doen te hebben. Een geluk dat hij Mickes bank niet in brand had gestoken, aangezien Micke misschien op de training kwam. Hoewel die misschien toch verwoest was omdat hij naast die van Jonny stond. Hoeveel was er eigenlijk verloren gegaan?

Hij moest het aan iemand vragen …

Tegen drieën werd er weer gebeld. Oskar aarzelde voordat hij de hoorn optilde, maar na de flits van hoop die door hem heen was geschoten toen hij de eenzame envelop zag, kon hij het niet meer laten om op te nemen.

“Ja, met Oskar.”

“Hoi, met Johan.”

“Hallo.”

“Hoe is ie?”

“Gaat wel.”

“Zullen we vanavond iets doen?”

“Wanneer … dan?”

“Ja … uurtje of zeven, zoiets.”

“Nee, ik moet … naar training.”

“O, ja. Oké. Jammer. Doei.”

“Johan?”

“Ja?”

“Ik hoorde dat er brand was geweest. In het lokaal. Is er veel kapot?”

“Nee. Een paar banken maar.”

“Verder niet?”

“Nee … alleen … wat papier en zo.”

“Ja, ja.”

“Met jouw bank is alles in orde.”

“Ja. Mooi.”

“Oké. Doei.”

“Doei.”

Oskar hing op met een vreemd gevoel in zijn buik. Hij had gedacht dat íédereen wist dat hij het had gedaan. Maar dat had hij aan Johan niet kunnen merken. En zijn moeder had nog wel gezegd dat er véél verwoest was. Maar misschien had ze overdreven.

Oskar besloot Johan te geloven. Die had het per slot van rekening gezien.

"Nou ja, zeg ..."
Johan hing op, hij keek besluiteloos om zich heen. Jimmy schudde zijn hoofd en blies rook naar buiten door het raam van Jonny's slaapkamer.
"Zo slecht heb ik het nog nooit gehoord."
Met een zielig stemmetje zei Johan: "Het is niet makkelijk, hoor."
Jimmy keerde zich naar Jonny, die op zijn bed zat en een stuk sprei tussen zijn vingers wreef.
"Hoe was het nou? Het halve lokaal afgebrand?"
Jonny knikte. "De hele klas haat hem."
"En jij ...", Jimmy richtte zich weer tot Johan, "jij noemt dat ... wat zei je nou? 'Wat papier.' Denk je dat hij daarin trapt?"
Johan boog beschaamd zijn hoofd.
"Ik wist niet wat ik moest zeggen. Ik dacht dat hij ... achterdochtig zou worden als ik zei dat ..."
"Ja, ja. Het is alweer gebeurd. Nu moeten we maar hopen dat hij komt."
Johans blik vloog heen en weer van Jonny naar Jimmy. Beiden hadden een lege blik, verzonken in beelden van de komende avond.
"Wat zijn jullie van plan?"
Jimmy boog voorover op de stoel, veegde wat gemorste as van de mouw van zijn trui en zei langzaam: "Hij heeft alles verbrand. Wat we van ónze vader hadden. Dus wat we van plan zijn. Daar hoef jij je niet zo druk over te maken. Of wel?"

Zijn moeder kwam om halfzes thuis. De leugen en het gebrek aan vertrouwen van de vorige avond hingen nog steeds als een koude mist tussen hen in, en zijn moeder ging meteen naar de keuken en begon onnodig hard met de vaat te rammelen. Oskar deed zijn deur dicht en ging op bed naar het plafond liggen kijken.
Hij kon weggaan. Naar de binnenplaats. Naar de kelder. Naar het plein. Met de metro. Maar er was geen plek ... geen plek waar hij ... niets.

Hij hoorde zijn moeder naar de telefoon lopen, ze draaide een lang nummer. Dat van zijn vader vermoedelijk.

Oskar had het een beetje koud.

Hij trok het dekbed over zich heen, ging met zijn achterhoofd tegen de muur zitten en luisterde naar het geluid van het gesprek van zijn moeder en vader. Kon hij maar met zijn vader praten. Maar dat kon niet. Dat werd nooit wat.

Oskar sloeg het dekbed om zich heen. Terwijl zijn moeders stem luider werd, deed hij net of hij een onverstoorbaar indianenopperhoofd was. Even later begon ze te schreeuwen en het opperhoofd liet zich op bed vallen en duwde het dekbed tegen zijn oren.

Het is zo stil in mijn hoofd. Het is … het heelal.

Van de strepen, kleuren en stippen voor zijn ogen maakte Oskar planeten, verre sterrenstelsels waar hij doorheen reisde. Hij landde op kometen, vloog even mee, sprong eraf en zweefde vrij door de ruimte totdat er aan het dekbed werd getrokken en hij zijn ogen opendeed.

Daar stond moeder. Haar lippen vertrokken. Haar stem een hakkelend staccato toen ze praatte: "Zo. Nu heb ik van papa gehoord … dat hij … afgelopen zaterdag … dat jij … waar heb je uitgehangen? Nou? Waar zat je ergens? Kun je me dat vertellen?"

Zijn moeder trok hard aan het dekbed, vlak bij zijn gezicht. Haar nek spande zich tot een harde, dikke kabel.

"Je gaat daar niet meer heen. Nooit meer. Hoor je dat? Waarom heb je niks verteld? Dus … die klootzak. Zulke mensen moeten geen kinderen hebben. Hij krijgt je niet meer te zien. Dan kan hij drinken zoveel hij wil. Hoor je dat? We hebben hem niet nodig. Ik ben zo …"

Zijn moeder draaide zich abrupt om, smeet de deur dicht, zodat de muren ervan trilden. Oskar hoorde haar snel weer het lange nummer draaien, ze schold toen ze een verkeerd cijfer had gedraaid en begon opnieuw. Een paar seconden nadat ze het laatste cijfer had gedraaid, begon ze weer te schreeuwen.

Oskar kroop uit het dekbed, pakte zijn trainingstas en liep de hal in, waar zijn moeder zo druk bezig was met schreeuwen tegen zijn vader, dat ze het niet merkte toen hij in zijn schoenen stapte en zonder de veters vast te maken naar de voordeur liep.

Ze zag hem pas toen hij al in het trappenhuis stond.

"Hallo! Waar ga jij naartoe?"

Oskar knalde de deur dicht, holde de trappen af en rende met klepperende zolen verder naar het zwembad.

"Roger, Prebbe ..."

Jimmy wees met de plastic vork naar de twee die uit de metro kwamen. De hap met garnalensalade die Jonny net van zijn broodrolletje had genomen, bleef in zijn keel steken en hij moest een keer extra slikken om hem weg te krijgen. Hij keek zijn broer vragend aan, maar Jimmy's aandacht was gericht op de twee die naar het worstkraampje kwamen slenteren en groetten.

Roger was dun, had lang vettig haar en droeg een leren jack. De huid van zijn gezicht was bezaaid met honderden kratertjes en leek gekrompen aangezien de botten eronder duidelijk uitstaken, en zijn ogen leken onnatuurlijk groot.

Prebbe droeg een spijkerjasje met afgeknipte mouwen met een T-shirt eronder en verder niets, hoewel het maar een paar graden boven nul was. Hij was groot, puilde aan alle kanten uit en had stekeltjeshaar. Een bergjager die niet meer in vorm was.

Jimmy zei iets tegen hen, wees, en ze liepen vooruit naar het transformatorhuisje boven de rails van de metro. Jonny fluister-de: "Wat ... komen zij doen?"

"Helpen, natuurlijk."

"Is dat nodig?"

Jimmy snoof en schudde zijn hoofd, alsof Jonny er werkelijk geen fluit van begreep hoe het werkte.

"Hoe had jij dan gedacht dat het met de meester moest?"

"Ávila?"

"Ja. Dacht je dat die ons zomaar binnen zou laten en ... hè?"

Daar had Jonny geen antwoord op, dus hij volgde zijn broer naar de achterkant van het bakstenen huisje. Roger en Prebbe stonden in de schaduw met hun handen in de zakken en stamp-ten op de grond. Jimmy haalde een zilverkleurig sigarettenetui uit zijn jaszak, klikte het open en hield het de twee voor.

Roger bestudeerde de zes handgerolde sigaretten die erin zaten, zei: "Kant-en-klaar gerold, nou, nou ..." en hij pikte de dikste er met twee dunne vingers uit.

Prebbe maakte een grimas waardoor hij er net zo uitzag als een van de oude mannen op het balkon bij de Muppets. "De kracht gaat eruit als het een tijdje ligt."

Jimmy wipte uitnodigend met het etui en zei: "Oud wijf. Ik heb ze een uur geleden gedraaid. En dit is niet van die Marokkaanse rommel waar jij altijd mee aankomt. Dit is goed spul."

Prebbe hijgde, pakte een van de sigaretten en kreeg vuur van Roger.

Jonny keek naar zijn broer. Jimmy's gezicht was een scherp silhouet tegen het licht van het metroperron. Jonny bewonderde hem. Vroeg zich af of hij zelf ook ooit "oud wijf" tegen iemand als Prebbe zou durven zeggen.

Jimmy nam zelf ook een sigaret en stak hem aan. Het opgerolde papier bij de punt brandde even voordat het ging gloeien. Hij inhaleerde diep en Jonny werd omringd door de zoete lucht die altijd in Jimmy's kleren zat.

Ze rookten een poosje zwijgend. Toen stak Roger zijn sigaret uit naar Jonny.

"Wil jij ook een trekje?"

Jonny wilde net zijn hand uitsteken om hem aan te pakken, maar Jimmy gaf Roger een klap op zijn schouder.

"Idioot. Moet hij net zo worden als jij?"

"Dat zou toch leuk zijn."

"Voor jou misschien. Niet voor hem."

Roger haalde zijn schouders op, trok zijn aanbod in.

Het was halfzeven toen ze allemaal klaar waren met roken en toen Jimmy praatte, deed hij dat overdreven duidelijk, elk woord een gecompliceerde sculptuur die zijn mond uit moest.

"Oké. Dit is ... Jonny. Mijn broertje."

Roger en Prebbe knikten om hun bijval te betonen. Jimmy pakte Jonny ietwat onhandig bij zijn kin en draaide zijn hoofd in profiel naar de twee anderen.

"Kijk eens naar zijn oor. Dat heeft hij gedaan. De jongen die we gaan ... aanpakken."

Roger deed een stap naar voren, tuurde naar Jonny's oor en klakte met zijn tong.

"Verdomme zeg. Ziet er niet best uit."

"Laat die ... expert ... uitspraken maar zitten. Jullie luisteren alleen. We doen het zo ..."

De hekken in de gang tussen de bakstenen wanden stonden open. *Kaplóf, kaplóf* echode het van Oskars schoenen toen hij naar de deur van het zwembad liep en die opentrok. Vochtige warmte viel over zijn gezicht en een wolk van damp golfde de koude gang in. Hij ging gauw naar binnen en deed de deur dicht.

Hij schopte zijn schoenen uit en liep door naar de kleedkamer. Leeg. In de douche klonk het geluid van stromend water en een zware stem die zong.

Bésame, bésame mucho
Como si fuera esta noche la última vez ...

De meester. Oskar ging met zijn jas aan op een van de banken zitten wachten. Na een poosje hield het spetteren en zingen op en de meester kwam de kleedkamer in met een handdoek om zijn heupen. Zijn borst was helemaal bedekt met zwart, krullend haar met een beetje grijs. Oskar vond dat hij er uitzag als iets van een andere planeet. De meester kreeg hem in het oog en glimlachte breed.

"Oskar! Dus je ging toch uit je schulp kruipen!"

Oskar knikte.

"Het werd wat ... krap."

De meester lachte, krabde over zijn borst; zijn vingertoppen verdwenen in de krulletjes.

"Je bent vroeg."

"Ja, ik dacht ..."

Oskar haalde zijn schouders op. De meester hield op met krabben.

"Je dacht?"

"Ik weet niet."

"Wilde je praten?"

"Nee, alleen ..."

"Laat me eens naar je kijken."

De meester zette een paar snelle stappen in Oskars richting, bestudeerde zijn gezicht, knikte. "Aha. Oké."

"Wat ... dan?"

"Jij hebt het gedaan." De meester wees naar zijn eigen ogen. "Ik zie het. Jij hebt je wenkbrauwen verbrand. Nee, hoe heet dat? Lager ... Wimpels."

"Wimpers?"

"Wimpers. Precies. Hier ook wat haar. Hm. Als je wilt dat niemand het zeker weet, moet je wat haar afknippen. Wimpels ... wimpers groeien snel. Maandag het is weg. Benzine?"

"Spiritus."

De meester blies lucht tussen zijn lippen door, schudde zijn hoofd.

"Heel gevaarlijk. Vermoedelijk ...", de meester tikte met zijn wijsvinger tegen Oskars slaap, "... je bent een beetje gek. Beetje maar. Waarom spiritus?"

"Dat ... had ik gevonden."

"Gevonden? Waar?"

Oskar keek in het gezicht van de meester: een vochtige, welwillende steen. En hij wilde het vertellen. Hij wilde alles vertellen. Hij wist alleen niet waar hij moest beginnen. De meester wachtte. Zei toen: "Spelen met vuur is erg gevaarlijk. Kan gewoonte worden. Is geen goede methode. Veel beter lichaamsoefening."

Oskar knikte, en het gevoel verdween. De meester was oké, maar hij zou het niet begrijpen.

"Nu jij gaat je omkleden en ik leer je wat techniek met de halterstang. Oké?"

De meester draaide zich om en liep naar zijn kantoortje. Voor de deur bleef hij staan.

"En Oskar. Geen zorgen. Ik zeg het tegen niemand als je niet wilt. Goed? We kunnen verder praten na de training."

Oskar kleedde zich om. Toen hij klaar was, kwamen Patrik en Hasse, twee jongens uit 6a, binnen. Ze groetten Oskar, maar hij vond dat ze iets te lang naar hem keken, en toen hij de trainingszaal in ging hoorde hij dat ze met elkaar begonnen te fluisteren.

Hij kreeg een onbehaaglijk gevoel in zijn buik. Hij had spijt dat hij gekomen was. Maar meteen daarna kwam de meester, nu gekleed in een T-shirt en korte broek, hij liet zien hoe je een effectievere ruk aan de halterstang kon geven door die op je vingertoppen te laten rusten, en Oskar haalde 28 kilo: twee kilo meer dan de vorige keer. De meester noteerde het nieuwe record in zijn schrift.

Er kwamen meer jongens, onder anderen Micke. Hij lachte zijn gewone cryptische glimlach die van alles kon betekenen, variërend van dat hij je straks een mooi cadeau zou geven tot dat hij je iets vreselijks aan zou doen.

Dat laatste was het geval, ook al begreep Micke zelf de volle omvang niet.

Op weg naar de training had Jonny hem ingehaald en hem gevraagd of hij iets wilde doen; Jonny wilde namelijk een grap uithalen met Oskar. Dat leek Micke een goede zaak. Hij hield van grappen. Bovendien was Mickes hele verzameling ijshockeyplaatjes afgelopen dinsdagavond verbrand, dus hij deed graag mee aan een grapje ten koste van Oskar.

Maar nu glimlachte hij nog.

De training ging verder. Oskar had de indruk dat de anderen vreemd naar hem keken, maar zodra hij hen probeerde aan te kijken, keken ze weg. Hij was het liefst naar huis gegaan.

… Nee … ga …

Ga gewoon.

Maar de meester hield hem in de gaten, pepte hem op en hij kreeg de kans niet echt. Bovendien: hier zijn was altijd nog beter dan thuiszitten.

Toen Oskar klaar was met zijn training was hij zo uitgeput dat hij zich niet eens rot kon voelen. Hij liep naar de douche, een eindje achter de anderen aan en douchte met zijn rug naar de ruimte toe. Niet dat het wat uitmaakte. Zwemmen deden ze toch naakt.

Hij bleef even bij de glazen wand tussen de douches en het zwembad staan, maakte met zijn hand een kijkgat in de waas van condens die het glas bedekte en keek naar de anderen, die in het bad rondsprongen, achter elkaar aan zaten, met ballen gooiden. En het kwam weer over hem. Niet als een in woorden geformu-

leerde gedachte, maar als een giftig bijtend gevoel: ik ben alleen.
Ik ben … helemaal alleen.

Toen kreeg de meester hem in het oog, wenkte dat hij binnen
moest komen, erin springen. Oskar slenterde het korte trapje af,
liep naar de rand van het bad en keek in het chemisch blauwe
water. Hij had geen fut of puf meer in zijn lichaam, dus hij daalde het trapje af, tree voor tree, en liet zich omsluiten door het
tamelijk koude water.

Micke zat op de rand van het bad, glimlachte en knikte naar
hem. Oskar zwom een paar slagen in de richting van de meester.

"Oskar!"

Net te laat zag hij de bal, die uit een ooghoek aan kwam vliegen. Die kletste vlak voor hem op het water neer en spatte
chloorwater in zijn ogen. Het prikte als tranen. Hij wreef in zijn
ogen en toen hij opkeek zag hij toevallig dat de meester medelij-
dend? … naar hem stond te kijken.

Of verachtelijk.

Misschien was het maar verbeelding, maar hij sloeg de bal weg
die voor zijn neus lag te schommelen en liet zich zakken. Ging
met zijn hoofd onder water, zijn haar golfde kietelend rond zijn
oren. Hij strekte zijn armen zijwaarts en ging met zijn gezicht
onder water liggen drijven. Schommelen. Net of hij dood was.

Of hij hier in eeuwigheid kon blijven dobberen.

Nooit meer op hoefde te staan of in de ogen te kijken van die-
genen die hem uiteindelijk alleen maar kwaad wilden doen. Of
dat de wereld, wanneer hij uiteindelijk zijn hoofd optilde, weg
zou zijn. Dat hij de enige was, in een grote blauwe ruimte.

Maar ook met zijn oren onder water kon hij de verre geluiden
horen, de klappen van de wereld om hem heen en toen hij zijn
gezicht uit het water haalde, was die er natuurlijk: galmend,
schreeuwend.

Micke had zijn plaats aan de rand van het bad verlaten en de
anderen waren verwikkeld in een soort volleybal. De witte bal
vloog door de lucht, duidelijk tegen het zwart van de matglazen
ramen. Oskar peddelde naar een hoek in het diepe gedeelte van
het bad, ging daar staan met alleen zijn neus boven water en keek
toe.

Micke kwam hard aanlopen uit de doucheruimte aan de andere kant van de zaal, riep: "Meester! De telefoon gaat in uw kamer!"

De meester mompelde iets en stevende weg langs de rand van het bad. Hij knikte naar Micke en verdween naar de doucheruimte. Het laatste wat Oskar van hem zag, was een vage contour achter het beslagen glas.

Toen was hij weg.

Zodra Micke de kleedkamer had verlaten, namen ze hun posities in.

Jonny en Jimmy gingen de trainingszaal in; Roger en Prebbe gingen naast de deurpost stijf tegen de muur aan staan. Ze hoorden Micke roepen in het zwembad en maakten zich gereed.

Er kwam iemand op blote voeten langs de trainingszaal gelopen en een paar seconden later kwam meester Ávila de deur van de kleedkamer binnen; hij liep door naar zijn kantoortje. Prebbe had de dubbele tennissokken gevuld met muntjes al een keer om zijn hand geslagen voor een betere grip. Op hetzelfde moment dat de meester bij de deur kwam, met de rug naar hem toe stond, deed Prebbe een stap naar voren en slingerde het gewicht in de richting van zijn achterhoofd.

Prebbe was niet erg soepel, en de meester moest iets hebben gehoord. Halverwege de zwaai draaide hij zijn hoofd opzij en de slag trof hem boven zijn oor. Het had toch het gewenste effect. De meester werd schuin naar voren geslingerd, stootte zijn hoofd tegen de deurpost en gleed op de grond.

Prebbe ging op zijn borst zitten en stopte de zware bol met muntjes in zijn handpalm, zodat hij een meer gecontroleerde klap kon geven als dat nodig was. Het leek er niet op. De armen van de meester trilden een beetje, maar hij deed niet de minste poging tot verzet. Prebbe dacht niet dat hij dood was. Zo zag het er gewoon niet uit.

Roger kwam erbij staan, hij boog over het liggende lichaam heen alsof hij nog nooit zoiets had gezien.

"Is het een Turk of zo?"

"Weet ik toch niet. Pak zijn sleutels."

Terwijl Roger de sleutels opviste uit de korte broek van de meester, zag hij Jonny en Jimmy de trainingszaal uit lopen, naar het zwembad. Hij kreeg de sleutels te pakken, paste ze een voor een op de deur van het kantoortje en gluurde intussen naar de meester.

"Wat een behaarde aap. Vast en zeker een Turk."

"Schiet nou op."

Roger zuchtte, ging door met het proberen van de sleutels.

"Ik zeg het alleen voor jou. Dan voelt het niet zo rot als ..."

"Hou op. Schiet op."

Roger vond de goede sleutel en deed de deur open. Voordat hij naar binnen ging wees hij naar de meester en zei: "Je moet misschien niet op hem zitten. Hij krijgt geen lucht zo."

Prebbe liet zich van zijn borst glijden en ging naast het liggende lichaam zitten, met het gewicht klaar in zijn hand voor het geval Ávila iets zou proberen.

Roger doorzocht de zakken van de jas die in het kantoortje hing en vond een portefeuille met driehonderd kronen. In een laatje van het bureau, waarvan hij na wat zoeken de sleutel vond, lagen tien ongestempelde strippenkaarten. Die nam hij ook mee.

Een buit van niks. Maar daar ging het ook niet om. Een pure vriendendienst.

Oskar stond nog steeds in de hoek van het bad bellen te blazen in het water, toen Jonny en Jimmy binnenkwamen. Zijn eerste reactie was niet angst, maar boosheid.

Ze hadden hun gewone kleren aan.

Ja, ze hadden hun schoenen niet eens uitgetrokken, en de meester was nog wel zo precies ...

Toen Jimmy bij de rand van het bad ging staan en over het water begon te spieden, kwam de angst. Hij had Jimmy een paar keer ontmoet, vluchtig, en had hem toen al eng gevonden. Nu was er ook nog iets met zijn ogen ... hoe hij zijn hoofd bewoog ...

Zoals Tommy en de anderen als ze hebben ...

Jimmy's blik vond die van Oskar en hij voelde met een koude rilling dat hij ... naakt was. Jimmy had kleren aan, een pantser.

Oskar zat in het koude water en elke centimeter van zijn huid was bloot. Jimmy knikte naar Jonny, maakte een halve cirkel met zijn hand en ze begonnen elk langs een lange kant van het bad te lopen, naar Oskar toe. Onder het lopen schreeuwde Jimmy naar de anderen: "Allemaal ophoepelen! Het water uit!"

De anderen stonden stil of waren aan het watertrappelen, besluiteloos. Jimmy ging bij de rand staan, haalde een stiletto uit zijn jaszak, klapte hem uit en hield hem als een pijl op het groepje jongens gericht. Maakte er korte beweginkjes mee naar de andere kant van het bad.

Oskar zat in de hoek gedrukt en keek huiverend toe, terwijl de andere jongens snel naar de andere kant zwommen of waadden en hem alleen achterlieten in het bad.

De meester ... waar is de meester ...

Een hand pakte hem bij zijn haar. Vingers vlochten zich vast, zodat het brandde bij zijn haarwortels en zijn hoofd werd achteruitgetrokken tot helemaal in de hoek. Boven zich hoorde hij Jonny's stem.

"Dat is mijn broer. Klootzak."

Oskars hoofd werd een paar keer achteruit gebonkt en er spatte water in zijn oren, terwijl Jimmy naar de hoek van het bad toe kwam en op zijn hurken ging zitten, met de stiletto in zijn hand.

"Ha, die Oskar."

Oskar kreeg water binnen en begon te hoesten. Bij elke schuddende beweging met zijn hoofd, die door de hoest werd veroorzaakt, brandde zijn hoofdhuid, waar Jonny's vingers zijn haar nog steviger vastgrepen. Toen het hoesten afgelopen was, tikte Jimmy met het lemmet van de stiletto tegen de tegels van de rand.

"Zeg, ik dacht dat we maar eens een wedstrijdje moesten doen. Blijf heel stil zitten ..."

De stiletto passeerde vlak boven Oskars voorhoofd, toen Jimmy hem aan Jonny overhandigde en de greep om Oskars haar overnam. Oskar durfde niets te doen. Hij had Jimmy een paar seconden in de ogen gekeken en ze zagen er compleet krankzinnig uit. Zo vol haat dat je er niet in kon kijken.

Zijn hoofd was in de hoek van het bad gedrukt. Zijn armen

maaiden krachteloos door het water. Er was niets waar hij zich aan vast kon houden. Hij zocht de andere jongens. Ze stonden bij de korte kant van het bad, Micke vooraan, nog steeds grijnzend, verwachtingsvol. De anderen keken vooral bang.

Niemand zou hem helpen.

"Ja … het is simpel, hè? Eenvoudige regels. Je blijft … vijf minuten onder water. Als het je lukt maken we een klein schrammetje op je wang of zoiets. Alleen een klein aandenken. Als het je niet lukt, dan … ja, als je dan bovenkomt, steek ik je ene oog uit. Oké? Begrijp je de regels?"

Oskar wist met zijn mond boven water te komen. Er spoot water van zijn lippen toen hij stamelde: "… Dat kan niet …"

Jimmy schudde zijn hoofd.

"Dat is jóúw probleem. Zie je die klok daar? Over twintig seconden beginnen we. Vijf minuten. Of je oog. Haal nu diep adem. Tien … negen … acht … zeven …"

Oskar probeerde zich af te duwen met zijn voeten, maar hij moest al op zijn tenen staan om zijn hoofd helemaal boven water te kunnen houden, en Jimmy's hand hield zijn haar vast, maakte elke beweging onmogelijk.

Als ik je haar loslaat … vijf minuten.

Als hij het zelf probeerde, haalde hij hoogstens drie minuten. Bijna.

"Zes … vijf … vier … drie …"

De meester. De meester komt zo, voordat …

"Twee … een … nul!"

Oskar kon maar half inademen voordat zijn hoofd onder water werd geduwd. Zijn voeten verloren hun houvast en het onderste deel van zijn lichaam dreef langzaam omhoog totdat hij met zijn hoofd naar zijn borst gebogen een paar decimeter onder het oppervlak lag, zijn hoofdhuid brandend als vuur toen het chloorwater in scheurtjes en wondjes bij zijn haarwortels drong.

Het kon nog geen minuut hebben geduurd toen hij in paniek raakte.

Hij sperde zijn ogen open en zag alleen lichtblauw … roze sluiers die van zijn hoofd langs zijn ogen gleden toen hij probeerde zich schrap te zetten met zijn lichaam, hoewel dat niet kon, omdat er niets was om vast te pakken. Zijn benen schopten aan het oppervlak en het lichtblauw voor zijn ogen rimpelde, werd in lichtgolven gebroken.

Er kwamen bellen uit zijn mond en hij zwaaide met zijn armen, hij zweefde op zijn rug en zijn ogen werden naar dat witte getrokken, naar de wiegende stralen van de tl-buizen aan het plafond. Zijn hart bonsde als een hand op een ruit, en toen hij water binnenkreeg door zijn neus, begon zich een soort rust door zijn lichaam te verspreiden. Maar zijn hart klopte harder, koppiger, wilde leven, en hij spartelde weer wanhopig en probeerde houvast te krijgen waar geen houvast te vinden was.

Zijn hoofd werd verder naar beneden geduwd. En wonderlijk genoeg dacht hij: *dat liever. Dan mijn oog.*

Na twee minuten begon Micke toch een erg naar gevoel te krijgen.

Het leek wel of … alsof ze echt van plan waren … Hij keek om zich heen naar de andere jongens, maar niemand leek van plan om iets te doen en zelf zei hij alleen halfgesmoord: "Jonny … verdomme …"

Maar Jonny leek hem niet te horen. Doodstil zat hij op zijn knieën bij de rand van het bad met de punt van de stiletto naar het water gericht, naar de witte gebroken vorm die daar beneden bewoog.

Micke keek in de richting van de doucheruimte. Waarom kwam de meester verdorie niet? Patrik was die kant op gerend om hem te halen, waarom kwam hij niet? Micke ging verder de hoek in staan, bij de donkere glazen deur naar de nacht, hij sloeg zijn armen over elkaar.

Vanuit zijn ooghoek meende hij te zien dat er buiten iets van het dak viel. Er werd op de glazen deur gebonsd, zodat die schudde in zijn hengsels.

Hij ging op zijn tenen staan, keek door het raam van gewoon glas, dat erboven zat, en zag een klein meisje. Het meisje tilde haar gezicht naar hem op.

"Je moet 'kom binnen' zeggen!"

"W… wat?"

Micke keek weer naar wat zich bij het bad afspeelde. Oskars lichaam bewoog niet meer, maar Jimmy stond nog steeds over de rand van het bad gebogen zijn hoofd onder te houden. Micke had pijn in zijn keel toen hij slikte.

Alles best. Als dit maar ophoudt.

Er werd weer op de glazen ruit gebonsd, harder. Hij keek naar buiten, het donker in. Toen het meisje haar mond opendeed en naar hem schreeuwde kon hij zien dat haar tanden … en dat er iets aan haar armen hing.

"Zeg dat ik binnen mag komen!"

Alles best.

Micke knikte, zei bijna onhoorbaar: "Je mag binnenkomen."

Het meisje ging bij de deur weg en verdween in het donker. Wat er aan haar armen hing, glinsterde en weg was ze. Micke keek weer naar het bad. Jimmy had Oskars hoofd uit het water getrokken en de stiletto weer van Jonny overgenomen, bracht die naar Oskars gezicht, richtte.

Er dook een lichtvlek op achter het middelste zwarte raam en een microseconde later werd het versplinterd.

Het veiligheidsglas brak niet zoals gewoon glas. Het explodeerde in duizenden piepkleine ronde stukjes, die ratelend op de rand van het bad vielen, het zwembad in vlogen, boven het water, glinsterend als een myriade witte sterren.

EPILOOG

VRIJDAG 13 NOVEMBER

Vrijdag de dertiende …

Gunnar Holmberg zat in het lege directiekamertje en probeerde zijn aantekeningen op orde te krijgen.

Hij was de hele dag op de Blackebergschool geweest; had naar de plaats van het misdrijf gekeken, met leerlingen gesproken. Twee technisch rechercheurs en iemand van het Forensisch Instituut die de bloedspatten kwam analyseren, waren nog steeds bezig met sporenonderzoek in het zwembad.

Twee jongens waren daar gisteravond gedood. Een derde … verdwenen.

Hij had ook met Marie-Louise gesproken, de mentor. Het was hem duidelijk geworden dat de verdwenen jongen, Oskar Eriksson, de jongen was die drie weken geleden zijn hand had opgestoken en op zijn vraag over heroïne had geantwoord. Hij wist nog wie het was.

Ik lees veel en zo.

Hij wist ook nog dat hij had gedacht dat de jongen als eerste naar de politieauto toe zou komen. Dan zou hij hem misschien hebben meegenomen voor een ritje. Zijn zelfvertrouwen wat hebben opgevijzeld, als dat kon. Maar de jongen was niet gekomen.

En nu was hij weg.

Gunnar keek zijn aantekeningen door van de gesprekken met de jongens die gisteravond in het zwembad waren geweest. Hun getuigenissen waren grotendeels eensluidend, en één woord kwam aldoor terug: 'engel'.

Oskar Eriksson was opgehaald door een engel.

Dezelfde engel die volgens de getuigenverklaringen Jonny en Jimmy Forsberg de hoofden had afgerukt, die op de bodem van het bad waren blijven liggen.

Toen Gunnar dat van die engel vertelde aan de politiefotograaf die de twee hoofden met een onderwatercamera had gefotografeerd op de plaats waar ze waren gevonden, had deze gezegd: "Dat was dan vast geen hemelse engel."

Nee …

Hij keek uit het raam, zoekend naar een logische verklaring.

Op het plein wapperde de vlag van de school halfstok.

Twee psychologen waren aanwezig geweest bij de gesprekken met de jongens uit het zwembad, aangezien sommigen van hen onrustbarende tekenen vertoonden om al te luchtig te praten over wat er was gebeurd, alsof het een film was, iets wat niet echt was gebeurd. Dat zou je ook het liefst willen geloven.

Het probleem was dat wat de jongens vertelden tot op zekere hoogte werd bevestigd door de bloedspatanalyse.

Het bloed had zulke banen beschreven, sporen achtergelaten op zulke plaatsen (plafond, balken), dat de eerste indruk was dat ze gemaakt waren door iemand die … vloog. Ze waren nu aan het zoeken naar een afdoende verklaring. Een verklaring waar ze het mee konden afdoen.

Daar zouden ze vast wel in slagen.

De meester van de jongens lag met een zware hersenschudding op de intensive care en kon op zijn vroegst morgen worden gehoord. Hij zou waarschijnlijk niets nieuws te melden hebben.

Gunnar duwde zijn handen tegen zijn slapen, zodat zijn ogen smaller werden, keek in zijn aantekeningen.

Engel … vleugels … hoofd brak … stiletto … probeerde Oskar te verdrinken … Oskar was helemaal blauw … leeuwentanden … kwam Oskar halen …

En het enige wat hij kon denken was: ik zou eigenlijk weg moeten gaan.

"Is die van jou?"

Stefan Larsson, conducteur op het traject Stockholm-Karlstad, wees naar de koffer in het bagagerek. Dat zag je tegenwoordig niet zo vaak meer. Een echte … koffer.

De jongen in de coupé knikte en liet zijn kaartje zien. Stefan knipte het.

"Komt iemand je halen?"

De jongen schudde zijn hoofd.

"Hij is niet zo zwaar als hij eruitziet."

"Nee, nee. Wat zit erin, als ik vragen mag?"

"Van alles en nog wat."

Stefan keek op zijn horloge en knipte gaatjes in de lucht met zijn tang.

"Het is al avond als we aankomen."

"Mm."

"Die dozen. Zijn die ook van jou?"

"Ja."

"Niet dat ik … maar hoe ga je …?"

"Ik krijg hulp. Straks."

"Ja, ja. Oké. Goede reis dan."

"Dank u wel."

Stefan trok de deur van de coupé dicht en liep door naar de volgende. De jongen leek zich wel te kunnen redden. Als hijzelf zoveel te dragen had, zou hij vast niet zo vrólijk kijken.

Maar dat is natuurlijk anders als je jong bent.

Mocht iemand op het idee komen om te controleren hoe het klimaat was in november 1981, dan zal hij of zij natuurlijk ontdekken dat het een ongewoon zachte winter was. Ik heb de vrijheid genomen om de temperatuur een paar graden te verlagen.

Voor de rest is alles wat in het boek staat waar, ook al is het op een andere manier gebeurd.

Ik wil ook een paar mensen bedanken.

Eva Månsson, Michael Rübsahmen, Kristoffer Sjögren en Emma Berntsson hebben de eerste versie proefgelezen en waardevolle opmerkingen gemaakt.

Jan-Olof Wesström heeft het gelezen en geen opmerkingen gemaakt. Maar hij is mijn beste vriend.

Aron Haglund heeft het gelezen, en vond het zo'n goed verhaal, dat ik het durfde op te sturen. Bedankt daarvoor.

Dank ook aan de medewerkers van de bibliotheek van Vingåker, die geduldig en vriendelijk ongewone boeken die ik bij het schrijven nodig had, hebben opgezocht en opgevraagd. Een kleine bibliotheek met een groot hart.

En natuurlijk: dank aan Mia, mijn vrouw, die heeft geluisterd toen ik de tekst in wording hardop voorlas, die mij ertoe bracht te veranderen wat slecht was en verder uit te werken wat goed was. Ik durf de scènes niet te noemen die er nog in hadden gestaan als het niet aan haar had gelegen.

Bedankt, allemaal.

John Ajvide Lindqvist